ABHANDLUNGEN ZUR PHILOSOPHIE, PSYCHOLOGIE
UND PÄDAGOGIK, BAND 63

DIE STRUKTUR DER GOTTESERKENNTNIS

STUDIEN ZUR PHILOSOPHIE CHRISTIAN WOLFFS

VON ANTON BISSINGER

1970

H. BOUVIER u. CO. VERLAG · BONN

ISBN 3 416 00671 2

D 21 Printed in Germany. Gesamtherstellung: G. Hartmann KG, Bonn.

VORWORT

Der Titel der vorliegenden Untersuchung scheint nicht ohne Widerspruch zu sein. Die Absicht, die Struktur der Gotteserkenntnis untersuchen zu wollen, rechtfertigt es nicht, von Studien zur Philosophie eines Denkers zu reden. Eine „Struktur" kann nur von verschiedenen Gesichtspunkten aus angegangen werden, diese aber müssen in ihrer Verschiedenheit eine innere Einheit bilden. Durch eine Anhäufung von Aspekten, von „Studien" also, läßt sich eine Struktur nicht erfassen. Dennoch ist der Titel in seiner Spannung berechtigt.

Bei der heutigen Forschungslage kann eine Untersuchung über die Struktur der Gotteserkenntnis bei Christian Wolff nur in Form von Studien durchgeführt werden. Da das Thema eine Untersuchung von Bedingung, Möglichkeit, Grenze und Leistung der menschlichen Gotteserkenntnis fordert, genügt eine nur material ausgerichtete Untersuchung der Darstellungen der natürlichen Theologie nicht; Logik und Erkenntnislehre, Ontologie und Cosmologie müssen berücksichtigt werden. Die entsprechenden Vorarbeiten sind weithin aber erst noch zu leisten. Dennoch wollen die „Studien" nicht nur eine Folge unverbundener Teiluntersuchungen sein, sondern bei aller Vorläufigkeit und nicht immer erreichbaren Eindeutigkeit auf ihre Weise versuchen, zum Vorschein zu bringen, was mit „Struktur der Gotteserkenntnis" thematisiert wird. Die Frage selbst entstammt nicht dem Wolffschen Denken. Im Rückgang auf die Quellen soll versucht werden, spätere Fragestellungen und bewußte Voraussetzungen des Untersuchenden auszuschalten, soweit dies möglich ist.

Das geschichtliche Erbe Wolffs soll unter dreifachem Gesichtspunkt angegangen werden: Descartes, Leibniz und die Schulmetaphysik sind im Blick auf Wolff eingehend zu untersuchen; daneben auch Spinoza, Locke und der Cartesianismus. Da die Schulmetaphysik fast nicht bearbeitet und die entsprechenden Werke nur mit Mühe zu beschaffen sind, muß in dieser Hinsicht vieles offen bleiben.

Die Arbeit, die sich bewußt auf die philosophische Fragestellung beschränkt, wurde am 1. Juli 1968 abgeschlossen. Von der Katholisch-Theologischen Fakultät der Universität Tübingen im Wintersemester 1968/69 angenommen, wurde sie für den Druck nochmals durchgesehen.

Meinem philosophischen Lehrer, Herrn Prof. Dr. Joseph Möller, danke ich für die zahlreichen Hinweise und das wohlwollende Interesse, das er meiner Arbeit immer entgegengebracht hat. Herrn Prof. Dr. Walter Schulz danke ich für die Mühe des Korreferates.

Dem Bischöflichen Ordinariat der Diözese Rottenburg bin ich für die Möglichkeit, meine Studien weiterführen zu können, und einen namhaften Druckkostenzuschuß zu großem Dank verpflichtet.

Tübingen, im August 1969

INHALTSVERZEICHNIS

EINLEITUNG

I. ZUR ERFORSCHUNG DER WOLFFSCHEN PHILOSOPHIE

Denken und Werk Christian Wolffs sind für die Philosophie der deutschen Aufklärung von „grundlegender Bedeutung" [1]. In diesem Urteil sind sich die Philosophiehistoriker einig. Aber Wolffs Denken ist nicht nur für die Aufklärungsphilosophie von Bedeutung. Sein Denken ist die Denkwelt des jungen Kant; auch der kritische Kant ist in vielem noch von diesem Erbe bestimmt. Über seine Schüler Knutzen und Baumgarten hat Wolff Einfluß auf Kant. Martin Knutzen war Kants Lehrer an der Universität Königsberg, der einzige, der den Sechzehnjährigen fesseln konnte [2]. Alexander Gottlieb Baumgarten hielt Kant in seiner vorkritischen Periode für den bedeutendsten der damaligen Metaphysiker und legte — einer Vorschrift der Universität entsprechend — dessen Lehrbücher, besonders die 1 000 Paragraphen umfassende „Metaphysica", seinen Vorlesungen zugrunde; auch noch in der kritischen Zeit [3].

Mag man Wolffs Philosophie als maßgeblich für das Denken seiner Zeit und als grundlegend für die weitere philosophische Entwicklung ansehen, das besondere Interesse der Forschung ist an Wolff vorbeigegangen. Zwischen Leibniz und Kant, bleibt er im Schatten dieser Großen. Ebenso wie die deutsche Aufklärung noch keine gründliche und umfassende Gesamtdarstellung erfahren hat [4], steht eine solche auch für Wolffs Werk noch aus. Mariano Campo hat mit seinem zweibändigen, 1939 er-

[1] Friedrich Überweg, Grundriß der Geschichte der Philosophie, III (13. Aufl., hg. Frischeisen-Köhler und Moog, Tübingen, 1953), 448.

[2] Vgl. ebd., 458 u. Karl Vorländer, Geschichte der Philosophie, II (9. Aufl., neu bearb. H. Knittermeyer, Hamburg, 1955), 344.

[3] Überweg III, 458 f.; Vorländer II, 344.

[4] In der bis heute maßgeblichen Darstellung Cassirers (Ernst Cassirer, Die Philosophie der Aufklärung, Tübingen, 1932) kommt die deutsche Aufklärung und Chr. Wolff zu kurz. Brockdorffs Werk (Baron Cay v. Brockdorff, Die deutsche Aufklärungsphilosophie, München, 1926) beschränkt sich auf Grundzüge. Geistesgeschichtlich orientiert ist Hans M. Wolff, Die Weltanschauung der deutschen Aufklärung in geschichtlicher Entwicklung (München, 1949).

schienenen Werk „Cristiano Wolff e il razionalismo precritico" [5] eine entsprechende Grundlage geschaffen. In Einzeluntersuchungen wäre noch vieles näher zu durchleuchten, systematisch wie historisch, bevor eine abschließende Darstellung gegeben werden kann. Campos Werk hat bislang noch kein Gegenstück in deutscher Sprache erhalten. Einen gut fundierten Überblick gibt Max Wundt in „Die deutsche Schulphilosophe im Zeitalter der Aufklärung" [6]. Wundts Werk zeichnet sich nicht zuletzt dadurch aus, daß es der Aufklärung in ihrer Differenziertheit gerecht werden will und den Wolffianismus als e i n e, wenn auch beherrschende, Erscheinung der Aufklärungsphilosophie relativiert.

Was die Einzeluntersuchungen angeht, so sind nur wenige hervorzuheben. Hans Lüthje befaßt sich mit dem Philosophiebegriff Wolffs [7]. Hans Pichler nahm die Ontologie Wolffs zum Gegenstand einer Untersuchung [8]. Auf denselben Fragenkreis, in manchem Wolffs Denken besser treffend als Pichler, geht die Dissertation von Anneliese Michaelis über den ontologischen Sinn des complementum possibilitatis [9]. Eine umfassende Untersuchung der Wolffschen Ontologie, die vor allem die Schulmetaphysik des 17. Jahrhunderts und die cartesianischen Systematiker berücksichtigen müßte, steht noch aus. Jean Ecole, der Herausgeber und Bearbeiter des Neudrucks der Wolffschen „Ontologia", hat eine solche Darstellung in Aussicht gestellt; vorerst muß man sich aber noch mit seiner Introductio zur „Ontologia" zufrieden geben [10]. Zur Cosmologie Wolffs ist auf

[5] Das Werk Mariano Campos erschien in den Pubblicazioni dell' Università cattolica del S. Cuore, Serie prima: Scienze filosofiche von Mailand als vol. XXX. — Vgl. dazu Max Wundt, Die deutsche Schulphilosophie im Zeitalter der Aufklärung (Hildesheim, 1964), S. 124, Anm. 1.

[6] 1964 durch Olms (Hildesheim) als Nachdruck der Ausgabe Tübingen, 1945 wieder allgemein zugänglich gemacht. Über Chr. Wolff besonders S. 122—199. — Von älteren, noch mit Nutzen heranzuziehenden Darstellungen der Wolffschen Philosophie sei vor allem auf Eduard Zeller, Geschichte der deutschen Philosophie seit Leibniz (München, 1873), S. 211—273 und Joh. Ed. Erdmann, Versuch einer wissenschaftlichen Darstellung der Geschichte der neueren Philosophie, II/2 (Leipzig, 1842), 249—359 hingewiesen.

[7] Hans Lüthje, „Christian Wolffs Philosophiebegriff", Kantstudien, 30 (1925), 39—66.

[8] Hans Pichler, Über Christian Wolffs Ontologie (Leipzig, 1910).

[9] Anneliese Michaelis, Der ontologische Sinn des complementum possibilitatis bei Christian Wolff (Basel, Phil. Diss., Berlin, 1937).

[10] Mit dieser Introductio zu der 1962 bei Olms (Hildesheim) herausgegebenen „Ontologia" Wolffs stimmt der im Giornale di metafisica, 16 (1961), 114—125 erschienene Artikel Ecoles „La Philosophia Prima sive Onotologia de Christian Wolff: Histoire, doctrine et méthode" im wesentlichen überein.

die Untersuchung von Ernst Kohlmeyer hinzuweisen [11], ebenso auf den guten Überblick Ecoles [12]. Ebenso wie die Psychologie bzw. Erkenntnislehre Wolffs, über die keine eigenen größeren Untersuchungen vorliegen, bedarf auch die Cosmologie weiterer Nachforschung. Mit der Einführung zu der von ihm neu herausgegebenen „Deutschen Logik" hat Hans Werner Arndt die erste Untersuchung zur Logik Wolffs vorgelegt [13]. Die praktische Philosophie, auf die in dieser Arbeit nicht einzugehen ist, wurde von Klara Joesten untersucht [14].

Was das Thema der folgenden Untersuchung selbst betrifft, so ist auf die Untersuchung von Paul August Heilemann über die Gotteslehre Wolffs und Harry Levys Dissertation über die Religionslehre Wolffs zu verweisen [15]. Beide Werke sind jedoch unzureichend. Von den Voraussetzungen der natürlichen Theologie ist kaum die Rede, ebenso werden nicht alle Werke Wolffs berücksichtigt, die heranzuziehen wären; vom philosophiegeschichtlichen Hintergrund wird fast ganz abgesehen. Mit der folgenden Untersuchung sollen diese Forderungen aufgegriffen und der Gotteserkenntnis sowohl in ihrer Durchführung als Lehre von Gottes Existenz und Eigenschaften wie in ihren Voraussetzungen nachgegangen werden.

Bei der eben skizzierten Forschungslage müssen in vielen Fällen Hinweise statt der gewünschten Präzision genügen; ebenso wird es geraten sein, mit einem abschließenden Urteil in dieser oder jener Frage Zurück-

[11] Ernst Kohlmeyer, Kosmos und Kosmonomie bei Christian Wolff (Göttingen, Diss., 1911) [Auch in den Abhandl. d. Fries'schen Schule, N. F. 3, H. 4].

[12] Der Introductio zu der 1964 bei Olms von Ecole herausgegebenen „Cosmologia generalis" entspricht Ecoles Artikel im Giornale di metafisica, 18 (1963), 622—650: „Un Essai d'explication rationelle du monde ou la Cosmologia generalis de Christian Wolff".

[13] Als Einführung zu den 1965 bei Olms erschienenen „Vernünftigen Gedanken von den Kräften des Menschlichen Verstandes ...", S. 7—102.

[14] Klara Joesten, Christian Wolffs Grundlegung der praktischen Philosophie (Leipzig, 1931) [auch Köln, Phil. Diss., 1931]. Vgl. auch H. Wolff, Weltanschauung d. dt. Aufkl., S. 109 ff.

[15] Paul August Heilemann, Die Gotteslehre des Christian Wolff (Leipzig, 1907). Harry Levy, Die Religionslehre Wolffs (Würzburg, Phil. Diss., 1929, Regensburg, 1928). — Zu berücksichtigen wäre noch Athanas Cottier, Der Gottesbeweis in der Geschichte der modernen Aufklärungsphilosophie. Descartes, Leibniz, Wolff, Kant (Fribourg, Diss., Bern, 1943). In der nicht immer zutreffenden Darstellung der Wolffschen Gottesbeweise geht Cottier nicht von den Quellen aus. — Weitere Literatur zu Wolff: The Encyclopedia of Philosophy, VIII (ed. P. Edwards, New York, 1967), 343 f. Karl Vorländer, Die Philosophie der Neuzeit. Die Aufklärung (Reinbek b. Hamburg, 1967), S. 83 f. Die ältere Literatur bei Campo II, 676 ff. und Überweg III, 703.

haltung zu üben. Da die Werke Wolffs vielfach nur mit Schwierigkeit zu beschaffen sind, wird eine eingehende und umfassende Beschäftigung mit der Wolffschen Philosophie erst möglich sein, wenn die von Jean Ecole und J. E. Hofmann unternommene Neuherausgabe der Werke Wolffs weiter fortgeschritten ist [16].

[16] Die bei Olms (Hildesheim) erscheinende Neuherausgabe soll in der I. Abt. (Dt. Schriften) 11 Bände, in der II. Abt. (Lat. Schriften) 33 bzw. mit dem „Index logicus et metaphysicus" 34 Bände umfassen. Erschienen sind bisher aus der I. Abt. Bd. 1: Vernünftige Gedanken von den Kräften des menschlichen Verstandes ... [Deutsche Logik] (hg. u. bearb. Hans W. Arndt, Hildesheim, 1965) u. Bd. 11: Mathematisches Lexicon ... (hg. J. E. Hofmann, Hildesheim, 1965); aus der II. Abt. Bd. 3: Philosophia prima sive Ontologia (hg. u. bearb. Jean Ecole, Hildesheim, 1962) u. Bd. 4: Cosmologia generalis (hg. u. bearb. Jean Ecole, Hildesheim, 1964).

II. HINWEISE AUF DIE QUELLEN DER WOLFFSCHEN PHILOSOPHIE IM ZUSAMMENHANG MIT DEN WICHTIGSTEN DATEN DER BIOGRAPHIE WOLFFS

Fragt man nach den Quellen, durch die Wolff in der Bildung seines Systems beeinflußt wurde oder beeinflußt worden sein könnte, so fordert man eigene Untersuchungen; diese werden durch die Gewohnheit der damaligen Zeit, die entsprechenden Quellen überhaupt nicht anzugeben oder nur im allgemeinen, erschwert. Die im folgenden gegebenen Hinweise wollen nur als Skizze der „Vergangenheit" Wolffs verstanden werden und haben kein weiteres Ziel, als Wolff und sein Denken in seine Geschichte und die Geschichte seiner Zeit bzw. der fortwirkenden Vergangenheit einzuordnen.

1. Scholastik und Mathematik als Ideal von Gewißheit und Wissenschaft; Gymnasial- und Studienzeit

Christian Wolff [17] wurde am 24. Januar 1679 in Breslau als Sohn eines Gerbers geboren [18]. Vom Vater, dem ein Besuch der Universität von den Eltern verwehrt worden war, zum Studium bestimmt [19], hat ihn das Magdalenen-Gymnasium in Breslau und die beständige Auseinandersetzung der Lutheraner mit den Jesuiten entscheidend geprägt.

[17] In den dt. Werken Wolff, in den lat. Wolfius.

[18] Quellen der Wolffschen Biographie: Christian Wolffs eigene Lebensbeschreibung (hg. m. e. Abh. ü. Wolff v. Heinrich Wuttke, Leipzig, 1841). Wolffs Aufzeichnungen finden sich S. 109 ff. Es handelt sich dabei um einen Entwurf für die von Baumeister geplante Umarbeitung seiner 1739 in Leipzig und Breslau anonym (wegen der Anschuldigungen gegen Wolff) erschienenen Biographie Wolffs: Vita, fata et scripta Christiani Wolfii philosophi (vgl. Wuttke, S. 101 ff.). Der Biographie Baumeisters ist noch Joh. Christoph Gottsched, Historische Lobschrift (Halle, 1755) hinzuzufügen. Gottsched konnte Wolffs Aufzeichnungen benutzen (vgl. Wuttke, S. 105). Von Ludovici stammt der große Artikel über Leben und Werk Wolffs in Joh. Heinr. Zedler, Grosses vollständiges Universallexikon, 58 (Leipzig, 1748), Sp. 549—677. Einen guten Überblick gibt Wilh. Schrader in Allgemeine deutsche Biographie, 44 (Leipzig, 1888), 12—28. Vgl. zum Folgenden die knappe Darstellung bei Wundt, Schulphil., S. 124 ff.

[19] Lebensbeschr., S. 111 f.

Wolff erfährt auf dem Gymnasium die Fragwürdigkeit der Scholastik [20], wird mit Descartes' Philosophie bekannt und lernt im Zusammenhang damit die Mathematik ihrer Gewißheit wegen als ideales Modell einer neuen, die Scholastik ersetzenden Philosophie und Theologie kennen. Diese Spannung zwischen Scholastik und cartesianischem Denken bzw. mathematischer Methode bestimmt auch seine Studienjahre an der Universität Jena, wohin er 1699 gezogen war; ursprünglich sollte und wollte er Theologie studieren, da er durch ein Gelübde für dieses Studium bestimmt war, tatsächlich aber interessierte er sich weit mehr für Mathematik und Physik [21].

a) Scholastik: Schulmetaphysik und Gnostologie, spanische Spätscholastik — Suarez, Thomas von Aquin

Christian Gryphius, der Rektor des Magdalenen-Gymnasiums in Breslau, Sohn des bekannten Dichters, konnte nicht nur die scholastische Philosophie nicht ausstehen, sondern war ein Feind jeder Philosophie und versuchte, sie lächerlich zu machen; dazu diente ihm auch der Literaturunterricht, etwa Aristophanes [22]. Zwar stand auch der Inspektor Neumann der Scholastik kritisch gegenüber, aber ebenso wie Pohl(e), der den nicht zu den Vermögenden zählenden Wolff gratis seine lectiones privatas besuchen ließ, richtete er Wolffs Interesse auf die cartesianische Philosophie, auf Mathematik und Algebra [23].

Was die Scholastik angeht, so scheint Wolff hauptsächlich scholastische Logik gelernt zu haben, und zwar nach Scharf [24]. Das Interesse für die scholastische Philosophie wird vor allem durch die zahlreichen Diskussionen der lutherischen Schüler des Magdalenen- und Elisabethen-Gymnasiums mit den Schülern der Jesuiten und anderer Orden geweckt [25]. In

[20] Der Begriff Scholastik und Scholastiker wird im Folgenden im Sinne Wolffs verwandt. „Scholastik" meint demnach die nicht auf Descartes zurückgehende Philosophie des 17. und beginnenden 18. Jh. (von Max Wundt im gleichnamigen Werk „Schulmetaphysik" genannt), die spanische Spätscholastik, bes. Suarez, und die Hochscholastik.

[21] Lebensbeschr., S. 120.

[22] S. 114 f; Wundt, Schulphil., S. 125. Zum Folgenden allgemein Wundt, Schulphilosophie.

[23] Lebensbeschr., S. 112.

[24] S. 114. Wuttke verweist in der Anmerkung zu dieser Stelle auf die in Frage kommenden Werke Scharfs.

[25] Zur geistigen Situation in Breslau z. Z. des jungen Wolff vgl. Herbert Schöffler, Deutsches Geistesleben zwischen Reformation und Aufklärung (2. Aufl., Frankfurt, 1956).

Berufung auf Adam Bernds Lebensbeschreibung berichtet Wolff, er habe beim Examen um das Stipendium, das vom Rektor des Elisabethen-Gymnasiums Hancke, einem „Ertz-Metaphysicus", abgenommen wurde, besser als dessen Hörer antworten können, obwohl etwa Bernd, dessen Bericht zufolge, die Metaphysik von Scharf beinahe auswendig gelernt hatte und auch den Scheibler gut kannte [26]. Wolff muß also beide besser gekannt haben.

Johannes Scharf (1595—1660) war seit 1617 an der Philosophischen Fakultät in Wittenberg tätig; u. a. war er dort Professor für Logik, ging aber 1649 in die Theologische Fakultät über [27]. Die Metaphysik hat er zweimal dargestellt. Die zweite Darstellung, ein Auszug der ersten, hat als „Metaphysica exemplaris", 1625 zum erstenmal in Wittenberg veröffentlicht, zahlreiche Auflagen erreicht [28]. Außer diesem Werk dürfte Wolff Scharfs von der Metaphysik gesonderte Darstellung der natürlichen Theologie bekannt gewesen sein: die „Pneumatica seu Pneumatologia" (1. Aufl., Wittenberg, 1629). (Ob Wolff Scharfs Lehrer und Vorgänger Jakob Martini kannte, läßt sich nicht ausmachen [29]. Was andere Wittenberger betrifft, so ist eine Kenntnis von Calov (1612—1686), dessen

[26] Lebensbeschr., S. 115.

[27] Wundt, Schulmet., S. 115. Die an den deutschen Universitäten und Gymnasien des 17. Jh. betriebene Philosophie bedarf noch eingehender Untersuchungen. Fast das einzige, für jede weitere Forschung grundlegende Werk zu dieser Zeit ist Max Wundt, Die deutsche Schulmetaphysik des 17. Jahrhunderts (Tübingen, 1939). Für eine systematische Fragestellung finden sich bei Wundt nur die Grundlinien; auch berücksichtigt er nur die calvinischen und lutherischen Schulen. (Der Terminus Schulmetaphysik wird im Sinne Wundts übernommen, ebenso der Terminus Schulphilosophie, der eine Richtung der deutschen Aufklärungsphilosophie bezeichnet.) Zu berücksichtigen ist auch Peter Petersen, Geschichte der aristotel. Philosophie im protest. Deutschland (Leipzig, 1921). Auf Ernst Lewalter, Spanisch-jesuitische und deutsch-lutherische Metaphysik des 17. Jahrhunderts (Hamburg, 1935) und Karl Eschweiler, „Die Philosophie der spanischen Spätscholastik auf den deutschen Universitäten des 17. Jahrhunderts", Spanische Forschungen d. Görresges., 1. R., 1 (Münster, 1928), 251—325 sei hingewiesen.

[28] Vgl. Wundt, Schulmet., S. 115. — Herangezogen wird die 2. Aufl., Wittenberg, 1928.

[29] Vgl. Wundt, Schulmet., S. 106 ff. — Die „Metaphysicae Exercitationes" Jak. Martinis werden in der Ausgabe o. O. [Wittenberg], 1608, die „Partitiones et quaestiones metaphysicae" in der 3. Aufl. (Wittenberg, o. J.) herangezogen. Während Martini im ersten Werk stark von dem Helmstedter Cornelius Martini (er hatte in Helmstedt studiert) abhängig ist, ist im zweiten Suarez' Einfluß bestimmend (vgl. Wundt, Schulmet., S. 108). — Von Corn. Martini, „dem eigentlichen Neubegründer der Metaphysik innerhalb des deutschen Luthertums" (Wundt, Schulmet. S. 98), werden die „Metaphysica commentatio" in der Ausgabe Straßburg, 1605, und die posthum erschienene „Metaphysica" in der Ausgabe Jena, 1622 herangezogen.

philosophisches Werk beim Eintritt in die Theologische Fakultät mit den „Scripta philosophica" (1650—51) erschien [30], und des von Calov abhängigen Georg Meier (1632—1695) anzunehmen [31].)

Christoph Scheibler (1589—1653), der dem philosophischen Unterricht an der Universität Gießen für das ganze 17. Jahrhundet das entscheidende Gepräge gab, hatte durch sein weitverbreitetes metaphysisches Hauptwerk den Namen eines protestantischen Suarez erhalten [32]. Nach einigen Vorarbeiten veröffentlichte er 1671 in Gießen sein großes zweibändiges Werk, das hauptsächlich seinen Ruhm begründete: das „Opus metaphysicum" [33]. „Es ist in der äußeren Anlage und mehr noch in der Art der Durchführung stark von Suarez beeinflußt und soll wohl wirklich mit Absicht ein protestantisches Gegenstück zu dessen Werk sein" [34]. Dieses — zumindest der Verbreitung nach — bedeutendste Lehrbuch der Metaphysik dürfte Wolff gut gekannt haben. Daneben ist Scheiblers „Theologia naturalis et Angelographia" (Gießen, 1621) wohl auch für Wolff weniger von Bedeutung gewesen, da diese im wesentlichen nicht über das „Opus metaphysicum" hinausgeht.

Mit Scheibler und Scharf kannte Wolff maßgebliche Vertreter der Schulmetaphysik. Da Wolff in Jena studierte, ist zu fragen, ob er nicht auch Daniel Stahls Werk gekannt hat. Nach Max Wundts Urteil war Daniel Stahl der bedeutendste Denker, den Jena im 17. Jahrhundert gehabt hat [35]. Durch ihn „war die aristotelische Scholastik zur maßgebenden Philosophie in Jena geworden"; „die Vorlesungen wurden auf lange hinaus nach den Lehrbüchern Stahls und seiner Schule gehalten" [36]. Wenn Stahl von Wolff kaum zitiert wird, ist dies noch kein Beweis dafür, daß er ihn nicht kannte. Daniel Stahl (1585—1654) war in Gießen Schüler Scheiblers, schloß sich in seinen Veröffentlichungen aber nicht selten mehr

[30] Vgl. Wundt, Schulmet., S. 117 f., 133 ff. — Aus den „Scripta philosophica" — in der Ausgabe Wittenberg, 1673 — werden „Gnostologia", „Noologia", „Metaphysicae divinae pars generalis" und „Metaphysicae pars specialis" herangezogen.

[31] Vgl. Wundt, Schulmet., S. 118. — Berücksichtigt wird neben der „Gnostologia" und „Noologia" — nach der beide umfassenden unter dem Titel „Solida totius humanae cognitionis et imprimis philosophiae fundamenta" 1666 in Wittenberg erschienenen Ausgabe — vor allem die „Pneumatica" in der 2. Aufl. (Wittenberg, 1663; [1]1663).

[32] Wundt, Schulmet., S. 113 ff.

[33] Zum Titel des Werkes und den diesem vorausgehenden Darstellungen vgl. Wundt, Schulmet., S. 120 u. S. XXI f.

[34] S. 120 f.

[35] Max Wundt, Die Philosophie an der Universität Jena (Jena, 1932), S. 34.

[36] S. 38.

Cornelius Martini an [37]. Da es an Lehrbüchern nicht fehlt, greift er besondere Fragen heraus, die in den „Regulae philosophicae", die, von Ausgabe zu Ausgabe anwachsend, erst 1657 ihre endgültige Gestalt finden, behandelt werden [38]. Mehr zum Auswendiglernen ist das „Compendium Metaphysicae in XXIV Tabellas redactum", unberechtigt erstmals 1652 in Frankfurt erschienen, eine beliebte Darstellung der Metaphysik in Tabellenform [39], während die von Stahls Erben herausgegebenen „Institutiones Metaphysicae" (Jena, 1664) die Metaphysik systematisch darstellen [39]. Die häufige Zitation spanischer Scholastiker, besonders Mendozas, fällt bei Stahl auf.

Das von dem in Leipzig lehrenden Schüler Stahls Johann Adam Scherzer herausgegebene „Vademecum sive manuale philosophicum" (1. Aufl., Leipzig, 1664) [40] wird von Wolff immer wieder zitiert. Dieses ganz unselbständige Buch, das in jedem Teil einen besonderen Autor hat, bringt philosophische Definitionen, Distinktionen und Axiome.

In Jena hörte Wolff Philosophie bei Treuner, Hebenstreit und Müller. Johann Philipp Treuner war Schüler des Helmstedter Abtes Schmidt und ein Gegner der Scholastik [41]. Wolff kritisierte die mangelnde Gründlichkeit Treuners, wurde aber von den durch ihn gebotenen Gegenständen angezogen [41]; Treuner interessierte sich für natürliche Theologie und Geschichte [42].

Dagegen war Johann Paul Hebenstreit (1664—1718), damals Professor der Moral, Schüler von Musäus und Weigel, ein Vertreter der Scholastik [43]. „Hebenstreit sieht in der Wiederherstellung der jetzt oft verachteten Metaphysik eine wichtige Angelegenheit, und zwar besonders, weil sie nicht nur die allgemeinsten Begriffe erkläre, sondern auch die ersten und im Gebrauch häufigsten Axiome ... Von der heruntergekommenen Metaphysik, die nur mit barbarischen Definitionen daherklappere, rückt er entschieden ab. Zu der geplanten Wiederherstellung reichen seine

[37] Vgl. Wundt, Schulmet., S. 126 ff.
[38] S. 127 u. S. XXIII. — Herangezogen wird die Ausgabe Jena—Helmstedt, 1672.
[39] Vgl. Wundt, Schulmet., S. 128 u. S. XXIII. — Herangezogen wird die Ausgabe Jena, 1655.
[40] Vgl. Wundt, Schulmet., S. 141 f. — Zugrundegelegt wird die Ausgabe Leipzig, 1704.
[41] Lebensbeschr., S. 129 ff. Hauptsächlich bei Treuner hörte Wolff auch die Theologie (S. 128). Vgl. auch Wundt, Philos. an Univ. Jena, S. 60 ff.
[42] Wundt, Schulphil., S. 127.
[43] Lebensbeschr., S. 130.

Kräfte freilich nicht aus" [44]. Immerhin berücksichtigt Hebenstreit auch neuere Schriftsteller wie Descartes, Hobbes, Grotius und Pufendorf und weicht im Aufbau seiner „Philosophia prima" (Jena, 1651 [45]) in einem wichtigen Punkt vom herkömmlichen Aufbau der Lehrbücher ab, indem er zwischen dem ersten Teil, der vom Seienden überhaupt, und dem dritten Teil, der von den Bestimmungen des Seienden handelt, einen zweiten einschiebt, der die Prinzipien darstellt, durch die die Bestimmungen des Seienden erkannt werden, bleibt aber im Bannkreis der Scholastik, da er diese Prinzipien wieder in den formalen Regeln der Logik sucht [46]. Wolff schätzte zwar Hebenstreits Art zu dozieren — sie war von Weigel beeinflußt, vermißte jedoch in den Definitionen die Deutlichkeit der Begriffe und bei den Beweisen die Euklidische Form [47]. In seinem Bemühen, die Scholastik zu erneuern, statt sie einfach abzulehnen, die methodus demonstrativa der Mathematik anzuwenden und die Frage der Erkenntnisprinzipien in die Metaphysik hineinzunehmen, dürfte er auf Wolff einen gewissen Einfluß ausgeübt haben.

Bei Johann Jakob Müller hörte Wolff Naturrecht nach Grotius und Pufendorf, arbeitete letzteren aber selbst durch, da Müller zu rasch vorging [48].

Was die Gnostologie bzw. Noologie angeht, läßt sich weder durch direkte Aussagen noch durch entsprechende Zitate eine diesbezügliche Kenntnis Wolffs nachweisen. Georg Gutke (1589—1634) hatte mit seinem „Habitus primorum principiorum seu Intelligentia" (Berlin, 1625) die neue Disziplin der Gnostologie, auf die später einzugehen sein wird, begründet [49]; Valentin Fromm(e) (1601—1675), von Gutke beeinflußt, gab dieser Disziplin mit seiner „Gnostologia" (Wittenberg, 1631) den Namen [50]; Calov trennt die Noologie von der Gnostologie [51], worin ihm Georg Meier folgt [52].

Ebensowenig läßt sich ausmachen, inwieweit Wolff die spanischen Spätscholastiker aus unmittelbarem Studium gekannt hat oder ob sich

[44] Wundt, Schulmet., S. 131. Auch Wundt, Philos. an Univ. Jena, S. 55 ff.
[45] Herangezogen wird die 4. Aufl. (Jena, 1705).
[46] Wundt, Philos. an Univ. Jena, S. 58 f.
[47] Lebensbeschr., S. 130 f.
[48] S. 132.
[49] Vgl. Wundt, Schulmet., S. 113 ff. 242 ff.
[50] S. 117. 255 ff.
[51] S. 257 ff. Vgl. auch Anm. 30.
[52] S. 260. Vgl. auch Anm. 31.

seine Kenntnisse auf die zahlreichen Zitate in den Lehrbüchern der Schulmetaphysik zurückführen lassen. Die Kenntnis der „Disputationes metaphysicae" des Suarez, den er besonders in den lateinischen Werken häufig anführt, um die Übereinstimmung seiner Begriffe mit denen des Suarez nachzuweisen, kann wohl wegen der Bedeutung, die Wolff Suarez beimißt und die ihm auch in der Schulmetaphysik zukommt, auf eigenem Studium beruhen.

Für Thomas von Aquin läßt sich die Frage leichter beantworten. Wolff selbst schreibt in seinem Lebensbericht, er habe „Carbonis Summa Theologiae Thomae Aquinatis" deswegen gelesen, weil er die katholische Theologie erlernen wollte [53]. Es handelt sich dabei um das „Compendium absolutissimum totius Summae Theologiae D. Thomae Aquinatis ..." des Theologieprofessors Ludovicus Carbo aus Perugia; in einem Band faßt er die ganze Summa Theologiae zusammen [54].

Weiter sei nach Wolffs Kenntnis der „Scholastik" nicht gefragt [55]. Auf entsprechende sachliche Abhängigkeit kann an Ort und Stelle eingegangen werden [56]. Eine gute Kenntnis der Tradition der Schulmetaphysik garantiert deren Weiterleben im Denken Wolffs, allerdings nur als „emendierte"; als solche kann sie dem Anspruch des mathematischen Denkens standhalten.

b) Die mathematische Methode

Die Scholastik, wie sie Wolff kennengelernt hat, wird von der aufkommenden Mathematik und Physik in Frage gestellt. Sie kann mit ihren oft ungenügenden Definitionen und Beweisen und den zahlreichen begrün-

[53] Lebensbeschr., S. 117. Auch Monitum, § 5 (S. 9). — Thomas wird oft ausdrücklich „nach dem Carbo" zitiert. Insofern ist die Aussage Ecoles (Ont., Introd., S. XIII), Wolff habe Thomas nur durch Suarez und Dominicus de Flandria gekannt, zu modifizieren. — Duns Scotus kannte Wolff nach Ruello („Christian Wolff et la scolastique", Traditio, 19 (1963), 419) durch das Philosophische Lexikon des Goclenius.

[54] Vollständiger Titel bei Schöffler, Dt. Geistesleben, Anm. 85 (S. 185). Das Exemplar der Bibliothek des Wilhelmsstifts Tübingen (Venedig, 1587) umfaßt 1090 zweispaltige Seiten.

[55] Von den calvinischen Metaphysikern werden Barthol. Keckermann (1571—1609) und Clemens Timpler (1567/1568—1624) berücksichtigt. Vgl. Wundt, Schulmet., S. 70 ff. Keckermanns „Scientiae metaphysicae compendium systema" wird in der Ausgabe Hanau, 1611 (zuerst Hanau, 1609) und Timplers „Metaphysicae systema methodicum" in der Ausgabe Hanau, 1608 (zuerst Steinfurt, 1604) benutzt.

[56] Zum sachlichen Gehalt der Schulmetaphysik vgl. Wundt, Schulmet., S. 161 ff. Zu Wolffs Verhältnis zu Aristoteles vgl. Petersen, Geschichte d. arist. Phil., S. 445 ff.

denden Hinweisen auf die verschiedensten Autoritäten der neuen Denkart nicht standhalten. Auch Wolff wird in seiner Gymnasial- und Studienzeit ein begeisterter Anhänger der mathematischen Methode [57]. Er berichtet, wie er es vor Gryphius, der auch auf die Algebra schlecht zu sprechen war, hat nicht merken lassen, wie er sich in der Algebra geübt habe; der junge Wolff hatte großes Interesse an dieser Wissenschaft, weil er gehört hatte, „es sollte eine Kunst seyn, verborgene Wahrheiten zu erfinden" [58]. In Breslau hatte er kaum Gelegenheit, die Mathematik zu erlernen, weshalb er nach Jena ging, um dort bei Hamberger, der dem 1699 verstorbenen Weigel in der mathematischen Professur nachgefolgt war, Mathematik und Physik zu hören [59]. (Die Mathematik und Physik wurde nach Johann Christophorus Sturm, einem Weigelschüler und occasionalistischen Cartesianer, der 1689 zu Nürnberg seine „Mathesis enucleata" und 1687 die „Physicae conciliatricis conamina" veröffentlicht hatte, betrieben [59].) Den berühmten Weigel hat Wolff selbst nicht mehr gehört [60]. Dessen Programm, die Mathesis allgemein anzuwenden, wird Wolff durch Weigels Schüler überliefert, wozu neben Hamberger, dem Schwiegersohn der Tochter Weigels, nicht zuletzt auch Caspar Neumann gehört, von Leibniz und Pufendorf abgesehen.

Wolff geht es beim Studium der Mathematik letztlich nicht um die Mathematik als solche, sondern um deren Methode: „Weil ich aber da [in Breslau] unter den Catholicken lebte und den Eifer der Lutheraner und Catholicken gegen einander gleich von meiner ersten Kindheit an wahrnahm, dabey merckte, daß ein jeder Recht zu haben vermeinete; so lag mir immer im Sinne, ob es dann nicht möglich sey, die Wahrheit in der Theologie so deutlich zu zeigen, daß sie keinen Wiederspruch leide. Wie ich nun nach diesem hörete, daß die Mathematici ihre Sache so gewis erwiesen, daß ein jeder dieselben vor wahr erkennen müsse, so war ich

[57] Zum Ursprung der mathematischen Methode bei Wolff vgl. H. J. de Vleeschauwer, „La genèse de la méthode mathématique de Wolff", Revue Belge d. philol. e. d'hist., 11 (1932), 651—677. Auch Giorgio Tonelli, „Der Streit über die mathematische Methode in der Philosophie in der 1. Hälfte des 18. Jahrhunderts ...", Archiv f. Philos., 9 (1959), 37—66, bes. S. 53 f.

[58] Lebensbeschr., S. 114.

[59] S. 120. Vgl. auch Schöffler, Dt. Geistesleben, S. 192 f. — Auf seine Lehrer Neumann, Pohl und Gryphius, die in Jena studiert hatten (vgl. Schöffler, Dt. Geistesleben, S. 191), wird die Wahl Jenas zurückzuführen sein. Jena war gegenüber Wittenberg aufgeschlossener und deshalb anziehender (vgl. S. 159 ff.).

[60] Zu Weigel vgl. Schöffler, Dt. Geistesleben, S. 163 ff. und Wundt, Philos. an Univ. Jena, S. 54 ff.

begierig die Mathematik methodi gratia zu erlernen, um mich zu befleissigen, die Theologie auf unwiedersprechliche Gewissheit zu bringen; da aber auch hörete, es fehlete noch die Philosophia practica . . . , so setzte mir auch vor die Philosophiam und Theologiam moralem auszuarbeiten. Hierinnen bestärkte mich der Herr Neumann, der den Nutzen der mathematischen Methode in die Theologie und Moral anprieß, auch wie ich bei ihm Abschied nahm, als ich auf die Universität reisete und ihm eröffnete, wie in Jena hauptsächlich meine Absicht auf die Physick und Mathematick gerichtet wäre, billigte er dieses gar sehr und setzte die Worte hinzu: Rara avis Theologus, Physicus et Mathematicus" [61].

Zu dieser Wolff beeindruckenden Wertschätzung der mathematischen Methode durch Neumann und deren Glanz an der Jenaer Universität kommt noch hinzu, daß Wolff mehrere Jahre hindurch Mathematik dozierte (ab Ende 1703 in Leipzig, 1706 wegen des Einfalls der Schweden in Sachsen kurz in Gießen, Anfang 1707 dann als Professor in Halle [62]) und auf diesem Gebiet eine fruchtbare schriftstellerische Tätigkeit entfaltete. Durch seine Lehrbücher beherrscht er den mathematischen Unterricht der ersten Hälfte des 18. Jahrhunderts; „er war praeceptor Germaniae in mathematicis noch ehe er es in philosophicis wurde" [63]. Dies hat seine große Bedeutung auch für die philosophische Tätigkeit Wolffs.

Erstes Ziel seiner mathematischen Vorlesungen ist, der „Ratio praelectionum" zufolge, die Bildung des Verstandes (cultura intellectus) [64]. Wer Philosophie, Medizin, Jurisprudenz oder Theologie betreiben will, aber die Geistesschärfe nicht erreicht hat, die notwendig ist, Klares von Dunklem, Deutliches von Undeutlichem, Adaequates von Inadaequatem, Erforschtes von Unerforschtem, Bewiesenes von ungenügend Bewiesenem und Wahrscheinliches von weniger Wahrscheinlichem zu unterscheiden, kann in der Philosophie und in den Höheren Fakultäten zu keiner offenkundigen Wahrheit finden [64]. Ist deshalb jemand um seine Dinge besorgt, so muß er mit dem Studium der Mathematik beginnen, und zwar der

[61] Lebensbeschr., S. 120 ff.; auch Nachr., § 36. Wolff hatte sich Neumanns Plan, die Offenbarungstheologie nach mathematischer Art zu traktieren (vgl. Lebensbeschr., S. 143), zu eigen gemacht (S. 122. 134). Zu Caspar Neumann vgl. Schöffler, Dt. Geistesleben, S. 178 ff. u. Walther Arnsperger, Christian Wolff's Verhältnis zu Leibniz (Weimar, 1897), S. 9 ff. (S. 12 ff.: Zerwürfnis Wolffs mit Neumann).

[62] Vgl. Wundt, Schulphil., S. 128.

[63] S. 132. Zur mathemat. Tätigkeit Wolffs vgl. S. 131 ff.

[64] Rat. prael., s. I c. 1 § 1 (S. 1 f.).

Methode wegen [65]. Daß die Mathematik auf die Philosophie vorbereite und eine entsprechende Eignung bewirke, haben schon die hervorragenden Männer der Gelehrtenwelt gesagt: Pythagoras, Plato, Xenokrates, Petrus Ramus, Melanchthon, Descartes, Locke, Malebranche, Tschirnhaus [66]. Wolff selbst war von Leibniz aufgefordert worden, sich durch das Studium der Mathematik auf die Philosophie vorzubereiten [67]. Die Anwendung der Mathematik auf die Philosophie ist jedoch keine absolute; sie findet dort ihre Grenze, wo sie der Philosophie keinen Nutzen mehr bringt [68].

In seiner Habilitationsschrift „Philosophia practica universalis mathematica methodo conscripta" (1703), in der er die mathematische Methode auf ein Gebiet anwandte, bei dem es bisher noch am wenigsten geschehen sei, ahmt er das mathematische Verfahren auch in dessen äußerer Form nach [69], bemerkt aber in der Vorrede zu den „Aerometriae elementa", daß es nicht auf die äußere Form ankomme, sondern auf die innere Strenge der Beweisführung [70].

In der Anwendung der mathematischen Methode auf die Philosophie war Wolff entscheidend, wenn auch — wie aus dem oben Gesagten zu ersehen — nicht ausschließlich, von Tschirnhaus beeinflußt.

2. Ehrenfried Walther von Tschirnhaus (1651—1708) [71]

In seiner Lebensbeschreibung berichtet Wolff, er habe auf dem Gymnasium in Breslau großes Verlangen gehabt, Tschirnhaus' „Medicina mentis"

[65] § 6 (S. 4 f.).

[66] § 7 (S. 4 ff.).

[67] Briefw., S. 51 (8. Dez. 1705).

[68] Disc. prael., § 35.

[69] Vgl. Wundt, Schulphil., S. 128. — Ebenso in dem 1707 in den „Acta eruditorum" erschienenen Artikel „Methodus demonstrandi veritatem religionis christianae". Vgl. dazu Nachr., § 23. Zur Anwendung der mathemat. Methode auf die Philosophie vgl. Nachr., § 25; Hor. subs. 1731, trim. aest. I: De differentia notionum metaphysicarum et mathematicarum (S. 385—479).

[70] Vgl. Wundt, Schulphil., S. 134.

[71] Tschirnhaus aus Kieslingswalde in der Lausitz ist eine der interessantesten Persönlichkeiten der dt. Philosophie des 18. Jh. Mathematiker, Physiker und Logiker, hatte er sich längere Zeit in Holland aufgehalten, in Leiden studiert und dort Descartes' Schriften kennengelernt. Großen Einfluß auf ihn hat Spinoza, mit dem er wie auch mit Leibniz und Huygens in persönlicher Verbindung steht. Aus eigenen Mitteln betreibt er physikalische Forschungen und hat wesentlichen Anteil an der Begründung der Porzellanherstellung in Meißen. Zu Leben und Werk vgl. Überweg III, 342 ff.; die Einführung Rud. Zaunicks zur dt. Übers. d. „Medicina

zu lesen, habe sie aber nicht bekommen können [72]. In Jena lernte er dieses Werk kennen, bemängelte aber, „daß er [Tschirnhaus] keinen deutlichen Begriff von dem concipere gab und nicht ausführlich zeigete, wie die definitiones reales sollten erfunden werden"; er reiste zur Ostermesse 1705 nach Leipzig, um dort Tschirnhaus zu sprechen und ihm seine Unklarheiten vorzutragen [73]. Hinsichtlich der Elemente der Definition wurde Wolff auf ein später erscheinendes Werk vertröstet; dieses erschien aber nie; auch hatte Tschirnhaus seinen schriftlichen Nachlaß verbrannt [74].

Tschirnhaus' „Medicina mentis" (zuerst Amsterdam, 1687, verbessert Leipzig, 1965), eine Art Logik und Erkenntnislehre, verbunden mit der Erörterung zahlreicher geometrischer Probleme, will, wie im Titel „Medicina mentis sive Artis inveniendi praecepta generalia" angegeben, eine ars inveniendi sein. Diese ars inveniendi, die nach Tschirnhaus die einzige philosophische Disziplin darstellt [75], dient dazu, unbekannte Wahrheiten zu entdecken und dadurch das Glück zu mehren [76]. Die Auffindung der Wahrheit durch uns selbst wird als „praestantissima via, quam in hac vita inire licet" bezeichnet [77]. Einen Auszug aus der „Medicina mentis" hatte Wolff seinen Logikvorlesungen in Leipzig zugrunde gelegt [78]. Tschirnhaus seinerseits empfahl ihn an Francke für die Professur der Mathematik in Halle [79].

mentis" (Leipzig, 1963), S. 55 ff. u. d. Sammelwerk „E. W. von Tschirnhaus und die Frühaufklärung in Mittel- und Osteuropa" (hg. E. Winter, Berlin, 1960). — Das auch hier heranzuziehende Hauptwerk von Tschirnhaus, die „Medicina mentis", ist durch den mit einem Vorwort v. Wilhelm Risse versehenen Nachdruck durch Olms (Hildesheim, 1964) wieder allgemein zugänglich. (Der Nachdruck — zusammen mit dem der „Medicina corporis" — gibt die Ausgabe Leipzig, 1695 wieder. Diese Ausgabe stellt die stilistische und sachliche Neubearbeitung der „Medicina mentis, sive tentamen genuinae Logicae ...", Amsterdam, 1687 dar.) Joh. Haussleiter hat die „Medicina mentis" (von 1695) erstmals ins Deutsche übersetzt und kommentiert; die Übersetzung erschien, versehen mit mathematikgeschichtlichen Zusätzen v. H. Oettel und einer biographischen Einführung v. R. Zaunick, als Nr. 1 der „Acta historica Leopoldina" 1963 in Leipzig. Ein Verzeichnis der Buchveröffentlichungen Tschirnhaus' ist auf S. 303 ff. beigefügt, ebenso auf S. 318 ff. die über Tschirnhaus bis 1963 erschienene Literatur. — Vgl. auch Joh. Verweyen, Ehrenfried Walter von Tschirnhaus als Philosoph (Bonn, Diss., 1905).

[72] Lebensbeschr., S. 116 f.

[73] S. 124 ff.; auch Rat. prael., s. II c. 2 § 16 (S. 124).

[74] Lebensbeschr., S. 127.

[75] Vgl. Tschirnhaus, Medicina mentis (Nachdr. Olms), P. II (S. 30).

[76] P. I (S. 7).

[77] P. I (S. 21).

[78] Lebensbeschr., S. 139.

[79] Vgl. E. W. v. Tschirnhaus u. d. Frühaufkl. (hg. E. Winter), S. 66.

Wolffs Abhängigkeit von Tschirnhaus besteht nicht nur darin, daß Wolff u. a. auch von Tschirnhaus hinsichtlich der Anwendung der mathematischen Methode auf die gesamte Wissenschaft beeinflußt ist [80], sondern in der Ablehnung des Syllogismus als Mittel der Wahrheitsfindung [81], in der Bestimmung des Wahrheitskriteriums – Tschirnhaus sieht es in der conceptibilitas [82], in der Übernahme der genetischen Definition und, wie später zu zeigen, in der Verbindung von Vernunft und Erfahrung [83]. Seine Auffassung in der Frage des Syllogismus und der Bestimmung des Wahrheitskriteriums änderte Wolff später unter Leibniz' Einfluß [84].

3. Descartes und der Cartesianismus

a) Descartes

Mit Descartes' Philosophie [85] war Wolff, wie oben schon bemerkt, auf dem Gymnasium in Breslau durch die Cartesianer Pohl und Neumann bekannt geworden, die ihrerseits in Jena von Weigel in cartesianischer Philosophie unterrichtet worden waren [86]. Jena hatte sich schon früh der Neuen Philosophie geöffnet, nicht zuletzt bedingt durch die engen Beziehungen mit den Niederlanden. Im Brief vom 15. Okt. 1705 berichtet Wolff Leibniz vom Studium der „Regulae" Descartes' [87], die 1701 in den „Opuscula Posthuma" veröffentlicht worden waren.

[80] Tschirnhaus, Medicina mentis, praef. S. 3.

[81] Lebensbeschr., S. 134 ff.; auch Rat. prael., s. II c. 2 § 5 ff. (S. 120 f.).

[82] Rat. prael., s. II c. 2 § 18 (S. 125); auch Log., § 528 not.; Dt. Met. A, § 126; Briefw., S. 48. – Tschirnhaus' Formulierung: Medicina mentis, P. II s. 1 (S. 35); zum Ganzen P. 1 (S. 34 ff.).

[83] Vgl. Tschirnhaus, Medicina mentis, praef. [S. 13].

[84] Leibniz hatte Wolff am 21. Febr. 1705 geschrieben: „... non ausim absolute dicere, syllogismum non esse medium inveniendi veritatem" (Briefw., S. 17). Vgl. Log., § 545 not.; auch Rat. prael., s. II c. 2 § 9 f. (S. 121 f.) u. § 26 f. (S. 128 f.).

[85] Vgl. Ferdinand Alquié, Descartes [Descartes, deutsch], übers. Chr. Schwarze (Stuttgart-Bad Cannstatt, 1962); Henri Gouhier, La pensée religieuse de Descartes (Paris, 1924) u. La pensée métaphysique de Descartes (Paris, 1962); Martial Gueroult, Descartes selon l'ordre des raisons, 2 Bde. (Paris, 1953 [²1968]); L. J. Beck, The method of Descartes. A study of the Regulae (Oxford, 1952). Auf den Kommentar Gilsons zum „Discours de la méthode" (4. Aufl., Paris, 1967) sei besonders hingewiesen. Die Interpretation von Descartes weiß sich neben Gilson besonders Gueroult verpflichtet. Weitere Literatur zu Descartes (bis 1960) bei Gregor Sebba, Bibliographia cartesiana (The Hague, 1964).

[86] Vgl. Schöffler, Dt. Geistesleben, S. 169.

[87] Briefw., S. 40.

Der Einfluß, den Descartes und der Cartesianismus auf Wolff ausübten, bedarf noch einer eingehenden Untersuchung. Auf einige Momente sei jedoch hingewiesen. Descartes' mathematische Methode war Wolff durch vielfache Vermittlung bekannt geworden. Von Descartes übernimmt Wolff auch den Ansatz des Cogito, nicht aber dessen Weg über die Wahrhaftigkeit Gottes. In der Zeit, da er mit Leibniz und dessen Philosophie noch nicht vertraut war, vertritt er in vielem Descartes' Auffassung, etwa in der Bestimmung der Seele als Geist, der „clara et distincta perceptio", dem apriorischen Gottesbeweis, dem Begriff des Körpers, in der Lösung des Leib-Seele-Verhältnisses. Da Wolff die den cartesianischen Dualismus überwindende Monadenlehre von Leibniz nicht annahm, kehrt er in gewissem Sinn wieder mehr zu Descartes und dessen Drei-Substanzen-Lehre zurück.

b) Von Descartes beeinflußte Denker (Malebranche, de la Forge, Poiret, Régis, Clauberg, Duhamel u. a.)

Was von Descartes abhängige Denker angeht, so spricht Wolff im Brief vom 4. Apr. 1705 an Leibniz bei der Aufzählung der Autoren, deren Schriften er studiere, u. a. von Malebranche, Ludwig de la Forge und Poiret [88]. (Später wurde Poiret von Wolff heftig angegriffen. Poiret, der vom Cartesianer zum Mystiker geworden war, wird der Hausphilosoph von Wolffs Hauptgegner Lange.) Daß Wolff auch das „Système de philosophie" des cartesianischen Systematikers Silvain Pierre Régis gekannt hat, dürfte als sicher anzunehmen sein [89].

Von Wolff sehr geschätzt und häufig zitiert wird der Solinger Johannes Clauberg (1622—1665) [90]. Clauberg hatte die meiste Zeit in Holland

[88] S. 23. — Zur Geschichte des Cartesianismus vgl. bes. Francisque Bouillier, Histoire de la philosophie cartésienne, 2 Bde. (Paris, 1868), wenn auch teilweise überholt. Auch Überweg III, 243 ff.; Vorländer II, 137 ff.

[89] Herangezogen wird Silvain Pierre Régis, Cours entier de philosophie ou système general selon les principes de M. Descartes, 3 Bde. [in 1 Bd.] (Amsterdam, 1691). Die Metaphysik findet sich in Bd. 1.

[90] Vgl. Wundt, Schulmet., S. 93 ff. — Herangezogen werden Johannes Clauberg, Opera omnia philosophica (hg. Joh. Theod. Schalbruch, Amsterdam, 1691). Die „Opera" enthalten die „Metaphysica de ente" in der 3. Auflage. — An Literatur zu Clauberg vgl. Pius Brosch, Die Ontologie des Johannes Clauberg (Greifswald, Diss., 1926); Hermann Müller, Johannes Clauberg im Cartesianismus mit besonderer Berücksichtigung seines Verhältnisses zu der occasionalistischen Theorie (Jena, Diss., 1891). Zur Bedeutung Claubergs für die deutsche Sprache vgl. Eduard E. Göpfert, Claubergstudien (Meiningen, 1898).

studiert; in Leiden lernte er Descartes' Philosophie kennen. Seine Bemühungen gelten, wie die ursprünglich deutsch abgefaßte Schrift „Differentia inter Cartesianam, et in Scholis vulgo usitatam Philosophiam" zeigt [91], einer Verbindung von Descartes' Philosophie und Schulphilosophie. Gerade auch in diesem Bemühen wirkt er, von Wolff als „optimus omnium confessione Cartesii interpres" bezeichnet [92], auf Geisteshaltung und Intention Wolffs.

Einen Einfluß ähnlicher Art auf Wolff hat auch Jean Baptiste Duhamel (auch du Hamel). Der Oratorianer Duhamel († 1706 im 83. Lebensjahr), Seele der Gründung der Académie des sciences durch Colbert und von 1666—1697 deren Sekretär, stand der Scholastik kritisch gegenüber [93]. In „De consensu veteris et novae philosophiae libri quatuor" [94] versucht er eine Verbindung von Scholastik und Cartesianismus, in der sechsbändigen „Philosophia vetus et nova" [95] legt er die gesamte Philosophie dar (im zweiten Band die Metaphysik und natürliche Theologie). Das letztere Werk wird von Wolff oft zitiert, nicht zuletzt in der Absicht, die Übereinstimmung des entsprechenden Begriffs mit Duhamel zu zeigen.

Wenn einige Cartesianer nicht eigens erwähnt werden, wie z. B. Huet [96] oder Cordemoy, ist damit deren möglicher bzw. tatsächlicher Einfluß auf Wolff nicht bestritten, ebensowenig der der Logik von Port Royal [97].

c) Spinoza

Mit Spinoza [98] mußte sich Wolff öffentlich vor allem wegen des gegen ihn erhobenen Vorwurfs des Spinozismus befassen. Der Streit geht um Notwendigkeit und Kontingenz. Wolff bekämpft die Auffassung Spinozas aufs heftigste. Ein indirekter Einfluß Spinozas auf Wolff ist durch dessen Bekanntschaft mit Tschirnhaus gegeben. Die Werke Spinozas waren, den Zitaten nach zu schließen, Wolff bekannt.

[91] In Op. omn., S. 1217—1235.

[92] Ont., § 9 not.

[93] Vgl. Bernhard Jansen, „Die scholastische Philosophie des 17. Jahrhunderts", Philos. Jahrb., 50 (1937), 439 ff. Jansen charakterisiert Duhamel auf Grund seines Hauptwerks „Philosophia vetus et nova". Vgl. auch Bouillier, Histoire I, 556 f.

[94] Benutzt wird die Ausgabe in „Operum philosophicorum tomus I" (Nürnberg, 1681), S. 539—799. Der „Consensus" erschien erstmals 1663 in Paris.

[95] Benutzt wird die 2. Aufl. (Paris, 1681; erstmals 1678).

[96] Vor allem ist auf Petrus Dan. Huet, Censura philosophiae cartesianae (Frankfurt-Leipzig, 1690; vorher schon Paris, 1689) hinzuweisen.

[97] Benutzt wird die Ausgabe in den Oeuvres Arnaulds (Paris, 1775—1781), Bd. 41.

[98] Vgl. Kuno Fischer, Spinozas Leben, Werke und Lehre (6. Aufl., Heidelberg, 1946).

4. Leibniz (1646—1716)

Die Begegnung mit Leibniz [99] bedeutet für das Denken Wolffs die entscheidende Wende. Der Leipziger Professor für Moral Otto Mencke, zugleich Herausgeber der Leipziger „Acta eruditorum", mußte Wolffs Habilitationsschrift „Philosophia practica universalis ..." zensieren und schickte sie an Leibniz, mit dem er durch die „Acta" Verbindung hatte. Da sich Leibniz freundlich über Wolffs Werk aussprach, sandte ihm Wolff 1704 auch seine Disputatio pro loco „De Algorithmo infinitesimali differentiali" mit einem Begleitschreiben. Leibniz antwortet darauf ausführlich im Februar 1705. Damit war der Briefwechsel, der bis zu Leibniz' Tode (1716) dauert, begonnen [100]. Mathematische Fragen stehen zwar im Vordergrund, an wichtigen philosophischen Hinweisen von Leibniz' Seite fehlt es aber nicht, auch wenn Wolff einen entsprechenden Einfluß im philosophischen Bereich später bestritt [101]. Persönliche Begegnungen zwischen Leibniz und Wolff waren selten: 1706 war Wolff einige Tage in Berlin — es ging aber in erster Linie um seine Anstellung in Halle, für die Leibniz eintrat; Leibniz war Anfang 1713 und nochmals im Sommer 1716 in Halle [102].

Das philosophische Verhältnis zwischen Leibniz und Wolff scheint durch den Begriff der Leibniz-Wolffschen Schulphilosophie klar bestimmt

[99] Vgl. Kuno Fischer, Gottfried Wilhelm Leibniz. Leben, Werke und Lehre (5. Aufl., Heidelberg, 1920); Joachim O. Fleckenstein, Gottfried Wilhelm Leibniz (Thun-München, 1958); Kurt Hildebrandt, Leibniz und das Reich der Gnade (Haag, 1953); Hans Heinz Holz, Leibniz (Stuttgart, 1958); Kurt Huber, Leibniz (München, 1951); Wolfgang Janke, Leibniz. Die Emendation der Metaphysik (Frankfurt, 1963); Dietrich Mahnke, „Leibnizens Synthese von Universalmathematik und Individualmetaphysik", Jahrbuch f. Philos. u. phänomenol. Forschung, 7 (1925), 305—612; Gottfried Martin, Leibniz. Logik und Metaphysik (2. Aufl., Berlin, 1967). Zum Abfassungs- bzw. Publikationsjahr der Schriften von Leibniz vgl. Emile Ravier, Bibliographie des oeuvres de Leibniz (Paris, 1937). Literatur (bis 1962) bei Kurt Müller [Bearb.], Leibniz-Biographie (Frankfurt, 1967). — Die Interpretation der Philosophie von Leibniz folgt in der Hauptsache Janke und Martin.

[100] Vgl. Wundt, Schulphil., S. 128 f. — Der Briefwechsel zwischen Leibniz und Wolff wurde 1860 von C. I. Gerhardt aus den Handschriften der Königl. Bibliothek Hannover herausgegeben, enthält aber nicht alle Briefe; vollständige Liste bei Arnsperger, Wolffs Verhältnis zu Leibniz, S. 66 ff. Der Briefwechsel liegt als Nachdruck (Hildesheim: Olms, 1963) wieder vor.

[101] Vgl. Wundt, Schulphil., S. 129. Als Beleg außer Lebensbeschr., S. 142 f. auch die Vorrede zur „Nachricht" [S. 12]: „Der Herr von Leibnitz hat selbst gestanden, daß ich in der Welt-Weißheit niemals mit ihm conferiret noch mich seine rechten Gedancken zu erfahren bemühet."

[102] Vgl. Arnsperger, a.a.O., S. 22. 33.

zu sein. Wolff distanziert sich jedoch von diesem Ausdruck, als dessen Urheber er seinen Schüler Bilfinger nennt [103]. (Arnsperger konnte den Ausdruck Philosophia Leibnitio-Wolfiana bei Bilfinger allerdings nicht finden und glaubt, dieser Ausdruck sei durch Wolffs Gegner aufgekommen, durch Ludovicis Biographie aber verbreitet worden [104].) Da es unzutreffend ist, Wolff nur als Systematiker leibnizischer Gedanken gelten zu lassen, ist der Begriff der Leibniz-Wolffschen Schulphilosophie aufzugeben. Wenn Georg Volcmar Hartmann in seiner „Anleitung zur Historie der Leibnitz-Wolffischen Philosophie" sagt: „Wenn wir also die Wolffische Philosophie auf der Scholasticorum Seite betrachten, so kann nicht geleugnet werden, daß die Haupt-Quellen aus der Scholastischen Philosophie gekommen" und dies an zahlreichen Punkten nachweist, so erscheint dies zunächst als Übertreibung, hat aber doch weithin eine Berechtigung [105]. Daß sich Wolff von Leibniz distanziert, hat nicht nur verständliche psychologische Gründe.

Untersucht man das Verhältnis von Wolff zu Leibniz, so darf nicht übersehen werden, daß zahlreiche bedeutende Schriften von Leibniz Wolff ebenso unbekannt waren wie seinen Zeitgenossen. Daß Wolff Einblick in Leibniz' Manuskripte hatte, wäre auf Grund der persönlichen Beziehungen beider durchaus möglich, ist aber nicht anzunehmen. Wolff hat Leibniz nur wenige Male getroffen; zudem war er vermutlich nicht besonders an Leibniz' Manuskripten interessiert, denn Wolff scheint, wie Arnsperger in Berufung auf Wolffs Brief vom 8. Nov. 1710 [106] urteilt, in das Manuskript der Theodizee, das ihm Leibniz anläßlich seines Besuches 1706 in Berlin zeigte, nicht tiefer hineingeschaut zu haben [107]. In dem bei Wuttke angeführten Brief vom 13. Dez. 1743 behauptet Wolff, er habe die Theodizee nur „oculo fugitivo" durchgeblättert, da es ihm nicht gefalle, daß man den Stil der „belles lettres" auch in die Philosophie überneh-

[103] Lebensbeschr., S. 142; auch Wolffs Brief an Manteuffel vom 11. Mai 1746 (bei Wuttke, Lebensbeschr., S. 82).

[104] Arnsperger, a.a.O., S. 45. — Vgl. die Titel der Werke Ludovicis und Hartmanns („Neueste Merkwürdigkeiten der Leibnitz-Wolffschen Weltweisheit" bzw. „Anleitung zur Leibniz-Wolffischen Philosophie").

[105] Georg Volcmar Hartmann, Anleitung zur Historie der Leibnitz-Wolffischen Philosophie (Frankfurt-Leipzig, 1737), P. II s. 1 c. 3 § 3 (S. 431). Zu Leibniz-Wolff vgl. ebd. (S. 432 ff.).

[106] Briefw., S. 128.

[107] Arnsperger, a.a.O., S. 22.

me [108]. (Wie man diese Äußerung Wolffs auch verstehen mag, ob als Distanzierung aus Gründen der gegnerischen Angriffe, in denen Wolffs Auffassungen einfachhin denen von Leibniz gleichgesetzt und mit diesen auch jene bekämpft wurden, oder aus einem entsprechenden Selbstgefühl heraus, den Unterschied im Stil und damit im Menschen und seiner Lebenswelt zeigt sie treffend.)

Da Leibniz nicht alle Werke veröffentlichte, waren selbst einige seiner bedeutendsten den Zeitgenossen unbekannt. So kannte Wolff die „Nouveaux Essais sur l'entendement humain" [109] und den „Discours de métaphysique" [110] nicht. Von den Hinweisen und Bemerkungen in Leibniz' Briefen an Wolff — besonders hinsichtlich der prästabilierten Harmonie, auf die Wolff von Leibniz selbst hingewiesen wurde — und deren Bedeutung für die Entwicklung des Wolffschen Denkens abgesehen [111],

[108] Wuttke, Lebensbeschr., S. 83: „ ... daß er [Prof. Bosse] die belles lettres überall einmengen will, hat mir nicht gefallen und ist heut zu Tage nirgends mehr der Geschmack davon, als in Holland. Daher nehme mir nicht die Gedult, was dahin gehöret zu lesen, sondern übergehe es; wie ich auch aus dieser Ursache des H. von Leibnitz Theodicée nicht ganz durchlesen können, sondern vielmehr nur oculo fugitivo durchblättert habe, ob ich gleich davon die recensionem in die Acta gemacht, indem ich mir das herausgenommen, was zur Sache gehöret; worinnen ich ihm auch selbst ein Gnügen gethan."

[109] 1709 fertiggestellt, hatte Leibniz sie wegen Lockes Tod (1704) nicht veröffentlicht; erst 1765 publizierte sie Raspe, Oeuvres Philosophiques latines et françoises de feu Mr. Leibnitz (vgl. Gerh. V, 9 f.). — Dagegen kannte Wolff sehr wahrscheinlich den Aufsatz, den Leibniz anläßlich der franz. Übersetzung von Lockes Essay durch Pierre Coste (Amsterdam, 1700) für den „Monatlichen Auszug", 1700 u. 1701 geschrieben hatte (vgl. Gerh. V, 7) (bei Gerh. V, 25 ff.); ebenso Leibniz' Bemerkungen von 1693 (Gerh. V, 14 ff., vgl. V, 6).

[110] 1686 geschrieben, wurde der „Discours" erstmals 1846 veröffentlicht (vgl. Gerh. IV, 409 f.) (bei Gerh. IV, 427 ff.).

[111] Einige Hinweise in chronologischer Folge: Leibniz im 1. Brief (21. Febr. 1705): Er wage nicht den Syllogismus absolut als Mittel zur Wahrheitsfindung zu verwerfen; Descartes' bzw. Anselms Gottesbeweis bedarf des Moments der Möglichkeit (Briefw., S. 18). In Antwort auf Wolffs Dissertation „De loquela" der bedeutende Brief vom 20. Aug. 1705: Hinweis auf System der prästabilierten Harmonie, Wolff offenbar noch unbekannt, und dessen Darstellung im „Diarium Gallicum" [„Journal des savants", Paris, 1666 ff.], „Diarium Batavum" [„Histoire des ouvrages des savants", hg. Basnage, Rotterdam; vgl. Fischer, Leibniz, S. 301] und Artikel „Rorarius" in Pierre Bayles Lexikon [„Dictionnaire historique et critique", Bd. 1—2, Rotterdam, 1695—1697]; Ablehnung der cartesian. Regel, zum Geist gehörig zu betrachten, wessen wir uns bewußt sind, zum Körper aber das, dessen wir uns nicht bewußt sind: in unseren Gedanken ist vieles, dessen wir uns nicht bewußt sind, die „cogitatio confusa" besteht „ex innumeris perceptionibus exiguis, quas ob multitudinem distinguere non licet ..." (S. 32). Wolff antwortet am 15. Okt. 1705, er kenne das System der prästabilierten Harmonie nicht und habe die entsprechenden Artikel nicht finden

seien einige Werke aufgeführt, die für Wolff von großer Bedeutung sind. Für die Erkenntnislehre Wolffs sind in erster Linie die „Meditationes de cognitione, veritate et ideis" („Acta eruditorum", 1684) [112] — Einteilung der Begriffe, Real- und Nominaldefinition bzw. die Möglichkeit, Begriffsanalyse — zu nennen. Für die Psychologie (Leib-Seele-Verhältnis, Seelenbegriff) und Ontologie (z. B. Prinzip vom zureichenden Grund, Möglichkeit, Notwendigkeit und Kontingenz, Kraft, Einfaches und Zusammengesetztes, Vollkommenheit und Freiheit), einschließlich der Frage des Systems der prästabilierten Harmonie, ist auf folgende Werke zu verweisen: „De primae philosophiae emendatione et de Notione substantiae" („Acta eruditorum", 1694) [113], „Systeme nouveau de la nature et de la communication des substances, aussi bien que l'union qu'il y a entre l'ame et le corps" („Journal des Scavans", juin 1695) [114], ebenso die entsprechenden Stellungnahmen von Leibniz im „Journal des Scavans" bzw. der „Histoire des Ouvrages des Scavans" zu den von Foucher, Bayle und Lamy gegen das System der prästabilierten Harmonie erhobenen

können, „utut Acta nostra, Diarium Gallicum et Novellas Reip. litterariae [„Nouvelles de la république des lettres", hg. Bayle, Amsterdam, 1684 ff.; vgl. Fischer, Leibniz, S. 301] cum cura evolverim" (Brief S. 39). Leibniz legt in der Antwort v. 9. Nov. 1705 sein System nochmals dar und verweist auf den Artikel „Rorarius", in dem sich viele Zitate fänden (S. 43 f.). Wolffs Antwort v. 2. Dez. 1705: „Systema harmoniae praestabilitae mire placet"; über das Verhältnis des Systems der prästab. Harmonie zum Problem des Übels, sei er sich jedoch im unklaren (S. 46 f.). Leibniz antwortet darauf am 8. Dez. 1705 (S. 50). In einem undatierten Brief [Nr. XIV] legt Leibniz seinen Seelenbegriff dar (S. 56 f.). Im Brief v. 23. Dez. 1709 spricht Leibniz vom Prinzip des zureichenden Grundes: „magno illo Principio Metaphysico . . . , quod nihil sine ratione sive causa fiat" (S. 113). In einem undatierten Brief [Nr. LXI] spricht er von der dem Körper innewohnenden „vis primitiva" bzw. Entelechie (S. 130 f.) und erläutert, da Wolff sich nicht im klaren ist, wie die „modificatio" der „vis primitiva" zu verstehen sei (Brief v. 26. Juni 1711 [S. 136]), im Brief v. 9. Juli 1711 sehr ausführlich diesen Begriff und den der Monade (S. 138 f.). Auf Wolffs Frage nach der Definition der „perfectio" (Brief v. 3. Okt. 1714 [S. 160]) antwortet Leibniz in einem undatierten Brief [Nr. LXXXII] (S. 161) und am 2. April 1715 (S. 163).

[112] Bei Gerh. IV, 422 ff. (vgl. IV, 409 f.). — Wundt (Schulphil., S. 140, Anm. 1) meint, Wolff sei erst durch Leibniz' Hinweis von 1711 (Briefw., S. 140) auf die „Meditationes" aufmerksam geworden. Vgl. Vorrede z. 1. Aufl. d. Dt. Log. (18. Oct. 1712): „Endlich muß ich bekennen, daß . . . mir des Herrn von Leibnitz sinnreiche Gedancken von der Erkäntniß der Wahrheit und den Begriffen in den Leipziger Actis An. 1684 p. 573. unverhofft ein grosses Licht gegeben . . ." (Dt. Log., S. 109). Hinzuweisen ist auch auf den 1720 in der Sammlung von Maizeaux erschienenen „Entretien de Philarete et d'Ariste", in dem Philarete Leibniz' Auffassung vertritt (vgl. Gerh. VI, 481) (bei Gerh. VI, 579 ff.).

[113] Bei Gerh. IV, 468 ff. — Vgl. Lebensbeschr., S. 141.

[114] Bei Gerh. IV, 477 ff.

Einwänden [115]; die beiden 1714 von Leibniz abgefaßten Werke: „Principes de la nature et de la grâce" („Europe savant", nov. 1718) — ein für Prinz Eugen bestimmter Abriß der Leibnizischen Philosophie — und die erst von Erdmann im französischen Original unter dem Titel „La Monadologie" herausgegebene, von Leibniz ohne Überschrift gelassene Zusammenfassung [116], von der Köhler eine deutsche Übersetzung fertigte, unter dem Titel „Principia philosophiae seu theses in gratiam principis Eugenii conscriptae" aber — irreführend — die Leipziger „Acta Eruditorum veröffentlicht hatten [117]. Ebenfalls zu erwähnen ist hier der Briefwechsel zwischen Leibniz und Clarke, zu dessen deutscher Übersetzung durch Köhler Wolff ein Vorwort schrieb [118]. Zur Cosmologie ist zu den genannten Werken noch das 1695 in den „Acta eruditorum" veröffentlichte „Specimen Dynamicum" [119] und die in denselben Acta 1698 erschienene Abhandlung „De ipsa Natura sive de Vi insita Actionibusque Creaturarum, pro Dynamicis suis confirmandis illustrandisque" [120] heranzuziehen. In seiner Untersuchung über das Verhältnis Wolffs zu Leibniz in der Cosmologie kam Ecole zu dem Ergebnis, daß Wolff bei unbestreitbarer Abhängigkeit doch eine relativ selbständige Cosmologie entworfen habe, die sich von der Leibnizischen nicht in wenigem unterscheide [121]. Von Leibniz' Werken, die auf die Theologie Wolffs besonderen Einfluß haben, sind neben anderen besonders die 1710 erschienenen „Essais de Théodicée sur la Bonté de Dieu, la liberté de l'homme, et l'origine du mal" [122] hervor-

[115] Bei Gerh. IV, 487 ff. Vgl. Wolffs Hinweise in Psych. emp., § 612 not. Vgl. Fischer, Leibniz, S. 311. 313.

[116] Vgl. Fischer, Leibniz, S. 307.

[117] Bei Gerh. VI, 598 ff. — Vgl. Fischer, Leibniz, S. 307 f. u. S. 772. Die dt. Übersetzung durch Heinrich Köhler erschien u. d. T. „Lehrsätze von den Monaden ..." (Frankfurt — Leipzig, 1720).

[118] Bei Gerh. VII, 352 ff. — Veröffentlicht wurde der Briefwechsel als „A Collection of Papers, which passed between the late Learned Mr. Leibnitz and Dr. Clarke in the Years 1715 and 1716, relating to the Principles of Natural Philosophy and Religion, London, 1717" (vgl. Gerh. VII, 351). Die dt. Übersetzung Heinr. Köhlers erschien Jena, 1720. Wolffs Vorrede in Ges. kl. Schr. III, 271 ff. Vgl. auch Leibniz' Brief an Wolff v. 23. Dez. 1715 (Briefw., S. 180 f.); Lebensbeschr., S. 141 f.

[119] Vgl. Cosm., § 170 not. — Die dt. Übers. in Leibniz, Hauptschriften I (3. Aufl., hg. E. Cassirer, Hamburg, 1966), 256 ff. Wie ebd., S. 256 angemerkt, findet sich das Original in Leibniz, Mathematische Schriften, hg. C. J. Gerhardt, VI, 234 ff.

[120] Bei Gerh. IV, 504 ff.; vgl. IV, 417.

[121] Jean Ecole, „Cosmologie wolfienne et dynamique leibnizienne", Les études philos., 9 (1964), 3—9.

[122] Bei Gerh. VI, 21 ff. Vgl. Lebensbeschr., S. 141. Vgl. Anm. 108. — An Wolff bekannten Sammlungen Leibnizischer Schriften seien angeführt: Joachim Friedrich Feller,

zuheben; speziell zur Frage der Gottesbeweise ein Schreiben — bei Gerhardt ohne Überschrift — „im Journal de Trévoux" von 1701 [123].

Gerade hinsichtlich der Theologie Wolffs spricht man von einer völligen Abhängigkeit von Leibniz [124]. Tatsächlich hat Wolff aus der Theodizee viele Gedanken übernommen, die Leibniz eigen sind, etwa dessen Auffassung vom göttlichen Willen und der besten aller Welten, die Lösung des Problems des Übels und der Vollkommenheit der Welt bzw. Weisheit und Güte Gottes, die Sicht des Verhältnisses von menschlicher Freiheit und göttlicher Vorsehung; daraus aber eine völlige Abhängigkeit zu folgern, wird dem Tatbestand nicht gerecht. Die Theologie hat vielmehr ihre Hauptquelle in der scholastischen Tradition. Diese Tradition, Leibnizische Propria und die mathematische Methode machen in ihrer Synthese Wolffs Theologie aus.

In der Ablehnung der Monadenlehre ist die entscheidende Differenz zwischen Leibniz und Wolff zu sehen. Die Monade ist der Grundbegriff Leibnizischen Denkens. Gibt man die Monadenlehre auf, so gibt man das ganze System auf. Wolff sagt selbst, Leibniz' System fange da an, wo das seine aufhöre. Dieses aufschlußreiche Urteil, das Wolff im Brief vom 11. Mai 1746 an Manteuffel fällt, im Wortlaut: „(Systema des Leibnitz) als welches sich erst da anfänget, wo meines aufhöret. Die Confussion aber hat H. Bülffinger gemacht, welcher zuerst mit der Philosophia Leibnitio — Wolfiana aufgezogen kommen. Und also könnte man auch noch wohl jetzt sagen, daß die Monades Leibnitianae, darauf sein eigentliches Systema gebauet ist, ein Rätzel sind, sonach nicht völlig aufgelöset, und ich nicht auflösen mag, ob ich wohl könnte, weil ich es zu meinem Vorhaben nicht brauche, ich auch diese Sache in ihrem Werth und Unwerth beruhen laße" [125]. Diese Äußerung wird durch zahlreiche andere ähnlicher Art bekräftigt [126].

Otium Hanoveranum sive miscellanea ex ore et schedis illustris viri piae memoriae G. G. Leibnitii (Leipzig, 1718) u. des Maizeaux, Recueil de diverses Pièces sur la philosophie etc. par Mrs. Leibniz, Clarke, Newton etc. (Amsterdam, 1720). Die Briefsammlungen Kortholts (4 Bde., Leipzig 1734—42) u. Grubers (2 Bde., Hannover u. Göttingen, 1745) können hier übergangen werden (vgl. Fischer, Leibniz, S. 310).

[123] Bei Gerh. IV, 405 ff.; vgl. IV, 273. Fischer, Leibniz, S. 307 hat in Anm. 1 den Titel: „De la démonstration cartésienne de l'existence de Dieu du R. P. Lami".

[124] Etwa Vorländer II, 288: „In der natürlichen Theologie erscheint Wolff völlig abhängig von Leibniz und seiner Theodizee."

[125] Heinrich Ostertag, Der philosophische Gehalt des Wolff-Manteuffelschen Briefwechsels (Leipzig, 1910), S. 60.

[126] Z. B. Dt. Met., § 599 f.; Dt. Met. A, § 215; Cosm., praef., S. 14*; Hor. subs. 1729, trim. brum. I, § 17 (S. 27) u. a. (vgl. Ostertag, a.a.O., S. 60).

Trotz der Ablehnung der Monade bzw. des Systems der prästabilierten Harmonie wirkt dieses, wie sich gelegentlich deutlich zeigen wird, als ein dualistisches, im göttlichen Intellekt begründetes rationales Bezugssystem weiter; d. h. die Welt als die Summe der durch Raum und Zeit geordneten Körper bzw. Elemente stellt ein an sich total durchsichtiges Gefüge dar; dieses Gefüge steht einem ebenso grundsätzlich durchsichtigen Gefüge der Seele gegenüber — deshalb Dualismus, ist aber in ihrem So-Strukturiertsein von der Struktur der Seele abhängig bzw. die Seele in ihrem So-Strukturiertsein von dem Gefüge der Welt, und zwar nicht nach der Art einer faktisch-empirischen Abhängigkeit, sondern einer innerlogischen Abstimmung bzw. Übereinstimmung, die ihrerseits wiederum einen Welt und Seele umgreifenden Grund erfordert, nämlich Gott, näherhin den göttlichen Intellekt, auf den diese Harmonie in ihrem Diese-Sein wie die Möglichkeit von Seele und Welt selbst ursprünglich zurückgeht, während Seele, Welt und auch diese Harmonie als empirisches Faktum auf den Willen Gottes zurückgeführt werden.

Für die Erklärung des Leib-Seele-Verhältnisses übernimmt Wolff, nachdem er in seiner noch nicht von Leibniz bestimmten Zeit Descartes bzw. dem Occasionalismus gefolgt war, das System der prästabilierten Harmonie [127].

Wolff unterscheidet sich von Leibniz nicht nur in der Ablehnung der Monadenlehre, sondern auch in der bewußten Berücksichtigung des Empirismus, so daß der Rationalismus Wolffs im Vergleich zum leibnizischen als gemäßigt erscheint. Dabei ist nicht so sehr an Christian Thomasius [128] als vielmehr an die Philosophie eines Hobbes und Locke zu denken.

5. Englische Philosophie und Physik (Locke und Newton)

G. Zart hat in seinem Werk „Einfluß der englischen Philosophie seit Bacon auf die deutsche Philosophie des 18. Jahrhunderts" (Berlin, 1881) auch den Einfluß der englischen Philosophie auf Wolff untersucht [129],

[127] Vgl. Dt. Met., § 765; Dt. Met. A, § 261. 272; Nachr., § 99 f.; Psych. rat., § 612; Rat. prael., s. II c. 3 § 6 ff. (S. 141 f.) u. § 11 f. (S. 143 f.).

[128] Zu Christian Thomasius und zur Frühaufklärung vgl. Wundt, Schulphil., S. 19 ff. Zum Empirismus und der Verbindung von Vernunft und Erfahrung vgl. Thomasius, Einleitung zu der Vernunfft-Lehre (5. Aufl., Halle, 1719), Versuch vom Wesen des Geistes (Halle, 1699) und Introductio ad philosophiam aulicam (2. Aufl., Halle, 1702).

[129] S. 17—30.

mußte sich aber zum größten Teil mit Wahrscheinlichkeit begnügen. Schöffler meint, Studium und Kenntnis der englischen Philosophie von Bacon bis Locke sei schon durch den Jenenser Studiengang gewährleistet und in allen Äußerungen Wolffs unverkennbar [130]. Mag man vor allem Schöfflers zweite Feststellung etwas kritischer betrachten, bestreiten kann man nicht, daß der Empirismus einen festen Ort im System Wolffs hat, und bei weitem nicht den unbedeutendsten. Was Wolff von Bacon (1561—1626) kannte, läßt sich nicht genau nachweisen. Thomas Hobbes (1588—1679) gerät nicht nur wegen dessen Auseinandersetzungen mit Descartes in den Gesichtskreis Wolffs, hinzu kommen nämlich auch Leibniz' Auseinandersetzungen mit Hobbes, in denen u. a. die Notwendigkeit des Wesens zur Frage steht; auch scheint Hobbes durch „De corpore" nicht unbedeutend auf Wolffs Erkenntnislehre eingewirkt zu haben.

a) Locke

Mit Recht gilt das besondere Interesse auch hier John Locke (1632—1704). In den „Acta eruditorum" von 1708 rezensiert Wolff die 1706 in London erschienenen „Posthumous works" [131], die unter anderem „The conduct of understanding" enthalten [132], und 1711 „Some familiar letters between Mr. Locke and several of his Friends" (London, 1708) [133]. Lockes Hauptwerk „An Essay concerning human understanding" (erstmals London, 1690) war Wolff, dem die englische Sprache nicht fremd war [134], sicher bekannt [135]. Lockes Bedeutung für Wolff erschöpft sich sicherlich nicht in dem immer wieder angeführten und abgelehnten Satz,

[130] Schöffler, Dt. Geistesleben, S. 215.

[131] Carl Günther Ludovici, Ausführlicher Entwurf einer vollständigen Historie der Wolffischen Philosophie, II (Leipzig, 1737—1738), § 310 (nr. 57). — Gerade die Leipziger „Acta" spielen im Gedankenaustausch zwischen England und Deutschland eine große Rolle (vgl. Zart, a.a.O., S. 5).

[132] Vgl. Überweg III, 355.

[133] Vgl. Ludovici II, § 313 (nr. 144). Die Vermutung Zarts (a.a.O., S. 18), Wolff sei der Rezensent des 1. Buchs des Essays in den „Acta eruditorum" 1702, ist wohl nicht beizubehalten, da Wolff damals noch nicht Mitarbeiter der „Acta" war (vgl. Ludovici II, § 66).

[134] Auf den Rat Menckes hin hatte Wolff 1704/05 Englisch und Französisch gelernt (vgl. Arnsperger, a.a.O., S. 17).

[135] Vgl. Überweg III, 354. Die nach der 4. Aufl. unter Mitwirkung Lockes von Coste gefertigte Übersetzung (Amsterdam, 1700) lag bekanntlich Leibniz vor; 1701 erschien in London eine lat. Übersetzung (vgl. III, 354, Anm. 107). Vgl. Wolffs Vorrede z. 1. Aufl. der Dt. Log. (S. 107). Arndt (Einl. z. Dt. Log., S. 73) meint, der Essay sei auf Wolff ohne Einfluß gewesen.

Gott könne den Körpern Denkkraft geben [136]. Wenn Wolff gelegentlich von der Erfahrung als Grundlage und Ausgangspunkt des Erkennens spricht, wenn er Denken und Erfahrung verbinden und durch Erfahrung das im Denken Gewonnene bestätigen will, ist zwar auch an Tschirnhaus' und Christian Thomasius' Einfluß zu denken, vor allem aber doch wohl an Locke. Das empirisch-praktische Verfahren der Engländer trifft sich mit Wolffs Zug zum Praktischen, so daß von beiden Seiten her der Empirie die entsprechende Bedeutung zugesprochen wird [137]. Dieser Empirismus zeitigt, wie Zart mit Recht bemerkt, darin sein bedeutendstes Produkt, daß der rationalen Psychologie eine empirische zur Seite gestellt wird [138]. Wolff war nach Zart der erste in Deutschland, der die Gesetze der Assoziation der Ideen, nämlich Koexistenz und Ähnlichkeit, entwickelte und aus dem von Hobbes und Locke Dargelegten eigenständige Folgerungen zog [139]. Nicht nur hinsichtlich der Assoziation der Ideen, auch im Blick auf die Methode der Moralphilosophie zeigt sich eine Gemeinsamkeit mit Locke [140].

b) Newton

Selbstverständlich kannte Wolff die Schriften von Newton und Boyle wie die deren Schüler Keill, Hooke und Halley [141]. In den „Acta eruditorum" von 1714 bespricht Wolff die zweite Auflage von Newtons „Philosophiae naturalis principia mathematica" [142]. Als 1713 der Streit zwischen Leibniz und den Anhängern Newtons ausbrach, stellte er sich auf Leibniz' Seite, ebenso in den philosophischen Fragen der Auseinandersetzung, wozu Wolff mit die Hauptwaffe liefert, indem er Leibniz auf die Stelle der „Optik" aufmerksam macht, in der vom Raum als „sensorium Dei" die Rede ist [143]. Im Briefwechsel zwischen Wolff und Manteuffel spiegelt sich die Auseinandersetzung Wolffs und seiner Schüler mit Newton und dessen Anhängern wider [144]. Für Wolff ist Newtons Philosophie keine Philosophie: „So hoch als ich den Newton in der

[136] Vgl. z. B. Dt. Met. A, § 264.
[137] Zart, a.a.O., S. 22.
[138] S. 23.
[139] S. 25.
[140] S. 25 f. Zu Berkeley vgl. S. 27 f.
[141] S. 17.
[142] Ludovici II, § 316 (nr. 189).
[143] Vgl. Arnsperger, a.a.O., S. 30 ff.; gemeint ist der Brief v. 14. Aug. 1710 (Briefw., S. 124).
[144] Ostertag, a.a.O., S. 50 ff.

höheren Geometrie halte; so kann ich ihn doch für keinen Anfänger in der Philosophie, geschweige für einen Philosophen halten" [145]. „An dem Punkt, wo für die Newtonianer die Forschung zu Ende war, fing sie für die Wolffianer erst recht eigentlich an, und zwar führt sie in gerader Linie und notwendig von den gewonnenen exakten Ergebnissen zu deren metaphysischem Verständnis"; während Newton die Wissenschaft vor der Metaphysik warnte, verdient für die Wolffianer eine „Physik, die nicht in Metaphysik gipfelt, nicht einmal den Namen Physik" [146].

[145] S. 61.
[146] S. 51; auch S. 56 ff.

III. ZUM WERK WOLFFS UND DESSEN PHILOSOPHIEGESCHICHTLICHER BEDEUTUNG

1. Wolffs Werk [147]

Als Professor der Mathematik wurde Wolff in Halle angestellt; der Mathematik galt zunächst fast ausschließlich seine schriftstellerische Tätigkeit [148]. Wundt zufolge hat er nach Ausweis der Lektionskataloge in den ersten Semestern überhaupt keine philosophischen Vorlesungen gehalten, dann lange nur nebenher [149]. Wie Wolff in seiner Lebensbeschreibung andeutet, fand er in Halle zunächst keinen günstigen Boden für seine Philosophie. Die Vertreter der ersten Generation der Aufklärung, Thomasius und Rüdiger, lehrten mit Erfolg. Leibniz rät Wolff wiederholt, Thomas' Freundschaft zu suchen, aber vergeblich; Thomas' „sentiment" und Vortrag ist nicht nach Wolffs Geschmack [150]. „Als Mathematiker fühlte er sich eben hinsichtlich des Verfahrens von Anfang an weit überlegen, denn er hat bessere Erklärungen und Beweise zu bieten (Lebensbeschreibung, S. 147. 189 f.)" [150]. „Die erste Anzeige einer philosophischen Vorlesung Wolffs in Halle findet sich für das Sommersemester 1710: ‚Ad nonnullorum desiderium Cursum philosophicum denuo auspicabitur'. Danach scheint er diese Kurse also schon vorher begonnen zu haben, wozu die Angabe (Ratio prael., s. 2 c. 2 § 28) paßt, daß er seit 1709 mit seinen mathematischen Vorlesungen philosophische verbunden habe. Er setzt den Kurs dann durch mehrere Semester fort und liest in seinem Rahmen über Physik und Moralphilosophie, wohl aber auch über Logik. Winter 1712 nennt er ihn ‚Elementa suae Philosophiae'. Später zeigt er die einzelnen Gebiete mehr für sich an; die Metaphysik erst Winter 1716 unter dem Titel: ‚Quae de Deo et mente humana per principia rationis cognoscuntur', Winter 1719 dann unter Hinweis auf das deutsche Buch als ‚Meditationes de Deo, anima et mundo, rerumque, principiis' " [151].

[147] Ein Verzeichnis der Schriften Wolffs bei Gottsched, Historische Lobschrift und Ludovici I, § 8 ff.; II, § 221 ff. Die wichtigsten Veröffentlichungen Wolffs auch bei Campo II, 672 ff.

[148] Zum Folgenden vgl. Wundt, Schulphil., S. 131 ff.

[149] S. 131.

[150] S. 136.

[151] S. 136 f.

In der 1718 veröffentlichten „Ratio praelectionum Wolfianarum in mathesin et philosophiam universam" gibt er einen teils historischen, teils programmatischen Überblick über seine Lehre. Die Ausführung des in der „Ratio" gegebenen Plans läßt nicht lange auf sich warten. Dem schon 1712 bzw. 1713 in Halle erschienenen und wiederholt aufgelegten Werk „Vernünfftige Gedancken von den Kräfften des menschlichen Verstandes und ihrem richtigen Gebrauche in Erkäntniß der Wahrheit" („Deutsche Logik") [152] folgen 1720 bzw. 1719 (Frankfurt) die für die folgende Untersuchung und das deutsche Werk Wolffs zentralen „Vernünfftige Gedancken von Gott, der Welt und der Seele des Menschen, auch allen Dingen überhaupt" („Deutsche Metaphysik") [153]. Dieses Werk erhielt in den „Anmerckungen über die vernünfftige Gedancken von Gott, der Welt und der Seele des Menschen, auch allen Dingen überhaupt" (Frankfurt, 1724; „Deutsche Metaphysik A") einen „anderen Teil", der nicht eine Fortsetzung der „Deutschen Metaphysik" von 1720 darstellt, sondern eine Erläuterung und hauptsächlich auf die gegen dieses Werk vorgebrachten Einwände eingeht [154].

Auf die „Vernünfftigen Gedancken von Gott, der Welt und der Seele" folgen „Vernünfftige Gedancken von der Menschen Thun und Lassen, zu Beförderung ihrer Glückseeligkeit" (Halle, 1720; „Deutsche Ethik"); „Vernünfftige Gedancken von dem gesellschafftlichen Leben der Menschen, und insonderheit dem gemeinen Wesen zu Beförderung der Glückseeligkeit des menschlichen Geschlechtes" (Halle, 1721; „Deutsche Politik"); „Allerhand nützliche Versuche, dadurch zu genauer Erkäntnis der Natur und Kunst der Weg gebahnet wird" (3 Teile, Halle, 1721–23); „Vernünfftige Gedancken von den Würckungen der Natur" (Halle, 1723; „Deutsche Physik"); als der 2. Teil der Naturlehre „Vernünfftige Gedancken von den Absichten der natürlichen Dinge" (Halle, 1724 bzw. 1723 [155]; „Deutsche Teleologie"); „Vernünfftige Gedancken von dem

[152] Dem Titelblatt zufolge ist die 1. Aufl. 1713 in Halle erschienen, die Vorrede ist v. Oct. 1712; auch Ludovici (I, § 30) hat 1712. — Zur Bezeichnung „Deutsche Logik", „Deutsche Metaphysik" etc. vgl. Wundt, Schulphil., S. 146 f.; Wolff selbst spricht von Deutscher Logik u. Deutscher Metaphysik.

[153] Das Titelblatt hat 1720, die Vorrede datiert v. Dez. 1719; nach Ludovici (I, § 45) war das Werk schon 1719 aus der Presse. — Die Dt. Met. erreichte bis 1752 10 Aufl., die Dt. Log. bis 1754 sogar 14 (vgl. Wundt, Schulphil., S. 183).

[154] Ludovici I, § 62.

[155] Das Titelblatt hat 1724, das Werk war aber schon im Sommer 1723 gedruckt (vgl. Ludovici I, § 59).

Gebrauche der Theile des menschlichen Leibes, der Thiere und Pflanzen" (Frankfurt-Leipzig, 1725: „Deutsche Physiologie"). Die „Ausführliche Nachricht von seinen eigenen Schrifften, die er in deutscher Sprache von den verschiedenen Teilen der Welt-Weißheit heraus gegeben" (Frankfurt, 1726), ein Gegenstück zur „Ratio praelectionum", gibt einen Rückblick auf die ganze Reihe; das Werk orientiert knapp und treffend über Absicht, Themen, Quellen und Streitpunkte der Wolffschen Philosophie.

Die deutsche Reihe, ausgenommen allein die „Deutsche Physiologie" (die Anmerkungen zur „Deutschen Metaphysik" und die „Nachricht" gehören im strengen Sinn nicht dazu), ist erschienen, solange Wolff in Halle war. Sie war also vor der Vertreibung Wolffs fast ganz abgeschlossen.

Die Auseinandersetzungen zwischen Wolff und seinen Gegnern, vor allem mit der Theologischen Fakultät in Halle mit Francke und Lange an der Spitze, die mit dem berüchtigten Kabinettsbefehl König Friedrich Wilhelms I. vom 8. November 1723, der Wolff bei Strafe des Stranges gebot, binnen 48 Stunden das Land zu verlassen, ihren Höhepunkt erreichten [156], brachten eine Unzahl von Streitschriften beider Seiten mit sich. Von den Wolffschen Streitschriften sei die gegen Langes „Causa Dei" gerichtete „De differentia nexus rerum sapientis et fatalis necessitatis, nec non systematis harmoniae praestabilitae et hypothesium Spinosae luculenta commentatio, in qua simul genuina Dei existentiam demonstrandi ratio expenditur et multa religionis naturalis capita illustrantur" (Halle, 1724 bzw. 1723 [157]) und das gegen Langes „Modesta Disquisitio" (Langes Replik auf Wolffs „De differentia nexus . . ") gerichtete „Monitum ad commentationem luculentam de differentia nexus rerum sapientis et fatalis necessitatis . . " (Halle, 1724 bzw. 1723 [158]) erwähnt; ebenso „Joh. Franc. Buddei zu Jena Bedencken über die Wolffianische Philosophie mit Anmerckungen erläutert von Christian Wolffen" (Frankfurt, 1724).

[156] Zu den äußeren Vorgängen um die Vertreibung Wolffs aus Halle vgl. Eduard Zeller, „Wolff's Vertreibung aus Halle . . .", Vortr. u. Abh. (2. Aufl., Leipzig, 1875), S. 117—152. — Zum philosophischen Hintergrund des noch nicht genügend erhellten Streites vgl. Wundt, „Christian Wolff und die deutsche Aufklärung", Das Deutsche in der deutschen Philosophie (Stuttgart—Berlin, 1941), S. 229—246. Ebd., S. 235: „Es sind wirkliche philosophische Anliegen gewesen, die dabei zur Sprache kamen."

[157] Titelblatt: 1724, Dedikation v. Aug. 1723; nach Ludovici (I, § 57) schon 1723 in den Buchläden; Langes Gegenschrift „Modesta disquisitio" erscheint schon 1723.

[158] Nach Ludovici (I, § 58) wie Anm. 187. — Eine beachtliche Sammlung von „Streitschriften" bei Ludovici (I, § 230 ff.; III, § 522 ff.).

Die Ereignisse in Halle und der anschließende Aufenthalt in Marburg — von Halle geht Wolff am 13. November 1723 nach Kassel, gegen Ende des Jahres ist er in Marburg; nachdem er verschiedene Möglichkeiten ausgeschlagen hatte, wurde er 1740 wieder durch Friedrich II. nach Halle zurückgerufen — haben Wolffs Denken in keiner Weise beeinflußt. In Marburg beginnt er schon 1728 seine lateinische Reihe mit der „Philosophia rationalis sive Logica", der ein „Discursus praeliminaris de philosophia in genere" vorausgeschickt ist [159]. Die Erscheinungsjahre der einzelnen Teile der Metaphysik stimmen mit deren systematischer Ordnungsfolge überein: „Philosophia prima sive Ontologia" (Frankfurt—Leipzig, 1730), „Cosmologia generalis" (ebd., 1731), „Psychologia empirica" (ebd., 1732), „Psychologia rationalis" (ebd., 1734), „Theologia naturalis. Pars prior" (ebd., 1736), „Theologia naturalis. Pars posterior" (ebd., 1737). Die weiteren Werke, die immer umfangreicher werden und auch Selbstverständliches mit Wichtigkeit behandeln, zeigen deutliche Spuren des Alters [160].

Wolffs deutsche Schriften haben eine weit größere Verbreitung gefunden als das umfangreiche lateinische Werk [161]. Aus diesem Grund und ihrer größeren Übersichtlichkeit, Lebendigkeit und Modernität wegen, kann man die deutschen Schriften Wolffs für bedeutender halten, zumal die bekanntesten Compendien der Schüler Wolffs meist nur auf den deutschen Werken fußen [162]. Wundt ist ohne weiteres zuzustimmen, wenn er sich für den Zweck eines Überblicks fast nur auf das deutsche Werk stützen will; bei einer systematischen Untersuchung aber dürfte der Akzent auf die lateinischen Werke zu setzen sein, da sie die Fragen differenzierter und auch etwas mehr im inneren Zusammenhang behandeln als dies in den deutschen Werken geschieht. Zeugt die deutsche Reihe für den „praeceptor Germaniae", so die lateinische für den „professor universi generis" [163]. Wollte Wolff Weltgeltung erlangen — und daran besteht kein Zweifel, mußte er sich der lateinischen Fachsprache bedienen; daß er damit richtig gesehen hat, wird durch die Nachdrucke in Italien

[159] Vollständige Titel der lat. Werke bei Campo II, 674 f.

[160] Wundt, Schulphil., S. 182.

[161] S. 182: Die „Logica" hat bis 1740 3 Aufl., die übrigen Werke höchstens 2.

[162] S. 183 f.

[163] Als „Professor universi generis humani" stellt er sich selbst im Programm der Vorlesungseröffnung nach der Rückkehr nach Halle vor (vgl. Arnsperger, Wolffs Verhältnis z. Leibniz, S. 60).

und seinen Einfluß auf den katholischen Schulbetrieb bestätigt [164]. In den lateinischen Werken zeigt sich eine stärkere Berücksichtigung der Schultradition; Thomas von Aquin und Suarez treten sehr stark hervor; Thomas nicht zuletzt deshalb, um der Philosophie Wolffs auch in katholischen Kreisen zum Durchbruch zu verhelfen.

2. Zur philosophiegeschichtlichen Bedeutung des Wolffschen Denkens

Wer auch nur mit groben Zügen Wolffs Stellung in der Philosophiegeschichte skizzieren will, sollte sich Arnspergers Aufforderung zu eigen machen: „Man muß darum von Aristoteles, der Scholastik und Descartes zu Wolff herauf — und nicht von dem richtig verstandenen Leibniz zu ihm herabsteigen, wenn man seine historische Stellung richtig würdigen will" [165].

Die Verdienste und nicht weniger die Grenzen Wolffs sind vielfältig. Kant spricht Wolff vielleicht das größte Lob aus, das man ihm überhaupt aussprechen kann, wenn er ihn in der Vorrede zur 2. Auflage der „Kritik der reinen Vernunft" den „Urheber des bisher noch nicht erloschenen Geistes der Gründlichkeit in Deutschland" nennt und „im künftigen System der Metaphysik ... der strengen Methode des berühmten Wolff, des größten unter allen dogmatischen Philosophen" folgen will, „wie durch gesetzmäßige Feststellung der Prinzipien, deutliche Bestimmung der Begriffe, versuchte Strenge der Beweise, Verhütung kühner Sprünge in Folgerungen der sichere Gang einer Wissenschaft zu nehmen sei" [166]. Wenn er an ihm kritisiert, daß er vor dem Aufbau der Metaphysik das Organ, d. h. die reine Vernunft, nicht einer Kritik unterworfen habe, so schreibt er dies nicht speziell Wolff zu, sondern sieht darin einen Mangel der dogmatischen Denkart seines Zeitalters [166]. Kant hat damit die wesentlichste Leistung Wolffs ausgesprochen, „für die er überhaupt keine Vorbilder hatte" [167].

Wäre es nach den Vorstellungen der ersten Generation der Aufklärung — Christian Thomas, Budde, Rüdiger u. a. [168], die alle entschiedene Geg-

[164] Bei Ramanzini in Verona erschienen 1736 die „Ontologia" (hg. Serer), 1735 die „Logica" (hg. Serer), ebenso die „Cosmologia generalis".

[165] Arnsperger, a.a.O., S. 47 f.

[166] Kant, Kr. d. r. V., Vorrede z. 2. Aufl., B XXXVI (Werke, hg. Weischedel, Darmstadt, 1963, II, 36 f).

[167] Wundt, Schulphil., S. 152. Allgemein zur Beurteilung Wolffs, S. 147 ff.

[168] S. 19 ff.

ner der Scholastik waren, gegangen, wäre es mit dieser Philosophie endgültig zu Ende gewesen. Christian Wolff ist es in der Hauptsache zu verdanken, wenn dies nicht zutraf. Die scholastische Tradition kann sich nach der Emendation durch Wolff gegen Mathematik und Wissenschaft behaupten, hat sie doch deren Qualitäten zu den eigenen gemacht. Einer radikalen Ablehnung abgeneigt, versucht Wolff eine Verbindung von Altem und Neuem. Wenn er im Blick auf die Scholastiker sagt: „Ich rühme das gute / was sie an sich haben und verwende es in meinen Nutzen: erkenne aber auch die Mängel / die sich noch bey ihnen finden" [169], zeigt dies seine Grundhaltung. Das Undeutliche der Scholastik will er deutlich machen.

In diesem Bemühen, die Scholastik mit Descartes' Philosophie und den Forderungen der mathematischen Methode zu verbinden, ist er hinsichtlich der ersten Aufgabe nicht ohne Vorgänger. Leibniz lag viel an einer solchen Synthese [170]. Ebenso hatten Clauberg und Duhamel schon eine Verbindung versucht. Was aber Ausmaß und Gründlichkeit angeht, mit der Wolff die Erneuerung durchgeführt hat, findet er keine Vorgänger.

Das freie, aus sich selbst schöpferische Denken der Vernunft ist Wolff fremd [171]. „Zwischen sinnlicher Anschauung und logischem Verstande ist sein Denken eingespannt, die geistige Anschauung fehlt. Am größten ist sein an der Mathematik geschultes Talent der Verknüpfung" [171]. Von daher ist es verständlich, wenn Wolff für Leibniz' Monadenlehre kein Verständnis aufbringen kann. Zum andern ist damit aber auch die Grenze Wolffs ausgesprochen, dem es nicht gelingt, in einem geistigen Wurf das von überall her, aus verschiedensten und oft entgegengesetzten Richtungen mit großem Fleiß Zusammengetragene von innen her zu einer Einheit zusammenzufassen. Das Verhältnis von Empirismus und Rationalismus, das unausgesprochen das ganze System durchzieht, findet bei Wolff keinen Ausgleich; beide bleiben sich äußerlich. Die mathematische Methode, die das einheitsstiftende Prinzip des Systems darstellt, steht Wolff vielleicht im Wege, die sachlich gegebenen Fragen in ihrer Bedeutung zu erfassen und nach einer von der Sache bestimmten Lösung zu suchen. Wenn Wolffs Werk einen eklektizistischen Eindruck erweckt,

[169] Nachr., § 70 (S. 271); auch § 69.

[170] Etwa Leibniz, Marii Nizolii de veris principiis et vera ratione philosophandi contra pseudophilosophos (Frankfurt, 1670) mit der „epistola de Aristotele Recentioribus reconciliabili" (bei Gerh. IV, 127 ff.).

[171] Wundt, Schulphil., S. 149.

so entspricht dies durchaus der Wolffschen Mentalität [172]; allerdings ginge es zu weit, Wolffs Philosophie einfach als Eklektizismus etikettieren zu wollen.

„Wolff war ein Mann der Schule" [173]. Ihm ging es um Lehren, nicht um Forschen, in Mathematik wie in Philosophie [174]. Leibniz betreibt erklärende Spekulation, Wolff gibt eine Darstellung unseres Denkens und Wissensinhaltes [175]. Zwei Aufgaben schweben der Zeit Wolffs vor: den gesamten Denkinhalt darzustellen und die Mittel zu dessen Verbreitung und Verwertung zu schaffen [176]. Wolff hat diese Aufgabe zwar nicht in der großartigsten und genialsten Weise gelöst, wohl aber in der praktischsten und erfolgreichsten [177]. „Dies ist", so meint Arnsperger, „die Stelle, die Wolff in der allgemeinen Entwicklung der neueren Philosophie einnimmt" [177].

Der Philosophie Wolffs ist ein konservativer Zug zu eigen: Wolff geht von der Schulphilosophie aus und weiß sich ihr verpflichtet; damit stellt er sich in Gegensatz zur Frühaufklärung; statt Essayistik zu betreiben wie die Frühaufklärung, ist sein Vorgehen das der streng mathematischen Systematik; Descartes gewinnt Leibniz gegenüber wieder mehr an Boden, bedingt durch Wolffs Ablehnung der Monadenlehre, wobei allerdings nicht übersehen werden darf, daß viele Gedanken des großen Leibniz durch Wolff seiner Zeit vermittelt werden. Die Schule Wolffs ist der Beweis für den großen Erfolg der Wolffschen Philosophie, gleichzeitig aber auch eine Geschichte ihrer Fragwürdigkeit [178].

Zum Philosophie- und Systembegriff Wolffs darf nicht übergegangen werden, ohne auf die große Leistung hingewiesen zu haben, die Wolff in

[172] Dt. Met. A, § 242: „... sondern daß ich alles Gute zu behalten suche / es mag angetroffen werden / wo es will / nur davor sorgen / daß es von den anklebenden Vorurtheilen befreyet werde ... Und dieses dünckt mich / ist die rechte Art eines Philosophi Eclectici, oder eines Welt-Weisen / der zu keiner Fahne schwöhret / sondern alles prüffet / und dasjenige behält / was sich miteinander in der Vernunfft verknüpffen / oder in ein Systema Harmonicum bringen lässet."

[173] Wundt, Schulphil., S. 148.

[174] S. 149.

[175] Arnsperger, a.a.O., S. 51.

[176] S. 152.

[177] S. 55.

[178] Zur Beurteilung Wolffs und deren Geschichte vgl. Arnsperger, a.a.O., S. 5 f. Außer den Darstellungen der Philosophiegeschichte auch W. L. G. Freyherr v. Eberstein, Versuch einer Geschichte der Fortschritte der Philosophie in Deutschland, I (Halle, 1794), 279 f. Nach Schöffler (S. 200) ist Wolff „der Philosoph des Luthertums seiner Zeit"; vgl. S. 134 ff.

der Entwicklung der deutschen philosophischen Sprache sich zuschreiben darf [179]. Viele philosophische Termini gehen auf Wolff zurück. Allerdings ist auch hierin Wolff nicht ohne Vorgänger; es sei nur an Leibniz, Clauberg und Christian Thomasius erinnert, in kleinerem Ausmaß auch an einige Schulmetaphysiker.

[179] Vgl. dazu Paul Piur, Studien zur sprachlichen Würdigung Christian Wolffs (Halle, 1903).

IV. ALLGEMEINE CHARAKTERISIERUNG DER WOLFFSCHEN PHILOSOPHIE

1. Philosophiebegriff [180]

a) Definition

Ausführlich befaßt sich Wolff mit dem Begriff der Philosophie im „Discursus praeliminaris", einem der lateinischen Logik vorangestellten Überblick über die Philosophie, ein Gegenstück zu dem der deutschen Logik vorangehenden „Vorbericht von der Weltweisheit" (1712). Wolff definiert: „Philosophia est scientia possibilium, quatenus esse possunt" [181]. Diese Definition hat Wolff seiner eigenen Aussage zufolge 1703 gefunden, 1705 Caspar Neumann mitgeteilt und 1709 in der Vorrede zu den „Aerometriae elementa" veröffentlicht [182]. Philosophie wird von Wolff verstanden als Wissenschaft vom Möglichen als solchem. Philosophie hat es also nicht einfachhin nur mit dem faktisch Existierenden zu tun; dieses ist als sich aposteriori durch die Existenz als möglich ausweisendes Mögliche nur ein Bereich des Möglichen, das auch in sich begreift, was nie zur Existenz gelangt. Mögliches ist, wie später auszuführen, das Widerspruchsfreie. Als solches wird es im Denken auf Grund des Widerspruchsprinzips nachgewiesen. Wolffs Philosophiebegriff trägt ausgeprägt rationale Züge.

b) Gegenstand

Fragt man nach dem Gegenstandsbereich der Philosophie, so ist von deren Bestimmung als Wissenschaft vom Möglichen her konsequenterweise nur die Antwort möglich, daß es nichts gibt und geben kann, das nicht Gegenstand der Philosophie ist bzw. sein könnte [183]. Die Philo-

[180] Vgl. Lüthje, „Wolffs Philosophiebegriff", Kantstudien, 30 (1925), 39—66; auch Blackwell, „The structure of Wolffian Philosophie", The modern Schoolman, 38 (1960/61), 203—218.

[181] Disc. prael., § 29. Dt. Log., Vorber., § 1 (S. 115). Rat. prael., s. II c. 1 § 3 (S. 107 f.): „Est nempe mihi Philosophia scientia omnium possibilium qua talium, ita ut ad objectum Philosophiae referri debeant res omnes, qualescunque fuerint, quatenus esse possunt, sive existant, sive non."

[182] Disc. prael., § 29 not. — In Rat. prael., s. II c. 1 § 2 (S. 107) sagt Wolff, er habe diese Definition 1704 gefunden, als er sich, durch das Kopernikanische System veranlaßt, überlegte, ob philosophische Fragen, besonders physikalische, aus der Hl. Schrift entschieden werden können oder nicht.

[183] Rat. prael., s. II c. 1 § 3 (S. 107 f.); § 7 (S. 108): „Atqui hinc nullum datur, nec dari potest objectum, quod philosophicae considerationis non sit: immo quae in

sophie umfaßt damit auch die Gegenstände der Höheren Fakultäten (Theologie, Jurisprudenz, Medizin), denn sie erkennt auf vortreffliche Weise, was in jenen „vulgari modo" behandelt wird [184]. Was den Philosophen etwa von einem Theologen, Juristen oder Mediziner unterscheidet, das ist sein Bemühen, deutliche Begriffe zu geben, diese zu verbinden und vor allem nach den Gründen zu fragen [185]. Philosophische Erkenntnis ist nicht nur Wissen von Fakten, sondern eigentlich Wissen der Gründe; dadurch unterscheidet sie sich von der „gemeinen Erkenntnis" [186].

Nicht dem Materialobjekt nach unterscheidet sich also die Philosophie von anderen Disziplinen, sondern dem Formalobjekt nach. Philosophie besteht in einer besonderen Erkenntnisart, näherhin darin, den Grund des Möglichen deutlich zu durchschauen [187]. Treffend faßt dies Lüthje am Ende seiner Untersuchung zusammen, wenn er sagt: „Nicht also durch ihren Gegenstand unterschied sich für ihn die Philosophie von den übrigen Wissenschaften und dem vorwissenschaftlichen Erkennen, sondern allein durch ihre der Mathematik abgesehene Methode, durch die ihr die apodiktische Gewißheit ihrer Erkenntnisse gewährleistet war, und dadurch, daß sie an alle ihre Gegenstände eine bestimmte Frage richtet, die Frage nach dem Warum, daß sie von allem den Grund angibt" [188]. Oder „in eine kurze Formel zusammengefaßt: sie ist nach ‚demonstrativischer Gewißheit' ringende Welterklärung" [189]. Entscheidend für Wolffs Philosophie ist die Frage der Methode, weshalb kurz auf sie eingegangen sein soll.

disciplinis superiorum Facultatum vulgari modo pertractantur, ea Philosophus excellentius cognoscit."

[184] Rat. prael., s. II c. 1 § 7 (S. 108).

[185] § 8 (S. 109 f.). Deshalb empfiehlt Wolff, das Studium der Philosophie dem der Theologie, Jurisprudenz und Medizin voranzuschicken (vgl. § 24 ff. [S. 115 ff.]). Vgl. auch Hor. subs. 1729, trim. autumn. III: De philosophia non ancillante (S. 425 ff.; dt.: Ges. kl. Schr. III, 3 ff.); Hor. subs. 1731, trim. brum. I: De influxu philosophiae Autoris in Facultates superiores (S. 1 ff.).

[186] Disc. prael., § 31: „In philosophia reddenda est ratio, cur possibilia actum consequi possint"; § 6: „Cognitio rationis eorum, quae sunt, vel fiunt, philosophica dicitur." Auch Dt. Log., Vorber., § 5 f. (S. 115).

[187] Rat. prael., s. II c. 1 § 6 (S. 108): „Nimirum non per objectum materiale, sed formale ego Philosophiam discernere soleo a Mathesi, superiorum ... Facultatum disciplinis atque vulgari rerum cognitione. Constituit Philosophia peculiarem quendam cognoscendi modum, quo scilicet rationem possibilium distincta perspicimus."

[188] Lüthje, a.a.O., S. 63.

[189] S. 64.

c) Methode

Mit der philosophischen Methode beschäftigt sich Wolff ausführlich im 4. Kapitel des „Discursus praeliminaris". Unter Methode versteht er die Ordnung, die der Philosoph bei Behandlung der Lehrsätze einhalten muß [190]. Folgendes wird von ihr gefordert:

1. In der Philosophie sind nur Termini zu gebrauchen, die durch genaue Definition erklärt sind [191].
2. Nur hinreichend geprüfte Prinzipien (principia probata) sind zu gebrauchen [192].
3. Kein Satz ist zuzulassen, der nicht aus hinreichend geprüften Prinzipien abgeleitet ist [193].
4. Termini, die in nachfolgenden Definitionen enthalten sind, müssen durch vorhergehende erklärt werden [194].
5. Sätze, die in Beweisen nachfolgender Sätze enthalten sind, müssen in vorhergehenden bewiesen werden [195].
6. In philosophischen Sätzen ist die Bedingung, unter der das Prädikat dem Subjekt zukommt oder etwas von einer Sache bejaht oder verneint wird, genau zu bestimmen [196].
7. In Beweisen darf nicht mehr enthalten sein, als was einem des Vorhergehenden kundigen Leser hinreicht, das zur Ausführung der Schlüsse Erforderliche ins Gedächtnis zurückzurufen [197].
8. Bei einem Beweis sind die einzelnen Sätze so anzuordnen, wie sie im Geist des Beweisenden aufeinanderfolgen [198].
9. Wenn zur Erkenntnis Nützliches nicht bewiesen werden kann, ist dessen Wahrscheinlichkeit mit angemessenem Grund zu erweisen (adstruere), die Wahrscheinlichkeit selbst aber vom Gewissen klar zu unterscheiden [199].

[190] Disc. prael., § 115: „Per Methodum philosophicam intelligo ordinem, quo in tradendis dogmatis uti debet philosophus."

[191] § 116. Bei schwankenden oder dunkeln Termini büßt die Philosophie die angestrebte Gewißheit ein (not.).

[192] § 117. Mit der mangelnden Begründung der Prinzipien fallen alle darauf aufgebauten Wahrheiten (not.).

[193] § 118.

[194] § 119.

[195] § 120.

[196] § 121.

[197] § 123.

[198] § 124.

[199] § 125.

10. Philosophische Hypothesen sind zuzulassen, insofern sie den Weg bahnen, die Wahrheit zu finden [200].
11. Hypothesen dürfen nicht wie Prinzipien verwendet werden, wenn Sätze, die in der Philosophie als Dogmen gelten, bewiesen werden sollen [201].
12. In philosophischen Sätzen ist das Prädikat genau zu bestimmen, damit dem Subjekt nicht mehr zugesprochen wird, als was durch das Vorhergehende von ihm bewiesen werden kann [202].
13. In jedem Teil der Philosophie ist als Ordnung einzuhalten, daß vorausgeschickt wird, wodurch das Nachfolgende erklärt und bewiesen oder wenigstens als wahrscheinlich erwiesen wird [203].

Will man die Methode knapp zusammenfassen, so kann man auf vier entscheidende Momente verweisen: Deutlichkeit, nichts Ungeprüftes (probatum) bzw. Unbewiesenes (demonstratum), dieses vom Wahrscheinlichen unterschieden, und die richtige Folge [204]. Besonderes Gewicht wird auf die richtige Folge gelegt, ob bei Begriffserklärungen, Sätzen oder Beweisen. Wolff spricht von ihr ausdrücklich als von dem obersten Gesetz der philosophischen Methode: „... Hanc supremam methodi philosophicae legem esse apparet, quod ea sint praemittenda, per quae sequentia intelliguntur et adstruuntur" [205]. Dieses Gesetz gilt auch für die Behandlung der einzelnen Teile der Philosophie [206]. (Daß die eben dargelegten Regeln auch für den philosophischen Stil gelten, sei nicht übersehen [207]. Kennzeichnend für Wolffs Einstellung zur Tradition ist die eindeutige Aussage, daß in der Philosophie vom „significatus receptus" der Wörter nicht abzugehen sei [208]. Daß er sich gegen eine unbeständige Redeweise wendet [209], versteht sich für Wolff von selbst.)

[200] § 127. — § 126 definiert Wolff: „Definio itaque Hypothesin philosophicam per sumtionem eorum, quae esse nondum demonstari potest, tanquam essent, rationis reddendae gratia." Vgl. Hor. subs. 1729, trim. vern. I: De Hypothesibus philosophicis (S. 177 ff.; dt.: Ges. kl. Schr. II, 226 ff.).

[201] Disc. prael., § 128.

[202] § 130.

[203] § 132.

[204] Rat. prael., s. II c. 1 § 20 (S. 113): „... operam dare soleo, ut 1. accuratas tradam earum rerum, de quibus agendum est, definitiones, nec ulla utar voce nisi distincte explicata; 2. ut nihil sine probatione assumatur, nec 3. in observationibus et experimentis ... vitium subreptionis committatur, ... 4. ut singula inter se, quantum datur, connectantur ita ut antecedentia sint consequentium rationes."

[205] Disc. prael., § 133.

[206] § 134.

[207] § 140 ff.

[208] § 142. 147.

[209] § 144.

Von der Methode hängt alles ab; wer sie vernachlässigt, kann niemals gewisse und deutliche Erkenntnis erlangen [210]. Und gerade sie ist das Ziel Wolffschen Philosophierens.

Wie bei Descartes, der die Methodenfrage in den Mittelpunkt philosophischen Interesses gerückt hat, ist auch für Wolff die Mathematik das alles bestimmende Modell. Der Philosophie kommt nicht weniger Gewißheit zu als der Mathematik, und zwar aus keinem anderen Grund als dem, daß die Regeln der philosophischen Methode mit denen der mathematischen zusammenfallen [211]. Den Streit darüber, ob man die mathematische Methode auf die Philosophie anwenden könne, bezeichnet Wolff als töricht und überflüssig, da die Philosophie ihre Methode nicht aus der Mathematik entlehne. (Daß Wolff die mathematische Methode auf die Philosophie übertrage [212], hatten ihm seine Gegner in Halle vorgeworfen.) Über die Identität der mathematischen und philosophischen Methode können sich nur die wundern, die nicht wissen, woher beider Regeln abgeleitet werden [212]. Wolffs Antwort ist klar: „Nos regulas methodi philosophicae ex notione certitudinis deduximus" [212]. Auch wenn es überhaupt keine Mathematik gäbe oder sie noch nicht so weit ausgebildet wäre, daß sie sichere Erkenntnis liefern könnte, würde man keine andere philosophische Methode finden, solange man sich um gewisse Erkenntnisse bemühe [212]. Mathematisch Philosophierende schöpfen ihre Methode aus einer „wahren Logik", durch die allein man zu gewisser Erkenntnis gelange [212].

Wolffs eigene Geschichte zeigt den Bezug von Mathematik und Philosophie in einem anderen Licht. Daß die philosophische Methode eine generalisierte mathematische Methode darstellt und damit von der Mathematik herkommt, wird niemandem zweifelhaft sein; allerdings bleibt auf Grund der obigen Aussagen Wolffs zu bedenken, ob die Herkunft der Methode letztlich nicht doch belanglos ist, da die Gewißheit als Ziel die Methode bestimmt, wobei Gewißheit für Wolff und die auf Descartes zurückgehende Philosophie seiner Zeit am Ideal der Mathematik gemessen wird. Methode ist für Wolff nicht nur Mittel zum Zweck, sondern, wie sich zeigen wird, zum Schaden der philosophischen Problematik oft Selbstzweck.

[210] § 137.

[211] § 139. — Eine Darstellung der mathemat. Methode: Wolff, Anfangsgründe aller mathematischen Wissenschaften, I (Neue Aufl., Wien, 1775), 1—28; Elementa matheseos universae, I (Ed. nova, Halle, 1730), 1—17.

[212] Disc. prael., § 139 not.

2. Philosophie als strenge Wissenschaft

Auf Grund der in der Philosophie angewandten Methode ist diese eine Wissenschaft, und weil sie Wissenschaft ist bzw. sein soll, ist die entsprechende Methode gefordert. Unter Wissenschaft versteht Wolff „eine Fertigkeit des Verstandes, alles, was man behauptet, aus unwidersprechlichen Gründen unumstößlich darzuthun" [213]. Die Philosophie, von Wolff schon in der Definition als Wissenschaft ausgewiesen, ist gerade als Wissenschaft durch das Bemühen um jede Art von Gewißheit bestimmt [214], wobei das methodische Vorgehen einen entsprechenden Erfolg garantiert. Aus diesem Grund müssen in der Philosophie alle Erkenntnisarten, nämlich die historische, die philosophische und die mathematische angewandt werden, um jeglichen Zweifel auszuschließen: die Prinzipien sind von der Erfahrung abzuleiten, das Bewiesene durch Experimente und Beobachtungen zu bestätigen und, da in vielen Fällen die Gewißheit von der mathematischen Gewißheit abhängt, auch diese zu berücksichtigen [215]. (Historische und mathematische Erkenntnis haben in ihrem Bezug auf die Philosophie aber auch eine Grenze; diese ist mit dem Nutzen für die Philosophie gegeben [216].)

Wissenschaft geht auf Zusammenhänge aus. Gerade die richtige Folge wurde oben als oberstes Gesetz auch der philosophischen Methode herausgestellt. Der wissenschaftliche Charakter der Philosophie hängt entscheidend von dieser Folge ab. Die richtige Folge der einzelnen Teile bildet das Ganze, das System. Wissenschaft, wie sie von Wolff bestimmt wird, ist nur als System denkbar.

3. Das philosophische System

a) Der Begriff des Systems

System ist für Wolff eine zusammenhängende Darstellung unseres Denk- und Wissensinhaltes, während, wie Arnsperger mit Recht bemerkt, bei Leibniz System als erklärende Spekulation zu verstehen ist [217]. Das

[213] Dt. Log., Vorber., § 2 (S. 115). Disc. prael., § 30.
[214] Disc. prael., § 33.
[215] § 34.
[216] § 35.
[217] Arnsperger, a.a.O., S. 51. — S. 43 weist Arnsperger darauf hin, daß im damaligen Sprachgebrauch „System" einen Gedanken, eine Meinung bzw. Hypothese bezeichnet. So spricht Leibniz vom System der prästab. Harmonie, auch Wolff, während es sonst bei ihm ein organisch gegliedertes Lehrgebäude meint.

System von Leibniz baut sich von innen her aus dem Begriff der Monade auf, während die Einheit des Systems bei Wolff eine äußere bleibt, vom methodischen Gesetz der richtigen Folge bestimmt.

b) Die einzelnen Teile des Systems; zum Metaphysikbegriff Wolffs

Die Ordnung der Teile ist für das System konstitutiv. Wie von der Definition der Philosophie zu erwarten, gibt es keinen Bereich wissenschaftlichen Bemühens, der nicht seinen Ort im Gebäude der Philosophie findet. Dieser Ort der einzelnen Teile ist nun auszumachen.

Eine Gliederung in loser Form gibt Wolff im „Vorbericht von der Welt-Weisheit" der „Deutschen Logik" [218]; im „Discursus praeliminaris" dagegen ist er auf streng logischen Zusammenhang und auf Vollständigkeit bedacht [219]. (Beide Darstellungen stimmen nicht immer überein, was hier aber nicht berücksichtigt werden soll.) Der Darstellung des „Discursus praeliminaris" folgend, seien zuerst die Teile der Philosophie als solche, dann deren Folge dargelegt.

Wolff geht vom Bewußtsein aus [220]: Wenn wir auf uns selbst aufmerken, sind wir uns der Dinge außer uns und unser selbst bewußt. Dieses ist die Seele, jene Dinge außer uns die Körper. Da wir feststellen, daß diese beiden nicht aus sich entstanden sind und durch sich weiterbestehen, also keine entia a se sind, geben wir einen Urheber der Seele wie der Körper zu — natürlich in diesem Fall, wie auch beim Unterschied von Seele und Leib, nur mit Wahrscheinlichkeitsgründen [221]; dieser Urheber aber ist Gott. Bevor wir zu philosophieren beginnen, erkennen wir also drei Seiende: Gott, die menschliche Seele und die Körper. Daraus ergeben sich die drei Teile der Philosophie, nämlich über Gott, die menschliche Seele und die materiellen Dinge; und zwar gibt es nur diese drei Teile, da wir nur diese drei Arten von Seienden erkennen [221]. Cartesianisches Erbe also sowohl im Ausgang vom Bewußtsein wie in der Dreizahl der Teile.

[218] Dt. Log., Vorber., § 10 ff. (S. 117 ff.).

[219] Disc. prael., § 55 ff.

[220] § 55.

[221] § 56. In der nota sichert sich Wolff gegen einen möglichen Einwand, der sich aus der Tatsache, daß er die Engel nicht anführt, nahelegt: Er ziehe die Lehre der Hl. Schrift nicht in Zweifel, aber hier gehe es um das, was man vor Beginn der Philosophie darlegen könne. Tatsächlich hat Wolff keine eigene Angelologie geschrieben; von der Engellehre der Schulmetaphysik bleiben einige Hinweise in Psych. rat. (§ 643 ff.).

Der Teil, der über Gott handelt, wird „Theologia naturalis" genannt und kann als „scientia eorum, quae per Deum possibilia intelliguntur" definiert werden, womit auch die Behandlung der Attribute und Tätigkeiten Gottes — wie Erschaffung und Erhaltung des Universums — eingeschlossen ist [222].

Mit der Seele befaßt sich die „Psychologia", die mutatis mutandis der Theologie bzw. der Philosophie entsprechend als „scientia eorum, quae per animas humanas possibilia sunt" definiert wird [223]. Die Psychologie erfährt durch Wolff in der Form der empirischen und der rationalen Psychologie eine doppelte Darstellung.

Die Physik ist der Teil der Philosophie, der sich als „scientia eorum, quae per corpora possibilia sunt" mit den Körpern befaßt [224].

Damit ist die Grundgliederung des Systems gegeben. Weitere Differenzierungen ergeben sich aus besonderen Aspekten der einzelnen Teile. So bildet die Psychologie die Grundlage von Logik und praktischer Philosophie, da diese beiden die zwei Vermögen der Seele zum Gegenstand haben: die Logik die „facultas cognoscitiva", was deren richtige Leitung bei der Wahrheitserkenntnis angeht, die praktische Philosophie das Strebevermögen, insofern sie dessen Leitung bei der Wahl des Guten und der Flucht vor dem Bösen zum Gegenstand hat [225].

Die praktische Philosophie wird wieder in Ethik und Politik eingeteilt, je nachdem ob der Mensch als Mensch „in statu naturali" betrachtet wird oder als Bürger, d. h. insofern er „in societate civili" lebt [226]. Eine Untergliederung der Politik bildet die „Oeconomica", die die kleineren Gesellschaften, z. B. die Ehe, betrachtet [227]. Das Naturrecht als „scientia actionum bonarum atque malarum" lehrt, welche Handlungen gut und welche schlecht sind, bildet also die Theorie der praktischen Philosophie, weshalb es in deren Rahmen behandelt wird. Wolff kennt im Bereich der praktischen Philosophie noch eine Disziplin, die die allgemeinen Prinzipien der Theorie und Praxis der praktischen Philosophie behandelt, nämlich die „Philosophia practica universalis", von ihm 1703 nach mathematischer Methode verfaßt [228].

[222] Disc. prael., § 57.
[223] § 58.
[224] § 59.
[225] § 60 ff.
[226] § 63.
[227] § 66 f.

Wieder einen eigenen Bereich bildet die nach Wolff bisher vernachlässigte Philosophie der Künste, „Technica" oder „Technologia" genannt und als „scientia artium et operum artis" bzw. als „scientia eorum, quae organorum corporis, manuum potissimum, opera ab hominibus perficiuntur" bestimmt; hierher gehört z. B. die „Architectura civilis" [229].

Ebenso könne nach Wolff eine Philosophie der freien Künste begründet werden, wenn diese in wissenschaftlicher Form behandelt würden, z. B. eine Philosophie der Grammatik, der Rhetorik oder Poetik [230].

Die verschiedenen Teile der Physik gründen sich auf die verschiedenen Gattungen der Körper; so ist die Welt aus Totalkörpern zusammengesetzt; die Totalkörper selbst kennen wieder Teilkörper, wie z. B. die fossilia, vegetabilia und animalia. Die „Physica generalis" hat die allgemeinen Eigenschaften der Körper oder die mehrerer Arten zum Gegenstand; die „Cosmologia", die sich mit den Totalkörpern befaßt, wird von der „Cosmologia generalis sive transcendentalis" als Disziplin, die die Eigenschaften der möglichen Welten zum Gegenstand hat, unterschieden [231]. (Wolff versteht sich als Begründer dieser Disziplin [232].) Auf weitere Teile der Physik wie Metereologie, Phytologie oder Physiologie sei hier nur hingewiesen [233].

Die Naturdinge können, was ihre Gründe angeht, auf doppelte Weise gesehen werden: von der Wirkursache und vom Ziel her [234]. Die Betrachtung von den Wirkursachen her geschieht in den eben genannten Disziplinen. Der Teil der Naturphilosophie, der die Ziele der Dinge erklärt, bisher trotz ausgedehnter Anwendung ohne Namen, könnte „Teleologia" genannt werden [234]. Ludovici führt diese doppelte Betrachtungsweise Wolffs auf Leibniz' „Specimen Dynamicum" zurück [235].

[228] § 70; zum Naturrecht vgl. § 68.

[229] § 71.

[230] § 72.

[231] § 75 ff.

[232] Diff. nex., s. I § 2 (S. 3).

[233] Disc. prael., § 80 ff. — In § 84 spricht Wolff von einer Philosophie der Medizin, wie in § 39 von einer des Rechts und der Künste.

[234] Disc. prael., § 85.

[235] Ludovici. I, § 126: „Wir hoffen hier nicht zu irren, wenn wir behaupten, es habe Hr. Wolff diese gedoppelte Abhandlung von Hrn. Leibnitzen erlernet. Denn dieser schreibt in seinem Specimine Dynamico also: Et in universum tenendum est, omnia in rebus dupliciter explicari posse: per Regnum potentiae seu per causas Efficientes et per regnum Sapientiae seu per Finales". (Ludovici verweist auf „Acta eruditorum" vom April 1695, S. 154).

Von großer Bedeutung für unsere Untersuchung ist die Wissenschaft, die sich darauf gründet, daß einiges allen Seienden gemeinsam ist, der Seele wie den Körpern, natürlichen wie künstlichen [236]. Es handelt sich dabei um die „Ontologia" oder „Philosophia prima" als der „scientia entis in genere, seu quatenus ens est" [236]. Diese Wissenschaft behandelt die allgemeinen Begriffe wie Wesen, Existenz, Attribut, Modus, Notwendigkeit, Ort, Zeit etc., Begriffe also, die weder in der Psychologie noch in der Physik entsprechend erklärt werden [236].

Die Ontologie bildet einen Teil der Metaphysik. Wolff definiert Metaphysik als „scientia entis, mundi in genere atque spirituum"; sie umfaßt also Ontologie, Cosmologia generalis und Pneumatik, wobei die Pneumatik als „scientia spirituum" Psychologie und natürliche Theologie umfaßt [237].

Dieser Metaphysikbegriff ist Wolff eigentümlich. Der Metaphysikbegriff vor Wolff ist nicht einheitlich. Clauberg z. B. setzt Metaphysik mit Ontologie gleich [238]. Die Auffassung der Schulmetaphysiker ist verschieden, ein Nachwirken der aristotelischen Doppelbestimmung der Ersten Philosophie als Ontologie und Theologie [239]. Entsprechend wird Metaphysik vielfach als Wissenschaft verstanden, die im allgemeinen Teil vom „ens, qua ens", in einem besonderen Teil von Substanz — körperlicher und geistiger (Gott, Engel, Seele) — und Akzidenz bzw. der Pneumatik handelt. Der von Suarez beeinflußte Scheibler z. B. bestimmt, um nur einige Hinweise zu geben, den Gegenstand der Metaphysik zwar als das „ens, qua ens" [240], behandelt aber im 2. Buch unter der Substanz sehr ausführlich die Lehre von Gott, den Engeln und der Seele [241]. Daß er ein eigenes Werk „Theologia naturalis et Angelographia" verfaßt, hat nur praktische Gründe; im „Opus metaphysicum" läßt sich nämlich nicht alles so eingehend darlegen. Scheiblers Schüler Stahl geht im speziellen Teil der „Institutiones metaphysicae" nur sehr knapp auf die Lehre von Gott ein [242]. Wolffs Lehrer Hebenstreit sagt ausdrücklich, daß die Meta-

[236] Disc. prael., § 73.

[237] § 79.

[238] Clauberg, Met. de ente, Proleg. (Op., S. 281) u. I, 1 (Op., S. 283). In „De cognitione Dei" im Anschluß an Descartes: Metaphysik befaßt sich mit den Prinzipien menschlicher Erkenntnis (Op., S. 592).

[239] Vgl. Wundt, Schulmet., S. 162 ff.

[240] Scheibler, Op. met., l. I c. 1 Nr. 107.

[241] L. II c. 3: de Deo, c. 4: de angelis, c. 5: de anima separata.

[242] Stahl, Inst. met., P. spec. c. 1 ff. (S. 423 ff.). — Entsprechend ist die Aussage Wundts (Schulmet., S. 171) zu modifizieren.

physik „vi genuinae suae indolis, et jure quasi natalium" die natürliche Theologie für sich beanspruche [243]. Für seine Auffassung, daß die Theologie Teil der Metaphysik sei, führt er als mit ihm übereinstimmende Autoren Stahl, Musäus und Velthemius an [244].

Die Wittenberger neigen stark dazu, die Metaphysik als Ontologie zu verstehen und von der Theologie zu trennen. Jakob Martini, der sich ausführlich mit verschiedenen Auffassungen hinsichtlich des Objekts der Metaphysik befaßt, sieht in den „Partitiones et Quaestiones metaphysicae" das Objekt der Metaphysik im „Ens per se reale Deo et reliquis omnibus, a Deo pendentibus, commune, quatenus Ens est: ita ut tamen non descendat ad specialem Dei vel Intelligentiarum Entitatem" [245]. Dennoch handelt er im 2. Buch dieses Werks von Gott [246].

Martinis Schüler Scharf ist konsequenter; er sagt zwar im Prooemium seiner „Metaphysica exemplaris", man nenne die Metaphysik „Theologia naturalis", weil sie Sein, Wesen, Attribute etc. nicht nur in den Kreaturen erklären muß, sondern auch in Gott, führt aber keine Theologie durch [247]. In der ein Jahr später (1629) erschienenen „Pneumatica seu Pneumatologia hoc est Scientia spirituum naturalis ..." handelt er ausführlich von Gott und ebenso von den Engeln und der Seele. Er verfaßt ein selbständiges Werk nicht wie Scheibler aus nur praktischen Gründen, sondern weil die Lehre von den Geistern eine eigene Wissenschaft darstellt. In der „praefatio ad lectorem" erinnert Scharf daran, daß Aristoteles die Lehre von den Intelligenzen und Geistern in der Metaphysik behandelt, während andere diese in einer besonderen Wissenschaft behandelt wissen wollen. Als Vertreter der letzteren Auffassung nennt er ausdrücklich „Pererius lib. I de Philosoph. cap. 7". Der spanische, in Rom lehrende Jesuit Benedict Pereyra (Pererius ca. 1535—1610) hatte in seinen bis ins 2. Jahrzehnt des 17. Jahrhunderts häufig gedruckten „Physicorum sive de principiis rerum naturalium libri XV" gefordert, die allgemeinsten Bestimmungen in einer besonderen Wissenschaft, von ihm „Philosophia prima" genannt, und getrennt von ihr die Lehre von den Intelli-

[243] Hebenstreit, Phil. pr., c. prel. th. 3 (S. 17).

[244] Th. 3 (S. 19).

[245] Jak. Martini, Part. met., l. I s. 1. q. 15 (S. 40); die verschiedenen Auffassungen in q. 5 ff. (S. 16 ff.). Ebenso Exerc., l. I ex. 2 th. 3: „Subjectum Metaphysices est Ens qua Ens"; th. 5: „Deus, Angeli, omnesque intelligentiae ad subjectum Metaphysicum referuntur." L. II der „Exercitationes" handelt von Gott.

[246] Jak. Martini, Part. met., l. II s. 1: De divisione entis in infinitum et finitum; s. 2: De primo et increato ente in specie.

genzen in einer eigenständigen Disziplin, „Metaphysica" genannt, zu behandeln [248]. In seinem Orden konnte sich Pereyra gegen Suarez, der den theologischen Begriffen in seinen „Disputationes" einen breiten Raum zugesteht, nicht durchsetzen. Während bei den reformatorischen Denkern, wie Göckel, Keckermann und Alstedt, der zuerst auf deutschem Boden eine besondere Wissenschaft „Pneumatik" (1620) einführt, die Unterscheidung Pereyras aufgenommen wird, dauert es bei den Lutheranern länger [248]. Scharf ist in dieser Sache der erste unter ihnen [249].

Wolff übernimmt diese Tradition der Trennung von Ontologie und Theologie. Die Trennung wird dadurch noch stärker hervorgehoben, daß die transzendentale Cosmologie als ganz neuer Teil auf die Ontologie folgt und zudem noch die Lehre von der Seele als empirische und rationale Psychologie — im Gegensatz zu den Pneumatiken der Schulmetaphysik — vor die Theologie tritt. Im Metaphysikbegriff unterscheidet sich Wolff somit von der Schulphilosophie, aber auch mehr oder weniger von den cartesianisch ausgerichteten Systematikern wie Régis und Duhamel [250].

Überblickt man die einzelnen Teile, so vermißt man zunächst die Mathematik. Als mathematische Erkenntnis wird sie von der philosophischen wie historischen unterschieden und steht deshalb von vornherein außerhalb des Bereichs philosophischer Erkenntnis. Der Zusammenhang zwischen philosophischer und historischer Erkenntnis ist zwar von dem zwischen mathematischer und philosophischer Erkenntnis verschieden, dennoch wäre auch eine Philosophie der Mathematik grundsätzlich ebensowenig auszuschließen wie eine von Wolff angeführte Philosophie der Medizin, des Rechts und — in der Form der natürlichen Theologie — auch irgendwie der Theologie, obwohl Theologie, Jurisprudenz und Medizin von vornherein als die Höheren Fakultäten der Philosophie gegenübergestellt sind. Die Philosophiebegriff Wolffs ist, wie sich im Rückblick zeigt, nicht ohne Widersprüche.

[247] L. III bringt den speziellen Teil der Metaphysik (Substanz-Akzidenzien) nur im allgemeinen.

[248] Wundt, Schulmet., S. 170.

[249] S. 171.— In Pneumatica, prooem. nr. 4: „Doctrina distincta Spirituum ad nullam usitatam disciplinam, quae alias in Philosophicis est tradita, per se pertinet"; nr. 8 f.: „Generalis pneumaticae pars est, quae agit de natura spirituum communi, eorumque proprietatibus in genere ... specialis ... de Deo, de Angelis et de Anima intelligente."

[250] Régis spricht im „Systême general" (S. 63) von „La Metaphysique ou la connaissance des substances intelligentes et de leurs proprietez" und teilt die Metaphysik in 3 Bücher: I: l'esprit en lui-même, et par rapport au Corps; II: facultez de

Über das System als solches entscheidet die Ordnung der Teile der Philosophie. Der Einfachheit halber sei sie in Form eines Schemas angegegeben, das sich im wesentlichen nach dem deutsch-lateinischen Schema Ludovicis richtet [251]. Das Ordnungsprinzip bildet die Grundregel der Methode: „Ordo partium philosophiae is est, ut praedeant, ex quibus aliae principia mutuantur" [252].

Philosophia (Welt-Weißheit)

I. Theoretica (Theoretische)
   1. Logica, seu Philosophia rationalis (Vernunft-Lehre)
   2. Metaphysica (Haupt-Wissenschafft; ihre Teile:)
      a) Ontologia (Grund-Wissenschafft)
      b) Cosmologia generalis (Allgemeine Welt-Lehre)
      c) Psychologia (Seelen-Lehre)
         aa) empirica (Seelen-Geschichte)
         bb) rationalis (Seelen-Wissenschafft)
      d) Theologica naturalis (Natürliche Gottes-Gelahrtheit)
   3. Physica (Natur-Lehre)
      a) Experimentalis (Versuchs-Kunst der Natur)
      b) Dogmatica [253] (Natur-Wissenschafft) in respectu causarum vel
         aa) efficientium (würckenden Ursachen)
         bb) finalium (göttlichen Absichten): Teleologia (Absichts-Wissenschafft der Natur)
   4. Technologia

II. Practica (practische)
   1. Philosophia practica universalis (Allgemeine practische Philosophie)
   2. Jus naturae

l'Ame et leurs Fonctions; III: esprit autant que separé du corps après sa mort. Metaphysik ist für Régis demnach Pneumatik. — Traditioneller ist der Metaphysikbegriff des Vermittlers Duhamel. Vgl. Philosophia vetus et nova II, 6 (praef.): „Ens in universum, ut ab omni materia vel re, vel cogitatione secretum, objectum est Metaphysicae"; S. 8: „. . . nec tamen Deus est objectum proprium et adaequatum Metaphysicae: quamvis sit praecipuum objectum illius partis Metaphysicae, quae Theologia naturalis, dici solet." Duhamel kennt 3 Teile der Metaphysik: Ontologia, Aetiologia und Theologia naturalis (de Deo, et anima rationali, perpauca de Angelis).

[251] Ludovici I, § 129. Das hier gegebene Schema weicht von dem Lüthjes („Philosophiebegriff", S. 65) ab. Lüthje führt die Physik als Teil der Metaphysik, was kaum zu begründen ist. Vgl. Disc. prael., § 87 ff.

[252] Disc. prael., § 87.

3. Ethica seu Philosophia moralis (quae considerat statum naturalem) (Sitten-Lehre)
4. Oeconomica (circa societates simplices) (Haußhaltungs-Kunst)
5. Politica (circa societatem civilem) (Staats-Kunst)

Der Ort der einzelnen Teile steht nicht in allem eindeutig fest. Die Logik z. B. folgt, richtet man sich nach dem sachlichen Gesichtspunkt der methodus demonstrativa, auf Ontologie und Psychologie, während sie dem modus studendi nach zuerst behandelt werden muß [254]. Die praktische Philosophie kann ebenso wie die Physik unmittelbar nach der Metaphysik behandelt werden [255]. (Damit ist die Einteilung in theoretische und praktische Philosophie, von der Wolff ausdrücklich nicht spricht, durchbrochen [256].) Auch die Teleologie kann an verschiedenem Ort behandelt werden [257].

Nachdem die Ordnung des Systems feststeht, läßt sich eindeutig entscheiden, welche Disziplinen — und in welcher Ordnung — für die Frage nach der Struktur der Gotteserkenntnis zu berücksichtigen sind.

[253] Identisch mit der „Physica generalis" des § 76.

[254] § 91.

[255] § 105 f.

[256] Wolff spricht nur von Praktischer Philosophie. — Die Technologia wird, da auf der Physik aufbauend, zur theoret. Philosophie gezählt.

[257] Einmal kann die Teleologie nach der natürlichen Theologie behandelt werden, da sie die durch diese gewonnene Gotteserkenntnis bestätigt (§ 102), weshalb sie auch „Theologia experimentalis" genannt wird (§ 107); zum andern sei die Physik der Teleologie vorauszuschicken, da die rationes finales erst dann offen darliegen, wenn die Wirkursachen durchschaut sind, so daß die Prinzipien der teleologischen Beweise aus der Physik genommen werden (§ 100).

V. ORT UND BEDEUTUNG DER FRAGE NACH DER ERKENNTNIS GOTTES IM GANZEN DES SYSTEMS

1. Ort der Frage im System

Zwei Pole werden in der Frage nach der Struktur der Gotteserkenntnis angezielt: Gott und das menschliche Erkennen.

a) Theologia naturalis

Von Gott handelt die Theologia naturalis; abgeleitet und indirekt auch die Teleologia. Wie aus dem Schema zu ersehen, setzt die Theologia naturalis die Ontologia, Psychologia und Cosmologia voraus; aus diesen entnimmt sie nämlich ihre Prinzipien. Somit müssen diese drei Disziplinen bei der Untersuchung unserer Frage beigezogen werden.

Wolff geht im „Discursus praeliminaris" ausführlich auf die Prinzipien der natürlichen Theologie ein. Wenn Gottes Existenz und Eigenschaften aus sicheren und unveränderlichen Prinzipien erschlossen werden sollen, muß von der Betrachtung der Welt ausgegangen werden. Von der kontingenten Existenz der Welt wird in notwendiger Folgerung (consequentia) auf Gottes notwendige Existenz geschlossen. Als Eigenschaften sind ihm die zuzuschreiben, aus denen er als einziger Urheber der Welt erkannt wird. Die Cosmologie behandelt die allgemeine Betrachtung der Welt und zeigt deren Abhängigkeit von den göttlichen Attributen. Also ist die natürliche Theologie auf die Cosmologie angewiesen.

Zu den Begriffen der göttlichen Eigenschaften gelangen wir, indem wir die Begriffe der der Seele zukommenden Eigenschaften von ihren Grenzen befreien. Die Kenntnis der Seele liefert die Psychologie. Also leitet die Theologie auch von der Psychologie Prinzipien ab.

Schließlich benötigt die Theologie im weitesten Ausmaß in ihren Beweisgängen die allgemeinen Begriffe, die in der Ontologie entwickelt werden. Prinzipien also auch aus der Ontologie.

Die Teleologie, die, wie oben angedeutet, erst nach der praktischen Theologie bzw. der Physik behandelt wird, bekräftigt, was in der Theologie erkannt wurde, und ist insoweit, wenn auch nur in geringem Maß, zu berücksichtigen.

b) Psychologie und Logik

Vom menschlichen Erkennen, seinen Voraussetzungen, Kräften, Möglichkeiten und Grenzen handelt die Psychologie. So wird diese Disziplin aus zweifachem Grund zu Wort kommen: Einmal von ihrem eigenen Gegenstand her und zum andern, insofern sie unter anderem auch der Theologie Prinzipien liefert. Da die Psychologie ihrerseits ihre Prinzipien der Ontologie und Cosmologie entnimmt, sind letztere auch von der Psychologie her zu berücksichtigen. Obwohl sich die Logik nicht mit dem Erkennen als solchem beschäftigt, sondern mit dem richtigen Gebrauch und der richtigen Leitung des Erkenntnisvermögens, wird sie heranzuziehen sein; abgesehen davon, daß sie schon wegen der großen Bedeutung im Denken Wolffs und dem Fehlen einer eigenen Darstellung der Erkenntnislehre auch für unsere Frage nicht von geringem Gewicht sein wird.

Der Gang der Untersuchung ist damit gegeben: Mit der Untersuchung des menschlichen Erkennens ist zu beginnen, mit der Ontologie und — weniger ausführlich — der Cosmologie weiterzufahren, um mit der ausführlichen Untersuchung der beiden Darstellungen der „Theologia naturalis" ins Zentrum und Ziel der Frage zu gelangen. Zuvor soll aber noch nach der Bedeutung gefragt werden, die Wolff der natürliche Theologie zumißt.

2. Bedeutung und Nutzen der Gotteserkenntnis

Die Trennung der natürlichen Theologie von der Ontologie und die Tatsache, daß sie innerhalb der Metaphysik den letzten Platz einnimmt, bedeutet nicht, der natürlichen Theologie sei die traditionell beherrschende Stellung abgesprochen [258]. Aus methodischen Gesichtspunkten als letzte Disziplin behandelt, ist sie Ziel aller anderen und damit Höhepunkt der Metaphysik [259]. Nicht nur die Metaphysik als Wissenschaft gelangt in der Gotteserkenntnis an ihr Ziel, auch der erkennende Mensch findet Erfüllung seiner Wißbegierde nur in der Gotteserkenntnis [260].

Die Bedeutung der Gotteserkenntnis ist mit der Bestimmung, das höchste Erkenntnisgut zu sein, noch nicht vollständig zum Ausdruck gebracht. Wolff sagt ausdrücklich, die Lehre von Gott lerne man nicht deshalb, um sie im Verstand zu behalten, vielmehr ziele sie auf die Praxis ab,

[258] Auch in den Darstellungen der Schulmetaphysik, die die Metaphysik als reine Ontologie auffassen, kommt dem Gottesbegriff als dem alle Abschnitte durchdringenden Begriff die entsprechende Bedeutung zu (vgl. Wundt, Schulmet., S. 171 f.).

[259] Theol. nat. I, praef. [S. 11]: „Quemadmodum vero Theologia naturalis est scopus, ad quem tendunt disciplinae Metaphysicae anteriores omnes . . ."

[260] § 17: „Theologia naturalis exsatiat animum sciendi cupidum."

darauf nämlich, daß wir Gott in unserm Tun verehren und auf diese Weise glücklich werden [261].

Mit seiner Lehre von Gott verfolgt Wolff, wie zahlreiche Bemerkungen zeigen, ebenso wie vor ihm schon Descartes und — in geringerem Maß — Leibniz ein apologetisches Ziel [262]. Er will die Atheisten widerlegen [263], und zwar mit Gründen. Wenn ihm im Kampf gegen die „esprits forts" an der Verteidigung der Religion bzw. der Befestigung der natürlichen Religion gelegen ist [264], dann letztlich in der Absicht, durch den Erweis der Göttlichkeit der Hl. Schrift zur Offenbarungstheologie zu führen und diese gegen die Naturalisten zu verteidigen [265]. Sein Bemühen um Gewißheit gilt letztlich der Ehre Gottes, der Religion und der Tugend: „Und hieraus ersiehet man / wie ich für Gottes Ehre / Religion und Tugend interessieret bin / indem ich die hieher gehörigen Wahrheiten gerne bis zu der Gewißheit bringen wil / daß ich nicht bloß sagen / sondern gar beweisen kan / sie seye so gewiß als wir selber sind / damit denen die sich für andern starck an Verstand zu seyn bedüncken / endlich völlig das Maul gestopffet werde / und ihre Zweiffel und Einwürffe eine solche Auflösung erhalten mögen / daß es so ungereimt wäre dabey zu verbleiben / als sich bereden wollen / daß wir nicht wären" [266].

[261] Ebd., praef. [S. 11]: „Neque enim existimandum est, doctrinam de Deo ideo addisci, ut animo teneatur, vel subtiliter de eodem disputetur; sed tota quanta ad praxin tendit, ut Deum tanquam Deum in omnibus actionibus nostris veneremur et ipsi serviendo, quemadmodum decet, reddamur felices." Auch Rat. prael., s. II c. 4 § 60 (S. 162).

[262] Zu Descartes als Apologeten vgl. Gouhier, La pensée religieuse de Descartes (Paris, 1924). Vgl. Descartes' Widmung an die Theolog. Fakultät in den „Meditationes". — Bei Leibniz ist hier bes. auf die Theodizee zu verweisen.

[263] Theol. nat. I, § 12; Nachr., § 199 ff.; besonders Theol. nat. II, § 411 ff.

[264] Dt. Met. A, § 1: „Die natürliche Erkänntniß von Gott ist in unseren Tagen um so viel nöthiger / je mehr sich Leute finden / die für andern starck am Verstande zu seyn vermeynen / und deßwegen allerhand Einwürffe wider die Beweise machen / die man von Gott und seinen Eigenschaften führet. Denn wenn erst die natürliche Erkänntniß von Gott fest gestellet worden / so kan man nach diesen mit dergleichen Leuten um soviel eher zu rechte kommen / wenn man mit ihnen wegen der in Gottes Wort geoffenbahrten Religion zu thun hat." Auch Dt. Met. A, § 428; Nachr., § 199. 203—206.

[265] Theol. nat. I, § 18 ff. — Interessant ist der Vergleich mit entsprechenden Aussagen Claubergs; vgl. De cogn. Dei, exerc. I (Op., S. 593 ff.).

[266] Dt. Met. A, § 1 (S. 3 f.).

TEIL I

DIE GOTTESERKENNTNIS IN IHREN VORAUSSETZUNGEN

A. DAS MENSCHLICHE ERKENNEN[1]

I. ORT DER FRAGE IM SYSTEM WOLFFS

1. Philosophiegeschichtlicher Hintergrund

Mit Erstaunen stellt man fest, daß sich weder unter den deutschen noch den lateinischen Schriften Wolffs ein Werk befindet, das sich ausschließlich mit Erkenntnisfragen beschäftigt. Nachdem die Erkenntnis ausdrückliches Thema in der westeuropäisch-angelsächsischen Philosophie wie auch auf eigene Art in der deutschen Schulphilosophie des 17. Jahrhunderts geworden war, könnte man mit Recht ein entsprechendes Werk Wolffs erwarten.

a) Die Erkenntnisfrage in der westeuropäisch-angelsächsischen Philosophie

Descartes' „Discours de la méthode" (1637) und die „Meditationes" (1641) sind zwar keine speziell erkenntnistheoretischen Werke, einzelne Teile jedoch haben ausgesprochen erkenntnistheoretisches Gepräge, ganz abgesehen vom umwälzend neuen Ausgangspunkt cartesianischen Denkens, der dem Erkenntnisproblem einen bedeutenden Rang einbringt. Die „Regulae" (verfaßt um 1628, veröffentlicht posthum 1701[2]) sind eher schon als ein ausschließlich mit Erkenntnisfragen befaßtes Werk anzusprechen. Dasselbe gilt von den Werken der großen Cartesianer: Spinozas „Tractatus de intellectus emendatione" (1677), Malebranches „Recherche de la vérité" (1674—1689) und Leibniz' „Meditationes de cognitione, veritate et ideis" (1684). Wolff kannte diese Werke ebenso

[1] Zur Erkenntnislehre Wolffs vgl. Ernst v. Aster, Geschichte der neueren Erkenntnistheorie (Berlin u. Leipzig, 1921), S. 429—438; Campo I, 3—123, 144—147, 269—371; auch Richard Hönigswald, Geschichte der Erkenntnistheorie (Darmstadt, 1966), S. 132 f. Bei Ernst Cassirer (Das Erkenntnisproblem in der Philosophie und Wissenschaft der neueren Zeit, II [Berlin, 1907]) finden sich nur einige Hinweise (vgl. S. 405 ff., 426 f.).

[2] Vgl. S. 16.

wie Lockes „Essay concerning human understanding" (1690), um nur die wichtigsten anzuführen.

b) Gnostologie und Noologie in Deutschland

In zeitlicher Entsprechung war auch im Deutschland des 17. Jahrhunderts die Erkenntnis Gegenstand eigenständiger Untersuchungen geworden. Nachdem schon bei reformatorischen Denkern, etwa Timpler, Alsted und Keckermann, Fragen der Erkenntnis besonderes Interesse erregt hatten, begründet der Lutheraner Gutke 1625 mit seinem „Habitus primorum principiorum" die entsprechende Disziplin, später von Fromm Gnostologia genannt [3]. (Gutkes Werk wird 1661 und 1666 neu aufgelegt.) An Gutke schließt sich, nicht ohne über ihn hinauszugehen [4], Valentin Fromm mit seiner „Gnostologia" von 1631 an [5]. Von Gutke und Fromm abhängig, veröffentlicht Calov 1632 und 1637 die „Gnostologia", 1650 die „Noologia". Calov bringt über Gutke und Fromm hinaus nichts wesentlich Neues; verdienstvoll ist sein Werk wegen der „knappen, sehr übersichtlichen Zusammenfassung" [6]. Auf ihn geht die Trennung von Gnostologie und Noologie zurück. In seinem Schüler G. Meier, der 1662 eine „Gnostologia", 1666 eine „Noologia" veröffentlichte, hatte diese Wissenschaft ihren Höhepunkt längst überschritten [7].

Auch wenn von einer eigenständigen Disziplin die Rede ist, darf man nicht annehmen, diese Denker hätten den Rahmen der überlieferten Denkweise verlassen. Die Erkenntnisfrage war und blieb für sie eine Frage der Metaphysik, aus der sie hervorging und als deren Berater sie angesehen wurde [8]. Gegenstand der Erkenntnis ist z. B. nach Calov das scibile bzw. cognoscibile; das, „quod intellectui nostro ad cognoscendum objicitur"; es kennt wie das Sein keine Gattung, kann also nicht definiert werden [9]. Gegenstand der Gnostologie ist demnach das Sein selbst unter dem die Disziplin konstituierenden Gesichtspunkt des Intelligiblen [10].

[3] Vgl. Wundt, Schulmet., S. 227 ff. Auch Petersen, Geschichte d. arist. Phil., S. 310 ff.; Petersen hebt besonders die Bedeutung Gutkes hervor.

[4] Wundt, Schulmet., S. 255.

[5] Wundt (S. 255 ff.) schreibt Fromme. Das benutzte Exemplar der Göttinger Universitätsbibl. hat Fromm. Titelblatt: 1632, epistola dedicatoria: 5. id. Aug., 1631.

[6] Wundt, Schulmet., S. 260.

[7] Petersen, S. 323. — Zu anderen Werken dieser Art und der zeitl. Entsprechung zur westeurop. Philos. vgl. Wundt, Schulmet., S. 228.

[8] Wundt, Schulmet., S. 229.

[9] Calov, Scripta, S. 3 f. Vgl. auch Fromm, Gnostol., P. I c. 1 (S. 1): „Gnostologia est notitia de scibili quatenus scibile est."

[10] Calov, Scripta, S. 5: „Intelligibile est omne quod est."

Die sachlich auf die Gnostologie folgende Noologie [11] wird von ihrem Begründer Calov definiert als „habitus mentis principalis affinitatem rerum contemplans, quatenus ex eadem prima cognoscendi principia fluunt" [12]. Materialobjekt ist also die affinitas rerum, die Verwandtschaft der Dinge einmal unter sich, zum andern die der Dinge mit Gott; Formalobjekt ist diese affinitas, insofern aus ihr, indem man sie betrachtet (animadversio), die ersten Erkenntnisprinzipien eruiert werden [13]. Letztlich gibt es aber nur ein Prinzip: das Kontradiktionsprinzip [14]. Gnostologie und Noologie bleiben im Rahmen des transzendentalen verum.

Zu einer selbständigen Behandlung der Erkenntnisfrage hat sich Wolff auch durch diese Richtung nicht anregen lassen. Da sich weder in den beiden Psychologien noch in der lateinischen Logik Zitate aus Gnostologien oder Noologien finden, könnte man vermuten, er habe diese Richtung nicht gekannt. Dies mit dem Fehlen von Zitaten allein zu begründen, dürfte im Blick auf die damaligen Zitationsgewohnheiten übereilt sein, abgesehen davon, daß Gutke, Fromm, Calov und Meier auf die verschiedenste Weise mit Wittenberg verbunden waren.

2. Wolffs Vorgehen in methodisch-didaktischem Anschluß an die Scholastik. Dessen Gründe

Wolff beschäftigt sich mit Erkenntnisfragen an den Stellen, an denen sich auch die Scholastik dieser Fragen annahm. Dies waren die Logik (richtiges Denken), die Psychologie (Vorgang des Erkennens als Äußerung des Seelenvermögens) und die Metaphysik (ens — scibile, ens reale — ens rationis, Widerspruchsprinzip als oberste Regel der Erkenntnis, die Universalien, ens et verum u. a.) [15]. Der Grund dürfte nicht allein in der Absicht Wolffs liegen, zwischen der modernen westeuropäischen Philosophie und der überkommenen Schulphilosophie eine Verbindung herzustellen, sondern eher in der Tatsache, daß er beim Aufbau eines Systems nur in der scholastischen Tradition ein allseitig ausgebildetes System vorfand, an dem er sich zunächst einmal orientieren konnte. Der tiefere Grund ist aber darin zu sehen, daß die Erkenntnisfrage im Wolffschen Denken keine entscheidende Rolle spielt; Logik und Ontolo-

[11] S. 42.
[12] S. 38.
[13] S. 45 f.
[14] S. 48.
[15] Vgl. Wundt, Schulmet., S. 229 ff.

gie sind zentraler; und vor allem: letztere bedarf bei Wolff noch keiner ausdrücklich erkenntniskritischen Begründung.

Wolffs Anschluß an die scholastische Tradition ist jedoch kein geradliniger. Manche Erkenntnisfragen betreffende Abschnitte fehlen bei Wolff ganz, z. B. der über das ens rationis [16], oder sind stark zusammengeschrumpft, wie die Behandlung des verum. Als ganz neu gegenüber der scholastischen Tradition ist das Prinzip vom zureichenden Grund anzusprechen, das zusammen mit dem Prinzip vom Widerspruch die Prinzipien der Ontologie und Erkenntnislehre ausmacht.

3. Erkenntnisfragen betreffende Werke Wolffs

Bei der nun folgenden Darstellung werden besonders die beiden Psychologien, „Psychologia empirica" (1732) [17] und „Psychologia rationalis" (1734) [18], die Kapitel I, III und V der „Deutschen Metaphysik" [19], und schließlich die lateinische Logik (1728) und ihre deutsche Vorgängerin

[16] Vgl. Scheibler, Op. met., l. I c. 27; andere haben diesen Abschnitt z. T. auch nicht.

[17] Die „Psychologia empirica", definiert als „scientia stabiliendi principia per experientiam, unde ratio redditur eorum, quae in anima humana fiunt" (§ 1), hat 2 Teile: T. I: „De anima in genere et facultate cognoscendi in specie", T. II: „De facultate appetendi in specie et commercio inter mentem et corpus". Hier ist bes. T. I mit dessen 3 Sectionen (s. I: „De anima in genere", s. II: De facultatis cognoscendi parte inferiori"; s. III: De facultatis cognoscendi parte superiori") heranzuziehen.

[18] Die „Psychologia rationalis", definiert als „scientia eorum, quae per animam humanam possibilia sunt" (§ 1, vgl. Disc. prael., § 58), will aus dem Begriff der Seele allein ableiten, was a posteriori durch Beobachtungen als der menschlichen Seele zukommend gefunden bzw. aus gewissen Beobachtungen abgeleitet wurde (Disc. prael., § 112 not.). Die empirische Psychologie voraussetzend (Psych. rat., § 3), geht sie über diese hinaus (§ 4. 7). Sie liefert Erkenntnisse, die der Beobachtung allein unzugänglich sind (§ 9), und schärft den Blick bei Beobachtungen der empirischen Psychologie (§ 8). Aber auch die empirische Psychologie hat philos. Erkenntniswert: sie bildet Begriffe von Fähigkeiten und „habitus", stellt Prinzipien auf und gibt von einigen den Grund an (Disc. prael., § 111). — Von den 4 Sectionen der Psych. rat. (s. I: „De anima in genere et facultate cognoscendi in specie"; s. II: De facultate appetendi"; s. III: „De commercio inter mentem et corpus"; s. IV: „De variis animae attributis, spiritu in genere et animabus brutorum") sind bes. s. I u. s. III heranzuziehen.

[19] Der Psych. rat. entspricht das 5. Kap. der Dt. Met. (§ 729—927): „Vom Wesen der Seele und eines Geistes überhaupt"; der Psych. rat. das 3. Kap. (§ 191—539): „Von der Seele überhaupt / was wir nehmlich von ihr wahrnehmen"; dem 1. Kap. der Dt. Met. (§ 1—9: „Wie wir erkennen / daß wir sind / und was uns diese Erkäntnis nützet") entsprechen die §§ 11—19 des 1. Kap. der Psych. emp.

von 1712[20] zu berücksichtigen sein; teilweise auch die Ontologie und das ihr entsprechende 2. Kapitel der „Deutschen Metaphysik". Als Leitfaden diene zunächst die „Psychologia empirica", später dann die „Psychologia rationalis".

[20] Von der „Logica" sind der 1. (theoretische) Teil ganz, der zweite (praktische) in den Sectionen I und II heranzuziehen; aus der Dt. Log. entsprechend Kapitel 1—8. — Obwohl sich nach Arndt (Einl. z. Dt. Log., S. 96) bis ins 19. Jh. lobende Bemerkungen über Wolffs Logik finden, von der großen Verbreitung im 18. Jh. ganz zu schweigen (vgl. S. 92 ff.), wurde Wolffs Logik bisher fast ganz übersehen. So führt z. B. Bochenski (Formale Logik, Freiburg, [1962]) Wolffs lat. Logik nicht einmal in der Bibliographie an. Arndts Einleitung stellt die erste Untersuchungen dar (vgl. S. 3).

II. AUSGANG VOM BEWUSSTSEIN

1. Bewußtsein, Zweifel, Existenz

Die „Deutsche Metaphysik", das bedeutendste Werk der deutschen Reihe, beginnt Wolff in § 1: „Wir sind uns bewust. Daran kan niemand zweiffeln / der nicht seiner Sinnen völlig beraubet ist: und wer es leugnen wolte / derjenige würde mit dem Munde anders vorgeben / als er bey sich befindet / könte auch bald überführet werden daß sein Vorgeben ungereimet sey. Denn wie wolte er mir etwas leugnen / oder in Zweiffel ziehen / wenn er sich nicht bewust wäre? Wer sich nun aber bewust ist / derselbige ist. Und demnach ist klar / daß wir sind".

Der cartesianische Ausgangspunkt vom Bewußtsein wird in der „Psychologia empirica" noch näher präzisiert: „Nos esse nostri rerumque aliarum extra nos constitutarum conscios quovis momento experimur" [21]. Das Bewußtsein zeigt sich in einer Doppelfunktion als Selbst- und Außenbewußtsein [22]. Um hierin zur Gewißheit zu gelangen, bedarf es nur der Aufmerksamkeit auf unsere Wahrnehmungen [23]. Selbst durch den Zweifel wird diese Erfahrungstatsache bestätigt; denn wie könnte man um seine Zweifeln wissen, wenn man sich dessen nicht bewußt wäre? [24].

2. Schluß vom Bewußtsein auf die Existenz

Aus der Tatsache des Bewußtseins wird mittels des Satzes „Qui sui aliarumque rerum actu conscius est, ille etiam actu est sive existit" [25] auf die Existenz geschlossen [26]. Descartes hatte es abgelehnt, von einem Schluß vom Bewußtsein auf die Existenz zu sprechen [27]; Wolff tut dies nach dem Vorbild einiger Cartesianer [28] nicht nur ausdrücklich, sondern

[21] Psych. emp., § 11.

[22] „Außenbewußtsein" findet sich bei Wolff nicht. — Blackwell („Chr. Wolffs doctrine of the soul", Journ. Hist. id., 22 (1961), S. 340) sieht in diesem Doppelaspekt eine Modifikation des cartes. Ansatzpunktes: „In insisting on these two aspects of the original fact of consciousness, Wolff is immediately preparing the ground of his defense against the objection of solipsism." Vgl. aber Lockes Doppelaspekt von „sensation" und „reflection".

[23] Psych. emp., § 11.

[24] § 12.

[25] § 13.

[26] § 14.

[27] Descartes, II. Resp. (AT VII, 140).

[28] Huet (Censura philosophiae cartesianae, c. 1 nr. 11) z. B. lehnt es ab, von einer „simplex visio" des „cogito, ergo sum" zu sprechen; es handle sich im Gegenteil

es geht ihm ganz entscheidend darum zu zeigen, daß in der Art und Weise, wie wir zur Erkenntnis unserer Existenz gelangen, „folgender Schluß stecket:

> Wer sich bewust ist / der ist.
> Wir sind uns bewust. Also sind wir" [29].

Was dem Erkenntnisweg nach das Erste: die Tatsache des Bewußtseins, wird im Syllogismus das Zweite, d. h. zum Untersatz; der Obersatz kann aber nur vom Untersatz her gebildet werden, so daß der Schluß nichts weiter darstellt als einen reinen Formalismus. Wolff verwirklicht, was Descartes für erforderlich hielt, wenn von einem Schluß gesprochen werden sollte, daß man nämlich zuerst den Obersatz „Alles, was denkt, ist oder existiert" erkannt haben müßte [30].

3. Bedeutung dieses Syllogismus: Maßstab der Gewißheit

Weshalb Wolff am syllogistischen Charakter des „cogito, ergo sum" so interessiert ist, wird einsichtig, wenn man seine Gründe hört, die ihn veranlassen, etwas so Selbstverständliches wie unsere Existenz zu beweisen [31].

Der eine Grund liegt in der Bestimmung des Philosophen, der nicht allein wissen muß, daß etwas möglich sei oder geschehe, sondern auch den Grund angeben muß, warum etwas möglich ist oder geschieht; hier also, woher die unbezweifelbare Gewißheit unserer Existenz kommt [32]. Der andere Grund liegt im großen Nutzen der Untersuchung. Wissen wir nämlich, weshalb diese Gewißheit so groß ist, daß eine größere nicht gedacht werden kann, wissen wir, wie etwas beschaffen sein muß, das wir mit derselben Gewißheit wie unsere Existenz erkennen [33]. (Von größter Bedeutung ist dies z. B. in der rationalen Psychologie und natürlichen Theologie beim Beweis der Unsterblichkeit der Seele bzw. der

um einen Syllogismus: „Quidquid cogitat est. Atqui Ego cogito, Ergo sum". — Ebenso Régis (vgl. Gilson, S. 294).

[29] Dt. Met., § 6. Psych. emp., § 14 not.

[30] Vgl. Anm. 27.

[31] Dt. Met., § 2.

[32] § 3; Psych. emp., § 14 not.

[33] Dt. Met., § 4; Psych. emp., § 15 not.; Rat. prael., s. II c. 3 § 17 (S. 146).

Existenz Gottes [34].) Die Existenzgewißheit ist also Maßstab jeglicher Gewißheit [35].

4. Existenzgewißheit, Beweis und geometrische Gewißheit

Das Wissen um unsere Existenz ist deshalb so gewiß, weil es sich bei diesem Schluß um eine „demonstratio" handelt [36]; denn der Obersatz ist ein Axiom, der Untersatz eine selbst durch Zweifel bestätigte Erfahrung [37]. „Und demnach erhellet / daß alles / was richtig demonstriret wird / eben so gewiß ist / als daß wir sind" [38]. Mit derselben Evidenz wie unsere Existenz, da nur von evidenten Prämissen ausgehend, werden die geometrischen Wahrheiten bewiesen, wenigstens bei Euklid und den alten Geometern. Damit ist die Verbindung zur mathematischen Methode hergestellt: „und folgens alles / was auf geometrische Art erwiesen wird / so gewiß sey / als daß wir selber sind" [39].

5. Das „Cogito, ergo sum" im System Wolffs

Descartes hatte im „cogito, ergo sum" das fundamentum inconcussum gefunden, auf dem er seine ganze Philosophie aufbauen konnte [40]. Nicht mehr das Kontradiktionsprinzip, wie in der Scholastik, sondern das „cogito — sum" ist erstes Prinzip [41]. Wolff baut seine Philosophie nicht auf dem Cogito auf, dergestalt, daß die einzelnen Disziplinen nach dem „ordre des raisons" [42] in streng linearer Folge nacheinander entwickelt würden; der Zusammenhang zwischen den relativ eigenständigen Diszi-

[34] Psych. emp., § 16 not.

[35] Zur Frage der Gewißheit vgl. Log., § 564 ff.; zu Wahrscheinlichkeit und wahrscheinlichen Urteilen vgl. Log., § 578 ff. Von den Mitteln, Gewißheit zu erlangen: Disc. prael., § 34; die höchste Gewißheit wird erreicht durch Verbindung der mathem. und philos. Erkenntnis: Disc. prael., § 28. Quelle der Gewißheit ist das „principium certitudinis": Ont., § 55, vgl. auch Dt. Met., § 389 ff.

[36] Dt. Met., § 8; Psych. emp., § 16. — Die demonstratio als Art der probatio ist gegeben, „si in syllogismis, quos inter se concatenamus, non utamur praemissis, nisi definitionibus, experientiis indubitatis, axiomatis et propositionibus jam ante demonstratis" (Log., § 498). Arten und Formen der demonstratio: Log., § 594 ff.; Dt. Met., § 346 ff.; Dt. Log., s. u. „demonstratio".

[37] Dt. Met., § 7; Psych. emp., § 16.

[38] Dt. Met., § 8; Psych. emp., § 17.

[39] Dt. Met., § 9; Psych. emp., § 18 f.

[40] Descartes, Med. II, 1 (AT VII, 24).

[41] Descartes, Disc. IV, 1 (AT VI, 32); Princ. phil. I, 7 (AT VIII, 7). — Vgl. auch Clauberg, Differentia inter Cartesianam et in Scholis vulgo usitatam philosophiam (Op., S. 1217 ff.).

plinen ist ein ziemlich loser, während innerhalb einer Disziplin der an der Geometrie ausgerichtete „ordre des raisons" maßgeblich ist. Wolffs Interesse am Cogito gilt nicht der Existenz, dem Sein, auch nicht einem ersten Prinzip, sondern dem nicht mehr überbietbaren Gewißheitsgrad des Cogito und der diesem Grad entsprechenden Methode, der methodus demonstrativa bzw. der geometrischen Methode. In dieser Hinsicht hat das isoliert erscheinende 1. Kapitel der „Deutschen Metaphysik" bzw. die entsprechenden Paragraphen der „Psychologia empirica" doch einen Bezug zum ganzen Werk, nicht zuletzt gerade für die Psychologie, wenn zu Beginn des Werkes die Existenz der Seele bewiesen werden soll.

Wolff formuliert nicht, wie zu erwarten, „ich bin mir bewußt", sondern, „wir sind uns bewußt". Er rekurriert damit auf die mehreren Subjekten gemeinsame Erfahrung [43] und lehnt damit schon in der Formulierung die Position der Egoisten [44] ab. Mit diesem „Wir" ist die Seele gemeint.

[42] Gueroult (Descartes selon l'ordre des raisons, I, 12) sieht das Entscheidende und Neue im „ordre des raisons": „Il faut donc avant tout mettre à nu cet ordre des raisons qui, aux yeux de Descartes, est la condition sine qua non de la valeur de sa doctrine"; bes. I, 18 ff.

[43] Vgl. Blackwell, a.a.O., S. 340. Vgl. Descartes, Disc. IV (lat. Text) (AT VI, 558).

[44] Vgl. Psych. rat., § 38.

III. BEWUSSTSEIN UND SEELE

Wolff gibt als Nominaldefinition der Seele: „Ens istud, quod in nobis sui et aliarum rerum extra nos conscium est, Anima dicitur"; statt „anima" sage man cartesianischem Sprachgebrauch entsprechend auch „anima humana", „mens" oder „mens humana" [45].

Die Realität der Definition ist aposteriorisch erwiesen [46], nachdem im Vorhergehenden gezeigt worden war, daß es etwas in uns gibt, das sich bewußt ist [47]. Während in der „Psychologia empirica" Seele als Bewußtsein verstanden wird, äußert sich Wolff in der früheren „Deutschen Metaphysik", Leibniz folgend, differenzierter, wenn er sagt, das Wesen der Seele bestehe nicht im Bewußtsein, so als könnte es, wie die Cartesianer meinen, in der Seele nichts geben, dessen sie sich nicht bewußt wäre [48]. Seele wird bei Wolff aber nicht nur cartesianisch als Bewußtsein verstanden [49], sondern, wie später darzulegen, ebenso in Leibniz' Sinne als „vis repraesentativa". Auf Wesen und Eigenschaften der Seele ist hier jedoch nicht näher einzugehen.

[45] Psych. emp., § 20. Dt. Met., § 192: „. . . so ist zu mercken / daß ich durch die Seele das jenige Ding verstehe, welches sich bewust ist . . ." — Bei Descartes sind anima, mens, cogitatio bzw. pensée, esprit identisch; „mens" wird bevorzugt (gegen scholast. „anima"); vgl. dazu Gilson, S. 303 f., 307 f. — Zur scholast. Definition der Seele, die Wolff nicht übernimmt, vgl. z. B. Scherzer, Vadem., P. I, S. 19: „anima est principium, quo primum vivimus, sentimus, et intelligimus"; auch P. I, S. 131.

[46] Wolff übernimmt (Log., § 191 nat.) von Leibniz (Meditationes; Gerh. IV, 424 f.) die Lehre von den Nominal- und Realdefinitionen. Vgl. Log., § 191 ff.; die entsprechenden Stellen bei Leibniz bei Couturat (Logique de Leibniz, Paris, 1901) S. 188 ff. — Wolff ist in der starken Betonung der genetischen Definition von Tschirnhaus abhängig (vgl. Medicina mentis, P. II s. 2 [S. 66 ff.]). Leibniz anerkennt die Bedeutung der definitiones causales für das Finden von Realdefinitionen (vgl. Gerh. IV, 425), setzt jene aber nicht ohne weiteres mit diesen gleich, da erst die Widerspruchslosigkeit über den Charakter einer Realdefinition entscheidet. — Wie man zu Nominaldefinitionen kommt: Log., § 730 f.; zu Realdefinitionen: Log., § 686 f., 734 ff.; wie aus Nominal- Realdefinitionen werden: Log., § 734. Ebenso Dt. Log., c. 1 § 36 ff. (S. 141 ff.).

[47] Psych. emp., § 20 not.

[48] Dt. Met., § 193. Vgl. Leibniz, Princ. de nat. 4 (Gerh. VI, 600). Nach Grau (Die Entwicklung des Bewußtseinsbegriffs im XVII. u. XVIII. Jh., S. 184) ist Wolff der Schöpfer des dt. Terminus Bewußtsein.

[49] Cartesianisch ist die Auffassung, mit der Existenz der Seele sei die des Körpers noch nicht bewiesen (vgl. Psych. emp., § 21 not. und § 22 mit Hinweis auf Desc., Med. II).

IV. DER ERKENNTNISBEGRIFF

1. Erkennen: Erwerben von Begriffen

Eine Sache erkennen, heißt nach Wolff, sich deren Begriff oder Idee erwerben: „Rem cognoscere idem est ac ejus notionem, vel ideam sibi acquirere" [50]. So erkennt Gott, wer sich den Begriff der göttlichen Attribute, ein Dreieck, wer sich den Begriff des Dreiecks erwirbt [51]. Erkenntnis versteht Wolff aktiv als Tätigkeit der Seele, wodurch sie sich den Begriff oder die Idee einer Sache erwirbt, und distanziert sich damit von der als unbeständig beurteilten gewöhnlichen Redeweise, die Wirkursache (Tätigkeit der Seele) und Wirkung (Idee bzw. Begriff) für ein und dasselbe nimmt; hinsichtlich der Wirkursache selbst unterscheidet Wolff terminologisch nicht, indem er Wahrnehmung und die dreifache Tätigkeit des Intellekts in gleicher Weise als cognitio bezeichnet [52]. Erkennen ist Erwerben von Begriffen oder Ideen. Was bedeutet Begriff bzw. Idee im Verständnis Wolffs?

2. Idee, Begriff

In „Psychologia empirica" (§ 48) definiert Wolff: „Repraesentatio rei dicitur Idea, quatenus, rem quandam refert, seu quatenus objective consideratur" [53]. Idee ist die Sache als in der Vorstellung gegeben. Idee wird vom Akt des Geistes, wodurch etwas vorgestellt wird, d. h. von der Wahrnehmung (perceptio) unterschieden; ebenso vom Akt des Geistes, wodurch er sich jener Vorstellung bewußt ist, d. h. von der apperceptio; sie selbst ist „repraesentatio materialiter sumpta" [54]. Idea ist nicht einfachhin mit notio gleichzusetzen; denn notio ist „repraesentatio rerum in universali

[50] Psych. emp., § 51. Dt. Met., § 278. Wolff scheint mit Leibniz, der „idea" und „cognitio" gleichsetzt (Med.; Gerh. IV, 422), und zwar von der durch die Monadenlehre begründeten analytischen Urteilslehre her berechtigt, übereinzustimmen. Vgl. Locke, Essay IV, ch. 1,2: „Knowledge then seems to me to be nothing but the perception of the connexion and agreement, or disagreement and repugnancy, of any of our ideas."

[51] Psych. emp., § 51 not.

[52] § 52.

[53] Vgl. zum Folgenden die Studien von Grau und Knüfer.

[54] Psych. emp., § 48 not. Wolffs Sprachgebrauch unterscheidet sich hier von dem des Descartes (vgl. Gilson, S. 319: Desc., IV. Resp.). In Rat. prael., s. II c. 3 § 28 (S. 151) wird „repraesentatio" als Akt von „repraesentamen" (: idea, notio) unterschieden. Der Terminus repraesentamen findet sich sonst nicht mehr.

seu generum et specierum"[55], idea hingegen zunächst „rei singularis imago (§ 48), quae entis in universali imaginem seu notionem in se continet (§49)"[56], und erst in zweiter Linie notio. Die notiones werden durch Abstraktion von den Ideen der Einzeldinge gewonnen und repräsentieren ein Objekt mit Bestimmungen, die mehreren Individuen gemeinsam sind[57].

Im übrigen hält Wolff die Unterscheidung von idea und notio nicht durch; idea und notio sind auswechselbar; in den deutschen Schriften ist von einem Unterschied zwischen beiden nirgendwo die Rede[58]. (Vom Sprachgebrauch, streng genommen nicht aber von der Definition der Idee, weicht Wolff ab, wenn er, wie später darzulegen, von „ideae materiales" redet, die ganz und gar körperlich sind.) Ideen bzw. Begriffe sind im Geiste und selbst — in sich betrachtet — geistig, beziehen sich aber, wie aus der Definition zu ersehen, auf Anderes, auf Körperliches und Nichtkörperliches[59]. Während in Descartes' Ideedefinition als Bewußtseinsform[60] der Akzent auf dem Zusammenhang von Bewußtsein und Idee liegt, bei Locke Idee als Objekt von Wahrnehmungen, Denken oder Verstehen begriffen wird[61], ist Wolff vor allem am repräsentativen Charakter der Idee gelegen, worin auch in der Gnostologie das entscheidendste Moment gesehen wurde[62]. Ideen bzw. Begriffe werden, wie gesagt, durch Wahrnehmungen gewonnen. Wie ist „perceptio" zu verstehen? Ist für Wolff Descartes' oder Leibniz' Perzeptionsverständnis maßgeblich?

[55] Psych. emp., § 49.

[56] § 52 not. Dt. Log., c. 1 § 4 (S. 123); Log., § 34; Dt. Met., § 273: „Und hierdurch gelangen wir zu Vorstellungen der Geschlechter und Arten der Dinge (§ 182) / welches man eigentlich Begriffe zu nennen pfleget und die der Grund der allgemeinen Erkäntnis sind." Vgl. auch Psych. emp., § 43 not.

[57] Psych. emp., § 49 not.

[58] Die Dt. Log. kennt nur Begriff, nicht Idee; im dt.-lat. Reg.: Begriff: notio, idea; Dt. Met., dt.-lat. Reg.: Begriff: notio. Log., § 34: notio und idea sind gleich.

[59] Dt. Met. A, § 312.

[60] Descartes, II. Resp., def. 2 (AT VII, 160 f.) (vgl. Gilson, S. 318 f.).

[61] Locke, Essay II, ch. 8,8: „Whatsoever the mind perceives in itself, or is the immediate object of perception, thought itself or understanding, that I call idea," vgl. Klemmt, John Locke (Meisenheim, 1952), S. 30 ff.

[62] Calov (Gnostol., c. 5 [Scripta, S. 11]) bestimmt Begriff (Synonyma: verbum mentis, species intelligibilis, notio, idea): „Conceptus est species ab intellectu formata, repraesentativa scibilis in mente, ut in se est cognoscendi". Ebenso Meier (Gnostol., P. gen. c. 5 [S. 185 ff.]). Nach Fromm (Gnostol., P. I c. 4 [S. 70]) besteht der „conceptus formalis" in der „accurata et genuina rei cognoscibilis coram mente repraesentatione"; deshalb sind 4 Forderungen an den Begriff zu stellen: „1. similitudinem ad rem, cujus est conceptus. 2. ordinem dependentiae. 3. adaequationem proportionis. 4. speciei signum."

3. Wahrnehmung (perceptio), Bewußtsein (apperceptio), Gedanke (cogitatio)

a) perceptio

„Perceptio" bzw. Wahrnehmung [63] wird von „apperceptio" unterschieden; die „cogitatio" bzw. der Gedanke umfaßt beide. In „Psychologia empirica" (§ 24) definiert Wolff: „Mens percipere dicitur, quando sibi objectum aliquod repraesentat: ut adeo Perceptio sit actus mentis, quo objectum quodcunque sibi repraesentat". Perceptio ist repraesentatio, als Akt verstanden [64]. Als Subjekt der „perceptio" wird die „mens" angegeben. Die nota dieses Paragraphen erläutert den Sachverhalt durch Beispiele: „percipimus colores, odores, sonos: mens percipit seipsum et mutationes in se contingentes". Das „Wir" ist wieder als Seele, Geist zu verstehen. Farben und Töne scheinen aber eher für die Sinne als Subjekt zu sprechen. Wie schon im Begriff der Idee, zeigt sich auch die perceptio als doppelgerichtet: Sinnliches und Geistiges wird angezielt. Die mit dem Sinnlichen befaßte perceptio wird als „sensatio" bzw. Empfindung bezeichnet. Ihre Eigentümlichkeit besteht darin, daß sie auf Veränderungen in Organen unseres Körpers beruht; entsprechend ihre Definition: „perceptio per mutationem, quae fit in organo aliquo corporis nostri qua tali, intelligibili modo explicabilis" [65].

b) apperceptio; ihre Konstitution

Von der perceptio ist die „apperceptio" klar zu unterscheiden [66]; sie wird dem Geist zugesprochen, „insofern er sich seiner Wahrnehmung bewußt ist" [67]. Der Terminus „apperceptio" stammt, wie Wolff bemerkt, von Leibniz und fällt mit Descartes' „conscientia" zusammen [68]. Die apperceptio setzt die perceptio voraus; diese ermöglicht es, sich etwas

[63] Dt. Log., dt.-lat. Reg.: percipere: empfinden, perceptio: Empfindung. Dt. Met., lat.-dt. Reg.: Empfindung: sensatio, Gedancke: perceptio / cogitatio. Ludovici II: sinnliche Empfindung: sensatio. Wolffs Sprachgebrauch ist nicht eindeutig; vgl. Dt. Log., c. 1 § 1 (S. 123), wo Wolf „wahrnehmen" statt „empfinden" gebraucht. — Im folgenden: perceptio: Wahrnehmung; sensatio: Empfindung.

[64] In den Registern der Dt. Log. u. Dt. Met. wie bei Ludovici I u. II findet sich kein Äquivalent für repraesentatio; „Vorstellung" entspricht Idee bzw. Begriff (vgl. Dt. Log., c. 1 § 4 [S. 123], Ludovici I). Vgl. Knüfer, Grundzüge der Geschichte des Begriffs Vorstellung von Wolff bis Kant (Berlin, Diss., 1911), S. 14 ff.

[65] Psych. emp., § 65. Dt. Met., § 200; abweichend davon Dt. Log., c. 1 § 1 (S. 123).

[66] Psych. emp., § 26 not.

[67] § 25: „Menti tribuitur Apperceptio, quatenus perceptionis suae sibi conscia est."

[68] § 25 not. Vgl. Leibniz, Princ. de nat., 4 (Gerh. VI, 600).

bewußt zu sein, d. h. zu apperzipieren [69]. Dies ist noch näher zu präzisieren, denn aus der perceptio schlechthin entsteht noch nicht die apperceptio. Sind nämlich die Wahrnehmungen insgesamt dunkel, d. h. die Dinge nicht unterschieden, kann die Seele sich weder ihrer selbst noch irgend etwas anderem bewußt sein; völlige Dunkelheit hebt also das Bewußtsein, die apperceptio, auf [70]. Sind die Teilwahrnehmungen klar, so kann die Seele die wahrgenommenen Dinge voneinander unterscheiden, sich also ihrer bewußt sein; „so lässet sich eben auf die Art begreiffen / daß die Klarheit und Deutlichkeit der Gedancken das Bewust seyn gründet" [71]. Verschiedenes unterscheiden heißt, es „überdencken". „Derowegen ist klar / daß zu dem Bewust seyn das Überdencken erfordert wird" [72]. Außer Reflexion ist zum Bewußtsein aber auch noch Gedächtnis erforderlich, denn wer Gedanken unterscheidet, muß auch wissen, daß er den Gedanken schon gehabt hat [73]. Bewußtsein wird also konstituiert durch Klarheit der Wahrnehmung, Reflexion und Gedächtnis, wobei die einzelnen Momente sich gegenseitig fordern [74]. (Als Hinweis: auch dem Tier kommt Bewußtsein zu [75].) Im Wachen und Träumen haben wir Bewußtsein, nicht aber im traumlosen Schlaf [76]. Mit dem Fehlen des Bewußtseins ist im Gegensatz zu den Cartesianern nicht unbedingt das Fehlen jeglicher Wahrnehmung behauptet. Bewußtsein ist eine graduell höhere Wahrnehmung. Wenn die Wahrnehmungen die Grenzen der Dunkelheit überschritten haben und zur Klarheit gekommen sind, bringen sie Bewußtsein mit sich. Wolff ist hier Leibniz verpflichtet. Leibniz spricht jeder Monade Wahrnehmungen zu. Ist in den Perzeptionen einer Monade etwas deutlich, kann es zum „sentiment" kommen, d. h. zu einer vom Gedächtnis begleiteten Perzeption; wir sprechen dann von einem Tier; dessen Monade wird Seele genannt. Wenn diese Seele bis zur Vernunft erhöht ist, gehört sie zu den Geistern, d. h. sie hat eine reflexive Kenntnis ihres inneren Zustands, sie hat apperceptio [77]. Leibniz' Auffassung klingt

[69] Psych. emp., § 26 not.
[70] Psych. rat., § 19; Dt. Met., § 731.
[71] Dt. Met., § 732. Psych. rat., § 20.
[72] Dt. Met., § 733. Psych. rat., § 25.
[73] Dt. Met., § 734. Psych. rat., § 25.
[74] Dt. Met., § 735.
[75] Psych. rat., § 751.
[76] § 14 f. Vgl. Leibniz, Princ. de nat., 4 (Gerh. VI, 600).
[77] Leibniz, Princ. de nat., 4 (Gerh. VI, S. 599 f.).

nach, wenn Wolff von Graden der perceptio spricht, vom Dunklen zum Klaren und Deutlichen, vom Nichtbewußten zum Bewußten.

c) Herkunft des Wolffschen Perzeptionsbegriffs

Leibniz' Wahrnehmungsbegriff kann nur im Zusammenhang mit seiner Monadenlehre verstanden werden; diese wird von Wolff aber nicht übernommen. Die Monade, die nach Leibniz das ganze Universum repräsentiert, also nicht auf ein „Außen", auf Fenster angewiesen ist, drückt das Universum in den einzelnen, zu immer neuen Perzeptionen drängenden Perzeptionen aus, so daß perceptio Ausdruck (expressio) der Monade und als solche zugleich „repraesentatio mundi", als „repraesentatio mundi" zugleich auch wieder Ausdruck der Monade ist [78]. Von diesem ursprünglichen Zusammenhang von Perzeption und Welt ist in den deutschen Schriften und in der „Psychologie empirica" nicht die Rede. (Inwieweit doch ein Zusammenhang gesehen wird, wenn auch nicht ohne weiteres im Sinne von Leibniz, ist später zu zeigen.) Wolffs Perzeptionsbegriff ist also nicht einfach der Leibnizische. Perceptio als psychischer Akt ist, so Wolff, seinem Inhalt nach auf Anderes angewiesen.

Leibniz scheint aber anderseits in der Bestimmung der Wahrnehmung als auf Sinnliches und Geistiges sich Beziehendes nachzuwirken. In der kontinuierlichen Stufung der Monaden will Leibniz den cartesianischen Gegensatz von Geist und Materie überwinden und beides zusammendenken [79]. Leibniz' Perzeptionsbegriff schließt grundsätzlich Geistiges und Sinnliches ein.

Dennoch ist die Frage nach der Herkunft des Wolffschen Perzeptionsbegriffs vorerst [80] dahingehend zu entscheiden, daß Wolff eher zu Descartes neigt, der den Zusammenhang von Wahrnehmung und Welt im Sinne von Leibniz nicht kennt, sondern die perceptio als Akt des Geistes versteht, obwohl er perceptio mit conscientia gleichsetzt und ihr deshalb keine besondere Bedeutung zuweist [81]. Sehr viel spricht für den Einfluß Lockes. Gerade Locke spricht von zwei Arten der Wahrnehmung, der „sensation" und „reflection", d. h. von Wahrnehmungen, die von Sinnesobjekten in unserem Geist hervorgebracht werden, und von „perceptions of the opera-

[78] Vgl. Janke, Leibniz, S. 82 ff., 158 ff.; Holz, Leibniz S. 32 ff.

[79] Fischer, Leibniz, S. 366 ff.

[80] In der Psych. rat. wird sich die perceptio auf dem Hintergrund der prästab. Harmonie von Leib und Seele anders zeigen.

[81] Desc., III. Resp. (AT VII, 176) (vgl. Gilson, S. 293).

tions of our mind within us"[82]. Die entsprechenden Werke Lockes waren Wolff ja bekannt.

d) Gedanke (cogitatio) als perceptio und apperceptio

Jeder Gedanke (cogitatio), als „actus animae, quo sibi sui rerumque aliarum extra se conscia est" bestimmt[83], schließt perceptio und apperceptio ein[84]; dabei ist letztere die entscheidendere. Daß zwischen perceptio und apperceptio unterschieden werden muß, wird erstmals in der „Psychologia empirica" gefordert[85]; vermutlich im Blick auf die Cartesianer. — Trotz der Mühe, die Wolff auf die Unterscheidung von Idee bzw. Begriff und Wahrnehmung, Wahrnehmung und Bewußtsein bzw. Gedanke verwendet, hält er sich selbst nicht an einen strengen Sprachgebrauch.

4. Arten der Wahrnehmungen bzw. Begriffe

a) Überblick über die von Leibniz übernommene Einteilung

Von entscheidender Bedeutung für Wolffs Erkenntnislehre ist die von Leibniz übernommene Unterscheidung der Erkenntnis bzw. Begriffe: „Est ergo cognitio vel obscura vel clara, et clara rursus vel confusa vel distincta, et distincta vel inadaequata vel adaequata, item vel symbolica vel intuitiva: et quidem si simul adaequata et intuitiva sit, perfectissima est", so Leibniz[86]. Diese Unterscheidung wird von Wolff in der Logik für die Begriffe — vom letzten Paar symbolisch-intuitiv abgesehen — ganz übernommen[87], während er bei der Wahrnehmung nur klare (clara) oder dunkle (obscura), deutliche (distincta) oder undeutliche (confusa[88]) unterscheidet, obwohl der Unterschied der Begriffe derselbe ist, wie der der Wahrnehmungen[89]. Wolff spricht noch von einer partiellen, zusammengesetzten und totalen Perzeption[90].

[82] Locke, Essay II, ch. 1, 3 f.

[83] Psych. emp., § 23; das „extra nos" im Satz zuvor präziser als „tanquam extra nos". In der nota erwähnt Wolff Descartes, der dieselbe Bedeutung von cogitatio kenne und zitiert Princ. phil. I, 9. Denen, die cogitatio auf alle Veränderungen der Seele, auch auf die unbewußten, ausdehnen, läßt er Freiheit, folgt ihnen aber nicht. Wolff setzt Gedanke mit Bewußtsein gleich (vgl. Dt. Met., § 144. 195).

[84] Psych. emp., § 26.

[85] § 26 not.

[86] Leibniz, Meditationes (Gerh. IV, 422).

[87] Log., § 77 ff.; Dt. Log., c. 1 § 9 ff. (S. 128 ff.); Dt. Met., § 275.

[88] Die Register der Dt. Log. u. Dt. Met. geben „cognitio (notio) confusa" mit „undeutlicher Erkenntnis (Begriff)" wieder.

[89] Psych. emp., § 50 (mit Verweis auf Log., § 77 ff.). Vgl. § 30 not.

[90] § 40. 43.

Der Formalunterschied der Wahrnehmungen bzw. Begriffe — formal, weil von der Erkenntnisart genommen [91] — gibt das Kriterium ab für die Trennung von Sinneserkenntnis und Verstandeserkenntnis, zunächst jedoch für die Unterscheidung der Erkenntnisvermögen: dunkle und undeutliche Ideen bzw. Begriffe entstammen dem niederen, klare und deutliche dem höheren Erkenntnisvermögen [92]. Vom wahrnehmenden Subjekt aus ist die Bedingung eines klaren oder deutlichen Begriffs eine klare und deutliche Wahrnehmung; denn durch die Wahrnehmung wird, wie gesagt, die Idee bzw. der Begriff gewonnen. (Wolff setzt jedoch im Sprachgebrauch Wahrnehmung und Begriff weitgehend gleich.) Die Unterscheidungen von klaren und dunklen, deutlichen und undeutlichen Begriffen ist im einzelnen darzulegen.

b) Klar — dunkel (perceptio bzw. notio clara — obscura)

Klar ist ein Begriff, wenn er die Merkmale (notae) zum Vorschein bringt, die notwendig sind, eine Sache wiederzuerkennen und sie von anderen zu unterscheiden; dunkel aber ist er, wenn er ungenügende Merkmale enthält [93]. „Also entstehet die Klarheit aus der Bemerckung des Unterscheides im mannichfaltigen: die Dunckelheit aber aus dem Mangel dieser Bemerckung" [94]. So haben wir einen klaren Begriff von der Sonne, die wir, wenn wir sie sehen, sogleich wiedererkennen und von jedem anderen Seienden aufs beste unterscheiden; ebenso vom Menschen, Vogel, Baum etc.; in der Geometrie von den Figuren. Sehen wir aber etwas von ferne und können nicht erkennen, was es ist, oder sind wir uns im unklaren, ob etwa die exotische Pflanze, die wir anschauen, dieselbe ist, die wir früher woanders gesehen haben, so haben wir einen dunklen Begriff [95]. (Die Benennung „klar — dunkel" ist vom Sehen genommen. Auch die angeführten Beispiele sind mit dem Sehen verknüpft; dies heißt aber nicht, diese Unterscheidung treffe nur auf diese Art von Gedanken zu. „. . . so kan der Anlaß der Benennung der Bedeutung des Wortes keine Schrancken setzen . . ." [96].)

[91] Log., § 77, (mit histor. Hinweis in der nota).

[92] Psych. emp., § 54 f.

[93] Log., § 80. Die notae — von den Wesensbestimmungen und Attributen zu nehmen (Log., § 100) — werden definiert: „Notas appello rebus intrinsecas, unde agnoscuntur et a se invicem discernuntur" (Log., § 79). Vgl. Psych. emp., § 31 f.; Dt. Met., § 198 f.; Dt. Log., c. 1 § 9 (S. 126 f.).

[94] Dt. Met., § 201.

[95] Log., § 80; Psych. emp., § 31 f.; Dt. Met., § 198 f.; Dt. Log., c. 1 § 9 ff. (S. 126 f.).

[96] Dt. Met., § 200.

Der Grad der Klarheit oder Dunkelheit wird vom Subjekt her bestimmt. Ein Begriff ist mehr oder weniger dunkel, je nachdem wie viele Merkmale jemand nicht kennt [97]; klarer wird er, „jemehr wir seinen Unterscheid von andern bemercken" [98]. Ein klarer Begriff kann, wenn wir gewisse notae, die wir gekannt hatten, vergessen, in einen dunkeln und einer, der dunkel war, zu einem noch dunkleren Begriff werden; von der ausreichenden Zahl der notae hängt also die Klarheit eines Begriffes ab [99]. Auch wenn eine Sache dunkel wahrgenommen wird, ist damit noch nicht gesagt, es könne nicht etwas, das dem Ding innewohnt, klar wahrgenommen werden [100]; ebenso wie der Geist eine dunkle Wahrnehmung klar wahrnehmen kann [101]. (Der Klarheit oder Dunkelheit der Begriffe bzw. Wahrnehmungen entspricht die Klarheit bzw. Dunkelheit der Termini [102].)

c) Deutlich — undeutlich (notio distincta — confusa)

Der klare Begriff ist entweder deutlich (distincta) oder undeutlich (confusa). Deutlich ist ein klarer Begriff, wenn wir dessen Merkmale unterscheiden können; eine Wahrnehmung, wenn wir im Wahrgenommenen einzeln Aussagbares unterscheiden können; undeutlich, wenn wir dies nicht können [103]. Kriterium des deutlichen bzw. undeutlichen Begriffs ist demnach einmal die Unterscheidbarkeit, zum andern aber auch die Mitteilbarkeit des Unterschiedenen [104]. So haben wir z. B. einen deutlichen Begriff vom Dreieck, wenn wir auf die einzelnen Teile des Umfangs achten und urteilen, er bestehe aus drei Teilen oder drei geraden Linien, und dadurch das Dreieck von anderen geradlinigen Figuren unterscheiden; ebenso wenn wir bei einem Baum den Stamm von den Zweigen, die Zweige von den kleinen Zweigen, diese von den Blättern etc. unterscheiden.

Klar, aber undeutlich ist z. B. der Begriff der roten Farbe. Wir können sie zwar sehr gut wiedererkennen, wenn wir sie sehen, und von anderen

[97] Log., § 83; vgl. § 81 f.

[98] Dt. Met., § 202.

[99] Log., § 85. Von den 3 Ursachen des Dunkelwerdens eines Begriffs: Dt. Log., c. 1 § 23 (S. 135 f.).

[100] Psych. emp., § 33.

[101] § 34.

[102] Log., § 81 f., 84. 86. Zum Zusammenhang notio — terminus: Log., § 116 ff.; Dt. Log., c. 2 (S. 151 ff.).

[103] Log., § 88. Psych. emp., § 38 f.; Dt. Met., § 206. 214; Dt. Log., c. 1 § 13 (S. 128 f.).

[104] Log., § 89 f. Auch Anm. 103. Das Kriterium der Mitteilbarkeit geht auf Tschirnhaus zurück.

Farben unterscheiden, können aber keine Merkmale angeben, wodurch (unde) wir sie wiedererkennen [105]. Zur Gruppe der klaren, aber undeutlichen Begriffe gehören Farbe, Geschmack, Geruch und Geräusch [106], also die sekundären Sinnesqualitäten. Klarheit ist schon gegeben, wenn wir eine Sache wiedererkennen und sie von anderen unterscheiden können; Deutlichkeit erfordert aber darüber hinaus die klare Erkenntnis des Unterschieds selbst, Deutlichkeit ist ein höherer Grad von Klarheit. „Der erste Grad von Klarheit hat keine Deutlichkeit", erst mit dem zweiten Grad der Klarheit „fänget sich der erste Grad der Deutlichkeit an (§ 207) / und so weiter fort" [107]. Die Deutlichkeit wird größer, „je mehr wir Grade der Klarheit bekommen" [108].

d) Ausführlich — unausführlich (notio completa — incompleta)

Die deutlichen Begriffe werden wieder eingeteilt in ausführliche (completae) und unausführliche (incompletae) [109]. Ausführlich ist ein deutlicher Begriff, „wenn er die Merckmahle, so man angiebet, zureichen, die Sache jederzeit zu erkennen, und von allen andern zu unterscheiden: hingegen unausführlich, wenn man nicht alle Merckmahle, sondern nur einige zu erzehlen weiß, dadurch eine Sache von andern unterschieden wird" [110]. Wer z. B. auf die Frage, woran er ein regelmäßiges Fünfeck erkenne, nur die Gleichheit der fünf Seiten angibt, hat einen unausführlichen Begriff; wer aber die Gleichheit der fünf Seiten und Winkel angibt, hat einen ausführlichen Begriff [111]. (Wolff kritisiert an Leibniz, er habe den Unterschied des ausführlichen und unausführlichen Begriffs nicht bemerkt, sondern den deutlichen Begriff als ausführlichen angenommen [112].) In der lateinischen Logik spricht Wolff im Zusammenhang mit der notio completa bzw. incompleta von einer „notio abundans", die mehr Merkmale enthält, als genügen, eine Sache wiederzuerkennen und sie von anderen zu unterscheiden [113].

e) Vollständig — unvollständig (notio adaequata — inadaequata)

Die ausführlichen Begriffe werden wieder eingeteilt in vollständige (adaequatae) und unvollständige (inadaequatae). „Vollständig ist unser

105 Log., § 88; Psych. emp., § 37; Dt. Met., § 206. 214; Dt. Log., c. 1 § 13 (S. 128 f.).
106 Psych. emp., § 30 not., Dt. Log., c. 1 § 13 (S. 128 f.).
107 Dt. Met., § 211. Entsprechend § 215. 108 § 208. Auch § 210.
109 Vgl. dt.-lat. Register der Dt. Log. u. Dt. Met.
110 Dt. Log., c. 1 § 15 (S. 129 f.). Log., § 92.
111 Log., § 92 not. Dt. Log., c. 1 § 15 (S. 129 f.).
112 Log., § 93. 113 § 93.

Begriff, wenn wir auch von den Merckmahlen, daraus die Sache erkandt wird, klare und deutliche Begriffe haben. Hingegen ist er unvollständig, wenn wir von den Merckmahlen, daraus die Sache erkanndt wird, nur undeutliche Begriffe haben. Z. E. Wenn einer nicht allein sagen kan, daß eine Schlag-Uhr eine Maschine sey, die durch den Schlag an eine Glocke die Stunden andeutet, sondern auch von dem Anschlage der Glocke, der Stunde, dem Andeuten wiederum deutliche Begriffe hat; so ist sein Begriff von der Schlag-Uhr vollständig" [114].

Die vollständigen Begriffe haben wieder ihre Grade, „indem sich die Begriffe der Merckmahle, daraus sie zusammen gesetzt sind, wieder von neuem in mehrere zergliedern lassen" [115]. Nach „Logica", § 96 geht der Prozeß so weit, „donec perveniatur ad notiones irresolubiles" [116]. In der „Deutschen Logik" erklärt es Wolff für „keineswegs vonnöthen, auch gar selten möglich, daß wir diese Zergliederung zu Ende bringen, das ist, bis auf solche Begriffe hinaus führen, die sich vor und an sich selbst nicht mehr zergliedern lassen, weil sie nicht mehr vieles von einander unterschiedenes in sich fassen" [117]. Er meint, „wir können zufrieden seyn, wenn wir die Zergliederung so weit gebracht, daß wir dadurch unseren Zweck erreichen"; sei es, um anderen „zu bedeuten, was wir wollen, oder einen Beweiß daraus zu führen" [117].

5. Qualitative Veränderlichkeit der Begriffe

Auch wenn wir etwa von einer Sache einen vollständigen oder auch nur deutlichen Begriff gewonnen haben, ist damit nicht garantiert, daß wir diesen Begriff immer so haben werden. Wir können die Merkmale, wodurch wir die Dinge unterschieden haben, wieder vergessen; die vollständigen Begriffe können unvollständige, die deutlichen undeutliche und die undeutlichen dunkle werden, ja es kann sich ein Begriff auch ganz verlieren [118]. Die Begriffe sind in ihrer Beschaffenheit also dem Fluß menschlichen Denkens nicht entzogen.

[114] Dt. Log., c. 1 § 16 (S. 130 f.). Log., § 95. Leibniz (Med., Gerh., IV, 423) weiß nicht, ob man ein vollkommenes Beispiel einer adäquaten Erkenntnis geben kann; die „notitia numerorum" komme sehr nahe an sie heran.

[115] Dt. Log., c. 1 § 17 (S. 131). Log., § 96.

[116] Ob dies möglich ist, läßt Leibniz (Med., Gerh. IV, 425) offen. Zu Wolffs Auffassung vgl. Arndt (S. 76 mit Verweis auf Anm. 13 von S. 259).

[117] Dt. Log., c. 1 § 18 (S. 131 f.).

[118] § 24 (S. 136).

6. Deutliche und undeutliche Erkenntnis: Verstand und Sinne

Die Begriffe in ihrer verschiedenen Qualifikation darzulegen, war nicht Selbstzweck, sondern wurde durch den Erkenntnisbegriff Wolffs gefordert. Was von den Ideen bzw. Begriffen oder den Wahrnehmungen gesagt wurde, gilt ebenso auch für die Erkenntnis: „... wenn die Begriffe deutlich sind; so ist auch unsere Erkänntnis deutlich: sind aber jene undeutlich / so ist auch die Erkäntnis undeutlich" [119]. Gerade um die deutliche Erkenntnis geht es der Philosophie, und nicht zuletzt der natürlichen Theologie, die deutliche Gotteserkenntnis zum Ziel hat. Erst dadurch, daß man sich deutliche Begriffe von den Dingen verschafft, kann man sie auf ihre Arten und Gattungen zurückführen; solange die Begriffe aber noch undeutlich sind, werden, da Gattungen und Arten nicht genau bestimmt sind, die Urteile nicht bestimmt genug sein und das Schließen nicht genau [120]. Wie wichtig, ja notwendig, die deutlichen Begriffe für das Philosophieren sind, ist daraus klar zu ersehen [120].

Die deutliche Erkenntnis hat ihren Ursprung im Verstand, die undeutliche in den Sinnen und der Sinneskraft [121]. Bevor auf diese Zusammenhänge näher eingegangen wird, zuvor noch zu Wolffs Wahrheitsbegriff und Wahrheitskriterium [122].

7. Wahrheit, Wahrheitskriterium, Erkenntnisprinzipien

a) Wahrheitsbegriff

Als Nominaldefinition der logischen Wahrheit gibt Wolff in „Logica", § 505: „... Est itaque veritas consensus judicii nostri cum objecto, seu re repraesentata", und illustriert diese Definition in der nota mit dem Satz „Das Dreieck hat drei Winkel", der wahr ist, weil einer durch drei Linien begrenzten Figur drei Winkel zukommen. Schließt sich Wolff mit dieser Definition im wesentlichen der Tradition der Schulmetaphysik an, so begnügt er sich doch nicht damit, denn nach Leibniz muß die Nominaldefinition zu einer Realdefinition werden, die jene begründet. Die von Wolff gegebene Realdefinition ist dementsprechend von Leibniz' Denkart: „Veritas est determinabilitas praedicati per notionem subjecti" [123]. Die Wahrheit eines Satzes sieht man aber noch nicht ein, wenn man be-

[119] Dt. Met., § 278.
[120] Log., § 101 (mit Verweis auf Disc. prael., § 116 ff.).
[121] Dt. Met., § 277; Psych. emp., § 54 f.
[122] Log., § 505 ff.
[123] § 513.

obachtet, dem Subjekt komme etwas zu, auch wenn der Satz wahr ist; durch die Beobachtung allein weiß man nämlich noch nicht, was im Subjekt das Prädikat determiniert [124]. Die Wahrheit eines Satzes erkennt man nämlich erst dann, wenn man weiß, wie das Prädikat durch das im Subjektbegriff Enthaltene determiniert wird [125]; dabei sind unter dem im Subjekt Enthaltenen entweder Wesensbestimmungen, Attribute oder eine nach Art des Attributes enthaltene Möglichkeit irgendwelcher Modi oder Relationen zu verstehen [126].

Der Beobachtung bzw. aposteriorischen Erkenntnis ist damit der Wahrheitswert nicht abgesprochen; den höchstmöglichen Wert aber erreicht sie nicht. Wolff erläutert diesen Sachverhalt durch den Satz „Der Schnee ist weiß" [127]. Dieser auf Beobachtung beruhende Satz ist wahr, auch wenn wir die verborgene Wahrheit nicht durchschauen; wahr ist er, weil im Subjektbegriff das enthalten sein muß, wodurch das Weiße bestimmt wird, so daß durch Setzung des im Subjektbegriff Enthaltenen dieses ebenfalls gesetzt wird [127]. Wenn wir nicht wissen, was das Weiße determiniert, durchschauen wir die Wahrheit nicht; ein Physiker jedoch, der aus dem Begriff des Schnees deutlich machen kann, warum er vielmehr weiß ist als nicht weiß, erkennt die Wahrheit [127].

Ein Urteil ist wahr, wenn das Prädikat durch den Subjektbegriff bestimmt wird, d. h. was durch das Prädikat angezeigt wird, kommt dem Subjekt deshalb zu, weil dem Subjekt das im Subjektbegriff Enthaltene zukommt; da dieses in sich keinen Widerspruch enthält, ist der einem wahren affirmativen Satz entsprechende Begriff möglich [128], ebenso der einem wahren negativen Satz entsprechende Begriff unmöglich [129]. Die Wahrheit des affirmativen Satzes gründet also in der Möglichkeit des Subjektbegriffs, die Wahrheit des negativen Satzes in dessen Unmöglichkeit. Die Wahrheit eines Satzes erkennen wir erst dann, wenn wir die Möglichkeit des unserem Urteil entsprechenden komplexen Begriffs erkennen, d. h. die Widerspruchsfreiheit des Subjektbegriffs und die Determination des Prädikats durch das Subjekt [130]. (Auf die wahren negativen Sätze und die Frage ihrer Möglichkeit kann in diesem Zusammenhang ebenso wie auf das Problem der falschen Sätze nicht eingegangen werden.)

[124] § 517.
[125] § 516.
[126] § 509 ff.
[127] § 517 not.
[128] § 520.
[129] § 521.
[130] § 528 not.

b) Wahrheitskriterium

Welche Merkmale lassen sich nun angeben, die ausreichen, in jedem beliebigen Fall die Wahrheit zu erkennen, also einen wahren von einem falschen Satz zu unterscheiden, d. h. welches ist das Wahrheitskriterium? [131] Als Wahrheitskriterium, das etwas dem Satz Inneres darstellt [131], gibt Wolff die Bestimmbarkeit des Prädikats durch den Subjektbegriff an. „Veritatis criterium est determinabilitas praedicati per notionem subjecti" [132]. (Das Kriterium der Falschheit ist dementsprechend der Widerspruch des Prädikats zum Subjektbegriff [133].)

Wolff war jedoch, wie schon angedeutet, nicht immer dieser Auffassung [134]. Zunächst war er Tschirnhaus gefolgt, der in seiner „Medicina mentis" als Wahrheitskriterium die „conceptibilitas" angegeben hatte: „... falsitatem quidem consistere in eo, quod non potest concipi; veritatem vero in eo, quod potest concipi ... [135]; unter dem Eindruck der Kritik von Leibniz am cartesianischen Wahrheitskriterium der „clara et distincta perceptio" und seiner Forderung nach Kriterien des „clarum et distinctum" [136], ändert Wolff seine Auffassung [137]. Ebenfalls durch Leibniz, auf dessen „Meditationes" er ausdrücklich verweist, anerkennt er den Wert der logischen Regeln, speziell des Syllogismus zur Unterscheidung von Wahr und Falsch [138], nachdem er unter dem Eindruck Descartes' „Discours de la méthode" und Tschirnhaus' „Medicina mentis" von der Wertlosigkeit des Syllogismus überzeugt war [139].

c) Erkenntnisprinzipien

Auf die Erkenntnisprinzipien, die ausführlich in der Ontologie darzulegen sind, sei hier nur hingewiesen. Die eigentlichen Prinzipien sind das Widerspruchsprinzip und das Prinzip vom zureichenden Grund. Wie sich aus der Darlegung über Wahrheit und Wahrheitskriterium ergibt, beruht Wahrheit letztlich auf Widerspruchsfreiheit. Von ihr hängt jede Wahrheit

[131] § 523.
[132] § 524.
[133] § 526.
[134] Vgl. Briefw., S. 13 u. Anm. 82, S. 16.
[135] Tschirnhaus, Medicina mentis, P. II s. I (S. 35). Zum Ganzen: s. I (S. 34 ff.). Vgl. Verweyen, E. W. v. Tschirnhaus (Bonn, Diss., 1905), S. 52.
[136] Leibniz, Med. (Gerh. IV, 425 f.).
[137] Wolffs Kritik an Tschirnhaus: Log., § 528 not. (auch Kritik an Desc.).
[138] Log., § 545.
[139] § 545 not.; vgl. S. 13 u. Anm. 81, S. 16.

und Gewißheit ab [140]. Durch das Widerspruchsprinzip ist die Richtigkeit und Deutlichkeit der Schlüsse [141], also der apriorischen Erkenntnis gewährleistet, ebenso aber auch die der Erfahrung, die der aposteriorischen Erkenntnis [142]. (Da das Prinzip vom ausgeschlossenen Dritten als Folgerung aus dem Widerspruchsprinzip verstanden wird [143] und ebenso das sogenannte „principium certitudinis" auf das Widerspruchsprinzip zurückgeführt wird [144], können diese unberücksichtigt bleiben.)

Das zweite Erkenntnisprinzip ist das Prinzip vom zureichenden Grund. Wahrheit ist eigentlich erst dann erkannt, wenn, wie oben dargelegt, das Warum, d. h. der Grund, erkannt ist. In aller Ausführlichkeit über dieses Prinzip später.

[140] Ont., § 55 not.
[141] Dt. Log., c. 4 § 5 (S. 165).
[142] Dt. Met., § 10.
[143] Ont., § 54.
[144] § 55.

V. DIE BEIDEN WEGE DER ERKENNTNIS [145]. DEREN REICHWEITE UND GRENZE

Auf zwei, qualitativ verschiedenen Wegen gelangt der Mensch zur Erkenntnis. Der eine Weg, begründet im sogenannten niederen Erkenntnisvermögen — Sinne, Einbildungskraft (imaginatio), Erdichtungsvermögen (facultas fingendi), Gedächtnis, Vergessen (oblivio) und Wiedererinnerung (reminiscentia) umfassend, führt, wie schon gesagt, zu dunkeln und undeutlichen Ideen und Begriffen; der andere Weg, begründet im sogenannten höheren Erkenntnisvermögen — Aufmerksamkeit (attentio), Reflexion, Verstand (intellectus) und Vernunft (ratio) in sich begreifend, führt zu deutlichen Ideen und Begriffen [146]. Die beiden Vermögen, deren Unterscheidung Wolff große Bedeutung zumißt [147], werden in ihrem Unterschied von den deutlichen bzw. undeutlichen Ideen und Begriffen her bestimmt und nicht diese von jenen her.

1. Die Erkenntnis mittels des niederen Erkenntnisvermögens.

a) Sinne und Empfindung

aa) Das Bewußtsein zeigte sich in einer Doppelfunktion: als Bewußtsein des Geistes selbst und als Bewußtsein der Dinge außerhalb unser. Diese „Dinge außerhalb" sind die Körper; „lauter zusammengesetzte Dinge / die wir durch Größe / Figuren und Farben unterscheiden" [148]. Ein Körper nimmt unter allen anderen eine Sonderstellung ein: es ist der Körper, den wir den unsrigen nennen [149]. Im Bewußtsein ist nämlich ein offenkundiger Unterschied gegeben zwischen diesem Körper, in dem wir Veränderungen beobachten, als deren Ursache wir andere Körper wahrnehmen, und diesen anderen Körpern; ein Unterschied, der jedem so klar ist, daß er ihn, ob er will oder nicht, bemerkt und sich dessen bewußt ist, auch wenn er bei undeutlicher Wahrnehmung stehen bleibt [150]. Wie diese anderen Körper auf den menschlichen Körper einwirken und so in ihm Veränderungen hervorrufen (z. B. wie die Körper Licht in die Augen schicken), ist in der Physik zu erklären [151]. Hier genügt die Tat-

[145] Vom Erkenntnisweg spricht Wolff z. B. in Dt. Met., § 372.
[146] Psych. emp., § 54 f.
[147] § 54 not.
[148] Dt. Met., § 217.
[149] Psych. emp., § 58. Dt. Met., § 218.
[150] Psych. emp., § 56 f.
[151] § 56. Dt. Met., § 219.

sache, daß wir uns bewußt sind: die Wahrnehmung der materiellen Dinge hängt von den Veränderungen in unserem Körper ab.

bb) Solche „perceptiones, quarum ratio continetur in mutationibus in organis corporis qua talibus contingentibus", nennt man „sensationes", Empfindungen [152]. Wenn ich z. B. irgendeinen Gegenstand anschaue und wahrnehme, ist der Grund, weshalb mir dieser Gegenstand als dieser erscheint, in den Veränderungen im Auge zu suchen; ebenso ist, wenn ich infolge einer dem Körper zugefügten Wunde einen Schmerz wahrnehme, der Grund, weshalb ich den Schmerz wahrnehme und ihn als solchen wahrnehme, in den Veränderungen zu suchen, die in der Stelle der Wunde im Körper vor sich gehen [153].

cc) Diese Körperorgane, aus deren Veränderungen die Empfindungen erklärt werden können, sind die fünf Sinne [154]. Sie stellen das Sinnesobjekt, das „sensibile", vor [155]. Der Zusammenhang von Sinn und Sinnesobjekt bzw. von Sinnesobjekt und Sinn ist dem Einfluß der Seele entzogen, damit in einem gewissen Sinn auch die Empfindung, da sie im Sinnesorgan gründet. Ob die Seele empfinden will oder nicht, liegt nicht in ihrer Macht. Wenn das Sinnesobjekt auf das richtig verfaßte Sinnesorgan einwirkt, empfinden wir notwendigerweise. Dies zeigt eindeutig die Erfahrung (wenn z. B. ein sichtbares Objekt Strahlen in die geöffneten Augen schickt, sieht der Mensch notwendigerweise, ob er will oder nicht) und a priori die Verfaßtheit der Empfindung als in der vom Sinnesobjekt im Sinnesorgan hervorgerufenen Änderung gründend [156]. Ebensowenig kann die Seele die Empfindungen inhaltlich ändern oder nach Gutdünken die eine durch die andere ersetzen [157]. „Und daher sind die Empfindungen nothwendig / sowohl in Ansehung ihres Daseyns / als in Ansehung ihrer Beschaffenheit" [158].

dd) Damit eine Empfindung zustandekommen kann, bedarf es nämlich nur zweier Voraussetzungen: von seiten der Sinnesobjekte deren

[152] Psych. emp., § 65. Dt. Met., § 220. Vgl. Anm. 63, S. 67.

[153] Psych. emp., § 65 not.

[154] § 68 ff.; Dt. Met., § 221 u. 223. Die Sinne sind nicht gleichrangig: „Je deutlicher ein Sinn die Dinge vorstellt, umso vollkommener ist er" (Psych. rat., § 161). Der vollkommenste Sinn ist der Gesichtssinn, dann folgen dem Grad der Vollkommenheit nach Gehör, Tastsinn und zuletzt Geschmacks- und Geruchssinn (§ 162).

[155] Psych. emp., § 77.

[156] § 79. Dt. Met., § 226.

[157] Psych. emp., § 78; Dt. Met., § 225.

[158] Dt. Met., § 226.

Gegenwart, die in der entsprechenden Lage des Objekts zu unserem Körper besteht, so daß der Gegenstand wahrgenommen werden bzw. Veränderungen in den Sinnesorganen hervorrufen kann [159]; von seiten des empfindenden Subjekts richtig verfaßte Sinnesorgane [160].

Unbestritten jedoch ist der Einfluß der Seele auf die Empfindung, wenn es darum geht, ob wir das Sinnesorgan vom Sinnesobjekt abwenden, oder ob die Einwirkung des Sinnesobjekts auf das Sinnesorgan überhaupt verhindert wird; in beiden Fällen wird die Empfindung in der Seele verhindert [161]. Positiv kann die Seele auf die Empfindungen, die nur quoad actum von der Freiheit der Seele abhängen, einwirken, wenn wir etwa die Lage unseres Körpers verändern [162].

Ungeachtet der Redensart „Das Auge sieht, das Ohr hört etc." sind nicht die Sinne das empfindende Subjekt, sondern die Seele. Auch wenn es den Anschein hat, die Empfindungen seien einzig und allein Angelegenheit der Sinne, zählt man sie doch mit Recht zu den Gedanken (Wahrnehmungen) der Seele, da „bey einer jeden Empfindung so wohl eine Veränderung in unserem Leibe geschiehet / als auch daß wir uns derer Dinge / die diese Veränderungen veranlassen / bewust sind" [163]. „Beyde müssen bey einander seyn / wenn wir sagen / daß wir empfinden" [164]. Die Veränderungen in den Sinnesorganen allein konstituieren noch keine Empfindung. Wenn im Schlaf Schall an das Ohr kommt oder ein Geruch in die Nase steigt, sagen wir deshalb doch nicht: wir hören oder wir riechen, „weil wir nemlich davon nichts bewust sind" [165]. Anderseits gibt es aber auch ohne diese Veränderung keine Empfindung, da „wir ohne der in den Gliedmaßen der Sinnen sich ereignenden Veränderungen nichts von denen Dingen bewust sind / die sie veranlassen"; deshalb nennt man oft diese Veränderungen allein schon Empfindungen [165].

Wolff bezeichnet die von den Sinnesobjekten in den Sinnen hervorgerufenen Veränderungen auch als „species impressae", die von dort ins Gehirn weitergeleitete Bewegung als „idea materialis" [166] und das dadurch in der Seele Hervorgebrachte als „idea sensualis" [167].

[159] Psych. emp., § 59 f.

[160] § 81.

[161] § 80 f.; Dt. Met., § 227 ff.

[162] Psych. rat., § 151 ff.

[163] Dt. Met., § 222.

[164] § 222.

[165] § 222.

[166] Psych. rat., § 112. Der nota zufolge kümmert sich Wolff wenig darum, was die Scholastiker unter „species impressa" verstanden haben. Auch Psych. rat., § 111.

[167] Psych. emp., § 95: „Ideas sensuales appello, quae vi sensationis in anima existunt, seu, quae in anima actu insunt, quod jam ista in organo sensorio mutatio accidit. Dici etiam potest, quod sint ea, quae a sensu in anima producuntur."

ee) Die Lehre von den Empfindungen wird sehr treffend in einem „Gesetz der Empfindungen", dem allgemeinen Prinzip der Regeln, nach denen die Empfindungen in der Seele erklärt werden können [168], zusammengefaßt: „Lex sensationum haec est propositio: Si in organo aliquo sensorio ab objecto aliquo sensibili quaedam producitur mutatio; in mente eidem coexistit sensatio per illam intelligibili modo explicabilis, seu rationem sufficientem, cur sit et cur talis sit, in illa agnoscens" [169]. In anderer Terminologie: Der „idea impressa" und der sie vermittelnden „idea materialis" koexistiert in der Seele eine „idea sensualis", die in ihrer Faktizität und Beschaffenheit von der „species impressa" abhängt.

ff) Zwischen species impressa, idea materialis und idea sensualis besteht ein notwendiger Zusammenhang. Ist z. B. die species impressa dieselbe, ist auch die idea materialis dieselbe und umgekehrt; ist die species impressa verschieden, ist es auch die idea materialis; ist die idea materalis dieselbe, ist es auch die idea sensualis und umgekehrt; ist die idea materialis verschieden, ist auch die idea sensualis verschieden etc. [170]. Eine Stufe setzt die andere voraus. Die grundlegende ist die des Sinnesorgans. „Wird das Sinnesorgan zerstört, hören die ideae materiales und ideae sensuales ganz und gar auf"; die Seele kann dann die Objekte des entsprechenden Sinnes nicht mehr wahrnehmen [171]. So kann z. B. ein Blindgeborener keine Idee der Farbe haben [172]. Bei organischen Fehlern ist die idea materialis und sensualis auch eine andere [173].

gg) Wie ist über den formalen Gesichtspunkt der Notwendigkeit hinaus der Zusammenhang von idea sensualis und species impressa bzw. wahrgenommenem Objekt zu sehen? „Die ideae sensuales sind dem Objekt, das sie vorstellen, ähnlich" [174]. Sie sind Bilder (imagines) der vorgestellten Objekte [175], wobei „imago" verstanden wird als „repraesentatio quaelibet compositi" [176]. Die Ähnlichkeit, die die idea sensualis zum Bild macht, besteht in der Identität des im Objekt Unterschiedenen mit dem im

[168] § 83 f.
[169] § 85.
[170] Psych. rat., § 113 ff. Ebenso in anderer Terminologie Psych. emp., § 86 ff.
[171] Psych. rat., § 143.
[172] § 145 f.
[173] § 147 f.
[174] § 91.
[175] § 86.
[176] § 85.

Bild von einander Unterschiedenen [177]. Verschieden sind idea sensualis und wahrgenommenes Objekt im Modus des Gegebenseins: Beim Empfinden werden Körper, also zusammengesetzte Seiende (§ 119 Cosmol.) vorgestellt; die Empfindungen selbst sind Wahrnehmungen der Seele, also einer einfachen Substanz; in den Empfindungen der Seele wird das Zusammengesetzte, das unabhängig vom empfindenden Subjekt im Modus des Zusammengesetzten existiert, im Modus des Einfachen repräsentiert [178]. Da die Körper als zusammengesetzte Seiende durch Figur, Größe und Lage bestimmt und der Veränderung, also der Bewegung unterworfen sind, durch etwas anderes aber nicht bestimmt sind — Wolff, der auf Ontologie und Cosmologie verweist, weiß sich hier einig mit den Anhängern der „mechanischen Philosophie", „stellen die ideae sensuales nur Figuren, Größen, Lagen und Bewegungen vor" [179]. Redet die Erfahrung aber nicht eine ganz andere Sprache? Wie steht es mit den Farben, Tönen, mit Geruch und Geschmack etc.? Diese Einwände lösen sich, so meint Wolff, in Rauch auf, sobald die perceptio confusa näher untersucht ist [180].

hh) Nach dem oben über die deutlichen Ideen bzw. Wahrnehmungen Gesagten sind die Empfindungen deutlich, wenn wir in dem von uns Wahrgenommenen Figuren, Größen und Bewegungen unterscheiden [181], andernfalls sind sie undeutlich; aber auch der undeutlichen Wahrnehmung können keine anderen kleinen Wahrnehmungen (perceptiunculae) als die von Figuren, Größen, Lagen und Bewegungen innewohnen [182]. Diese strenge Unterscheidung in deutliche und undeutliche Empfindung geschieht nur aus didaktischen Gründen [183]; tatsächlich sind alle unsere Empfindungen zusammengesetzt, d. h. sie bestehen aus deutlichen und undeutlichen Wahrnehmungen [184]. Wolff erläutert es am Beispiel des durch den Gesichtssinn wahrgenommenen Tischs. Wir unterscheiden Figuren und Größen der einzelnen Teile, ebenso ihre Lage zueinander.

[177] § 91. Zur Vollkommenheit des Bildes, die in der Ähnlichkeit mit der Sache besteht: § 154 ff.; zur Deutlichkeit der idea sensualis und der Ähnlichkeit: § 158 ff.

[178] § 83: „Sensationes animae sunt repraesentationes compositi in simplici"; auch § 84.

[179] § 92.

[180] § 92 not.

[181] § 93.

[182] § 94.

[183] § 94 not.

[184] § 95.

Unsere Wahrnehmung ist also deutlich. Die verschiedenen Teile aber haben eine verschiedene Farbe, die wir nicht weniger wahrnehmen. Wenn wir auch die eine Farbe von der anderen der Klarheit wegen, mit der sie wahrgenommen wird, unterscheiden und daher die gleichzeitigen Wahrnehmungen zweier Farben — die Gesamtwahrnehmung — deutlich machen, sind doch die einzelnen in sich undeutlich, da wir Figuren, Größen und Lagen der Teile und die Bewegungen des einfallenden und in den Teilen veränderten Lichtes mit dem Sinn nicht wahrnehmen können. Es kann also kein Zweifel bestehen, daß den deutlichen Empfindungen, die wir von den Dingen haben, undeutlich Wahrgenommenes innewohnt [185].

ii) Das Beispiel von den Farben, die zusammen eine deutliche Totalwahrnehmung [186] ergeben, obwohl bei noch so viel Aufmerksamkeit und Reflexion sich in den einzelnen Farben nicht einmal undeutlich Wahrgenommenes unterscheiden läßt, illustriert den allgemeinen Satz: „Wenn mehrere undeutliche Teilwahrnehmungen eine zusammengesetzte bilden, machen sie die Totalwahrnehmung zu einer deutlichen" [187]. Die undeutlichen Wahrnehmungen bilden ebenso Bestandteile der deutlichen Wahrnehmung wie die undeutlichen Begriffe Bestandteile des deutlichen. Wie die letzteren so lange aufzulösen sind, bis man schließlich zu einem vollkommen deutlichen Begriff kommt (§ 682 Log.), so müssen auch die undeutlichen Teilwahrnehmungen so lange in andere aufgelöst werden, bis man bei Figuren, Größen, Lagen und Bewegungen zu einem Ende kommt, auch wenn die Auflösung wegen der formalen Begrenztheit der Vorstellungskraft nicht in unserer Macht liegt [188].

kk) Die ideae sensuales, deren innere Bestimmungen mit den inneren Bestimmungen der Körper auf Grund ihrer Beschaffenheit als imago identisch sind, haben dann nichts Undeutliches mehr an sich, wenn sie bis auf die letzten Quellen der Körper, d. h. auf die Elemente mit deren beständigen Veränderungen der inneren Bestimmungen zurückgeführt sind [189]. Jeder macht aber selbst die Erfahrung, daß er diese Bestimmungen und deren Veränderungen einzeln nicht erkennt und sie auch nicht von einander unterscheidet, sondern sie in einem vermischt, so daß man sagen kann: „Dum sentimus, anima sibi repraesentat substantiarum simplicium

[185] § 95 not.
[186] Vgl. Anm. 90, S. 70.
[187] Psych. rat., § 96. Psych. emp., § 44; auch § 41.
[188] Psych. rat., § 96 not.
[189] § 98.

mutationes intrinsecas, sed in unum confusas"[189]. Die daraus resultierende idea sensualis erscheint als verschieden von den verschiedenen undeutlichen Empfindungen, die zu einer vermengt werden; denn die zu einer zusammengebrachten undeutlichen Wahrnehmungen stellen zugleich vor, was den Einzelnen innewohnt[190]. Den Einzelnen wohnt aber nicht dasselbe inne, so daß der aus der Vermischung anderer Ideen entstandenen idea sensualis von jeder einzelnen als einzelner betrachteten Idee Verschiedenes innewohnt; deshalb unterscheiden sich die undeutlichen ideae sensuales, weil die zu einer Idee vermengten kleinen Empfindungen verschieden sind[190]. Ein Sachverhalt, der auch aposteriorisch zu begründen ist[191]. Auch mit Hilfe des Mikroskops kann die Seele die abgeleiteten Korpuskeln mit dem Sinn nicht unterscheiden[192], noch weniger die ursprünglichen Korpuskeln[193] und schon gar nicht die Elemente der materiellen Dinge, aus denen die ursprünglichen Korpuskeln bestehen[194]. Da die Elemente die letzten Gründe der materiellen Dinge darstellen, diese aber den Sinnen unzugänglich sind, wird mit den Sinnen nichts von dem, was den materiellen Dingen innewohnt, deutlich wahrgenommen: die Natur der Dinge ist für die Sinne unerforschbar[195].

Erstaunen erregt die Feststellung, daß man selbst in der Mathematik bei undeutlich Wahrgenommenem haltmachen müsse; in der Geometrie nämlich beim Begriff der Ausdehnung, in der Mechanik bei der Bewegungskraft; beide, Ausdehnung und Bewegungskraft, werden, wie in der „Cosmologia" dargelegt, undeutlich wahrgenommen[196]. In der Geometrie und Mechanik gilt: „ab imaginibus pendet omnis cognitio (§ 86)"; in der Arithmetik dagegen werden die Zahlenbegriffe auf den von der imago getrennten Begriff der Einheit zurückgeführt[196]. Die Zahlenanalyse gibt somit in etwa ein Beispiel einer von Bildern freien Erkenntnis; in den anderen Disziplinen dagegen hängt unsere ganze Erkenntnis von den Bildern ab[196]. (Wie die Idee der Ausdehnung und Kontinuität, des Raumes, der Trägheit und Bewegungskraft entstehen, kann hier nicht untersucht werden[197].)

[190] § 97.
[191] § 97. Wolff führt als Beispiel die Mischung zerriebener trockener Farben an.
[192] § 99.
[193] § 100.
[194] § 101.
[195] § 102.
[196] § 102 not.
[197] § 103 ff.

ll) Stärke bzw. Schwäche einer Empfindung hängt vom Grad der Klarheit ab: „Eine Empfindung wird stärker genannt als die andere, wenn sie einen höheren Grad an Klarheit hat, oder deren wir uns mehr bewußt sind als der anderen" [198]. So besteht z. B. in der Wahrnehmung des Sonnenlichtes mehr Klarheit als in der Wahrnehmung des Mondlichtes [199]. Eine stärkere Empfindung kann eine schwächere so verdunkeln, daß wir die schwächere gar nicht mehr apperzipieren; wie dies z. B. beim Sonnenlicht am Tage und dem Licht der Sterne der Fall ist [200]. Die Klarheit der idea sensualis ist auf Bewegungen in den Sinnesnerven zurückzuführen. Je schneller die den Sinnesnerven mitgeteilte Bewegung ist, desto klarer ist die idea sensualis und umgekehrt; der Stärkegrad der Bewegung selbst ist auf den Sinnesgegenstand zurückzuführen, etwa auf stärkeres oder schwächeres Licht bei der Wahrnehmung [201].

mm) Die Deutlichkeit einer idea sensualis rührt davon her, daß von verschiedenen Teilen des Sinnesobjekts verschiedenen Nervenfibrillen Bewegung mitgeteilt wird [202]. Undeutlich wird die idea sensualis, wenn von verschiedenen Teilen des Sinnendings denselben Nervenfibrillen zugleich die Bewegung mitgeteilt wird; denn das Ergebnis muß ein anderes sein, wenn zwei verschiedene Teile A und B denselben Fibrillen zugleich die Bewegung mitteilen, als wenn A und B je für sich auf dieselben Fibrillen einwirkten [203]. Kann ein Gegenstand überhaupt keine Bewegung mitteilen, wird er nicht wahrgenommen; ist diese sehr langsam, wird er nur dunkel wahrgenommen [204]. Klarheit und Deutlichkeit im Bereich der Empfindungen hängt von der Tätigkeit der Sinnesobjekte und dem Geschehen im menschlichen Körper ab, von Bereichen also, die in ihren Regeln und Gesetzen durch die Seele nicht beeinflußbar sind; Klarheit und Deutlichkeit kommt also ohne Zutun der Seele zustande.

nn) Durch das höhere Erkenntnisvermögen erwerben wir deutliche Ideen und Begriffe, durch das niedere dunkle und undeutliche. Die Fragwürdigkeit dieser von den Ideen hergenommenen Einteilung ist nach dem bisher Dargelegten offenkundig, ja steht damit sogar im Wider-

[198] Psych. emp., § 74.
[199] § 74 not.
[200] § 76; Dt. Met., § 224 f.
[201] Psych. rat., § 125 f.
[202] § 127.
[203] § 128; auch Dt. Met., § 219.
[204] Psych. rat., § 129. Über die Ursache von Sinnestäuschungen: Psych. emp., § 87 ff.

spruch, abgesehen davon, daß „klar und deutlich" ihres relativen Charakters wegen überhaupt nicht eindeutig zu bestimmen sind. Wolff spricht von klaren und sogar von deutlichen Empfindungen bzw. ideae sensuales, wenn die Deutlichkeit auch keine radikale ist, da die Analyse beim Undeutlichen, das die Anschauung immer mit sich bringt, ihr Ende findet. Daß die Deutlichkeit der Empfindungen vom physikalischen Geschehen in den Körpern und den Sinnen abhängig bzw. dadurch bedingt ist, verschärft die Widersprüchlichkeit in der Lehre Wolffs.

oo) Die Empfindung bzw. die idea sensualis gründet in den Vorgängen der Sinnesorgane bzw. der species impressa und materialis und ist zugleich Tat der einfachen geistigen Substanz der Seele. Die Empfindung, aus zwei sich gegenseitig fordernden Komponenten konstituiert, ist ein Spiegelbild des Leib-Seele-Verhältnisses und kann letztlich nur von daher näher geklärt werden, soweit dies überhaupt möglich ist. Wolff übernimmt von Leibniz, und zwar ausschließlich nur für die Lösung dieses Problems, die Theorie der prästabilierten Harmonie. Wie in diesem Zusammenhang die Empfindung als Tat der Seele zu sehen ist, muß vorerst noch offen bleiben.

b) Einbildungskraft (imaginatio) und Einbildung (phantasma)

aa) Im Anschluß an die Sinne sind als weitere Erkenntnismöglichkeit des niederen Erkenntnisvermögens Einbildungskraft (imaginatio [205]) und deren Produkt, die Einbildung (phantasma) zu erörtern. Die offenkundige Erfahrungstatsache, daß wir jeden Augenblick die Ideen abwesender, aber einmal durch die Sinne wahrgenommener Sinnesobjekte reproduzieren können [206], läßt auf eine entsprechende Fähigkeit der Seele schließen; dieses Vermögen nennt man „facultas imaginandi" oder „imaginatio", Einbildungskraft [207]; das Produkt der Einbildungskraft Einbildung, „phantasma" [208].

bb) Die Phantasmata, die nichts anderes sind als reproduzierte ideae sensuales, werden auf Grund dieser „Ähnlichkeit und Identität" [209] ebenso wie die ideae sensuales als „repraesentationes compositi in

[205] Das dt.-lat. Reg. der Dt. Met. hat Einbildungskrafft: imaginatio.
[206] Psych. emp., § 91.
[207] § 92; Dt. Met., § 235.
[208] Psych. emp., § 93; Dt. Met., § 235.
[209] Psych. rat., § 178 not.

simplici"[210] und als „imagines"[211] bestimmt. Wie die idea sensualis eine entsprechende idea materialis voraussetzt, so entsprechen auch den Phantasmata ideae materiales im Gehirn[212]. (Die Fähigkeit, diese entsprechenden ideae materiales zu reproduzieren, bezeichnet Wolff als „imaginatio materialis"[213].)

cc) Im Zusammenhang der imaginatio behandelt Wolff den Zustand des Geistes, in dem alle klaren Empfindungen weichen bzw. wir uns des Gegenwärtigen nicht mehr bewußt sind, d. h. den Schlaf[214], und den damit verbundenen Zustand, in dem wir nur abwesende Dinge klar wahrnehmen, bzw. uns ihrer bewußt sind, d. h. träumen[215]. Dieser Hinweis muß hier genügen.

dd) Die ausführlichen Erörterungen Wolffs, wie Phantasmata von Empfindungen zu unterscheiden seien — dies geschieht etwa bei Koexistenz beider durch den größeren Grad der Klarheit[216], ein allerdings unsicheres Kriterium — und welche Arten von Zusammenhängen zwischen phantasmata und Empfindungen, phantasmata und ideae materiales bzw. umgekehrt bestehen, können hier nicht dargelegt werden[217].

ee) Auf zwei Gesichtspunkte sei ihrer Bedeutung wegen hingewiesen. Einmal gibt es in der Seele keine phantasmata, ohne daß nicht eine gewisse Empfindung vorausgegangen wäre[218]. Zum andern ist ein phantasma nichts Isoliertes, sondern steht immer in einem größeren Zusammenhang. Dies wird knapp in dem dem Gesetz der Empfindungen entsprechenden und in ihm irgendwie gründenden „Gesetz der Einbildungskraft"[219] zusammengefaßt: „Lex imaginationis sive Phantasmatum haec est propositio: Si qua semel percepimus et unius perceptio denuo producatur; imaginatio producit et perceptionem alterius"[220]. Die einzelne Wahrnehmung ist immer Teil einer sogenannten Totalwahrnehmung; wenn somit ein Teil reproduziert wird, wird damit auch das Ganze, also

[210] § 178.
[211] § 180.
[212] § 206.
[213] § 227.
[214] Psych. emp., § 119.
[215] § 121.
[216] § 97.
[217] Vgl. Psych. rat., § 208 ff.
[218] Psych. emp., § 106; Psych. rat., § 229.
[219] Psych. rat., § 223.
[220] Psych. emp., § 117. Psych. rat., § 223 ff.; Dt. Met., § 238.

die Totalwahrnehmung reproduziert [221]. Will man den von Wolff nicht verwandten Terminus Assoziation gebrauchen, so keinesfalls als rein psychologische Regel, denn nach Wolff ist das Fortschreiten von einer Wahrnehmung bzw. von einem phantasma zum andern sachlich durch die objektiven Wahrnehmungsinhalte, ob originär oder reproduziert, mitbestimmt. Anderseits sind aber auch die Dinge nicht deshalb schon untereinander verbunden, derart, daß das eine den Grund der Koexistenz oder Sukzession des anderen enthalte, weil deren Wahrnehmungen in der Seele verbunden sind [222]. Verbundenheit der Wahrnehmungen bedeutet also noch nicht Verbundenheit der Dinge. Arten der „Assoziation" — Wolff spricht nicht ausdrücklich von solchen — sind Gleichzeitigkeit [223], Ähnlichkeit [224], Ort [225], Tätigkeit [226]. — Von der reproduktiven Einbildungskraft, die im Zusammenhang der Welterkenntnis von nicht geringer Bedeutung für die Gotteserkenntnis ist, wird die produktive Erdichtungskraft (facultas fingendi) [227] unterschieden.

c) Erdichtungskraft (facultas fingendi)

aa) Dadurch, daß die „facultas fingendi" in der „Psychologia empirica" in einem eigenen Kapitel behandelt wird, könnte der Eindruck entstehen, es handle sich bei dieser Fähigkeit um eine von der imaginatio gänzlich verschiedene. Tatsächlich sind beide ein und dasselbe. Die Unterscheidung ist in der doppelten Funktion dieser Fähigkeit begründet, nämlich reproduktiv und produktiv zu sein. Die Erdichtungskraft kann als eine Art konstitutiver Teil der Einbildungskraft angesehen werden [228] und wird definiert als „facultas phantasmatum divisione ac compositione producendi phantasmata rei sensu nunquam perceptae" [229].

[221] Psych. emp., § 104.
[222] § 114.
[223] § 104.
[224] § 105.
[225] § 111.
[226] § 112. Vgl. § 223 ff.
[227] Diese Äquivalente weder im dt.-lat. Reg d. Dt. Log. u. Dt. Met. noch bei Ludovici I u. II. Psych. emp. hat als Überschrift v. Kap. IV: „De facultate fingendi"; Dt. Met. (§ 242): „Krafft zu erdichten".
[228] Psych. emp., § 144 not. Die Dt. Met. stellt den Unterschied von Einbildungs- und Erdichtungskraft nicht auf die ausdrückliche Art der Psych. emp. heraus (vgl. Dt. Met., § 241).
[229] Psych. emp., § 144.

bb) Phantasmata werden geteilt bzw. zusammengesetzt, indem man Teilwahrnehmungen von einer zusammengesetzten Wahrnehmung trennt bzw. Teilwahrnehmungen kombiniert, um eine zusammengesetzte herzustellen [230]. Man kann dabei willkürlich vorgehen, allerdings nicht unbegrenzt; man kann nämlich zwar einen Teil eines zusammengesetzten Seienden ohne den anderen, ein Subjekt ohne Modus, nicht aber ein Subjekt ohne Attribut hervorbringen [231], was in der Ontologie begründet wird. So kann man sich einen Baumstamm ohne Wurzeln, den blauen Himmel als weiß, nicht aber ein Dreieck ohne die Dreizahl der Winkel einbilden [232].

Durch Teilung und Zusammensetzung kann man zuweilen etwas erdichten, das widersprüchlich ist oder kraft der Natur nicht mit demselben Subjekt verbunden werden kann; es handelt sich dann um ein „ens fictum", eine „leere Einbildung" [233]. (Es ist sehr schwierig zu beweisen, ob solch ein ens fictum, etwa ein Mensch mit Hirschkopf und Pferdefüßen, in sich widersprüchlich oder durch die Kraft der Natur nicht existieren kann, durch ein Wunder aber als nicht unmöglich existieren könnte. Von einem ens fictum können wir auch dann reden, wenn noch nicht untersucht ist, ob es einen absoluten Widerspruch oder einen Widerspruch hinsichtlich der gegenwärtigen Dingreihe einschließt [234].)

Außer durch Trennung und Teilung, der Quelle der „Einbildungen der Mahler / Bildhauer und andrer Künstler, die sie durch die Kunst vorstellen / wenn sie allerhand Abendtheure zu Marckte bringen" [235], kann bisher nicht Empfundenes noch durch eine andere Art vorgestellt werden, nämlich durch die Anwendung des Satzes vom zureichenden Grund [235]. Im Gegensatz zur ersten Art ist in diesen „Bildern" Wahrheit [236]. (Von diesen zwei Arten weiß nur die „Deutsche Metaphysik"; da der Satz vom zureichenden Grund auch für die erste Art gilt, wenn auch auf andere Weise, ist in der „Psychologia empirica" diese Unterscheidung wohl aufgegeben.) Wolff zählt zu dieser andern „Manier der Einbildungs-Krafft Dinge hervorzubringen / die sie niemahls gesehen" [236], vor allem die

[230] § 139. 142.
[231] § 138.
[232] § 138. Vgl. auch § 140 not.
[233] § 146; Dt. Met., § 242.
[234] Psych. emp., § 146 not.
[235] Dt. Met., § 245.
[236] § 245.

„Kunst zu erfinden der Baumeister" [237], die aber exemplarisch für alle anderen „Werke der Kunst" steht [238]. — Die Erörterung über das niedere Erkenntnisvermögen wird durch das Kapitel über Gedächtnis (memoria), Vergessenheit (oblivio) und Wiedererinnerung (reminiscentia) abgeschlossen.

d) Gedächtnis, Vergessen, Wiedererinnerung

Die Tatsache, daß Wolffs Erörterung von Gedächtnis, Vergessenheit und Wiedererinnerung, vor allem in der „Psychologia empirica", fast ausschließlich Methodisch-Praktisches zum Gegenstand hat (die Erweiterung des Gedächtnisses, dessen Größe und Güte, das Bewahren vor Vergessenheit sind z. B. solche Themen), und die Absicht dieser Untersuchung rechtfertigen eine Beschränkung auf Hinweise.

aa) Unter Gedächtnis versteht Wolff die Fähigkeit, reproduzierte Ideen und damit die durch sie vorgestellten Dinge wiederzuerkennen: „Facultatem ideas reproductas (consequenter et res per eas repraesentatas) recognoscendi Memoriam dicimus" [239]. Dem Gedächtnis wird die Vergessenheit entgegengesetzt, d. h. die Unfähigkeit, reproduzierte Ideen wiederzuerkennen [240]. (Wie es dazu kommt, weshalb wir das eine schneller vergessen als das andere etc., ist hier nicht zu erörtern [241].)

bb) Vom Gedächtnis, das reproduzierte Ideen unmittelbar wiedererkennt, wird die „reminiscentia" oder auch „recordatio" als mittelbares Wiedererkennen unterschieden [242]; dies geschieht hauptsächlich dadurch, daß man auf die Umstände von Ort und Zeit, Ähnlichkeit, Verwandtschaft oder Gegensatz achtet [243].

cc) In der „Psychologia rationalis", und nur dort, spricht Wolff von zwei Arten von Gedächtnis: er unterscheidet sinnliches und geistiges Gedächtnis [244]. Die „memoria sensitiva" wird verstanden als „facultas ideas reproductas et res per eas repraesentatas confuse recognoscendi",

[237] § 246.
[238] Psych. emp., § 149 f., Dt. Met. 247.
[239] Psych. emp., § 175. Dt. Met., § 249. Zur Rede vom Gedächtnis als Aufbewahrungsort von Ideen vgl. Psych. emp. § 177; Dt. Met., § 250 ff.
[240] Psych. emp., § 215; Dt. Met., § 254.
[241] Vgl. vor allem Psych. emp., § 217 ff.
[242] § 230.
[243] § 231.
[244] Psych. rat., § 278.

die „memoria intellectualis" als „facultas ideas reproductas distincte recognoscendi"[245]. Wie problematisch das Kriterium des „confuse et distincte" ist, zeigt sich auch hier. Memoria sensitiva, auch „memoria animalis" genannt[246], bedeutet durchaus nicht immer, etwas undeutlich wiedererkennen. Das intellektuelle Gedächtnis, das im Urteil, daß wir dieselbe Idee schon vorher gehabt haben, besteht[247], setzt das sinnliche Gedächtnis voraus[248]; letzteres bleibt aber im Zwielicht.

dd) Vom natürlichen Gedächtnis — gemeint ist damit das Gedächtnis vorgängig zu jeder Aktuierung[240] — sagt Wolff, es hänge, insofern es im Körper ist, von der Qualität, Länge und Dicke der Nervenfibrillen ab[250], könne durch materielle Ursachen verletzt[251] und durch Medikamente verbessert werden[252]. Je leichter die Nervenfibrillen materielle Ideen reproduzieren, seien es hinsichtlich der memoria sensitiva vom Gehirn hervorgebrachte materielle Ideen[253] oder hinsichtlich der memoria intellectualis materielle, den Vokalen entsprechende Ideen, durch die das Urteil ausgedrückt wird, daß wir irgendeine Idee schon gehabt haben[254], umso besser ist das Gedächtnis. Das Verhältnis der „körperlichen Seite" des Gedächtnisses und der „Bewußtseinsseite" ist von derselben Art wie das zwischen idea sensualis und idea materialis. Dieser Hinweis muß hier genügen.

e) Reichweite und Grenze des niederen Erkenntnisvermögens

Um die Leistungsfähigkeit des niederen Erkenntnisvermögens beurteilen zu können, ist dessen Reichweite und Grenze eigens zu untersuchen.

aa) Als Voraussetzung der Sinneserkenntnis wurde von seiten des Gegenstands dessen Gegenwart und Einwirkung auf das entsprechende Sinnesorgan, von seiten des erkennenden Subjekts die rechte Verfaßtheit des Sinnesorgans benannt. Damit ist im Grund die Frage nach Reichweite und Grenze der Sinneserkenntnis beantwortet. Das Gegenwärtige ist verschwindend im Blick auf die Vielzahl der möglichen Gegenstände; und dieses Gegenwärtige selbst ist als Erkanntes wiederum von verschiedener Qualität, je nach der Entfernung des Sinnendings vom Sinnesorgan[255]:

[245] § 279.
[246] § 279.
[247] § 281.
[248] § 282.
[249] § 312.
[250] § 313.
[251] § 298.
[252] § 318.
[253] § 294.
[254] § 296.
[255] § 260.

vom Deutlichen kann es über das Klare zum Unklaren bzw. fast überhaupt nicht mehr Wahrgenommenen gehen. Auch durch technische Mittel, wie etwa durch das Teleskop, das Mikroskop oder die „tuba stentoreophonica" [256], kann das Wahrnehmungsfeld [257] nicht wesentlich erweitert werden, d. h. eine größere Zahl von unmittelbaren Wahrnehmungen hervorgebracht werden [258]. Es kann sich nur um eine graduelle Ausweitung handeln, insofern das Undeutliche deutlich, das Unklare klar vorgestellt wird [259]. Eine weitere Begrenzung liegt in der Größe der Nerven, die es nicht gestatten, daß von verschiedenen Sinnesobjekten verschiedenen Nervenfibrillen genügend schnelle Bewegungen mitgeteilt werden, so daß vermittels der Sinne nur wenige Objekte klar und deutlich wahrgenommen werden können [260]. Ebenso wie die Sinne ist auch die von ihnen abhängige Einbildungskraft begrenzt [261]. Diese Begrenztheit ist notwendig und unveränderlich, da sie im Wesen der Seele gründet, das in der „vi repraesentativa universi situ corporis organici in universo materialiter et constitutione organorum sensoriorum formaliter limitata" besteht [262], die Seele also wesentlich eine endliche ist [263].

bb) Trotz dieser von Wolff in aller Deutlichkeit herausgestellten Begrenztheit der Sinneserkenntnis liefert diese doch eine für die Gotteserkenntnis fundamentale Voraussetzung: die Erkenntnis der Welt.

Wie ist dies bei der materialen und formalen Begrenztheit der Sinneserkenntnis möglich? Die Lösung liegt im Wolffschen Weltbegriff, der aus der Cosmologie übernommen wird. Es ist kennzeichnend für Wolff, daß er nicht vom Standpunkt seiner empirischen Psychologie aus versucht, einen erkenntniskritisch gesicherten Begriff von Welt zu gewinnen, sondern einen schon feststehenden Weltbegriff einführt und von ihm her die über das Erkennen gewonnenen Erkenntnisse weiter ausbildet, in der Absicht, die isoliert erscheinenden perceptiones bzw. ideae sensuales vom Objekt her — sozusagen von rückwärts — in einen inneren Zusammenhang zu bringen, so daß sich die Erkenntnis eines Einzeldings bei näherem Zusehen als Erkenntnis von Welt expliziert.

In „Cosmologia", § 48 wird Welt bzw. Universum definiert als „series entium finitorum tam simultaneorum, quam successivorum inter se connexorum". Dieser Definition zufolge gibt es also kein von allen an-

[256] § 267 ff.
[257] § 259.
[258] § 263.
[259] § 267.
[260] § 257.
[261] § 258.
[262] § 66.
[263] § 264 ff.

deren isoliertes Seiendes; jedes Seiende ist gewissermaßen horizontal mit den ihm koexistierenden und vertikal mit den von ihm her gesehen vergangenen und zukünftigen Seienden verbunden. Da nun die ideae sensuales den repräsentierten Objekten, also den im Universum existierenden Dingen ähnlich sind, in der Welt aber — wie aus der Definition von Welt zu entnehmen — alle Dinge hinsichtlich der Existenz von einander abhängen, müssen auch die ideae sensuales diese gegenseitige Abhängigkeit der Dinge von einander darstellen bzw. sie in sich enthalten. Somit muß jede idea sensualis den gegenwärtigen Zustand des ganzen Universums in sich begreifen [264].

Die phantasmata als durch die Einbildungskraft reproduzierte ehemalige ideae sensuales müssen auf Grund dieser Tatsache den damals — d. h. als sie ursprüngliche ideae sensuales waren — gegenwärtigen Zustand des ganzen Universums in sich begreifen [265], so daß die „phantasmata rerum praeteritarum" „repraesentationes statuum mundi praeteritorum" sind [266]. Die einzelnen ideae sensuales und phantasmata der vergangenen Dinge begreifen also alle vorhergehenden Zustände des Universums in sich [267].

Die einzelnen ideae sensuales und entsprechend auch die einzelnen phantasmata begreifen dazu auch die zukünftigen Zustände der Welt in sich. Dies wird begründet einmal mit der Ähnlichkeit der idea sensualis mit dem vorgestellten Gegenstand, zum andern damit, daß der zukünftige Zustand der Welt im gegenwärtigen begründet und nach Art eines potentiellen Seienden, und zwar in verschiedenem Grad, enthalten ist [268]. — Die ideae sensuales und die phantasmata begreifen also den gegenwärtigen, den vergangenen und den zukünftigen Zustand der Welt in sich.

cc) Bei Leibniz ist Welterkenntnis Explikation der Monade, als repraesentatio mundi in perceptio und appetitus. Eine Abhängigkeit von „Außen" wie bei Wolff zwischen den ideae sensuales und den die Welt konstituierenden Dingen ist bei Leibniz ausgeschlossen. Wolffs Position erscheint hierin als von der Leibnizischen Auffassung verschieden; in der später zu behandelnden, in apriorischer Darstellungsart gehaltenen „Psychologia rationalis" dagegen ist die Nähe zu Leibniz stark ausgeprägt, wenn man nicht gar von einer direkten Übernahme reden will.

[264] § 182.
[265] § 182.
[266] § 181.
[267] § 184.
[268] § 185.

Da die Seele nach den Aussagen der „Psychologia rationalis" die ideas sensuales etc. hervorbringt, kann Wolff den Sachverhalt der Welterkenntnis folgendermaßen zusammenfassen: „Anima continuo producit ideam totius universi, non modo quoad statum praesentem, verum etiam quoad omnes praeteritos atque futuros, sed pro diversa dependentia status praesentis a praeteritis et futurorum a praesente continuo diversam" [269]. Diese Weltidee bringt die Seele auch im Traum hervor, jedoch dunkel oder ganz undeutlich [270]. Die Weltidee verhält sich zur sichtbaren Welt wie ein Spiegelbild zum Gespiegelten; die in der Seele existierende Weltidee erleidet dieselben Veränderungen wie die sichtbare Welt selbst [271]. Will man sich kraft der Einbildungskraft einer Fiktion bedienen, so kann die Weltidee als die Welt selbst und die Seele als der sie betrachtende Mensch angesprochen werden, so daß man sagen kann: die Seele betrachtet die Idee des Universums [272]. Die Seele kann aber, will sie nicht mit ihrem Wesen in Widerspruch geraten, die ganze Weltidee zugleich nicht anschauen [273].

dd) Dem Menschen ist also eine echte Welterkenntnis möglich, was durch ihren inadäquaten Charakter keineswegs in Frage gestellt wird. Inadäquat ist die Welterkenntnis, weil die ideae sensuales und die phantasmata als repraesentationes mundi Unendliches in sich enthalten, das zu erfassen nicht möglich ist [274]. (Die Bemerkung hat große Bedeutung für die natürliche Theologie, denn darin liegt der Unterschied zwischen unendlichem und endlichem Intellekt. Gott ist nichts verborgen, sondern alles offenkundig; uns dagegen ist das in den Ideen Enthaltene größtenteils verborgen, so daß das, was wir unterscheiden können, im Vergleich zu dem, was wir in der Idee nicht unterscheiden können, unendlich klein ist [275].)

Im Zusammenhang mit der Erkenntnis Gottes interessiert Welt unter dem Gesichtspunkt der Kontingenz. Dieser bleibt hier noch offen, denn „Kontingenz" ist Sache des höheren Erkenntnisvermögens.

[269] § 190.
[270] § 191.
[271] § 192.
[272] § 193.
[273] § 194.
[274] § 186.
[275] § 186 not.

2. Die Erkenntnis mittels des höheren Erkenntnisvermögens [276]

a) Vorbemerkung: Verstand und höheres Erkenntnisvermögen

Der Sinneserkenntnis wird die Verstandeserkenntnis gegenübergestellt. Wie der Zusammenhang zwischen beiden, ihre Verschiedenheit oder Gegensatz gesehen wird, wird von der philosophischen Grundeinstellung her entschieden bzw. diese von jener aus bestimmt. Wolff kommt es auf deutliche Begriffe und mathematische Gewißheit an. Dies leisten nur Verstand und Vernunft. Wolff unterscheidet zwischen Verstand und höherem Erkenntnisvermögen. Beide scheinen Synonyma zu sein, erweisen sich aber bei tieferer Einsicht als verschieden. „Höheres Erkenntnisvermögen" ist weiter als „Verstand", da es den Erwerb von deutlichen Ideen und Begriffen in sich schließt, wozu mehr erfordert ist als „repraesentatio rerum distincta in universali", also mehr als „Verstand" [277]. Descartes' 9. Regel entsprechend [278] wird, um zu deutlichen Begriffen zu gelangen, als erstes Aufmerksamkeit (attentio) gefordert.

b) Aufmerksamkeit (attentio) und Überdenken (reflexio)

Unter Aufmerksamkeit versteht man die Fähigkeit zu bewirken, daß in einer zusammengesetzten Wahrnehmung eine Teilwahrnehmung eine größere Klarheit erhält als die übrigen [279]. Diese Fähigkeit bedarf keiner näheren Begründung; sie zu begründen, ist wie bei jeder offenkundigen Erfahrungstatsache nicht notwendig [280]. Die Aufmerksamkeit, die sich nicht nur auf sinnlich oder durch die Einbildungskraft Wahrgenommenes erstreckt, sondern auch auf die Selbstwahrnehmung des Geistes und dessen Tätigkeiten [281], kann in der Bestimmung des Zieles und der Mittel vom Gutdünken der Seele, also von der menschlichen Freiheit, abhängen [282]. (Damit ist auch ein gewisser Einfluß der Seele auf die Klar-

[276] Psych. emp. behandelt diesen Fragenkreis in Sectio III des 1. Teils; die Sectio umfaßt 4 Kapitel: I: De attentione et reflexione, II: De intellectu in genere et differentia cognitionis, III: De tribus intellectus operationibus in specie, IV: De dispositionibus naturalibus et habitibus intellectus. Von Psych. rat. ist das 4. Kap. der Sectio I (De attentione et intellectu) heranzuziehen; aus Dt. Met. §§ 268—403.

[277] Psych. emp., § 275 not.

[278] Desc., Reg. IX (AT X, 400 f.; vgl. Beck, The method of Descartes, S. 56 ff.).

[279] Psych. emp., § 237: „Facultas efficiendi, ut in perceptione composita partialis una majorem claritatem ceteris habeat, dicitur Attentio." Dt. Met., § 268.

[280] Psych. emp., § 234.

[281] § 235 not.; Dt. Met., § 268.

[282] Psych. emp., § 234 not., 236 not.; Psych. rat., § 363 f.

heit von Wahrnehmungen mitgesagt [283].) Besteht dieser Grund nicht, so wird die Richtung der Aufmerksamkeit von außen bestimmt: nehmen z. B. verschiedene Sinne zugleich Mehreres wahr, wird die Aufmerksamkeit auf das klarer Wahrgenommene gerichtet bzw. wird von der schnelleren idea materialis bestimmt; eine Rolle spielen dabei auch Neuheit, Lust und Unlust [284].

Ein enger Zusammenhang besteht zwischen der in ihrem Leistungsgrad je nach Individuum verschiedenen bzw. veränderlichen Aufmerksamkeit [285] und ihrem Gegenstandsbereich: einer je größeren Aufmerksamkeit entspricht ein umso geringerer Gegenstandsbereich [286].

Man richtet die Aufmerksamkeit nicht nur auf einen Teil der Totalwahrnehmung, sondern nach unserem Gutdünken sukzessiv auch auf andere [287]. Dies bezeichnet man als Reflektieren [288], „Überdenken" [289]. Reflexion als „attentionis successiva directio ad ea, quae in re percepta insunt" [290] ist also eine ausführlichere Art der attentio. Wenn wir über ein wahrgenommenes Ding reflektieren, sind wir des Verschiedenen, das dem Ding innewohnt oder sich irgendwie auf es bezieht, bewußt und erkennen es als verschieden von dem Ding, dem es innewohnt [291]. Wolff erläutert dies am Beispiel des Baumes: Reflektieren wir, so richten wir unsere Aufmerksamkeit etwa auf die Blätter, dann auf die Zweige etc., so daß wir uns dieser Teile einzeln (sigillatim) bewußt sind, uns aber auch bewußt sind, uns ihrer als einzelner bewußt zu sein. Richten wir nun die Aufmerksamkeit wieder auf den ganzen Baum, so gibt uns das Gedächtnis ein, die Blätter, die Zweige etc. einzeln wahrgenommen zu haben. Daraus folgern wir: die Blätter, die Zweige etc. sind vom ganzen

[283] Psych. emp., § 236 not. Wenn wir die Aufmerksamkeit auf ein Sinnending richten, wird dessen idea materialis schneller als die des zugleich wahrgenommenen (vgl. Psych. rat., § 357).

[284] Psych. rat., § 367 ff.

[285] Psych. emp., § 243 ff.; Dt. Met., § 269 ff.

[286] Psych. rat., § 360.

[287] Psych. emp., § 256.

[288] § 257: „Attentionis successiva directio dicitur Reflexio." In der nota ein Hinweis auf Übereinstimmung mit der Definition des Goclenius (Lexikon) und entsprechende Kritik.

[289] Dt. Met., § 272: „Wenn wir eine Sache uns vorstellen / wir mögen sie entweder empfinden oder uns einbilden / und richten unsere Gedancken auf einen Theil nach dem andern / daraus sie bestehet / oder auf eines von dem mannigfaltigen nach dem andern / was in ihr anzutreffen; so überdencken wir dieselbe Sache."

[290] Psych. emp., § 257.

[291] § 258.

Baum verschieden, ebenso die Blätter von den Zweigen, die Zweige von den Wurzeln etc. [292]. (Daß sich bei der Reflexion verschiedene Tätigkeiten des Geistes treffen, wird im folgenden klar.) Was für ein wahrgenommenes Ding und dessen Teil möglich ist, ist auch für mehrere wahrgenommene Dinge möglich. Wir können verschiedene wahrgenommenen Dinge vergleichen, indem wir z. B. zuerst auf A, dann auf B, dann auf beide zugleich die Aufmerksamkeit richten [293]. Wolff spricht bei diesem Vergleich wahrgenommener Dinge von einem „actus quidam specialis reflexionis, etsi non simplex, sed in varios alios resolubilis" [294], nämlich in Gedächtnis und Einbildungskraft [295]. Attentio als reflexio führt, wie aus dem Beispiel des Baumes zu ersehen, zu deutlicher Wahrnehmung [296], die ja, wie schon dargelegt, in der Unterscheidung dessen besteht, was in einer wahrgenommenen Sache einzeln aussagbar ist [297]. So führt Aufmerksamkeit bzw. Reflexion zum Verstand und dessen Tätigkeiten.

c) Der Verstand und seine Beschaffenheit

aa) Durch Sinne und Einbildungskraft kann es nur zu klaren Vorstellungen kommen; erst durch den Verstand werden sie deutlich [298]. In der „Psychologia empirica" (§ 275) wird Verstand als „facultas res distincte repraesentandi" bezeichnet [299]. In der nota zu diesem Paragraphen befaßt sich Wolff mit dem Sprachgebrauch von intellectus [300] und bestimmt dessen Bedeutung schärfer. Von den beiden anderen Arten, sich Dinge vorzustellen, von Sinn und Einbildungskraft, unterscheidet er sich durch ein Mehrfaches: Sinne und Einbildungskraft haben es mit der „repraesentatio rerum in singulari" zu tun, der Verstand mit „reprae-

[292] § 258 not.
[293] § 259.
[294] § 260 not.
[295] § 259 not.
[296] § 266.
[297] § 38. Vgl. S. 72.
[298] Dt. Met., § 277.
[299] § 277: „Die Krafft das mögliche deutlich vorzustellen ist der Verstand."
[300] Wolff bezieht sich dabei auf das Lexikon des Goclenius, das eine vage und schwankende Bedeutung von „intellectus" zeige. Den Gebrauch des Terminus im Sinne von „jeglichem Erkenntnisvermögen" lehnt Wolff ab (vgl. auch Dt. Met., § 284). „Intellectus" wird als „distincta repraesentatio rerum in universali" von „sensus" („repraesentatio rerum praesentium in singulari") und „imaginatio" („repraesentatio rerum absentium in singulari") unterschieden und damit eindeutig bestimmt.

sentatio rerum in universali"; eine nähere Bestimmung als repraesentatio rerum praesentium bzw. absentium fehlt beim Intellekt, dagegen wird seine repraesentatio auszeichnend als deutliche qualifiziert.

bb) Das „distincte repraesentare" gibt nicht nur die Funktion des Verstandes an, sondern ist selbst Maßstab für Größe und Grenze des Verstandes. Der Verstand, ein Attribut der Seele [301], hat verschiedene Grade [302]. Vom „gradus objectivus" her gesehen — objektiv, weil vom Objekt genommen — gilt: „Je mehr einer sich deutlich vorstellen kann, desto größer ist der Verstand" [303]; vom „gradus formalis" her — formal, weil von der Form oder Vorstellungsart genommen: „Je mehr einer in demselben Subjekt [304] unterscheidet, umso größer ist der Verstand" [305]. Da es neben dem objektiven und formalen Grad einen anderen nicht gibt, läßt sich leicht der Begriff des höchsten Intellekts bilden: „.. intellectus omnia possibilia distincte repraesentans erit omnium maximus, seu absolute summus" [306].

cc) Von diesem begrifflich möglichen höchsten Verstand — die Frage nach dessen Realität ist hier nicht zu stellen — ist der menschliche Verstand, wie eigene und fremde Erfahrung zeigen, weit entfernt, denn er ist begrenzt sowohl hinsichtlich des Objekts, da er nur einiges vorstellen kann, als auch hinsichtlich der Vorstellungsart von Objekten, da er über eine bestimmte Zahl hinaus nichts mehr unterscheiden kann [307]. Die Bestimmungen des Verstandes dem größeren oder geringeren Grade nach ist auf den Gebrauch des Verstandes zurückzuführen; in sich selbst betrachtet ist der Verstand dem Grade nach unbestimmt [308].

dd) Unter anderem Gesichtspunkt wiederum zeigt sich der Verstand als rein und unrein. Rein ist er, „wenn dem Begriff einer Sache ... nichts Undeutliches und Dunkles beigemischt wird"; unrein, wenn dem Begriff „deutlich oder ganz und gar dunkel Wahrgenommenes innewohnt" [309].

301 Psych. rat., § 388.
302 Dt. Met., § 279 f.
303 Psych. emp., § 276.
304 Wolff schreibt „subjectum" statt, wie im heutigen Sprachgebrauch üblich „objectum".
305 Psych. emp., § 277.
306 § 278.
307 § 279.
308 Psych. rat., § 391.
309 Psych. emp., § 313.

Da undeutliche Wahrnehmungen dem niederen Erkenntnisvermögen angehören, ist dort der Grund der Unreinheit des Verstandes zu suchen. „Der Verstand ist rein, wenn er von Sinnen und Einbildungskraft frei ist, und er ist in dem Maße frei, als er von Sinnen und Einbildungskraft frei ist" [310]. In den Zahlenbegriffen etwa tritt der reine Verstand in Erscheinung, denn soweit sie adäquat sind, enthalten sie nichts Undeutliches und Dunkles, da man sie in einer vollkommenen Analyse auf den Begriff der Einheit zurückführen kann [311]. Dennoch gibt es auch hier noch Undeutlichkeit, zwar nicht in den Zahlbegriffen selbst, sondern im Begriff der Einheit, auf den alle zurückgeführt werden [312].

Tatsächlich ist unser Verstand niemals ganz rein; die Analyse seiner Begriffe [313] nämlich findet in dem, was mittels der Sinne klar, aber nicht deutlich wahrgenommen wird, sein Ende; er ist also niemals frei von Sinnen und Einbildungskraft [314]; am allerwenigsten in der Physik und Moral [315].

ee) Unter wieder anderem Gesichtspunkt — von der Begriffsanalyse her — erscheint der Verstand als mehr oder weniger tiefsinnig. Je länger der Verstand in der Begriffsanalyse fortschreiten kann, umso tiefsinniger (profundus [316]) ist er [317]. Der Grad der Tiefsinnigkeit des Intellekts bemißt sich nach den Graden der adäquaten Begriffe [318]. Von daher wird auch die Bedeutung der systematischen Behandlung einer Disziplin

[310] § 314; Dt. Met., § 282.

[311] Psych. emp., § 313 not.

[312] § 314 not.

[313] § 339; Log., S. 95 f.

[314] Psych. emp., § 315. In der nota bemerkt Wolff, wir hätten ein hervorragendes Beispiel für eine dem reinen Verstand entsprechende Erkenntnis, wenn wir die Phänomene der materiellen Welt apriori aus dem Begriff der Elemente oder einfachen Substanzen, die eine gewisse unsichtbare Welt bilden, deduzieren könnten und so die Erkenntnis der Welt von Bildern trennten, eine Erkenntnis, die um einiges näher an die göttliche Welterkenntnis herankäme. Auch Dt. Met., § 285.

[315] Psych. emp., § 313 not.

[316] Im dt.-lat. Reg. der Dt. Met. findet sich kein dt. Äquivalent für „profundus" bzw. „profunditas intellectus". Dagegen aber acumen: tiefe Einsicht, acumine praeditus: tiefsinnig; in Dt. Met., § 850 wird aber von scharfsinnig bzw. Scharfsinnigkeit des Verstandes gesprochen, was sachlich mit „acumen" der Psych. emp. übereinstimmt. Deshalb wird — Ludovici II, 245 bzw. 261 u. 244 bzw. 251 folgend — gleichgesetzt: profundus, profunditas: tiefsinnig, Tiefsinnigkeit; acumen: Scharfsinnigkeit. Im übrigen hängen profunditas und acumen aufs engste zusammen.

[317] Psych. emp., § 340; Dt. Met., § 209 f.

[318] Psych. emp., § 341. Auf den hier aufgezeigten Zusammenhang mit der Begriffsanalyse sei eigens hingewiesen.

offenkundig; denn wenn die einzelnen Disziplinen in auch untereinander verbundene Systeme gebracht werden, wird der Verstand eo ipso tiefsinniger [319].

ff) Eine andere, der profunditas vorausliegende Art der Vollkommenheit des Verstandes ist die Scharfsinnigkeit (acumen). Je mehr einer in irgendeinem Objekt unterscheiden kann, umso scharfsinniger ist er [320]. Es gibt Grade der Scharfsinnigkeit; diese kann nämlich durch Übung vervollkommnet werden [321]. Auch richtet sich der Grad der Scharfsinnigkeit nach dem Abstraktionsgrad des Erkannten; je allgemeiner das in einer wahrgenommenen Sache Durchschaute ist, umso scharfsinniger ist der Erkennende [322]. Den höchsten Grad an Scharfsinnigkeit erreicht man, „wen man alles / was in einem Dinge unterschieden werden kan / bis auf das allerkleineste deutlich begreiffet ...", was allerdings nur bei reinem Verstand möglich ist [323], uns also unerreichbar bleibt [324].

gg) In Scharf- und Tiefsinnigkeit wird die Vollkommenheit des Verstandes nach der Deutlichkeit der Begriffe beurteilt; eine andere Art, die Vollkommenheit des Verstandes zu betrachten, hat die Deutlichkeit der Schlüsse zum Maßstab [325]. So nennt man den gründlich [326], „wer viele Deutlichkeit in Schlüssen hat" [327], d. h. deutlich schließen und die Schlüsse verbinden kann [328]. Die Gründlichkeit (soliditas) kennt wiederum Grade. Je näher einer beim Beweis der Prämissen seiner Schlüsse an die weiter nicht auflösbaren Begriffe herankommt, umso gründlicher ist er [329]. Der höchste Grad an Gründlichkeit ist für den Menschen nicht erreichbar, da er einiges aus der Erfahrung nehmen muß [330]. Wer gründlich ist, kann — laut Definition — vollendete Beweise geben [331]; er nimmt nichts

319 § 340 not.
320 § 332; Dt. Met., § 850.
321 Psych. emp., § 333.
322 § 335 f. Beide, profunditas und acumen, werden durch die symbolische Erkenntnis erleichtert und ausgedehnt.
323 Dt. Met., § 851.
324 § 852.
325 § 849.
326 Dt. Met., dt.-lat. Reg.: Gründlichkeit: soliditas.
327 § 854.
328 Psych. emp., § 440: „Habitus distincte ratiocinandi et ratiocinia concatenandi dicitur Soliditas, intellectus scilicet."
329 § 442; Dt. Met., § 854.
330 Dt. Met., § 855.
331 Psych. emp., § 444.

an, was nicht genügend geprüft und erklärt ist [332]. Gerade um die Lehre, die aus genügend bewiesenen und erklärten Sätzen besteht, also eine gründliche ist, bemüht sich Wolff [333]. Die Gewähr für die Gründlichkeit ist durch die mit der mathematischen Methode identischen philosophischen Methode gegeben [334]. Zwischen Gründlichkeit und Wissenschaft besteht eine so enge Verbindung, daß es ohne irgendeinen Grad an Gründlichkeit keine Wissenschaft gibt [335]. (Auf den Zusammenhang von Verstand und „ingenium" bzw. Witz sei hier nicht eingegangen [336].)

d) Die dreifache Tätigkeit des Verstandes

aa) War bisher von den verschiedenen möglichen oder tatsächlichen Eigenschaften des Intellekts die Rede, so ist jetzt eigens auf dessen Tätigkeit einzugehen. Auf dreifache Weise bemüht sich der Verstand um das Erkennbare; dabei setzt die spätere Tätigkeit jeweils die frühere voraus [337]: Begriff mit simplex apprehensio, Urteil und Schluß [338]. Die simplex apprehensio, die erste Tätigkeit des Geistes [339], bestimmt als „attentio ad rem sensui vel imaginationi praesentem seu menti quomodocunque repraesentatam" [340] setzt den Begriff oder die Idee des in der simplex apprehensio erfaßten Dings voraus, da wir die Aufmerksamkeit auf ein Ding erst dann richten können, wenn wir uns und soweit wir uns dessen bewußt sind, d. h. es im Geiste vorstellen, also dessen Begriff bzw. Idee haben [341]. (Wenn wir z. B. die Sonne als sichtbare Scheibe durch die Wolken durchscheinen sehen oder uns einen abwesenden Löwen vorstellen

[332] § 445.
[333] § 448.
[334] § 334.
[335] § 450 not.
[336] Vgl. dazu § 476 ff.; Dt. Met., § 366. 858 ff. „Witz", definiert als Leichtigkeit, die Ähnlichkeit der Dinge wahrzunehmen (vgl. Dt. Met., § 366; Psych. emp., § 476), aus Scharfsinnigkeit, guter Einbildungskraft und Gedächtnis (vgl. Dt. Met., § 858) entstehend, hat seine große Bedeutung auf dem Gebiet der vielbesprochenen Erfindungskunst.
[337] Log., § 53.
[338] Psych. emp., § 325; Log., § 52.
[339] Log., § 53.
[340] § 33.
[341] § 35. Wolff will notio und simplex apprehensio nicht wie üblich als Synonyma gebrauchen, sondern unterscheiden. Die Frage der Begriffsbildung bleibt hier offen. Hingewiesen sei auf Log., § 53 not.: „In infantibus primum sese exerit notio, quam mox sequitur simplex apprehensio. Succedit iudicium in pueris et ratiocinatio ex intervallo sese demum exerit".

und darauf die Aufmerksamkeit richten, ist es simplex apprehensio [342].) Diese Begriffe teilen wir anderen durch Worte mit [343].

bb) Wenn wir in einer Sache etwas unterscheiden, sehen wir dieses zuerst als von der Sache verschieden, dann als irgendwie zu ihr gehörig oder nicht gehörig an, d. h. wir urteilen [344]. So unterscheiden wir z. B., wenn wir ein Dreieck anschauen, in ihm außer den drei Seiten drei Winkel und finden, daß diese drei Winkel nicht das Dreieck selbst sind, aber dennoch zu ihm gehören; wir urteilen dann: Das Dreieck hat drei Winkel. Betrachten wir gleichzeitig ein Viereck und ein Dreieck und stellen fest: die vier Winkel, die dem Viereck angehören, sind im Dreieck nicht zu finden, so urteilen wir: Das Dreieck hat keine vier Winkel. Oder wir sehen ein Eisen und vergegenwärtigen uns durch die Einbildungskraft ein schon einmal gesehenes glühendes Eisen, so urteilen wir, nachdem beide Eisen verglichen wurden: Das Eisen glüht nicht [345]. Das Urteil, das in der Verbindung oder Trennung zweier Begriffe besteht [346], kann grundsätzlich ohne Gebrauch von Worten gefällt werden [347], wenn wir gewöhnlich auch ein Urteil durch Worte aussagen [348].

cc) Ein Urteil kann intuitiv oder diskursiv sein; intuitiv, wenn wir einem Seienden zusprechen, was wir in dessen Begriff enthalten sehen, z. B. die Sonne leuchtet; diskursiv, wenn es durch Vernunftschluß gewonnen wird, z. B. aus dem intuitiven Urteil „Dieses Eisen glüht" und aus dem vom Gedächtnis gelieferten Urteil „Das glühende Eisen brennt" das dritte Urteil folgern: Dieses Eisen brennt [349]. Die dritte Tätigkeit des Verstandes, der Vernunftschluß [350], ist also eine „operatio mentis, qua ex duabus propositionibus terminum communem habentibus formatur tertia, combinando terminos in utraque diversos" [351].

e) Allgemeinbegriffe und Allgemeinurteile

aa) Diese drei Tätigkeiten des Verstandes näher zu untersuchen und darzulegen, ginge über den Rahmen dieser Arbeit [352]. Wohl aber muß

[342] § 35 not.
[343] § 36 ff.
[344] Log., § 39.
[345] § 39 not.
[346] § 40.
[347] § 39 not.
[348] § 41.
[349] § 51.
[350] Zum Sprachgebrauch anderer vgl. § 50 not.
[351] § 50.
[352] Außer den entsprechenden Kapiteln der Dt. Log. und Log. vgl. Arndt, Einl. z. Dt. Log., S. 74 ff.

im Hinblick auf die Ontologie und die Theologie geklärt werden, wie der Verstand bzw. der Mensch zu den Allgemeinbegriffen kommt.

Die Universalbegriffe bzw. Gattungs- oder Artbegriffe sind Begriffe der zwischen mehreren Dingen bestehenden Ähnlichkeit oder — anders ausgedrückt — Begriffe, die vorstellen, was mehreren Dingen gemeinsam ist [353]. Wir kommen zu diesen Begriffen, indem wir über ein wahrgenommenes Ding reflektieren und es entweder mit anderen zugleich wahrgenommenen oder anderen Dingen, deren wir uns erinnern, vergleichen [354]. Dabei richten wir die Aufmerksamkeit auf das, was in ihnen dasselbe ist [355], betrachten das Gemeinsame also gewissermaßen als von der wahrgenommenen Sache getrennt, d. h. wir abstrahieren [356]. Gattungs- und Artbegriffe werden also durch Abstraktion gewonnen [357]. Die Bildung der Universalbegriffe ist nicht nur Funktion der ersten Tätigkeit des Verstandes, der simplex apprehensio, Urteil und Schluß sind ebenso erforderlich, denn das, was als Gemeinsames von den Dingen selbst unterschieden wurde, muß dahin bestimmt werden, ob es diesen beständig zukommt oder Veränderungen unterworfen ist, was nichts anderes ist als urteilen; und durch Vernunft muß bestimmt werden, ob einem Ding immer zukommt, was wir in ihm beobachten, oder ob es auch fehlen kann [358].

Zwar werden die Allgemeinbegriffe auf den Verstand und seine dreifache Tätigkeit zurückgeführt; daß andere Kräfte nicht mitwirken, ist damit aber nicht gesagt. Daß attentio, reflexio, abstractio und memoria beteiligt sind, versteht sich nach dem Obigen von selbst; aber auch Einbildungskraft und Sinne sind beteiligt, ja Wolff spricht den Sinnen sogar eine Führungsrolle zu („sensu duce") [359]. Dies ist weiter nicht verwunderlich, denn Gattung und Art existieren nur in Individuen [360]; von den Individuen also, denen die Universalien innewohnen, ist zu beginnen

[353] Log., § 54: „Notiones universales sunt notiones similitudinem inter res plures intercedentium, aut, si mavis, notiones, quibus ea repraesentantur, quae rebus pluribus communia sunt. Unde patet, generum et specierum esse notiones universales." Vgl. Dt. Met., § 286; Dt. Log., c. 1 § 26 ff. (S. 136 ff.).

[354] Psych. emp., § 268.

[355] § 326.

[356] § 282: „Si ea, quae in perceptione distinguuntur, tanquam a re percepta sejuncta intuemur; ea abstrahere dicimur . . ." Vgl. § 331.

[357] § 283.

[358] Log., § 55.

[359] Psych. emp., § 283 not.; Dt. Met., § 832 f.

[360] Log., § 56.

und zur Erkenntnis der Universalien aufzusteigen [361], aus deren Kenntnis die „cognitio universalis" besteht [362]. (Die ontologische Möglichkeit der cognitio universalis besteht darin, daß die Wesensbestimmungen verschiedener Seiender gemeinsam sind [363].)

Wir haben keine Universalbegriffe als die, die wir entweder von den durch die Sinne wahrgenommenen Dingen oder von dem, dessen wir uns in uns bewußt sind, abstrahiert haben, oder die wir auf das in den Individuen Wahrgenommene zurückführen können [364]. (Auf die Möglichkeit apriorischer Bildung von Universalbegriffen sei hier nur hingewiesen [365].) Somit sind also die Universalbegriffe letztlich auf die sinnliche Erfahrung oder einen gewissen inneren Sinn der Seele zurückzuführen; zugleich aber beziehen sie sich auf den Verstand [366]. Wenn man den Satz „Nihil est in intellectu, quod non fuerit in sensu" in diesem Sinn versteht, hat Wolff nichts einzuwenden, wohl aber, wenn man das Gesagte so verstände, als würden alle Ideen und die von ihnen abhängigen Allgemeinbegriffe durch den Sinn in die Seele wie in einen leeren Behälter eingebracht. Die Hypothese der Aristoteliker, die die Seele mit einer tabula rasa vergleichen, der durch die Sinne die Ideen der Dinge eingeprägt werden wie man mit Hilfe eines Siegels dem Wachs eine Figur einprägt, wird von Wolff als falsch abgelehnt [366].

Innerhalb der Gattungen bzw. Arten gibt es wiederum Stufen. Beständig steigen wir von den niedrigeren Gattungen zu höheren und abstrakteren, so daß man von einer gewissen „scala generum" reden kann [367]. (Eine solche Skala zu besitzen, wäre von größtem Nutzen, wenn sie genau

[361] § 57.

[362] Psych. emp., § 317; Log., § 708.

[363] Psych. rat., § 444.

[364] § 429; auch § 427.

[365] In Log., § 716 spricht Wolff von 3 Arten, wie zu Allgemeinbegriffen zu kommen ist: „1. reflectendo super iis, quae percipiuntur, 2. abstrahendo communia, quae notionibus pluribus insunt, 3. determinationes variabiles mutando in alias"; also auf dem Weg der reflexio, abstractio und arbitraria determinatio. Dabei ist der 2. Weg eigentlich kein eigenständiger, da er den 1. oder 3. voraussetzen muß. Die Möglichkeit eines auf die 3. Art gebildeten Universalbegriffs wird durch Erfahrung (vgl. Log., § 719), durch Widerspruchsfreiheit (vgl. Log., § 720 ff.) oder durch die Genesis eines Dings nachgewiesen (vgl. Log., § 723). Zum Ganzen vgl. Log., § 710 ff.; Dt. Log., c. 1 § 26 ff. (S. 136 ff.). Zur Abhängigkeit von Leibniz vgl. Leibniz, Med. (Gerh. IV, 424 f.). — Die Begriffsbildung nach der 3. Art (arbitraria determinatio) wird von Bedeutung für den Gottesbeweis aus dem Begriff des ens perfectissimum.

[366] Psych. rat., § 429 not; Dt. Met., § 820 (neben Aristoteles wird auch Locke genannt).

[367] Psych. emp., § 334.

wäre. Aristoteles wollte dies mit der Reihe der Kategorien. Der große Abstand zwischen den aristotelischen Kategorien und dem hier Gesagten sei, so meint Wolff, offenkundig. Wenn alle Disziplinen in ein wahres System gebracht sind, müßte an den Aufbau und die Vervollkommnung dieser Skala gedacht werden. Ist sie gegeben, wird die großartige „ars characteristica universalis" mehr in unserer Macht sein [368].) Wie weit man aufsteigen kann, sagt Wolff in diesem Zusammenhang allerdings nicht.

bb) Die Universalbegriffe bzw. -termini werden Subjekt von Universalurteilen bzw. Universalsätzen oder Universalwahrheiten [369]. Was von der Gattung entweder absolut oder hypothetisch ausgesagt wird, gilt ebenfalls absolut oder hypothetisch für die ihr zugehörigen Arten und deren Individuen; was von den Arten absolut oder hypothetisch ausgesagt wird, gilt ebenfalls absolut oder hypothetisch von deren Individuen [370] — auch für die Negation. Absolut von der Gattung bzw. Art und deren Individuen werden die Wesensbestimmungen ausgesagt, d. h. Attribute und die nach Art eines Attributs innewohnende Möglichkeit der Modi und Relationen, hypothetisch hingegen die Modi und Relationen selbst [372]. (Weil die Dinge ähnlich sind auf Grund ihrer Wesensbestimmungen — die Wesensbestimmungen der höheren Gattung treffen auch für die niederere Gattung zu, die des genus infimum für die species und damit für deren Individuen — und von dem Wesen der Dinge deren Attribute abhängen und schließlich durch die aktuelle Inexistenz der Modi die Dinge von einander abhängig sind, ist der Zusammenhang der Universalwahrheiten möglich [373]. Die Begründung wird von der Ontologie gegeben.)

Die Universalsätze bzw. die ihnen gleichwertigen Definitionen [374] sind unter einander verbunden [375]. Wir stellen nämlich fest, daß in den einzelnen Disziplinen bestimmte allgemeine Sätze aus anderen bewiesen werden; deshalb werden nicht nur in den „Elementa Matheseos universae" die auf die einzelnen Disziplinen verstreuten mathematischen Wahrheiten so angeordnet, daß die einen aus dem anderen bewiesen werden können,

[368] § 334 not.
[369] Log., § 240 ff. (einschließlich Partikular- und Individualurteilen).
[370] Log., § 232 ff.
[371] § 346 ff.
[372] § 257.
[373] Psych. rat., § 445.
[374] Log., § 252.
[375] Psych. emp., § 482.

sondern auch in den philosophischen Disziplinen ist man um solch eine Ordnung bemüht [375].

Der Zusammenhang der Universalwahrheiten ist in dem von der Cosmologie aufgewiesenen „nexus rerum" begründet ebenso wie die logische Wahrheit in der transzendentalen Wahrheit der Dinge [376]. Wenn es diesen Zusammenhang nicht gäbe, könnten keine wirklichen Systeme geschaffen werden [377].

f) Die Vernunft und ihre Beschaffenheit

aa) Die Fähigkeit, den Zusammenhang der Universalwahrheiten zu durchschauen, nennt Wolff Vernunft (ratio): „Ratio est facultas nexum veritatum universalium intuendi seu perspiciendi" [378]. Dementsprechend wird als vernunftgemäß (rationi conforme vel consentaneum) bezeichnet, was mit erkannten Wahrheiten oder wahren Allgemeinsätzen übereinstimmt [379] bzw. direkt bewiesen werden kann [380]; als vernunftwidrig, was, aus einem gegebenen Satz gefolgert, einem wahren Satz widerspricht [381].

[376] § 482 not.

[377] Psych. emp., § 482 not. Wolff verweist auf Hor. subs. 1729, trim. brum. III: De differentia intellectus systematici et non systematici (S. 107—154). Der „intellectus systematicus" ist ein Intellekt, „qui propositiones universales inter se connectit" (§ 2 [S. 108]). Solchen Geistes waren die alten Geometer (§ 6 [S. 113]), unter den Philosophen Aristoteles, Confucius, Descartes, C. Neumann (§ 7 [S. 115 ff.]).

[378] Psych. emp., § 483. Dt. Met., § 368: „Die Einsicht / so wir in den Zusammenhang der Wahrheiten haben / heisset Vernunfft." Zu ratio: Vernunft vgl. Dt. Met., dt.-lat. Reg. — In Psych. emp., § 483 not. hebt Wolff seinen ratio-Begriff von dem des Leibniz ab, der in dem der Theodizee vorausgeschickten „Discursus de conformitate rationis ac fidei", § 23 (vgl. Gerh. VI, 49) ratio als „catena veritatum" definiert, damit aber nicht eine Fähigkeit der Seele meint, sondern das Objekt unseres Verstandes. Wolffs Bedeutung von „ratio" stimmt, so Psych. emp., § 484, mit dem allgemeinen Sprachgebrauch überein. — Zu „Vernunftgebrauch" vgl. Psych. rat., § 452 ff. Der „usus rationis" setzt, da er durch Schließen geschieht (§ 455), alle Tätigkeiten des Geistes voraus (§ 456); deshalb ist er — erworben, nicht angeboren (§ 458) — bei Kindern nicht zu finden (§ 459). Da das Gedächtnis und dessen Qualität entscheidend ist für den Vernunftgebrauch (§ 463), kann eine Verletzung des Gedächtnisses (Gehirnkrankheiten, Alter) den Vernunftgebrauch mindern oder ganz auslöschen (§ 464 ff.; auch § 420 ff.).

[379] Psych. emp., § 485.

[380] § 486. Bei direkten Beweisen (mit Hilfe von Definitionen, Axiomen oder schon bewiesenen Allgemeinsätzen) wird aus dem Begriff des Subjekts das diesem zukommende Prädikat gefolgert. Vgl. Dt. Met., § 369; Psych. rat., 446: „Veritatem propositionis perspicimus per nexum cum veritatibus universalibus et demonstratio eundem palam facit"; auch § 447.

[381] Psych. emp., § 487.

bb) Wie der Verstand so hat auch die Vernunft verschiedene Grade. Vom Materialobjekt her gesehen, hat eine größere Vernunft, wer den Zusammenhang mehrerer allgemeiner Wahrheiten durchschaut [382]; vom Formalobjekt her, wer den Zusammenhang allgemeiner Wahrheiten in einer längeren Reihe verfolgen kann [383]. Die höchste Vernunft besteht dann folgerichtig darin, den Zusammenhang aller allgemeinen Wahrheiten zu durchschauen [384]. Eine solche Vernunft kann dem Menschen nicht zukommen [385]. Die Zahl der Allgemeinbegriffe, die der Mensch beim Vernunftgebrauch voraussetzen und zur Hand haben muß [386], ist der Vielzahl der Dinge entsprechend so groß, daß niemand sie alle kennen kann [387].

cc) Unter einem anderen Gesichtspunkt wird die Vernunft als rein bzw. als unrein charakterisiert: „Ratio pura est, si in ratiocinando non admittimus nisi definitiones ac propositiones a priori cognitas. Pura non est, si in ratiocinando praeterea admittuntur, quae a posteriori cognoscuntur" [388]. Arithmetik, Geometrie und Algebra sind etwa im Gegensatz zur Physik Bereiche der reinen Vernunft [389]. Sobald die Erfahrung beim Erkennen beteiligt ist, ist die Vernunft nicht mehr rein [390]. Diese Unterscheidung von reiner und unreiner Vernunft ist deshalb von großem Gewicht, weil von daher die beiden Erkenntnisarten bestimmt werden: die apriorische Erkenntnis von der reinen Vernunft, die aposteriorische von der unreinen.

3. Apriorische und aposteriorische Erkenntnis

„Was wir erkennen, erkennen wir entweder a posteriori oder a priori" [391]. A posteriori erkennen heißt, erkennen durch Erfahrung; a priori erkennen, erkennen durch Vernunftschluß; gemischt ist eine Erkenntnis, die teils aposteriorisch teils apriorisch erworben wird [392]. So erkennen wir

[382] § 488. Dt. Met., § 370 (Dt. Met. kennt nur diesen Gesichtspunkt).
[383] Psych. emp., § 489.
[384] Psych. rat., § 471.
[385] § 472.
[386] § 457.
[387] § 470.
[388] § 495. Dt. Met., § 382 spricht von lauterer und nicht lauterer Vernunft.
[389] Psych. emp., § 495 not.; Dt. Met., § 382.
[390] Psych. emp., § 496.
[391] § 435. Log., § 663.
[392] Psych. emp., § 434; Dt. Met., § 372.

z. B. durch die Erfahrung, daß die Sonne leuchtet, indem wir aufmerken auf alles, was wir sehen; also erkennen wir das Sonnenlicht aposteriorisch. Aus der Definition des Dreiecks hingegen folgern wir, daß die drei Winkel gleich zwei Rechten sind, erkennen sie also apriorisch. Ein Beispiel einer gemischten Erkenntnis gibt Wolff, wenn er aus den aposteriorisch erkannten Wirkungen der Sonne mittels des Begriffs Feuer folgert, die Sonne sei Feuer. Meist ist unsere Erkenntnis eine gemischte, kommt aber mehr an die apriorische heran, wenn aus aposteriorisch aufgestellten Prinzipien durch eine fortlaufende Reihe von Vernunftschlüssen gefolgert wird, was zuvor unbekannt war [393].

a) Aposteriorische Erkenntnis, Erfahrung

Was wir außerhalb unser aposteriorisch erkennen, erkennen wir unter Führung der Sinne; durch die Einbildungskraft erkennen wir nämlich nur, was wir zuvor schon durch die Sinne erkannt haben, so daß wir durch sie nichts Neues erkennen [394], es sei denn, es handelt sich um etwas von uns Erdichtetes [395]. Was wir in unserem Geist erkennen, erkennen wir mittels der apperceptio und nur mittels der apperceptio, da wir Wahrnehmungen nur erkennen, sofern wir uns ihrer bewußt sind [396].

Diese Erkenntnis ist Erkenntnis durch Erfahrung, wobei Wolff dem Erfahrungsbegriff Lockes nahezukommen scheint [397]. Von der Erfahrung sagt Wolff in „Logica", § 664: „... Ipsa vero horum cognitio, quae sola attentione ad perceptiones nostras patent, experientia vocatur" [398]. Die Erfahrung selbst kann wieder verschiedener Art sein: als Beobachtung (observatio) bezieht sie sich auf Naturtatsachen, die ohne unser Zutun vor sich gehen; als Experiment auf Naturtatsachen, die nur durch unser Eingreifen gegeben sind [399]. Unbekannte Wahrheiten werden also aposteriorisch entweder durch Beobachtungen oder durch Experimente gewonnen [400]. Gegenstand der Erfahrung sind die Einzeldinge [401]. Wer sich auf die Erfahrung beruft, muß dies deshalb an einem besonderen Fall verifizieren [402].

[393] Psych. emp., § 434 not.
[394] § 436.
[395] § 437.
[396] § 436.
[397] Locke, Essay II, ch. 1, 2 ff. Zu Descartes' Erfahrungsbegriff vgl. Gilson, S. 451.
[398] Vgl. auch Dt. Log., c. 5 § 1 (S. 181).
[399] Psych. emp., § 456.
[400] § 457.
[401] Log., § 665.
[402] § 666. Dt. Log., c. 5 § 2 (S. 181).

Dies heißt jedoch nicht, man könne auf dem Weg der Erfahrung nicht zu deutlichen und adäquaten Allgemeinbegriffen, ja selbst zu Definitionen und kategorischen wie hypothetischen Allgemeinsätzen kommen; es sei deshalb, so meint Wolff, überflüssig, mittels einer „inductio incompleta" [403] vom Partikularen auf das Universale oder gar vom Singularen auf das Universale zu schließen [404].

b) Apriorische Erkenntnis, Vernunft

Der Erfahrung, durch die man erkennt, was ist oder geschieht, wird die Vernunft, mit deren Hilfe man den Zusammenhang der Universalwahrheiten durchschaut, unterscheidend gegenübergestellt [405]. Die apriorische, d. h. Vernunfterkenntnis [406] wird durch Schließen aus zuvor schon bekannten Sätzen oder Urteilen und Definitionen gewonnen [407]. Da Schließen die dritte Tätigkeit des Intellekts bildet, sind bei der apriorischen Erkenntnis alle Tätigkeiten des Verstandes beteiligt [408]. Ohne Vernunftschluß wird der Zusammenhang der Universalwahrheiten nicht durchschaut; von einer Art unmittelbarer geistiger Schau kann man also nicht reden.

c) Wissenschaft; Philosophie als Vernunfterkenntnis

Wissenschaft, von Wolff definiert als „habitus asserta demonstrandi" [409], also vom Beweis hervorgebracht und nur soweit sich erstreckend, als der Beweis reicht [410], hat, da ein Beweis in untereinander verbundenen Syllogismen besteht, wobei als Prämissen nur Definitionen, unbezweifelbare Erfahrungen, Axiome und schon bewiesene Sätze zugelassen werden [411], ihren Ursprung aus der Vernunft [412]. Die Philosophie wird als Wissen-

[403] „Inductio" ist nach Wolff (Log., § 478) „modus argumentandi, quo de superiori universaliter infertur, quod de singulis inferioribus affirmatur vel negatur." Werden alle inferiora aufgezählt, handelt es sich um eine „inductio completa", andernfalls um eine „inductio incompleta". Die Möglichkeit der inductio wird vom „dictum de omni et nullo" her begründet (vgl. Log., § 477).

[404] Log., § 708. Den Weg der Erfahrung behandelt Wolff im Kapitel „De formandis judiciis intuitivis et notionibus a posteriori" (Log., § 669—709).

[405] Psych. emp., § 490; Dt. Met., § 371.

[406] Psych. emp., § 491.

[407] § 492. 494.

[408] § 439.

[409] Disc. prael., § 30. Log., § 594.

[410] Log., § 598.

[411] § 498.

[412] Psych. emp., § 498; Dt. Met., § 383.

schaft begriffen [413], gehört also in den Bereich der Vernunft. Näherhin besteht die philosophische Erkenntnis in der Erkenntnis der Gründe dessen, was ist oder wird [414], durchschaut also den Zusammenhang der Universalwahrheiten und ist somit Vernunftsache [415].

d) Vernunft und Erfahrung. Abhängigkeit von Tschirnhaus

Das Verständnis des Verhältnisses von Vernunft und Erfahrung, apriorischer bzw. philosophischer Erkenntnis und aposteriorischer, von Wolff auch „historische Erkenntnis" genannt [416], verrät die Grundzüge einer Denkart und eines Systems. Neben der „cognitio historica" und „philosophica" spricht Wolff noch von der „cognitio mathematica" [417]. (Letztere kann hier unberücksichtigt bleiben.) Die historische Erkenntnis, die in der „nuda facti notitia" besteht [418] und in den Sinnen und der apperceptio ihre Grundlage hat [419], ist im Blick auf die philosophische Erkenntnis nicht einfach beiseite zu schieben, sondern muß ihr vorausgeschickt und beständig mit ihr verbunden werden, will man das sichere Fundament nicht verfehlen [420]. Die historische Erkenntnis, zwar als „cognitio historica communis" der niedrigste Grad menschlicher Erkenntnis [421], liefert doch der philosophischen die Grundlage [422]; Wolff spricht geradezu von einem „firmum ac inconcussum fundamentum", das die cognitio historica für die cognitio philosophica sei [423]. Dies trifft nicht nur für die Physik zu, wie Wolffs Beispiel im „Discursus praeliminaris" (§ 10) etwa vermuten ließe, sondern gilt für jede Art von Erkenntnis, selbst für die abstrakten Disziplinen wie etwa die Philosophia prima, deren Grundbegriffe von der Erfahrung, der Grundlage der historischen

[413] Disc. prael., § 29; Log., § 597.

[414] Disc. prael., § 6.

[415] Psych. emp., § 499.

[416] Statt des üblichen „historisch" (von Descartes bzw. Bacon; vgl. Gilson, S. 451) auch gelegentlich „empirisch" (vgl. Psych. emp., § 502).

[417] Disc. prael., § 14; „Cognitio quantitatis rerum est ea, quam mathematicam appellamus."

[418] § 7. Auch § 3: „Cognitio eorum, quae sunt atque fiunt sive in mundo materiali, sive in substantiis immaterialibus accidant, historica a nobis appellatur."

[419] § 1.

[420] § 11.

[421] § 22.

[422] Disc. prael., § 10: „Si per experientiam stabiliuntur ea, ex quibus aliorum, quae sunt atque fiunt, vel fieri possunt, ratio reddi potest, cognitio historica philosophicae fundamentum praebet." Vgl. auch die nota: Beispiel der Gravität und Elektrizität.

[423] § 11.

Erkenntnis, abzuleiten sind; sogar die Mathematik, und zwar die reine Mathematik, setzt eine gewisse historische Kenntnis (notitia) voraus, aus der sie den Begriff ihres Objekts und einige Axiome ableitet [424].

Die Unterscheidung der historischen von der philosophischen Erkenntnis ist nicht mit Geringschätzung oder Verachtung gleichzusetzen; jeder Art soll vielmehr ein eigener Wert zuerkannt werden; im übrigen „ist die Ehe beider für die gesamte Philosophie unantastbar" [425]. Wolff legt auf die Verbindung von Vernunft und Erfahrung, von philosophischer und historischer Erkenntnis größten Wert, da sie sehr viel zur Erkenntnisgewißheit beitrage und im Fortschritt der Wissenschaften eine wunderbare Hilfe darstelle [426]. Die historische Erkenntnis ist nicht nur Grundlage der philosophischen, sie dient auch zur Bestätigung philosophischer Erkenntnis: Wer nämlich durch die Vernunft etwas als möglich erkannt hat, also eine philosophische Erkenntnis hat, und dann beobachtet, daß dasselbe geschieht, also historische Kenntnis hat, erhält für die philosophische somit die Bekräftigung durch die historische [427].

In der Bestimmung des Verhältnisses von Vernunft und Erfahrung ist Wolff von Tschirnhaus abhängig. Von den bisherigen Philosophen hatten die einen alle Erkenntnis a priori durch Vernunftgründe abgeleitet, die anderen a posteriori durch Erfahrung [428]. Tschirnhaus will einen mittleren Weg einschlagen, d. h. zunächst a posteriori beginnen, dann aber beim Fortschreiten alles nur a priori ableiten und einzeln durch evidente Erfahrungen bestätigen, ein Prozeß, der so lange fortgesetzt werden muß, bis man, durch die Ordnung selbst geleitet, wieder zu den ersten Erfahrungen, von denen man ausgegangen war, zurückkehrt und der Kreis damit vollendet ist [428]. Einen vortrefflicheren Weg als den, die Wahrheit anfangs durch Erfahrungen aufzuspüren, gibt es seiner Meinung nach nicht [428]. Die erste der vier Grunderfahrungen ist die Tatsache des Bewußtseins, die wir „experientia evidentissima" erkennen [429].

[424] § 12.

[425] § 12: „Immo nobis per omnem philosophiam sanctum est utriusque connubium." Psych. emp., § 497: „Concursus rationis et experientiae in cognoscendo connubium rationis et experientiae dici solet."

[426] Psych. emp., § 497 not.

[427] Disc. prael., § 26.

[428] Vgl. Tschirnhaus, Medicina mentis, P. III (S. 290).

[429] P. III (S. 291). Zur 2., 3. und 4. Erfahrung vgl. P. III (S. 292 f.). Vgl. zum Ganzen auch Verweyen, Tschirnhaus, S. 76 ff.

e) Folgerungen für den Charakter der Gotteserkenntnis

Für die Gotteserkenntnis scheint nach all dem die entscheidende Vorfrage nach deren apriorischem oder aposteriorischem Charakter vorläufig beantwortet zu sein. Die Erfahrung als Fundament der apriorisch vorgehenden Vernunft [430], die allgemeinsten Begriffe letztlich von den Empfindungen durch Abstraktion gewonnen, die die Welterkenntnis konstituierenden ideae sensuales auf die Sinne, auf außer- und innerkörperliche materielle Vorgänge angewiesen und davon irgendwie abhängig, die die Erkenntnis der Seele ermöglichende apperceptio zwar nicht Empfindung, aber doch Wahrnehmung, also ebenfalls aposteriorisch: dies alles scheint eindeutig für eine aposteriorische Art der Gotteserkenntnis zu sprechen. „Aposteriorisch" umfaßt dabei die perceptio in ihrer Doppelfunktion als Empfindung und das Bewußtsein der Veränderungen in der Seele, die apperceptiones. Sollte die Frage, ob Wolff eine echte Sinneserkenntnis kennt, doch negativ beantwortet werden, bliebe eine aposteriorische Gotteserkenntnis, die ihren Ausgang von den apperceptiones nimmt, dennoch möglich.

f) Vorblick

Der Zusammenhang von Vernunft und Erfahrung, von perceptio und idea, bzw. das Verständnis der Koexistenz von idea materialis und idea sensualis ist später nochmals anzugehen, und zwar im Zusammenhang der apriorisch gestellten Frage nach Ursprung und Einheit der Erkenntnis, d. h. vom Verständnis des Leib-Seele-Verhältnisses her.

4. Intuitive und symbolische Erkenntnis

Ein Gesichtspunkt, unter dem Erkenntnis betrachtet werden kann, ist der von intuitiver und symbolischer Erkenntnisart [431]. Über diese beiden Erkenntnisarten schreibt Wolff in der „Deutschen Metaphysik" (§ 316): „... Denn wir stellen uns die Sachen entweder selbst vor, oder durch Wörter / oder andere Zeichen. Die erste Erkäntnis wird die anschauende Erkäntnis genennet: die andere ist die figürliche Erkäntnis." Die anschauende, die intuitive Erkenntnis [432], die nach der Aussage der „Psycho-

[430] Disc. prael., § 7.

[431] Leibniz' Unterscheidung von symbolischer und intuitiver Erkenntnis findet sich in den „Meditationes" (Gerh. IV, S. 423 f.). Wolffs Darlegungen sind ausführlicher und enthalten mehr Gesichtspunkte.

[432] Vgl. Dt. Met., dt.-lat. Reg.

logia empirica" im Blick des Bewußtseins auf die in der Idee gegebene Sache besteht [433], wird von Wolff durch das Beispiel vom gegenwärtigen Baum, den ich anschaue und mir dabei all dessen bewußt bin, was ich in diesem Blick erfasse, und das Beispiel vom Dreieck, das ich mir vermöge der imaginatio wie auf einer Tafel gezeichnet vorstelle und mir dieser Figur bewußt bin, erläutert [434]. Wollen diese Beispiele sagen, intuitive Erkenntnis gäbe es nur im Bereich der Sinne und der Einbildungskraft, wenigstens beim Menschen? Richte ich meine Aufmerksamkeit zugleich auf alles, das heißt den ganzen Baum und das ganze Dreieck, ist die intuitive Erkenntnis undeutlich; deutlich wird sie, wenn ich über die Sache reflektiere, d. h. nacheinander die einzelnen Teile betrachte und von einander unterscheide [435]. Sich bei diesen Reflexionen keiner Worte zu bedienen, wie es gewöhnlich geschieht, kann nach der Meinung Wolffs nicht ohne Übung erreicht werden [436]. Daraus ist zu ersehen, wie eng der Zusammenhang zwischen intuitiver und symbolischer Erkenntnis ist.

Symbolische, figürliche [437] Erkenntnis ist im Gegensatz zum Erblicken der Sache selbst dann gegeben, wenn wir mittels Wörter oder anderer Zeichen aussagen, was in den Ideen enthalten ist [438]. So habe ich z. B. eine symbolische Erkenntnis des Dreiecks, wenn ich denke, es sei eine durch drei Linien begrenzte Figur, dabei aber eine Idee des Dreiecks, d. h. das in der Idee gegebene Dreieck nicht anschaue [439].

Der symbolischen Erkenntnis fehlt zwar die Unmittelbarkeit der intuitiven Erkenntnis, hat aber dennoch vor dieser einen Vorzug: Die Wörter und Zeichen bewirken eine größere Deutlichkeit, während die intuitive Erkenntnis „nicht vollständig ist / das ist / alles deutlich gleichsam vor Augen leget / was ein Ding in sich enthält / und wie es mit anderen verknüpffet ist / und gegen sie sich verhält" [440]. Da auf diese Weise die

[433] Psych. emp., § 286: „Cognitio, quae ipso idearum intuitu absolvitur, dicitur intuitiva . . ."

[434] § 286 not.

[435] § 287 f.

[436] § 288 not.

[437] Vgl. Anm. 432.

[438] Psych. emp., § 289: „Quodsi cognitio nostra terminatur actu, quo verbis tantum enunciamus, quae in ideis continentur, vel aliis signis eadem repraesentamus, ideas vero ipsas verbis aut signis aliis indigitatas non intuemur; cognitio symbolica est."

[439] § 289 not.

[440] Dt. Met., § 319.

Allgemeinbegriffe, die Elemente der allgemeinen Erkenntnis, gebildet werden, wird die Bedeutung der symbolischen Erkenntnis offenkundig [440].

Weil auf Grund der Wörter die Urteile in der symbolischen Erkenntnis deutlicher sind als in der intuitiven — Subjekt, Prädikat, die einzelnen Bestimmungen des Subjekts, der Nexus zwischen Subjekt und Prädikat im affirmativen bzw. der Widerspruch im negativen Urteil z. B. wird durch einzelne Vokabeln bezeichnet und somit das einzeln Aussagbare ausgesagt [441]—, ist beim Urteilen die symbolische Erkenntnis der intuitiven vorzuziehen [442]. Da nur wenige ohne den Gebrauch von Wörtern urteilen können — ob dies überhaupt möglich ist, ist hier nicht zu erörtern, führen wir beim Urteilen, da wir Wörter gebrauchen, wie wenn wir sie hörten, ein stilles Gespräch mit uns selbst („nobismetipsis tacite loquimur") [443]. Aus demselben Grund wird auch beim Schließen der symbolischen Erkenntnis der Vorzug gegeben [444].

Die symbolische Erkenntnis kann sich aber auch nachteilig auswirken, etwa dann, wenn „wir leere Worte / mit denen kein Begriff verknüpffet ist / für Erkäntnis halten / und Wörter für Sachen ausgeben . . ." [445]. Der Grund liegt darin, daß die symbolische Erkenntnis trotz ihres Vorzugs von der intuitiven Erkenntnis abhängig ist. Wenn die „Psychologia empirica" für die erste Tätigkeit des Intellekts in der symbolischen Erkenntnis die erste Tätigkeit des Intellekts in der intuitiven Erkenntnis als Voraussetzung fordert, ist damit auch für alle weitere Tätigkeit des Intellekts die Abhängigkeit von der intuitiven Erkenntnis behauptet [446]. Die symbolische Erkenntnis ist auf die intuitive zurückzuführen [447]. Für sich allein hat die symbolische Erkenntnis keine Gewißheit und Klarheit, sondern nur in Bezug auf die intuitive Erkenntnis [448]. — Hinsichtlich der Gotteserkenntnis ist später nochmals auf diese Erkenntnisarten einzugehen. Zunächst soll jedoch nach dem Grund des Erkennens, d. h. nach dem Wesen der Seele gefragt werden.

[441] Psych. emp., § 351.

[442] § 353. Dt. Met., § 321. Zur intuitiven Erkenntnis beim Urteilen vgl. Psych. emp., § 349.

[443] Psych. emp., § 353. Dt. Met., § 322.

[444] Psych. emp., § 369.

[445] Dt. Met., § 320.

[446] Psych. emp., § 329.

[447] § 329 not.

[448] Dt. Met., § 323. Wie in der „ars combinatoria characteristica" die symbolische Erkenntnis fast zur intuitiven werden kann: Psych. emp., § 312; Dt. Met., § 324.

IV. URSPRUNG DER ERKENNTNIS AUS DER VORSTELLUNGSKRAFT ALS DEM WESEN DER SEELE

1. Verhältnis von Geist und Körper — Erfahrung, Hypothese

Was das Verhältnis von Geist und Körper angeht, so will Wolff klar unterscheiden zwischen dem, was auf Grund unbezweifelter Erfahrung feststeht [449], und der philosophischen Hypothese, die den Grund des durch die Erfahrung Gegebenen ausfindig zu machen sucht [450]. Auf Grund der Erfahrung steht ein Doppeltes fest: a. „Si objecta externa in organa sensoria rite constituta agunt; eo ipso momento oriuntur quoque in mente perceptiones, quibus eadem tanquam extra nos repraesentamus": ein Sachverhalt, der bekanntlich mit dem „Gesetz der Empfindungen" zusammenfällt [451]; und b. „Quorundam organorum corporis motus statim consequuntur, quando anima eosdem vult; tamdiu durant, quamdiu anima eosdem vult; extemplo sistuntur, quamprimum anima eosdem non vult. Sunt tamen etiam partes quaedam corporis vel facile mobiles, quarum nullus ad nutum mentis sequitur motus" [452].

Einen Grund, weshalb einer Veränderung im Sinnesorgan eine entsprechende im Geist koexistiert bzw. auf den Willen der Seele hin Bewegungen im Körper hervorgerufen und zum Stillstand gebracht werden, erfahren wir nicht; ebensowenig erfahren wir ein Einwirken des Körpers auf den Geist bzw. ein Einwirken der Seele auf den Körper [453]. Daraus kann jedoch in beiden Fällen nicht auf das Fehlen einer solchen Einwirkung geschlossen werden; die Entscheidung muß einer weiteren Untersuchung anheimgestellt werden [454]. Aus den Veränderungen in den Körperorganen kann weder schlechthin der Grund für den Ursprung der Wahrnehmungen im Geiste angegeben werden noch aus den Wollungen und Strebungen der Seele der Grund für das Entstehen der Bewegung in den Körperorganen [455]. Die Abhängigkeit von Leib und Seele besteht nicht hinsichtlich der Existenz der entsprechenden Akte, sondern im Blick auf die

[449] Psych. emp., § 947.
[450] Psych. rat., § 531.
[451] Psych. emp., § 948.
[452] § 953.
[453] § 949. 955; Dt. Met., § 529. 536.
[454] Psych. emp., § 950. 956; Dt. Met., § 530. 537. 762.
[455] Psych. emp., § 959 f.

Zeit, in der sie geschehen, und der spezifischen Bestimmung (specificatio)[456]. Dies versteht man unter dem Begriff „commercium mentis cum corpore"[457].

2. Die drei Hypothesen: influxus physicus, causae occasionales, prästabilierte Harmonie

Die Philosophen haben verschiedene Hypothesen ausgedacht, um den Grund dieses commercium anzugeben[458]. Wolff beschäftigt sich mit den drei seinerzeit üblichen Systemen, ohne die Möglichkeit weiterer Systeme auszuschließen: mit dem bis auf Descartes allgemein üblichen „System des influxus physicus", auch einfach „systema Aristotelico — Scholasticum" genannt[459]; mit dem nach Wolff auf Descartes als Urheber beruhenden, von Malebranche und Cordemoy ausgebauten „System der causae occasionales"[460], und mit Leibniz' „System der prästabilierten Harmonie"[461]. In einer philosophischen Hypothese nimmt man als gegeben an, was noch nicht bewiesen werden kann, um einen Weg zur Wahrheitsfindung zu bahnen[462].

3. Leistung einer Hypothese, Ausgangspunkt im Leib-Seele-Problem

Hypothesen, die nur angebracht sind, wenn man zu mit Gewißheit qualifizierter Wahrheit nicht gelangen kann, gehen über Wahrscheinlichkeit nicht hinaus, bleiben also immer mit der Möglichkeit des Gegenteils verbunden[463]. Die Hypothese ist die beste, die dem zu erklärenden Sachverhalt am meisten gerecht wird. Widersprechen aus einer Hypothese notwendig gezogene Folgerungen der Erfahrung oder irgendeinem wahren Satz, so ist die Hypothese falsch[464]. Sämtliche Systeme müssen von der Annahme ausgehen, die Seele bringe aus eigener Kraft die Willensbewegungen im Körper und der Körper aus eigener Kraft die Wahrneh-

[456] § 961: „Anima a corpore dependet quoad perceptionum specificationem et tempus, quo contingunt; corpus vero dependet ab anima quoad specificationem motuum voluntariorum in corpore et tempus quo iidem contingunt."

[457] Psych. emp., § 962.

[458] Psych. rat., § 502.

[459] § 563 not.

[460] § 589 not. Als eigentlicher Urheber des Occasionalismus ist Cordemoy anzusehen (vgl. Vorländer II, S. 140).

[461] Psych. rat., § 553.

[462] Disc. prael., § 126 ff.

[463] Hor. subs. 1729, trim. vern. I, § 3 (S. 181).

[464] Psych. rat., § 532 f.

mungen der Sinnendinge in der Seele hervor [465]. Die Harmonie zwischen Geist und Körper — Wolff versteht darunter die Erklärbarkeit der Wahrnehmungen der Seele durch Veränderungen im Körper und die der willentlichen Bewegungen im Körper durch Wollungen oder Nichtwollungen der Seele [466] — wird als von allen anerkannte Tatsache [467] in jedem System vorausgesetzt [468]. Ebenso wird nach der Aussage Wolffs in jedem System vorausgesetzt, Wesen und Natur der Seele bestehe in der „vis repraesentativa universi" entsprechend der Lage des organischen Körpers im Universum und der in den Sinnesorganen sich vollziehenden Veränderungen [469].

4. Ablehnung der Systeme des influxus physicus und der causae occasionales

Von den drei sich Wolff darbietenden Systemen kann nur das System der prästabilierten Harmonie bestehen. Das System des influxus physicus [470] wird als völlig unwahrscheinlich abgelehnt [471], da, wie Descartes als erster bemerkt habe, die Quantität der lebendigen Kräfte nicht dieselbe bleibt und damit der Naturordnung widerspricht [472]. Ebensowenig hat das Systema causarum occasionalium irgendwelche Wahrscheinlichkeit [473], da es, wie Leibniz in seiner Kritik ausgesprochen, ohne Notwendigkeit auf die Erstursache, d. h. den Willen Gottes, rekurriert und die Zweitursachen einfach übergeht, obwohl durch die Natur der beiden Substanzen eine Harmonie möglich ist, in der Erklärung des Leib-Seele-Verhältnisses also beständig von Wundern sprechen muß [474]. Dieses System widerspricht dem Satz vom zureichenden Grund, denn die Abhängigkeit der Wahrnehmungen der Seele von den materiellen Ideen im Gehirn und die der willentlichen Bewegungen im Körper von den Wollungen der

[465] § 537.
[466] § 539.
[467] § 541; auch § 540.
[468] § 542.
[469] § 547.
[470] Vgl. § 558—588. § 560: „Systema influxus physici dicitur, quo commercium inter mentem et corpus explicatur per influxum corporis in animam et anima in corpus, seu, quod perinde est, per actionem corporis in animam, qua corpus in animam influit, et per actionem animae in corpus, qua anima in corpus influit." Dt. Met., § 761.
[471] Psych. rat., § 588; Dt. Met., § 762.
[472] Psych. rat., § 578 f.; Dt. Met., § 762.
[473] Psych. rat., § 608. Behandelt in § 589—611; definiert (§ 589): „Systema causarum occasionalium dicitur, quo commercium inter mentem et corpus explicatur per modificationes harmonicas immediate a Deo factas, seu per voluntatem Dei generalem et certis legibus liberrime adstrictam". Vgl. auch Dt. Met., § 763.
[474] Psych. rat., § 603; Dt. Met., § 764.

Seele entbehrt kraft der Natur von Körper und Seele des zureichenden Grundes [475]. Außerdem widerspricht dieses System der Naturordnung, da die Bewegungsrichtung durch vorangehenden Zusammenstoß der Körper geändert werden kann, in diesem System aber die Richtung der die Körperbewegung ausführenden Lebensgeister vom göttlichen Willen zu Gunsten der Seele geändert wird [476].

5. System der prästabilierten Harmonie. Leibniz

Als einziges System bleibt das der prästabilierten Harmonie [477], von Wolff folgendermaßen definiert: „Systema harmoniae praestabilitae dicitur, quo commercium animae et corporis explicatur per seriem perceptionum atque appetitionum in anima et seriem motuum in corpore, quae per naturam animae ac corporis harmonicae sunt, seu consentiunt" [478] Was das Leib-Seele-Verhältnis angeht, folgt Wolff ganz der Leibnizischen Hypothese der prästabilierten Harmonie [479].

a) Leib und Seele

Dem System der prästabilierten Harmonie zufolge sind Seele und Leib in ihrer Tätigkeit unabhängig voneinander. „Die Wahrnehmungen und Strebungen würden in der Seele auf dieselbe Weise erfolgen wie jetzt, auch wenn der Leib nicht existierte; folglich würde sich die Seele auf dieselbe Weise wie jetzt dieses Universum vorstellen, auch wenn die sichtbare Welt nicht existierte" [480]. Ebenso würden die den Wollungen der Seele im Körper entsprechenden Bewegungen „auf dieselbe Weise erfolgen wie jetzt, auch wenn die Seele nicht existierte, nur daß wir uns ihrer nicht im geringsten bewußt wären" [481]. Leib und Seele kennen also keine äußere Bestimmung, wobei „äußere" den Leib von der Seele her gesehen bzw. die Seele vom Leib her gesehen meint.

Die Seele ist nicht nur in ihrem Sein von dem des Körpers verschieden [482], sondern zudem in ihrem Tun gänzlich unabhängig von ihm. Nach dem in der „Psychologia empirica" Dargelegten überrascht diese Aussage.

[475] Psych. rat., § 606. [476] § 607.

[477] Dargelegt in § 612—642; Dt. Met., § 765 ff. Zum Historischen vgl. S. 24 f.

[478] Psych. rat., § 612.

[479] § 612 not. gibt die Texte von Leibniz, auf die Wolff rekurriert.

[480] § 614. (In der nota weist Wolff auf den wahren Kern der Lehre der Idealisten). Auch Dt. Met., § 777.

[481] Psych. rat., § 616 (mit Hinweis auf das Wahre der materialistischen Auffassung in der nota). Dt. Met., § 780. [482] Psych. rat., § 44 ff.; 643 ff.

Wenn in keiner Weise auf den Körper angewiesen, wie ist dann Erkennen und Wollen der Seele zu erklären? Die Antwort gibt Wolff in der „Psychologia rationalis" (§ 613): „In systemate harmoniae praestabilitae anima vi sibi propria producit omnes suas perceptiones et appetitiones continua serie". Wahrnehmungen und Strebungen erfolgen also aus der Seele selbst, und zwar ausschließlich; eine notwendige Konsequenz aus dem Verständnis der Seele und der Bestimmung ihres Wesens.

b) Wesen und Natur der Seele

Für Wolff besteht Wesen und Natur der Seele in der Vorstellungskraft: „Essentia animae consistit in vi repraesentativa universi situ corporis organici in universo materialiter et constitutione organorum sensoriorum formaliter limitata" [483]. (Wesen und Natur der Seele bestehen zwar beide in der Vorstellungskraft, dennoch sind sie nicht dasselbe; unter der einen Rücksicht ist dieselbe Kraft Wesen, nämlich insofern sie den Grund enthält, weshalb Modi, d. h. perceptiones und appetitiones, möglich sind und eher solche denn andere und in dieser statt in einer anderen Ordnung aufeinander folgen, also insofern die Kraft durch Lage des Körpers und Konstitution der Sinnesorgane beschränkt ist; unter anderer Rücksicht ist die Kraft Natur, insofern sie nämlich diese perceptiones aktuiert [484].)

c) Grund der Tätigkeiten der Seele in der Vorstellungskraft. Deduktion der Tätigkeiten. Weltvorstellung

Wovon die gesamte „Psychologia empirica" spricht, daß nämlich in der Seele Wahrnehmungen auf Wahrnehmungen folgen, aus den Wahrnehmungen Strebungen entstehen, aus den Strebungen von neuem Wahrnehmungen etc., der Zustand der Seele also beständig geändert wird, findet in der Aussage von der Vorstellungskraft ihren Grund [485]. Diese Kraft ist, wie Wolff gegen die Scholastiker und in einem gewissen Sinn auch gegen Descartes betont [486], nicht identisch mit den Fähigkeiten der Seele [487]. Fähigkeiten sind nur aktive Vermögen (potentiae) der Seele, also, wie aus der Ontologie zu entnehmen, „nudae agendi possibilitates" [488]; was durch sie als möglich erkannt wird, wird durch die Kraft aktuiert [489].

[483] § 66. Dt. Met., § 755.
[484] Psych. rat., § 67 f.; Dt. Met., § 756.
[485] Psych. rat., § 53.
[486] § 53 not.
[487] § 54.
[488] § 54.
[489] § 55.

Nach „Ontologia", § 725 zielt die Kraft darauf, den Zustand des Subjekts beständig zu ändern; folglich muß auch die Seele eben mittels dieser Kraft auf beständige Zustandsveränderung tendieren [490]. Es ist ein und dieselbe Kraft, durch die die von der empirischen Psychologie aufgeführten verschiedenen Tätigkeiten der Seele (Sinn, Vorstellungskraft, Gedächtnis, Wiedererinnerung, Aufmerksamkeit, Reflexion, Abstraktion, Begriffsbildung, Urteilen, Schließen, sinnliches Streben, sinnliche Abwendung, Wille und Nichtwille) vollzogen werden [491]; dabei hält sich diese Kraft an bestimmte Gesetze, z. B. an das Gesetz der Empfindungen, das Gesetz der Einbildungskraft und andere [492]. Mittels dieser Kraft stellt sich die Seele das Universum vor, wenn auch materialiter durch die Lage des Körpers im Universum und formaliter durch die Konstitution der Sinnesorgane begrenzt [493]. Das erste, das sie dabei hervorbringt, sind die Empfindungen [494], denn die Veränderungen der Seele, sowohl im Erkenntnis- als auch im Strebevermögen, nehmen alle irgendwie ihren Ursprung von der Empfindung [495]. (Aus diesem Begriff der Seele als der vis repraesentativa will Wolff alles ableiten, was durch Erfahrung von der Seele auszumachen ist, also die gesamte Psychologia empirica; dies hat Wolff zufolge bisher noch niemand unternommen [496].)

Dieser Seelebegriff kommt im System der prästabilierten Harmonie zu seiner vollen Entfaltung, da, wie schon gesagt, die Seele in ihrem Tun vom Körper ganz unabhängig ist. Ebenso ist es für sein Tun auch der Körper; denn die den Wollungen und Strebungen der Seele entsprechenden Bewegungen entstehen aus den ideae materiales der Sinnendinge kraft des Mechanismus des Körpers, also unbeeinflußt von jeder unmittelbaren äußeren Bestimmung [497].

[490] § 56; Dt. Met., § 876.
[491] § 61; Dt. Met., § 747.
[492] § 76.
[493] Psych. rat., § 63; Dt. Met., § 753.
[494] Psych. rat. § 65.
[495] § 64.
[496] Dt. Met. A, § 261: „... so habe ich auch einen Versuch gethan / ob ich nicht aus einem einigen Begriffe von der Seele alles dasjenige herleiten könnte / was vermöge der Erfahrung in ihr gefunden wird. Da noch niemand dergleichen Arbeit verrichtet / sondern ich dieselbe zu erst unternommen / so könte man mir es zu gute halten / wenn ich irgendswo von einem Fehler wäre übereilet worden. Allein ich meyne / wenn man die Sache recht erwegen will / so wird man nicht Ursache finden mir entgegen zu seyn."
[497] Psych. rat., § 615.

d) Gott als Grund der prästabilierten Harmonie

Aus der These, die Wahrnehmungen und Strebungen der Seele erfolgten aus dieser selbst unabhängig von Anderem und ebenso entsprechend die willentlichen Bewegungen des Körpers, entsteht der Eindruck, beide Bereiche hätten miteinander nichts zu tun und es frage sich, welcher Sinn in diesem Zusammen von Leib und Seele überhaupt zu finden sei. Auch die Aussagen, die Wahrnehmungen der Seele hätten ihren Grund in den Veränderungen in den Sinnesorganen, die willentlichen Bewegungen des Körpers in den Strebungen der Seele [498], oder im System der prästabilierten Harmonie koexistierten die ideae sensuales den ideae materiales so, als würde der Leib auf die Seele einwirken, und ebenso hinsichtlich der willkürlichen Bewegungen des Körpers, als würde die Seele auf den Körper einwirken [499], ändern an diesem Eindruck nichts. Jede Substanz wird unabhängig von der anderen als in sich möglich verstanden [500]. Daß diese Verbindung von Seele und Körper besteht, ist auf Gott zurückzuführen, der die Harmonie im voraus herstellte, indem er mit der Seele einen Leib verband, in dem eine mit den Wahrnehmungen und Strebungen der Seele übereinstimmende Serie von Bewegungen existieren kann, und indem er einen solchen Nexus der materiellen Dinge bestimmte, daß jene Bewegungen durch beständige äußere Eindrücke auf die Sinnesorgane aktuiert werden [501]. Der zentrale Beziehungspunkt ist die Seele: der Körper muß in seinen Bewegungen den Wahrnehmungen und Strebungen der Seele entsprechen, was aber nur möglich ist, wenn auch der „nexus rerum materialium", von denen der Körper in seinen Veränderungen abhängig ist, in diese umfassende Korrespondenz einbezogen wird. Bei der „praestabilitio" dieser Harmonie zwischen Seele und Leib muß der nexus rerum und die Folge der Veränderungen im Körper auf die Seele abgestimmt werden, d. h. von der Seele her muß der Nexus und die Veränderungsfolge im Körper bestimmt werden. Gott errichtet die Harmonie und ohne Gott ist sie nicht möglich, näherhin nicht ohne den allwissenden, allweisen, ganz freien und allmächtigen Gott, den Schöpfer und Regierer aller Dinge [502]. Ein Atheist kann niemals Anhänger dieser Hypothese sein [503].

[498] § 618 f.
[499] § 621.
[500] § 625 not.
[501] § 624; Dt. Met., § 767.
[502] Psych. rat., § 626; Dt. Met., § 768.
[503] Psych. rat., § 628. Zum Problem prästab. Harmonie und Freiheit vgl. § 632 ff.

6. Folgerungen für die Wertung der Sinneserkenntnis und der Erfahrung

Wolffs Erklärung des Leib-Seele-Verhältnisses durch das System der prästabilierten Harmonie mußte skizziert werden, um den Stellenwert der sinnlichen Erkenntnis im Wolffschen Verständnis zu ermitteln und den Erkenntnisprozeß in seinen wesentlichen Schritten darzulegen bzw. die Tragweite der Erfahrung und deren Bedeutung oder Belanglosigkeit für die Vernunft auszumessen.

a) Verständnis des Satzes „Die idea sensualis hat ihren Grund in der sensatio". Relation von Seele, Leib und Welt

In der „Psychologia empirica" kommt der Sinneserkenntnis eine grundlegende Bedeutung zu, da sie von der intellektuellen Erkenntnis vorausgesetzt wird und diese auf jener aufbaut. In der Sicht der „Psychologia rationalis", näherhin des Seelenbegriffs und des Systems der prästabilierten Harmonie, wird der Sinneserkenntnis diese Bedeutung wieder genommen. Zwar werden die Veränderungen in den Sinnen, im Körper anerkannt, aber eigentliche Bedeutung für die intellektuelle Erkenntnis haben sie nicht, da die Seele alle Wahrnehmungen aus sich selbst entwickelt. Der Bereich der erkennenden Seele ist ein Bereich für sich, wie es auch die materiellen Dinge in ihrem Zusammenhang sind. Der Zusammenhang, gesehen als Korrespondenz, als Harmonie, wird von Gott vorgängig zu jedem Bestehen der einzelnen Bereiche hergestellt (prae-stabilitio). Wenn Wolff auch sagt, der Grund der ideae sensuales sei in den ideae materiales und deren Grund wiederum im nexus rerum materialium zu suchen, so ist das nicht ontologisch zu verstehen, sondern von der auf den göttlichen Intellekt zurückzuführenden rationalen Relativität der einzelnen Bereiche; d. h. weil die Seele und die Ordnung der aus ihr folgenden Wahrnehmungen und Strebungen als eine solche und nicht als eine andere, die ebenso möglich gewesen wäre, bestimmt wurde, mußte auch dieser so verfaßten Seele ein entsprechender Körper mit der entsprechenden Serie von Veränderungen geschaffen und die materiellen Dinge in einen solchen Zusammenhang gebracht werden, d. h. eine solche Welt geschaffen werden, die diesem Körper so und nicht anders, indirekt also der so und nicht anders verfaßten Seele entspricht. Die Welt hat in diesem Sinn ihren Grund im Körper, der Körper wiederum den Grund in der Seele [504].

[504] § 626.

Ebenso kann man aber auch die Welt [505] als Beziehungspunkt nehmen. Und Wolff tut dies. In diesem Fall müssen die Veränderungen im Körper ihren Grund in der Welt, die Veränderungen der Seele ihren Grund im Körper haben [506]. Damit wäre für das Verständnis der Aussagen der „Psychologia empirica" der eigentliche Hintergrund gegeben. Grund wird als Grund des So-Strukturiertseins, als Grund eines rationalen Relationsgefüges verstanden. Menschliche Erkenntnis wäre somit nichts anderes als eine endliche, d. h. stufenweise voranschreitende und unvollständige Explikation des in und durch die Seele implicite Gegebenen.

b) Empirisches und Rationales

Nach all dem zu folgern, alles, was Wolff über die sinnliche Erkenntnis vor allem in der „Psychologia empirica" ausgeführt habe, sei Schein, wäre voreilig und würde dem Befund nicht gerecht. Allein schon die Tatsache, daß Wolff denselben Gegenstand einmal als empirischen und einmal als rationalen behandelt und die empirische Betrachtungsweise der rationalen vorausschickt, muß zur Vorsicht mahnen. Daß Wolff die von Hobbes und Locke, auf ihre Weise auch in der Schulphilosophie vertretene empirische Erkenntnissicht berücksichtigen und ihr gerecht werden will, wird man kaum bestreiten können. Sein Bemühen, allen Richtungen gerecht zu werden, garantiert ihm allerdings noch nicht den Erfolg in der Synthese. Gerade auch in der Erkenntnislehre bringt er eine Synthese von Empirischem und Rationalem nicht zustande. Teilweise laufen beide Betrachtungsweisen parallel, im letzten aber trägt die von Leibniz kommende rational-apriorische Betrachtungsweise den Sieg davon. In diesem Sinn kann man Wolff als Rationalisten bezeichnen. Die in ihrem Gewicht nicht geringe empirische Strömung muß aber gesehen werden. Für die Gotteserkenntnis kann sich daraus einiges ergeben.

[505] Cosm., § 48.

[506] Vgl. Dt. Met., § 540: „Ehe wir verstehen können / was die Seele eigentlich sey und was dasjenige / so bisher von ihr beygebracht worden / für einen Grund habe; müssen wir vorher erkennen lernen / was eine Welt sey. Denn es wird sich künfftig zeigen / daß man weder das Wesen eines Geistes überhaupt / noch der Seele insbesondere begreiffen kan / ehe man verstehet / was eigentlich eine Welt ist und was es mit ihr für eine Beschaffenheit habe." Auch Nachr., § 79; Diff. nex., s. I § 2 (S. 3).

VII. ZUSAMMENFASSUNG IM BLICK AUF DIE GOTTESERKENNTNIS

1. Fehlen einer erkenntniskritischen Begründung der Gotteserkenntnis

Da die einzelnen philosophischen Disziplinen in sich selbst behandelt werden, ist die Antwort auf die Frage nach der erkenntniskritischen Begründung der Gotteserkenntnis für Wolffs Theologie nicht konstitutiv. Auch setzt er, was er in der Theologie entwickelt, nicht in Beziehung zu dem von der Erkenntnis Gesagten. Beides steht unverbunden nebeneinander. Es kann also nicht darum gehen, eine Wolff fremde Fragestellung aufzuwerfen und sie möglichst noch im Rahmen des Wolffschen Systems zu entwickeln. Dennoch ist es angebracht, im Blick auf die natürliche Theologie bzw. von dieser her knapp zusammenzufassen, was vom Abschnitt über das menschliche Erkennen unmittelbar die Gotteserkenntnis betrifft.

2. Die für die Gotteserkenntnis zentralen Begriffe

Folgende Punkte sind als Zentralpunkte der Gotteserkenntnis zu berücksichtigen: Seele, Welt, Kontingenz und das Prinzip vom zureichenden Grund. Es ist also zu fragen: Wie erkennen wir Seele und Welt, wie kommen wir zum Begriff der Kontingenz, wie zum Prinzip des zureichenden Grundes?

a) Erkenntnis der Seele

Die Frage, wie wir zur Erkenntnis der Seele kommen, behandelt Wolff in einem eigenen Kapitel der „Psychologia empirica" (§§ 23—28). Wenn wir denken, sind wir uns bewußt, sowohl dessen, was wir vorstellen, als auch des Vorstellens selbst. Wir müssen nur auf unsere Gedanken achten, wollen wir zur Erkenntnis des Geistes gelangen; dabei zeigt sich nicht nur das Vorgestellte, sondern auch die Veränderungen in der Seele. Wir gelangen also zur Erkenntnis der Seele, indem wir auf ihre Akte achten. Damit ist die Erkenntnis der Seele aber noch nicht zu Ende. Aus dem, was wir im Geist beobachten, können legitime Schlüsse gezogen werden, so daß man auf diese Weise „von neuem" zur Erkenntnis der Seele gelangt [507]. Auf diese Weise wird dann Wesen und Natur der Seele bestimmt.

[507] Psych. emp., § 28.

b) Erkenntnis von Welt

Die Erkenntnis von Welt ist dadurch gegeben, daß die einzelnen ideae sensuales in einem Zusammenhang stehen, der genau den Zusammenhang wiedergibt, in dem die Dinge der Welt stehen, d. h. Welt besteht [508].

c) Bildung des Kontingenzbegriffs. Prinzip vom zureichenden Grund

Die Frage, wie wir zum Kontingenzbegriff gelangen, wird von Wolff nicht gestellt. Da der Intellekt durch sein Abstraktionsvermögen bis zu den letzten, abstraktesten Begriffen aufsteigen kann, zu denen auch der Begriff der Möglichkeit und des Seienden gehört, ist von daher der Begriff der Kontingenz möglich. (Des näheren wird er im folgenden Abschnitt darzulegen sein.)

Dem Prinzip vom zureichenden Grund ist im Rahmen der Wolffschen Ontologie besondere Aufmerksamkeit entgegenzubringen. Die erkenntnistheoretische Begründung dieses Prinzips soll deshalb dort gegeben werden.

[508] Vgl. S. 81 f.

B. ONTOLOGISCHE VORAUSSETZUNGEN DER GOTTESERKENNTNIS

I. ALLGEMEINES ZUR WOLFFSCHEN ONTOLOGIE

1. Zweifache Darstellung der Ontologie; deren Titel als Hinweis auf den Charakter der Wolffschen Ontologie

Die Ontologie erfährt von Wolff eine doppelte Darstellung: im zweiten Kapitel der „Deutschen Metaphysik" als Lehre „Von den ersten Gründen unserer Erkäntnis und allen Dingen überhaupt" und in der großen, diesem Kapitel entsprechenden „Philosophia prima sive Ontologia" (von 1730 bzw. 1729 [1]). Ein wesentlicher Unterschied zwischen beiden Darstellungen besteht nicht. Daß das lateinische Werk weit ausführlicher ist als das deutsche, ist ihm mit der lateinischen Reihe Wolffs gemeinsam, ebenso die ausführliche Berücksichtigung der Schulmetaphysik.

Auffallend sind die Titel. „Philosophia prima sive Ontologia" überrascht im Blick auf den zu behandelnden Gegenstand nicht zu sehr, auch wenn man die aristotelische „Philosophia prima" als Metaphysik und nicht nur als Ontologie verstehen muß. Daß aber im Titel der Zusatz „qua omnis cognitionis humanae principia continentur" steht und in noch offenkundigerer Formulierung in der „Deutschen Metaphysik" angekündigt wird, zusammen mit den Gründen von allen Dingen würden auch — gewissermaßen in einem Atemzug und in gleichem Rang — die ersten Gründe unserer Erkenntnis behandelt, ist nicht ohne weiteres zu erwarten. Ein Einfluß der Schulmetaphysik und der Gnostologie ist hier gänzlich ausgeschlossen; eine Koordination dieser Art ist beiden fremd. Dagegen ist auf Descartes' Einfluß zu rekurrieren; für ihn ist Erste Philosophie oder Metaphysik gleichbedeutend mit den Prinzipien der menschlichen Erkenntnis [2].

[1] Vollständiger Titel des Werkes: „Philosophia prima, sive Ontologia, methodo scientifica pertractata, qua omnis cognitionis humanae principia continentur." Zur Ontologie Wolffs vgl. bes. die Werke von Pichler, Michaelis und die Artikel von Ecole (vgl. S. 2 m. entspr. Anm.); auch Kahl-Furthmann, „Inwiefern kann man Wolffs Ontologie eine Transzendentalphilosophie nennen?", Studia philosophica, 9 (1949), 80 bis 92; Campo II, S. 156 ff.

[2] Desc., Princ. phil., Schreiben an Picot, S. XLIII (Meiner) (AT IX, 28).

Aus der engen Verbindung von Erkenntnis- und Seinsgründen bei Wolff schließen zu wollen, „die Subjektivität wirke sich konstituierend für die Seinssphäre aus", wäre verfehlt; eher ist dabei an die „stillschweigende Voraussetzung der Übereinstimmung der Seinsordnung mit der Erkenntnisordnung, die Wolffs Werk zu Grunde liegt", zu denken [3]. In dem Sinne, daß die Gründe der Erkenntnis und die der Dinge als dieselben gesehen und daraus alles weitere abgeleitet wird, und nur in diesem Sinne, kann Wolffs Ontologie als Transzendentalphilosophie bezeichnet werden [4].

2. Erneuerung der Scholastischen Philosophie: Ontologie als Wissenschaft

Die überkommene, mit Spott und Verachtung bedachte Ontologie [5] zu erneuern, betrachtet Wolff als eine seiner wichtigsten Aufgaben [6]. Er ist dabei nicht ohne Vorgänger [7]. Ausdrücklich nennt Wolff Leibniz, der die Mängel der scholastischen Ontologie erkannt und ihre Emendation gefordert habe. Was Leibniz 1694 in den Leipziger „Acta eruditorum" öffentlich empfohlen habe [8], habe aber noch niemand in Angriff genommen. Auch der Versuch, den Clauberg in seiner „Metaphysica de ente" [9] gemacht habe, habe nicht den erforderlichen Erfolg gehabt, so daß Leibniz die „prima philosophia" noch 1718 zu den quaerenda zählte. Wolff hält es nicht für verwunderlich, daß die von Leibniz als „scientia princeps" [10] bezeichnete Wissenschaft noch nicht von ihrer Verachtung befreit sei. Eine wissenschaftliche Behandlung der „prima philosophia" sei schwieriger als die der Mathematik, da das den metaphysischen Begriffen Entsprechende nicht in gleicher Weise in die Sinne und Einbildungskraft falle wie das Mathematische und auch nicht so leicht nachgeprüft werden könne [11]. Wolff will den Scholastikern ihre Verdienste um diese Wissen-

[3] Kahl-Furthmann, a.a.O., S. 86, 90; auch Michaelis, Sinn d. complementum possibilitatis b. Chr. Wolff, S. 14 f.

[4] Kahl-Furthmann, a.a.O., S. 92 (mit Hinweis auf Pichler).

[5] Vgl. Einleitung.

[6] Rat. prael., s. II c. 3 § 3 (S. 141); Ont., § 7 not.; Ont., praef., S. 12*.

[7] Ont., § 7 not.

[8] Es handelt sich um die Abhandlung „De primae philosophiae Emendatione, et de Notione Substantiae" (Gerh. IV, 468 ff.).

[9] Wolff bezieht sich auf die 3. Aufl. (Amsterdam, 1664).

[10] Gerh. IV, 468.

[11] IV, 469.

schaft nicht streitig machen, auch wenn sie der Ontologie das gewünschte Licht nicht beschaffen konnten [12]. Die Begriffe der Scholastiker sind meist klar, aber undeutlich; deshalb sind sie aber noch nicht wertlos, denn das menschliche Erkennen beginnt mit klaren und undeutlichen Begriffen [13]. Es gilt, die undeutlichen Begriffe zu deutlichen zu machen [14].

Die Ontologie erneuern heißt für Wolff, sie zu einer Wissenschaft machen. Die Wissenschaftlichkeit hängt von der demonstrativischen Methode ab; Euklid wird in der praefatio der Ontologie als das große Vorbild hingestellt. Die Ontologie muß auf mathematische Form zurückgeführt werden. Wolff definiert die Ontologie oder Erste Philosophie als „scientia entis in genere, seu quatenus ens est" [15]. Wenn schon in der Logik, in praktischer Philosophie, Physik, natürlicher Theologie, Cosmologie und Psychologie alles streng zu beweisen ist, dann noch mehr in der Ontologie, deren Prinzipien des öfteren von jenen gebraucht werden [16]. Die Ontologie wird durch die Anwendung der demonstrativischen Methode zu einer wirklichen Wissenschaft [17]. Damit ist nicht gesagt, die scholastische Philosophie solle in die Schulen zurückkehren, vielmehr wird diese verbessert: Was die Scholastiker gesagt haben, wird klarer eingesehen, zu größerer Gewißheit gebracht und dazuhin wird die Ontologie weiter entfaltet [18]. Wolff will sich nicht wie die Scholastiker damit begnügen, die absoluten oder respektiven Prädikate des ens aufzuzählen; vielmehr ist, so seine Forderung, der Grund anzugeben, weshalb sie dem ens zukommen, so daß man a priori überzeugt wird, daß sie ihm mit Recht zukommen [19]. Hatte man die Ontologie bislang als Lexikon barbarischer Aussagen und Unterscheidungen verspottet [20], so ist dies nach der Erneuerung nicht mehr möglich; statt Bedeutungen von Wörtern zu er-

[12] Ont., § 7 not.

[13] § 7 not., 14; Nachr., § 69; auch Lebensbeschr., S. 115.

[14] Nachr., § 71.

[15] Ont., § 1 (vom Disc. prael. — § 73 — übernommen). Wie in der nota dargelegt, hat die Ontologia den Namen von ihrem Gegenstandsbereich; philosophia prima heißt sie, weil sie die ersten Prinzipien und Begriffe behandelt. — Der Terminus Ontologia geht, wie Wundt (Schulmet., S. 94) mit Recht sagt, nicht auf Clauberg (Met. de ente, 2 u. Prol., 4 [Op., S. 283 u. 281]), sondern auf Calov (Metaphysica divina, praecogn. II [scripta, S. 102]) zurück.

[16] Ont., § 2. 4.

[17] § 3. 5.

[18] § 7 (mit Rekursen auf Disc. prael.).

[19] Ont., Praef., S. 15*.

[20] Rat. prael., s. II c. 3 § 1 (S. 140); Ont., praef., S. 12*.

klären wird nämlich bewiesen [21]. Wolff will die scholastischen Termini beibehalten und, was schlecht definiert ist, z. B. Existenz, Substanz, Person, verbessern [22]. (Im Blick auf seine Gegner sagt Wolff, es könne nur einem Schwachkopf einfallen, aus der Identität der Termini eine Identität der Philosophie abzuleiten [23]. Tatsächlich sind bei wesentlich gleicher Terminologie die Philosophie Wolffs und die der Schulmetaphysik bzw. spanischen Spätscholastik verschieden.)

Die Erneuerung der Ontologie geschieht nicht nur ihrer selbst wegen. Da die Ontologie Grundwissenschaft ist [24], hängt von ihrer Klarheit und Deutlichkeit auch die der anderen philosophischen Disziplinen ab. Eine Behandlung der Philosophie nach demonstrativischer Methode ohne die Ontologie ist nicht möglich [25]. Selbst die reine Mathematik entnimmt, wie Euklids Elemente zeigen, Prinzipien und Begriffe aus der Ontologie, wie Gleichheit oder Übereinstimmung; sie kann sich zwar im Gegensatz zu den philosophischen Disziplinen, die ihre Begriffe aus der Ontologie nehmen, meist mit undeutlichen zufrieden geben, aber auch selbst sie nicht immer, wie Wolff am Beispiel der Ähnlichkeit zeigt [26]. Indem die Ontologie nach mathematischer Art behandelt wird, gibt die Mathematik der Ersten Philosophie, aus der sie ihre ersten Prinzipien nimmt, die empfangene Gewißheit wieder zurück [27]. Da auch im allgemeinen Sprachgebrauch ontologische Termini benützt werden, wie Ursache, Ziel, Notwendigkeit, Kontingenz, Möglichkeit, Unmöglichkeit etc., ist die Erneuerung der Ontologie selbst für das Leben von Bedeutung [28].

3. Wolffs „Ontologia" im Vergleich mit Scheiblers Lehrbuch

Von der Bestimmung der Ontologie als Wissenschaft, d. h. von der demonstrativischen Methode her ergibt sich eine bestimmte Einteilung. Das Einzelne ist nämlich an dem Ort zu behandeln, an dem es aus dem Vorhergehenden begriffen und bewiesen werden kann [29]. Von daher ist es folgerichtig, wenn Wolff die Ontologie in den beiden Kapiteln der

[21] Ont., § 25 f.
[22] § 11 ff.
[23] § 12 not.
[24] Nachr., § 17.
[25] Ont., § 6 u. praef., S. 18*; Disc. prael., § 73.
[26] Ont., § 9.
[27] Ont., praef., S. 12*.
[28] § 10; Disc. prael., § 73.
[29] Ont., praef., S. 14*.

Sectio I mit der Behandlung der Prinzipien der Ersten Philosophie beginnt, nämlich dem Widerspruchsprinzip und dem Satz vom zureichenden Grund.

Durch die unbestreitbare Vorrangstellung der Prinzipienlehre unterscheidet sich Wolffs Ontologie wesentlich sowohl von Claubergs „Metaphysica de ente" wie den Darstellungen der Schulmetaphysik. Sowohl Clauberg wie die Schulmetaphysiker beginnen ihre Werke nach den Prolegomena über Namen, Gegenstand und Aufgabe der Metaphysik mit der Lehre vom Sein und dessen allgemeinen Eigenschaften. Von einigen Schulmetaphysikern wird die Frage nach den Prinzipien der Metaphysik gestellt, so z. B. von Scheibler im 2. Kapitel seines „Opus metaphysicum" [30], von dessen Schüler Stahl im 3. Kapitel der „Institutiones metaphysicae" und dem ebenfalls in Jena lehrenden Lehrer Wolffs Hebenstreit [31]. Sie unterscheiden zwischen „principia essendi" und „principia cognoscendi"; erstere werden abgelehnt, da es für das Sein keine Prinzipien gebe (manche reden allerdings vom Wesen bzw. der Existenz als Seinsprinzipien); schlechthin erstes Erkenntnisprinzip ist das Kontradiktionsprinzip [32]. Ist hier die Prinzipienfrage eine unter anderen, wird sie bei Wolff die entscheidende Frage. Zum Widerspruchsprinzip kommt das Prinzip vom zureichenden Grund hinzu, wobei ein Unterschied zwischen Seins- und Erkenntnisprinzipien nicht in den Blick kommt, sondern beide zugleich als Seins- und Erkenntnisprinzipien zu verstehen sind.

Mußte Wolff, von seiner Methode veranlaßt, den üblichen Aufbau der Schulmetaphysik sprengen, so will er doch in der Ordnung der Schule vorgehen, soweit dies eben möglich ist [33]. Er teilt deshalb sein Werk in zwei Teile, jeden Teil wieder in je drei Sectionen und diese wiederum in Kapitel [33]. Der Aufbau allein, dessen gründlicher Vergleich mit dem der

[30] Scheibler, Op. met., l. I c. 2 nr. 43 ff.

[31] Hebenstreit, Phil. pr., P. II (S. 436 ff.).

[32] Scheibler (Op. met., l. I c. 2), der sich gegen die Ursachen als Seinsprinzipien wendet, spricht von 2 Beweisprinzipien der Metaphysik: dem „principium demonstrationis ducentis ad absurdum", also dem Widerspruchsprinzip (nr. 48), und dem Beweisprinzip a priori, das entweder die essentia ist, aus der affectiones bewiesen werden, oder eine affectio, aus der andere affectiones bewiesen werden (nr. 51). Vgl. Wundt, Schulmet., S. 178 ff.

[33] Ont., praef., S. 14* — Wie schon die Scheiblers „Opus metaphysicum" vorangestellte „Summaria methodus sive dispositio totius Operis" zeigt, wird auch in der Schulmetaphysik genaue Rechenschaft über den Ort der Behandlung abgelegt; ebenso auch bei Stahl, Inst. met.

Schulmetaphysiken sich lohnen würde, zeigt das Neue und Eigenartige der Wolffschen Ontologie.

Im Vergleich mit Scheiblers „Opus metaphysicum", dem wohl bedeutendsten Lehrbuch der Schulmetaphysik, sei der Aufbau des Wolffschen Werks knapp wiedergegeben. In Teil I handelt Wolff „De Notione Entis in genere et proprietatibus, quae inde consequuntur", ähnlich wie Scheibler im ersten Buch, dem allgemeinen Teil der Metaphysik, die „doctrinam Entis in communi, ejusque generalium principiorum et affectionum" darlegt. Die Sectio I „De principiis philosophiae primae" mit den Kapiteln I „De Principio Contradictionis" und Kapitel II, „De principio rationis sufficientis" findet in Scheiblers Kapitel II kein auch nur einigermaßen entsprechendes Gegenstück. Die Sectio II „De essentia et existentia Entis, agnatisque nonnullis notionibus" beginnt in Kapitel I mit dem Begriff des Möglichen und Unmöglichen, bei Scheibler weder an dieser Stelle noch in einem eigenen Kapitel. Nach der Behandlung des Bestimmten und Unbestimmten in Kapitel II kann erst in Kapitel III „De notione Entis" gehandelt werden, während Scheibler in Kapitel 2 damit beginnt, Wolffs II. Kapitel aber in gewissem Maße im 12. Kapitel behandelt, in dem die erste aus der 4. primären Seinsbestimmung, der perfectio, folgende Einteilung in ens completum und incompletum behandelt wird. In der Sectio III behandelt Wolff die allgemeinen Seinsbestimmungen, näherhin die der Identität und Ähnlichkeit (cap. I), des Einzel- und Allgemeindings (cap. II), des Notwendigen und Kontingenten (cap. III), der Quantität und verwandter Begriffe (cap. IV), der Qualität und verwandter Begriffe (cap. V) und schließlich der von Ordnung, Wahrheit und Vollkommenheit (cap. VI). Scheibler unterscheidet die allgemeinen Seinsbestimmungen in primäre und die aus diesen entstehenden; primäre sind unum, verum, bonum und perfectum (Kap. 3). Alles, was in der allgemeinen Metaphysik zu behandeln ist, fällt unter diese vier Transzendentalien. Quantität und Qualität behandelt Scheibler im zweiten Buch im Rahmen der Akzidenzien, Identität und Unterscheidung (Ähnlichkeit) im zweiten Buch anläßlich der Relation als 3. und das Einzelne und Allgemeine als 2. der aus dem unum folgenden Unterscheidungen in Kapitel 8 bzw. 7, Notwendigkeit und Kontingenz als 4. aus der perfectio sich ergebende Einteilung in Kapitel 18. Als einzige von Scheiblers vier Transzendentalien erscheinen bei Wolff in der Kapitelüberschrift veritas und perfectio (bei Scheibler Kapitel 9 und 11), während mit Ordnung eher das aufgenommen wird, was Scheibler unter den Einteilungen des respektiven Seins behandelt (Kap. 21 ff); das respektive Sein selbst ist die 6. aus der perfectio sich ergebende Einteilung (Kapitel 207).

Teil II unterscheidet sich fast ganz von Scheiblers zweitem Buch, das als spezielle Metaphysik die Einteilung des Seins in Substanz und Akzidenzien behandelt, unter Substanz näherhin Gott, die Engel und die Vernunftseele. Wolff kündigt in Teil II zwar auch an, „de speciebus entium et eorum ad se invicem respectu" zu handeln, spricht aber nicht von Substanz und Akzidens, sondern — unter cartesianischem Einfluß — vom Zusammengesetzten (Sectio I), Einfachen (Sectio II) und den Beziehungen der Seienden zueinander (Sectio III). Scheibler hatte das Zusammengesetzte und Einfache als erste aus dem unum sich ergebende Einteilung in Kapitel 5 des ersten Buches behandelt. Was Wolff in den Kapiteln der Sectio I behandelt, entspricht bei Scheibler zum großen Teil den Akzidenzien; das IV. Kapitel „De motu", das mit Scheiblers Akzidens der actio verglichen werden kann, ist cartesianisch — leibnizisches Erbe. In der Sectio II handelt Wolff auch über das Endliche und Unendliche; Scheibler behandelt diese als 2. aus der perfectio sich ergebende Unterscheidung des Seins im 13. Kapitel des ersten Buches. Von Ursachen und Zeichen (Sectio III, Kapitel II und III) handelt Scheibler ebenfalls im ersten Buch unter den Einteilungen des respektiven Seins (Kapitel 22 und 24).

4. Folgerungen

Dieser knappe Vergleich gibt einen Eindruck von der Neuartigkeit des Aufbaus der Wolffschen Ontologie. Vieles von dem, was in der Schulmetaphysik behandelt wird, fällt bei Wolff aus, anderes, das nicht in einem eigenen Kapitel angekündigt wird, erscheint bei Wolff an anderen Stellen. Auch im Aufbau eines Lehrbuchs, etwa dem Scheiblers, soll sich das Sein in seinen Bestimmungen widerspiegeln; deshalb das Sein und die Transzendentalien als grundlegende Einteilungsprinzipien. Wolffs Denken dagegen ist linear-deduktiv; nicht mehr das Sein und seine Bestimmungen, sondern die Prinzipien als der Anfang einer Kette bestimmen das Ganze. Der Zug ins Logisch-Rationale ist unverkennbar. Damit ist nicht gesagt, die Ontologie sei nur eine andere Art von Logik. Eine Tendenz ist noch kein radikaler Umbau.

II. DIE PRINZIPIEN DER ONTOLOGIE

1. Prinzip; Begriff und Arten

Prinzip wird von Wolff definiert als das, „quod in se continet rationem alterius"; das von einem Prinzip Hervorgebrachte (principiatum) hat seinen Grund in einem anderen [34]. Wolff, der von Prinzip zu Beginn des Kapitels über die Ursachen spricht — die Schulmetaphysiker handeln in einem eigenen Kapitel über principium und principiatum [35] — und sich in seinem Prinzipbegriff mit Aristoteles, Thomas und auch Clauberg eins weiß [36], teilt Prinzip in Seins- und Werdeprinzip einerseits und Erkenntnisprinzip andererseits.

Seinsprinzip ist ein Prinzip, das in sich den Grund der Möglichkeit eines andern enthält, während das Werdeprinzip den Grund der Aktualität in sich enthält [37]. An Beispielen erläutert [38]: Der Grund dafür, daß ein Stein Wärme aufnehmen kann, ist im Wesen des Steins zu suchen; das Wesen ist also Prinzip des Seins. Daß der Stein aber aktuell warm ist, hat seinen Grund im Feuer oder den Sonnenstrahlen; beide sind also Prinzip des Werdens.

Von diesen beiden ontologischen Prinzipien wird das Erkenntnisprinzip abgehoben, von Wolff definiert als „propositio per quam intelligitur veritas propositionis alterius" [39]. In diesem Sinn sind alle Sätze, die in den Beweis irgendeines Satzes eingehen, Erkenntnisprinzipien [40].

Zwei Prinzipien sind für Wolff von grundlegender Bedeutung: das Prinzip des Widerspruchs und das Prinzip vom zureichenden Grund. Nach einer Aussage in den „Horae subsecivae Marburgenses" wird aus diesen Prinzipien die gesamte Ontologie abgeleitet [41]. Ob und inwieweit die beiden Prinzipien als Erkenntnis- oder Seins- bzw. Werdeprinzipien oder als beides zu verstehen sind, muß hier noch offen bleiben.

[34] Ont., § 866.

[35] Scheibler (Op. met., l. I. c. 21), Hebenstreit (Phil. pr., P. III c. 2), Scharf (Met. ex., c. 5) und Stahl (Inst. met., P. I c. 10) im Rahmen der Ursachenlehre; ebenso Clauberg (Met. de ente, 218 ff. [Op., S. 320 ff.]).

[36] Ont., § 879.

[37] Ont., § 874.

[38] § 874 not.

[39] § 876.

[40] § 876 not.

[41] Hor. subs., trim. vern. IV, § 1 (S. 311): „Deduximus philosophiam primam omnem ex principio contradictionis et rationis sufficientis, rebus existentibus non invitis: a quibus eaedem notiones a posteriori derivantur, quae ex istis principiis a priori consequuntur."

2. Widerspruchsprinzip und Prinzip vom ausgeschlossenen Dritten

a) Formulierung und Begründung des Widerspruchsprinzips

Das von Aristoteles und den Scholastikern als allgemeinstes Axiom benutzte Prinzip vom Widerspruch formuliert Wolff in „Ontologia", § 28: „Fieri non potest, ut idem simul sit et non sit" [42]. Eines Beweises bedarf dieser Satz nicht. Wolff sieht ihn in der Natur unseres Geistes begründet, der, wenn er urteilt, etwas sei, nicht zugleich urteilen kann, dasselbe sei nicht; dies zeigt die Erfahrung, die offenkundiger nicht mehr sein kann und schon mit dem Selbstbewußtsein des Geistes gegeben ist [43]. Durch eine Reihe von Beispielen wird der Sachverhalt erklärt: So können wir z. B., wenn wir irgendeine Sache sehen, nicht urteilen, wir sehen sie nicht, obgleich uns nichts an dieser Behauptung hindert, vom Widerspruch des Bewußtseins (conscientia repugnante) natürlich abgesehen. Nur geistig Benommene oder solche, die aus eigenem Willen Unsinn betreiben, können überzeugt sein, die Sonne nicht zu sehen, obwohl sie sich bewußt sind, sie zu sehen [44].

Die Erfahrung, mit der das Widerspruchsprinzip begründet wird, ist Erfahrung von Einzelfällen [45]. Wie steht es dann um die Geltung des Prinzips für Universal- und Partikularurteile? Da nach Wolff beide letztlich auf Einzelurteile zurückzuführen sind, ist deren Widerspruch — er besteht in gleichzeitiger Bejahung und Verneinung [46] — von den Einzelurteilen herzuleiten [47]. Nur durch diese Analyse, die nützlich, aber sehr schwierig ist, kann der Knoten des Widerspruchs gelöst werden, den bisher allerdings noch kein Philosoph gelöst hat; auch Leibniz habe nicht gezeigt, wie er zu lösen sei (Wolff bezieht sich auf Leibniz' „De primae philosophiae emendatione" [48], wo Leibniz davon gesprochen hatte, daß in der Ersten Philosophie mehr Gewißheit und Licht notwendig sei als in der Mathematik). Wolff behauptet, den Knoten zu lösen [49].

[42] Dt. Met., § 10 formuliert den „Grund des Widerspruchs": „Es kan etwas nicht zugleich seyn und auch nicht seyn." § 11 gibt eine Erläuterung. Vgl. Dt. Log., c. 1 § 5 (S. 165).

[43] Ont., § 27: „Eam experimur mentis nostrae naturam, ut, dum ea judicat aliquid esse, simul judicare nequeat, idem non esse."

[44] § 27 f.

[45] § 33.

[46] § 30.

[47] § 32 ff.

[48] Gerh. IV, 468 f.

[49] Ont., § 51.

b) Das Prinzip vom ausgeschlossenen Dritten als Folgerung aus dem Widerspruchsprinzip

Das Prinzip vom ausgeschlossenen Dritten — „Quodlibet vel est, vel non est" [50] — wird ebenfalls mit der Erfahrung der Natur unseres Geistes begründet, der entweder urteilt, etwas ist oder ist nicht [51]. Da dieses Prinzip nach Art einer Schlußfolgerung im Kontradiktionsprinzip enthalten und mit diesem gesetzt ist [52], genügt es, es erwähnt zu haben.

c) Principium certitudinis

Das Widerspruchsprinzip erweist sich als besonders fruchtbar in der Logik [53]. Es ist Quelle jeglicher Gewißheit; hebt man es auf, wird jede Gewißheit aufgehoben [54]. Wolff spricht in diesem Zusammenhang von einem „principium certitudinis": „Quodlibet, dum est, hoc est, si A est, utique verum est, A esse" [55]. Wolff greift diejenigen an, die dieses Prinzip zum ersten machen wollen, da es sich doch auf das Widerspruchsprinzip stütze [56]. Das principium certitudinis erscheint als eine positive Formulierung des Widerspruchsprinzips, muß aber wohl, wenn Wolffs Angriff einen Sinn haben soll, das Identitätsprinzip meinen („Quodlibet, dum est, est."), das Wolff damit auf das Widerspruchsprinzip zurückführen würde [56].

Das Widerspruchsprinzip scheint nach dem bisher Dargelegten nur logische Bedeutung zu haben. Zweifellos tritt der logische Aspekt in den Vordergrund. Wolff spricht aber bei der Formulierung des Prinzips vom ausgeschlossenen Dritten von einem ontologischen Prinzip [57] und weist durch die angeführten Beispiele dem Widerspruchsprinzip ontologischen Rang zu; wenn er z. B. sagt, es sei unmöglich, daß der Himmel zugleich heiter sei und nicht heiter, der herabfallende Stein schnell bewegt werde und nicht schnell bewegt werde [58]. — Das Widerspruchsprinzip ist zwar das erste Prinzip, die größere Bedeutung in Wolffs Ontologie kommt jedoch dem zweiten Prinzip zu, dem Prinzip vom zureichenden Grund.

[50] § 53.
[51] § 52.
[52] § 54.
[53] § 29 not., u. a.
[54] § 55 not.
[55] § 55.
[56] Vgl. Hebenstreit (Phil. pr., P. II th. 20. [S. 469]), der die Auffassung des Antonius Andrea, der Satz „Omne ens est ens" sei erstes und letztes Prinzip, wie schon Javellus und Fonseca angriff, selbst aber das Kontraditionsprinzip als einziges und letztes Prinzip annahm (ebd., th. 19 [S. 467 f.]). — Leibniz setzt im 2. u. 5. Schreiben an Clarke (Gerh. VII, 355 u. 391) Kontradiktions- und Identitätsprinzip gleich.
[57] Ont., § 53.
[58] § 28 not.

3. Prinzip vom zureichenden Grund

Welche Stellung dieses Prinzip in der Ontologie Wolffs einnimmt, ist schon daraus zu erkennen, daß kein Paragraph so oft zitiert wird wie der die Formulierung des Prinzips enthaltende Paragraph 70 der „Ontologia".

a) Definition und Herkunft des Prinzips

In „Ontologia", § 71 spricht Wolff ausdrücklich von der Definition des Prinzips: „Propositio, quod nil sit sine ratione sufficiente, cur potius sit, quam non sit, dicitur Principium rationis sufficientis." Die Formulierung des entscheidenden Paragraphen 70 bringt das Moment des Erkennens hinzu: „Nihil est sine ratione sufficiente, cur potius sit, quam non sit, hoc est, si aliquid esse ponitur, ponendum etiam est aliquid, unde intelligitur cur idem potius sit, quam non sit." In der „Deutschen Metaphysik", die übrigens das Prinzip vom zureichenden Grund nicht sofort im Anschluß an das Widerspruchsprinzip behandelt, sondern sich zuvor noch mit Möglichkeit, Ähnlichkeit, Größe, Teil und Ganzem beschäftigt, heißt es in § 30: „... Da nun aber unmöglich ist / daß aus nichts etwas werden kan (28.); so muß alles, was ist / seinen zureichenden Grund haben, warum es ist. Diesen Satz wollen wir den Satz des zureichenden Grundes nennen" [59].

Wolff hat dieses Prinzip von Leibniz übernommen, der es in der Theodizee [60] und vor allem im Briefwechsel mit Clarke [61], zu dessen deutscher Übersetzung durch Köhler Wolff bekanntlich ein Vorwort geschrieben hat [62], darlegte. Wolff war aber von Leibniz schon durch dessen Brief vom 23. Dezember 1709 auf jenes „magnum principium Metaphysicum", „quod nihil sine ratione sive causa fiat", hingewiesen worden [63]. Auch wenn Wolff Leibniz' Verdienste, als erster die Wichtigkeit dieses Prinzips herausgestellt zu haben, nicht bestreiten will, versteht er es doch, seine eigene Bedeutung ins rechte Licht zu rücken, wenn er sagt, er sei der erste gewesen, „der den rechten Verstand von diesem Satz gegeben / indem

[59] Vgl. Dt. Log., Vorber., § 4 (S. 115). Zu ratio: raison: Grund vgl. Dt. Met. A, § 13.

[60] In Ont., § 75 not. verweist Wolff auf Theodizee I, 44 (Gerh. VI, 127); vgl. auch Theod. II, 175 (Gerh. VI, 219): „de la raison determinante".

[61] Gerh. VII, 352 ff.; bes. 2. u. 5. Schreiben an Clarke (Gerh. VII, 355 f. u. 419 f.).

[62] Ges. kl. Schr. III, S. 271 ff.

[63] Briefw., S. 113.

ich das Wort Raison oder Grund (§ 29 Met.) erkläret / da der Herr von Leibnitz bloß erinnert / es habe etwas mehrers zu sagen / als das Wort Causa oder Ursache" [64].

b) Erklärung und zweifache Begründung des Prinzips; das Prinzip als logisch-ontologisches

Was bedeutet „zureichender Grund", wie ist das „cur potius sit, quam non sit" zu verstehen, handelt es sich um ein Erkenntnis- oder Seinsprinzip — dies ist näher zu untersuchen.

Unter zureichendem Grund versteht Wolff das, woraus man erkennt, weshalb etwas ist [65]. Die Beispiele, die Wolff zur Erläuterung anführt, eines aus der Geometrie und eines aus dem täglichen Leben [66], zeigen, wie der Satz genauer zu verstehen ist. Die Dreizahl der Seiten gilt als zureichender Grund der Dreizahl der Winkel; sie ist nämlich hinreichend zur Erkenntnis der Tatsache, daß das Dreieck drei Winkel hat. Oder: Eine Person, der ich Reverenz schuldig bin, tritt in mein Zimmer, während ich sitze und schreibe; ich lege die Schreibfeder weg und erhebe mich sofort. Der zureichende Grund, weshalb ich dies tue, ist der Eintritt jener Person. — Das geometrische Beispiel zeigt den zureichenden Grund als inneren, logischen Konstitutionsgrund; das andere den Grund als äußere, ein Geschehen hervorrufende Ursache, also in Richtung Existenz gehend, ontologisch. Beidesmal aber ist der Bezug zur menschlichen Erkenntnis — oder nur Erkennbarkeit? — mitgegeben.

Der zureichende Grund hat universale Geltung: Ist etwas als seiend gesetzt, ist auch der zureichende Grund zu setzen; mit dem Widerspruchsprinzip zusammen bildet er das letzte ontologische Prinzip [67]. Läßt sich dieses Prinzip begründen oder gar beweisen oder ist es nur eine

[64] Dt. Met. A, § 14. In Dt. Met., § 30 geht Wolff auf die Geschichte des Prinzips ein: Schon von Archimedes (Lehre vom waagrechten Standt der Körper), Confucius (bes. Moral) und anderen verwandt, wurde es erst von Leibniz als Prinzip angesprochen. Ont., § 71 not.: Prinzip vom zur. Grund ist nicht identisch mit scholast. Axiom „nihil esse sine causa"; vgl. auch Dt. Met. A, § 14.

[65] Ont., § 56: „Rationem sufficientem intelligimus id, unde intelligitur, cur aliquid sit." Dt. Met., § 29: „Wenn ein Ding A etwas in sich enthält / daraus man verstehen kan / warumb B ist / B mag etwas in A / oder außer A seyn; so nennt man das jenige / was in A anzutreffen ist / der Grund von B; A selbst heisset die Ur-Sache und von B saget man / es sey im A gegründet."

[66] Ont., § 56 not. Dt. Met., § 29 gibt im Beispiel die Wärme der Luft als Grund des Wachstums im Garten an.

[67] Ont., § 70 f.

Annahme? Wolff gibt eine doppelte Antwort: Einmal beweist er das Prinzip mit Hilfe des Widerspruchsprinzips bzw. der reductio ad absurdum, zum andern begründet er dieses Prinzip ebenso wie das Kontradiktionsprinzip aus der Erfahrung in Berufung auf die Natur unseres Geistes, so daß ein Beweis überflüssig wird. Leibniz selbst nimmt, wie Wolff bemerkt [68], das Prinzip ohne Beweis an, obwohl Clarke diesen gefordert habe [69].

Zunächst zum Beweis aus dem Widerspruchsprinzip [70]:

> Entweder ist nichts ohne zureichenden Grund, warum es eher ist als nicht ist, oder es kann etwas ohne zureichenden Grund sein, warum es eher ist als nicht ist.
> Angenommen, A sei ohne zureichenden Grund, weshalb es eher ist als nicht ist.
> Folglich ist nichts zu setzen, aus dem zu erkennen ist, weshalb A ist.
> A wird als seiend zugegeben, weil nichts zu sein angenommen ist: dies ist absurd, denn, wie im vorhergehenden Paragraphen gezeigt, „Posito nihilo, non ponitur aliquid".

Am Beispiel des Steines, der kalt war, jetzt aber warm geworden ist, wird dies erläutert [71]. Entweder gibt es einen Grund, weshalb der Stein jetzt warm statt kalt ist, oder es gibt keinen. Im letzteren Fall gibt es nichts im Stein noch außerhalb des Steines, worauf der Ursprung der Wärme zurückgeführt werden kann. Da die Wärme aber einmal angefangen hat, muß man behaupten, der Stein sei warm, weil entweder nichts im Stein oder außerhalb des Steines war, woraus die Wärme hätte hervorgehen können. Daß dies absurd ist, wird jeder zugeben. Der Beweis des Satzes, auf dieses Einzelbeispiel angewandt, wird wieder ein allgemeiner, wenn man statt der Wärme A setzt, wobei es dann gleichgültig ist, ob A einen dem Subjekt innewohnenden Modus oder irgendein Attribut oder eine Substanz bezeichnet.

Wie ist der Beweis aus dem Widerspruchsprinzip zu werten? Von einem eigentlichen Beweis kann nicht die Rede sein, eher von einer Erläuterung des Prinzips mit Hilfe des Widerspruchsprinzips. Soll das Prinzip vom zureichenden Grund damit begründet werden, daß es absurd ist, die Allgemeingültigkeit dieses Prinzips zu bestreiten, weil damit behauptet würde,

[68] § 75 not.; Dt. Met., § 30.
[69] Vgl. 5. Schreiben an Clarke (Gerh. VII, 419 f.).
[70] Ont., § 70. Vgl. auch Dt. Met., § 30 f.
[71] Ont., § 70 not.

das Nichts werde oder bewirke etwas [72], so ist in dieser Begründung schon das zu beweisende Prinzip vorausgesetzt. Wie mit dem Begriff des Nichts die Negation des zureichenden Grundes notwendigerweise gegeben ist, so ist mit dem Begriff des Etwas notwendigerweise der zureichende Grund gesetzt [73]. Da es zwischen Nichts und Etwas kein Mittleres gibt [74], ist der Zusammenhang von Etwas und zureichendem Grund nicht mehr in Frage zu stellen. Das Kontradiktionsprinzip kann nicht hinter das Nichts und Etwas bzw. deren kontradiktorischen Gegensatz zurück, sondern ist damit gesetzt ebenso wie das Prinzip vom zureichenden Grund, so daß auf Grund der gleichgearteten Ursprünglichkeit ein Beweis des letzteren aus dem ersteren nicht möglich ist.

Wenn Wolff aber das Prinzip vom zureichenden Grund aus dem Kontradiktionsprinzip deduziert — formell spricht er zwar nicht davon, die ontologische Deduktionsreihe der „Horae subsecivae" weist aber in diese Richtung [75], wird dies verständlich, beachtet man nur, daß Wolff nicht von Sein und Nichts bzw. Sein und Grund in exklusiv ontologischem Sinn redet, sondern vom Begriff des Nichts, dem Begriff des Etwas, dem zureichenden Grund als dem, woraus zu erkennen ist, daß etwas eher ist als nicht ist, also in mehr logischem statt ontologischem Sinn spricht; somit kann dem Kontradiktionsprinzip eine Priorität nicht abgesprochen werden. Man würde Wolff in keiner Weise gerecht, wollte man daraus folgern, es ginge ihm nur um Logik, nicht aber um Ontologie.

Wolff ist nicht der erste, der das Prinzip vom zureichenden Grund a priori aus dem Widerspruchsprinzip begründet — diese vermeintliche De-

[72] § 69.

[73] Für den Zusammenhang ist das Wolffsche Verständnis der Begriffe Nichts und Etwas von Bedeutung. Dt. Met., § 28: „Was weder ist / noch möglich ist / nennet man Nichts / und daher kan auch aus nichts nicht etwas werden. Denn sonst müste das unmögliche möglich werden / welches dem Grunde des Wiederspruchs zuwiederlauffet." Nichts ist also eigentlich nicht das Nichtexistierende, sondern das Unmögliche. Anders die Definition in Ont., § 57: „Nihilum dicimus, cui nulla respondet notio"; entsprechend: „Aliquid est, cui notio aliqua respondet" (§ 59); § 57 definiert „Nichts" als „quod relinquitur vel ponitur, notione sublata" bzw. „quod relinquitur, re sublata". Dieser Begriff entspricht nach Wolff der Arithmetik. — Der Begriff des Nichts bzw. des Etwas, ob in sich betrachtet als Unmögliches bzw. Mögliches oder im Bezug auf das Erkennen (vgl. Korrektur von § 62), hat ausgesprochen logische Züge. Mehr ontologisch ausgerichtet § 68: „nihilum producere, vel efficere nequit aliquid", und § 69: „Si nihil sumitur, non propterea admittendum est esse aliquid."

[74] Ont., § 60.

[75] Hor. subs., trim. vern. IV, § 1 (S. 310 ff.). Der Begriff des zur. Grundes „entsteht" erst an 6. Stelle nach dem Widerspruchsprinzip.

duktion aus dem Widerspruchsprinzip bezeichnet Pichler als den eigentlichen Schönheitsfehler der Wolffschen Ontologie [76]; bereits beim jungen Leibniz findet sich derselbe Versuch [77].

Wolff gibt aber wie auch Leibniz, und fast mit derselben Formel [78], eine aposteriorische Begründung des Prinzips. Eines Beweises bedarf das Prinzip nicht; man kann es als Axiom annehmen [79], da es nicht im geringsten der Erfahrung widerspricht; solange man nämlich kein Beispiel beibringen kann, durch das bewiesen wird, es sei kein Grund gegeben — entweder kann man nämlich den Grund angeben oder man muß zugeben, ihn nicht finden zu können, daß aber keiner gegeben sei, läßt sich nicht beweisen —, so lange kann man nicht behaupten, das Prinzip des zureichenden Grundes widerspreche der Erfahrung [80]. Tatsächlich hat von den Gegnern dieses Prinzips bisher noch keiner auch nur ein einziges Beispiel beibringen können, das es gestatten würde, das Fehlen des zureichenden Grundes zu beweisen [81]. Alle Beispiele, die angeführt werden können, fordern einen zureichenden Grund, so daß dieser auf die einzelnen Beispiele zutreffende Sachverhalt allgemein gefaßt werden, d. h. das Prinzip des zureichenden Grundes von den Beispielen oder Einzeldingen als etwas Universales abstrahiert werden kann [82]. Ausführlich wird dies an einem von Leibniz übernommenen Beispiel [83], dem Satz des Archimedes „An einer Waage herrscht bei gleichem Gewicht und gleicher Länge der Arme Gleichgewicht" erläutert [84]. Durch Erfahrung weiß man, daß das Gleichgewicht vom gleichen Gewicht in den beiden Schalen und der gleichen Länge der Arme abhängig ist. Wenn es als unsinnig erscheint, daß sich ohne zureichenden Grund eher die eine statt die andere Schale senkt,

[76] Pichler, S. 7.

[77] Zocher (Leibniz Erkenntnislehre [Leibniz zu seinem 300. Geburtstag, Lief. 7], S. 15) bringt entsprechende Stellen; vgl. auch Zocher, „Zum Satz vom zureichenden Grund", Beitrag z. Leibnizforschung (o. J.), S. 76.

[78] Bes. Leibniz im 5. Brief an Clarke (Gerh. VII, 419 f.) u. Theod. I, 44 (Gerh. VI, 127).

[79] Ont., § 75.

[80] § 72. Vgl. Leibniz (Gerh. VII, 420): „J'ay souvent defié les gens de m'apporter une instance contre ce grand Principe, un exemple non contesté, où il manque: mais on ne l'a jamais fait, et on ne le fera jamais"; (auch VII, 404).

[81] Ont., § 72 not. In § 76 weist Wolff darauf hin, daß, wenn durch das Prinzip vom zur. Grund bewiesene Sätze durch die Erfahrung bestätigt werden, dies eine Bestätigung des Prinzips selbst sei.

[82] § 73.

[83] 2. Brief an Clarke (Gerh. VII, 356).

[84] Ont., § 73; Dt. Met. A, § 15.

dann muß es auch im allgemeinen als unsinnig erscheinen zuzugeben, es könne etwas ohne zureichenden Grund geben, warum es eher ist als nicht ist.

Letztlich ist die allgemeine Geltung des Prinzips in der Natur unseres Geistes begründet: „Eam experimur mentis nostrae naturam, ut in casu singulari non facile quis admiserit aliquid esse sine ratione sufficiente" [85]. Jeder weiß nämlich um unsere Neigung, in jedem Fall zu fragen, warum es so sei (cur hoc sit). Dies können wir schon bei kleinen Kindern feststellen, sobald sie zum Vernunftgebrauch gekommen sind. Das Widerstreben unserer Natur, etwas ohne zureichenden Grund anzunehmen, ist noch mehr bei denen gegeben, die, in der Wissenschaft bewandert, gewohnt sind, die Gründe zu durchschauen, sofern sie, wie Wolff nicht ohne Ironie feststellt, den natürlichen Drang des Geistes in einer richtigen Lernmethode bewahrt haben [85].

Die Wahrheit des Prinzips wird allein schon durch die Aufmerksamkeit auf die undeutlichen Begriffe, die die Erfahrung in unserem Geist hervorruft, offenkundig [86]. Wer dieses Prinzip ohne Beweis annimmt, handelt auch nicht anders als Euklid und die alten Geometer, die noch niemand in der Beweisstrenge besiegt hat [87].

Nach all diesen Argumenten und Beispielen lassen sich die oben gestellten Fragen nach dem Verständnis des Prinzips beantworten. Ist es logisch, ontologisch oder logisch-ontologisch zu verstehen? Als Erkenntnis oder Seinsprinzip? Wie bei Leibniz [88] ist das Prinzip logisch-ontologisch zu verstehen. Das „cur potius sit quam non sit" bezieht sich auf das Sein der Dinge, die Existenz, aber auch auf das Sosein, die innerlogische Verfaßtheit. Die Beziehung zum Erkennen ist in der Formulierung des Prinzips wie in der Anwendung fast immer mitgegeben. Dennoch ist das Prinzip nicht einfach als Erkenntnisprinzip zu bestimmen; eine eindeutige Bestimmung ist nicht möglich: das Prinzip bleibt in der Schwebe zwischen Erkenntnis- und Seinsprinzip [89]. Ob in dem engen Bezug von Grund und

[85] Ont., § 74.

[86] § 75 (Zusammenfassung der Begründung).

[87] § 75 not.

[88] Vgl. Theod. I, 44 (Gerh. 127)); 2. Schreiben an Clarke (Gerh. VII, 356): „c'est que rien n'arrive, sans qu'il y ait une raison pourquoy cela soit ainsi plutost qu'autrement"; oder 5. Schr. (Gerh. VII, 419): „Ce principe est celuy du besoin d'une Raison suffisante, pour qu'une chose existe, qu'un événement arrive, qu'une vérité ait lieu."

[89] Als ontologisches Prinzip ausgegeben, wird es z. B. in Ont., § 71 im Blick auf die Erkenntnis gesehen: „nos ideo in numerum principiorum ontologicorum retulimus quod

Erkennen, Wolff nicht mehr bewußt, nicht der ursprüngliche Zusammenhang von verum und Sein zum Ausdruck kommt, läßt sich wenigstens fragen. Da bei Wolff, und zuvor schon bei Leibniz, das Sein nicht mehr die Mitte des Denkens bildet, muß sich dies gerade in den Prinzipien zeigen, von denen die ganze Philosophie abhängig gemacht wird.

c) Offene Fragen um das Prinzip; das Prinzip als Grund der Wahrheit

Aus dem Bisherigen ergibt sich, daß dem Prinzip universale Gültigkeit zugesprochen wird. Aus methodischen Gründen — entsprechende Begriffe müssen erst noch entwickelt werden — will Wolff, wie er im letzten Paragraphen des Kapitels über das Prinzip vom zureichenden Grund ausführt, nicht auf mit dem Prinzip zusammenhängende Grundfragen eingehen [90]. Er stellt hier nur die Fragen: Ob das Prinzip vom zureichenden Grund den Dingen absolute Notwendigkeit auferlegt oder nicht, ob es der Freiheit widerspricht oder nicht, ob es mit der „ratio determinans" identisch ist, ob es sich nur auf die Existenz der Dinge erstrecke oder auch auf deren Möglichkeit [91].

Wenn Wolff berichtet, Leibniz habe in der Theodizee [92] daran erinnert, ohne das Prinzip vom zureichenden Grund könne die Existenz Gottes nicht bewiesen werden, und im 5. Brief an Clarke [93] darauf hingewiesen, ohne dieses Prinzip könne das Vorauswissen Gottes nicht bewiesen werden, so macht sich Wolff diese Äußerung von Leibniz zu eigen. Gerade bei den Gottesbeweisen spielt, wie sich zeigen wird, das Prinzip vom zureichenden Grund seine größte und entscheidenste Rolle.

Auf eines macht Wolff jedoch in diesem Zusammenhang aufmerksam [94]: Die Wahrheit der wahren Welt, d. h. der Welt, die wir bewohnen, hängt vom Prinzip des zureichenden Grundes ab. Wird dieses Prinzip aufgehoben, tritt an die Stelle der wahren Welt die Fabelwelt oder — mit einem Ausdruck der Volkssprache — das Schlaraffenland. Grund für das Geschehende ist dann der Wille des Menschen. Ist der Wille des Menschen gesetzt, wird sofort gesetzt, was er wünscht, wenn in Wirklichkeit auch

eodem non minus, quam principio contradictionis ad stabilienda firma ac inconcussa omnis cognitionis fundamenta sumus usuri"; vgl. auch § 289 not.

[90] § 78.

[91] Leibniz spricht im 5. Schreiben an Clarke (Gerh. VII, 391) vom „principe des existences".

[92] Leibniz, Theod. I, 44 (Gerh. VI, 127).

[93] Gerh. VII, 389 f.

[94] Ont., § 77.

nichts geschieht, woraus erkannt werden kann, daß die Änderung geschieht, noch zureichende Ursachen gegeben sind, einen Akt zu bestimmen. Ebenso beruht der Unterschied zwischen Wahrheit und Traum auf dem Prinzip des zureichenden Grundes [95], was später weiter auszuführen ist. Wolffs gesamte Philosophie ist durch dieses „grand principe" von Leibniz bestimmt.

[95] Auch Dt. Met., § 142.

III. DER SEINSBEGRIFF

1. Ort der Frage

In der auf die Prinzipien der Ontologie folgenden Sectio II handelt Wolff „De essentia et existentia entis agnatisque nonnullis notionibus", über den Begriff des „ens" im engeren Sinne — Wolff gibt ens in der „Deutschen Metaphysik" mit „Ding" wieder [96] — aber erst im letzten Kapitel der Sectio; voran gehen die Kapitel über das „possibile" und „impossibile", „determinatum" und „indeterminatum". Dies ist wohlüberlegt. Im Vergleich mit der Schulmetaphysik, Clauberg eingeschlossen, fällt auf, daß sich Wolff in einem eigenen Kapitel mit dem Möglichen und Unmöglichen beschäftigt. Diese Fragen werden in der Schulmetaphysik im Zusammenhang mit der Lehre von Akt und Potenz bzw. der Untersuchung des Objekts der göttlichen Macht behandelt, wie z. B. in Scheiblers Lehrbuch [97]. Wolff muß den Begriff des possibile vor dem des ens untersuchen, da dieser jenen voraussetzt. In den „Horae subsecivae" sagt es Wolff ausdrücklich: „Notio impossibilitatis longe simplicissima est et inter maxime abstractas referenda, cum ipsam notionem entis in genere transcendat" [98]. Der Begriff des Unmöglichen ist der erste, der aus dem Prinzip des zureichenden Grundes entspringt [99].

2. Möglichkeit und Unmöglichkeit

Wolff definiert das Unmögliche als das Widersprüchliche: „Impossibile dicitur, quicquid contradictionem involvit" [100]. In diesem Sinne ist das

[96] Vgl. z. B. § 16. Weder Dt. Met., dt.-lat. Reg. noch Ludovici I u. II haben ens: Ding. (Der Terminus Seiendes findet sich bei Wolff nicht.) In Ont., § 243 wird ens von res unterschieden: ens meint die Existenz des ens, res die quidditas oder das aliquid. — Im folgenden wird Wolffs „ens" mit „Ding", zuweilen auch mit „Seiendem" wiedergegeben.

[97] Scheibler, Op. met., l. I c. 14 nr. 14; l. II c. 3 nr. 572. Timpler (Met. syst., l. II c. 7) bildet eine Ausnahme, wenn er das Mögliche und Unmögliche in einem eigenen Kapitel behandelt.

[98] Hor. subs., trim. vern. IV, § 4 (S. 318). Der Begriff der Unmöglichkeit ist Beispiel einer notio directrix.

[99] § 1 (S. 311). — Zum Begriff der Möglichkeit vgl. bes. die Studie von Michaelis; auch Lüthje (a.a.O., S. 40 ff.), der von einer Entwicklung des Wolffschen Möglichkeitsbegriffs spricht.

[100] Ont., § 79. Dt. Met., § 12: „Und auf solche Weise ist unmöglich, was etwas wiedersprechendes in sich enthält / als z. E. ein eisern Holtz. Woraus man ferner ersiehet / daß möglich sey / was nichts wiedersprechendes in sich enthält." Dt. Met. A, § 6.

bilineum rectilineum oder das eiserne Holz unmöglich [101]. Entsprechend wird das Mögliche definiert als das Widerspruchsfreie oder als das Nicht-Unmögliche: „Possibile est, quod nullam contradictionem involvit, seu, quod non est impossibile" [102]. Nachdem die Definition, die übrigens der Praxis der Mathematiker entspricht [103], gegeben ist, kann man das Unmögliche mit dem Nichts, das Mögliche mit dem Etwas — und diesem entspricht immer ein Begriff — gleichsetzen [104].

Sehr ausführlich beschäftigt sich Wolff mit der Frage, wie die Unmöglichkeit [105] bzw. die Möglichkeit aposteriorisch und apriorisch zu erkennen sei [106].

Wolffs Möglichkeitsbegriff trifft sich mit Scherzers „possibile simpliciter" bzw. „possibile logicum" [107], Scheiblers absolut und negativ, ohne Bezug auf eine Potenz gefaßtem possibile, dem Gegenstand der göttlichen Macht [108], und Corn. Martinis dritter, von aktiver und passiver Potenz abgehobener Potenz, von der er mit Berufung auf Aristoteles ausdrücklich sagt, sie sei nicht Gegenstand der Metaphysik [109]. Im Gegensatz zum Wolffschen Verständnis ist der Möglichkeitsbegriff der Schulmetaphysik von der Akt-Potenz-Lehre her zu verstehen; das possibile hat einen Bezug zur Existenz. So unterscheidet Scherzer das possibile vom Kontingenten als das, was, wenn es noch nicht ist, sein kann [110]. Scheibler spricht vom

[101] Ont., § 79 not.

[102] § 85. Dt. Met., § 12.

[103] Ont., § 100.

[104] § 101 f. Auch § 103 (mit Hinweis auf Descartes und Tschirnhaus).

[105] § 81 ff.

[106] § 88 ff.; Dt. Met., § 15.

[107] Scherzer, Vadem., P I (def.), S. 156: „possibile simpliciter (alias dictum possibile fundamentale) est, quod indeterminate ad aliquam potentiam dicitur ob solam non repugnantiam, seu habitudinem terminorum rei essentiam constituentium, ut nulla per eos importetur contradictio ..."; auch P. II (dist.), S. 192: „possibile logicum: sic omne id est possibile, quod non pugnat seu involvit contradictionem."

[108] Scheibler, Op. met., l. II c. 3 nr. 572: „Aliquando autem possibile sumitur absolute et negative, citra respectum ad potentiam. Estque tum possibile ex habitudine terminorum, id quod non involvit repugnantiam" (mit Verweis auf Thomas S. th. I, 25, 3).

[109] Corn. Martini, Met. com. (de potentia), S. 46: „Triplex igitur potentia est, Activa, Passiva, et tertia, quae vocatur secundum non repugnantiam terminorum." S. 48: „Tertia vocatur secundum non repugnantiam terminorum, quae ad logicam potius spectat, quando termini tales sunt, qui cohaerere possunt, neq. ullam habent repugnantiam sicuti impossibile illud dicitur, quod terminorum habet vel repugnantiam vel non cohaerentiam." S. 49: „ ... tertia illa non est hujus scientiae."

[110] Scherzer, Vadem., P. II (dist.), S. 192: „Possibile est id, quod, quando non est, potest esse."

potentiale oder possibile als dem, das möglich ist, 1. weil es ein Handelndes gibt, das die hinreichende Macht hat, es hervorzubringen, 2. weil es eine Materie gibt, die geeignet ist, eine neue Form aufzunehmen [111]. Ähnlich auch Hebenstreit [112]. Allerdings finden sich in der Schulmetaphysik auch Definitionen, die den Bezug des possibile zum noch ausstehenden Akt und der den Akt herbeiführenden Ursache mit dem inneren Grund der Widerspruchsfreiheit verbinden [113]. Auf dem Hintergrund der Schulmetaphysik, von der Clauberg auch in diesem Punkt nicht abweicht [114], ist dem Wolffschen Begriff des Möglichen Klarheit und strenge Eindeutigkeit nicht abzusprechen. Ist in der Schulmetaphysik das possibile das logisch Mögliche und zugleich — und zwar in der Hauptsache — das ontologisch Mögliche als potentia passiva, bleibt bei Wolff nur das logisch Mögliche als das Widerspruchsfreie. Eine Verlagerung ins Logische ist nicht zu verkennen. Der Problemkreis Akt — Potenz, der in der Schulmetaphysik ein zentrales Kapitel darstellt, wird von Wolff nicht nur nicht eigens behandelt, sondern, wie es scheint, in seiner Bedeutung gar nicht mehr gesehen. Daß er sich nicht nur von Spinozas Möglichkeitsbegriff — möglich ist nur, was auch einmal wirklich wird — distanziert [115], sondern auch von der scholastischen Definition des possibile als dem

[111] Scheibler, Op. met., l. I c. 14 nr. 40.

[112] Hebenstreit (Phil. pr., P. III s. 2 c. 1) behandelt das possibile im Kapitel über Akt und Potenz: „quia omne possibile dicitur in ordine et respectu ad aliquam potentiam, a qua appellationem suam habet et vi cujus fieri aut esse potest."

[113] Z. B. Scherzer, Vadem., P. I (def.), S. 156: „Possibile est, quod non repugnat esse seu quod non implicat contradictionem, si ponatur esse in rerum natura." Timpler, Met. syst., l. II c. 7: das possibile als „tale, ut possit actu esse sine repugnantia et contradictionis implicatione." Auf Stahl, Inst. met., P I c. 1 (S. 8) sei eigens hingewiesen: „[Unterschied zwischen posse esse und esse in potentia]. Hoc est, esse potentia est posse existere, ut tamen actu non existat. At posse aliquid esse, est ipsi non repugnare actum existendi, ut eum nec excludat, sed ab eo sit abstractum. Hinc non recte dicerem, Deum esse in potentia, quia sic negarem ipsum esse, i. e. actu existere. Recte autem dico, Deum posse esse. Sic enim non aliud significo, quam non repugnare ipsum esse."

[114] Clauberg, Met. de ente, 82 (Op., S. 296 f.). Clauberg behandelt das possibile unter „Entis existentia". Existentia ist das das Seiende vom Möglichen Unterscheidende. Im Satz „aliud est esse posse seu virtute esse, aliud, reipsa esse" wird das possibile als Potenz verstanden. Vgl. auch nr. 88 (Op., S. 298). „Impossibile" ist das, „quod nec est nec esse potest" (nr. 84 [Op., S. 297]), „quod contradictionem implicet in conceptu" (Nr. 90 [Op., S. 298]).

[115] Dt. Met., A, § 6. In Ont., § 99 bezieht sich Wolff auf Spinozas „Cogitata metaphysica".

„posse esse" bzw. als dem, „cui producendo causa aliqua suppetit"[116], ergibt sich aus seinem Möglichkeitsbegriff.

3. Das ens als possibile

a) Das Verhältnis von ens und possibile

Der Begriff des Möglichen wird vom Begriff des Seienden, des ens, vorausgesetzt. In „Ontologia", § 134 definiert Wolff: „Ens dicitur, quod existere potest, consequenter, cui existentia non repugnat (§ 85 Ontol. et § 311 Log.)"[117]. An Beispielen konkretisiert[118]: Der im Garten blühende Baum ist ein Seiendes, da er aktuell existiert, also existieren kann; nicht weniger ist aber auch der noch im Samen verborgene Baum ein Seiendes, weil er, wenn der Samen in die Erde gelegt wird, aufwächst und daher existieren kann; dasselbe gilt von einem Dreieck, gleichgültig ob es gezeichnet aktuell existiert oder existieren kann, dasselbe von der Wärme des Steines. Die faktische Existenz ist für den Seinsbegriff belanglos; entscheidend ist die Widerspruchsfreiheit hinsichtlich der Existenz: „Notio entis in genere existentiam minime involvit, sed saltem non repugnantiam ad existendum, seu, quod perinde est, existendi possibilitatem"[119]. Was möglich ist, kann existieren[120]. Das Mögliche ist das Seiende. Dabei sind Mögliches und Seiendes nicht einfach Synonyma; der Begriff des Seienden fügt nämlich notwendigerweise zum Begriff des Möglichen die Potenz oder Möglichkeit zu existieren hinzu, notwendigerweise deshalb, weil sie aus dem Begriff des Möglichen fließt, und darum mit der Setzung der Möglichkeit eines Dings auch die Möglichkeit seiner Existenz gesetzt ist[121].

Leibniz faßt den Zusammenhang von possibile und existentia nicht nur negativ als Widerspruchslosigkeit, sondern spricht vom Streben des possibile

[116] Ont., § 99. In der nota wird an der Definition „posse esse" beanstandet, daß sie den Grund der Möglichkeit nicht angibt. (Belegstellen für diese Definition: Ont., S. 724 ad p. 80). Auch Dt. Met., A, § 6.

[117] Dt. Met., § 16: „Alles / was möglich ist / es mag würcklich seyn oder nicht / nennen wir ein Ding."

[118] Ont., § 134 not.

[119] § 134 not. Von daher ist es belanglos, daß das angeführte Beispiel vom Dreieck und das klassische der scholastischen potentia passiva vom Baum bzw. der Wärme nicht auf derselben Ebene liegen.

[120] § 133.

[121] § 135 not.

zur Existenz: „possibile exigens existentiam" [122]. Wolff war diese Auffassung von Leibniz, die im Zusammenhang mit dessen dynamischer Monadenlehre zu sehen ist, nicht unbekannt, wird aber nicht übernommen.

Dem Begriff des ens entsprechend kann das Unmögliche kein Seiendes sein [123]; und Nichtseiendes ist das, was nicht existieren kann, dem die Existenz widerspricht [124]. Weder als Seiendes noch auch einfach als Nichtseiendes kann das Scheinding (ens fictum) angesprochen werden; es ist etwas, von dem wir nicht annehmen, daß ihm die Existenz widerspricht, obwohl sie ihm tatsächlich widerspricht [125]. Als Beispiel [126] führt Wolff ein aus Menschenleib, Rindskopf und Pferdefüßen zusammengesetztes Seiendes an, das man zwar malen kann, das selbst in Wirklichkeit aber nicht existieren kann. Da man die Unmöglichkeit der Existenz jedoch nicht beweisen kann, kann man es bei mangelnder Aufmerksamkeit unter die Zahl der Seienden aufnehmen. Zahlreiche Beispiele von Scheindingen finden sich in der Physik der Scholastiker [127].

Woff spricht beständig vom ens, nicht aber vom „esse". Weder im Index der „Deutschen Metaphysik" noch dem der „Ontologia" findet sich das Wort esse bzw. seyn; ebensowenig kommt es in beiden Werken selbst ausdrücklich zur Sprache, sieht man vom Hinweis der „Deutschen Metaphysik" (§ 308) auf das Sein als copula ab [128]. Auch von der Schulmetaphysik sagt Wundt, der Begriff des esse sei am wenigsten entfaltet [129]. — Finden sich hier auch Parallelen oder Ansätze zu Wolffs Verständnis des ens als des Möglichen im doppelten Sinn der inneren Widerspruchslosigkeit und der Widerspruchslosigkeit der Existenz?

[122] Vgl. Leibniz, De ultima ratione rerum, 9 (Gerh. VII, 290); bes. „De rerum originatione radicali" (Gerh. VII, 303): „in ipsa possibilitate seu essentia esse exigentiam existentiae, ... essentiam per se tendere ad existentiam ..." („De rerum originatione radicali" trägt das Datum v. 23. Nov. 1697).

[123] Ont., § 136. 138.

[124] § 137.

[125] Ont., § 140; Dt. Met., § 16.

[126] Ont., § 140 not.

[127] § 140 not. — Vom „ens fictum" wird in § 141 das „ens imaginarium" („quod notione imaginaria exhibetur") unterschieden; Beispiele sind der Raum (im gewöhnlichen Verständnis) und das unendlich Kleine der Mathematiker.

[128] „Die Verbindung des Wesens mit seinen Eigenschafften und Veränderungen / auch seinem Verhalten gegen andere anzudeuten / brauchet man das Haupt-Wort seyn: welches man daher das Verbindungs-Wort nennet."

[129] Wundt, Schulmet., S. 179.

b) Die Tradition der Schulmetaphysik und spanischen Spätscholastik

Auf die Lehre der Schulmetaphysiker vom ens und dessen zahlreichen Einteilungen kann näher nicht eingegangen werden [130]. Hinweise sollen den geschichtlichen Hintergrund andeuten. Im Anschluß an Thomas' Frühschrift „De ente et essentia", die in der Metaphysik des 17. Jahrhundert eine bedeutende Rolle spielt [131], wird häufig definiert: „Ens est, quod habet essentiam" [132]. Der Akzent der Definition [133] liegt eindeutig auf der essentia, wenn bei einigen Autoren auch der Bezug zur Existenz in der Definition mitberücksichtigt wird. Abweichend davon stellt Hebenstreit in seiner Beschreibung des ens die Existenz in die Mitte, so daß er dem possibile als solchem abstreitet, ein wahres Seiendes zu sein [134].

Da das ens als indifferent zur Existenz verstanden wird, der Bezug zur Existenz aber selbstverständlich mit dem ens mitgegeben ist [135], kann man eine gewisse Nähe zur Auffassung Wolffs nicht abstreiten. Die Auffassung Wolffs findet sich aber nicht nur der Richtung nach in der

[130] Vgl. S. 173 ff.

[131] S. 36 f.

[132] Vgl. Scheibler, Op. met., l. I c. 2 nr. l. Scheibler (nr. 29) kennt das Seiende aber auch als das der Existenz nicht Widersprechende: „Sic ens dicitur omne illud, quod non involvit repugnantiam, ut sit vel fiat." Ein „non ens" ist demnach z. B. ein Ziegenbockhirsch oder ein Mensch ohne Seele. — Timpler, Met. syst., l. I c. 3 (S. 27): „... sequitur Ens, quod est aliquid positivum, essentia praeditum." Ebenso Jak. Martini, Part. met., l. I s. 2 (S. 85); er spricht der essentia allerdings eine „aptitudo ad realiter existendum" zu (S. 86). Scharf, Met. ex., l. I c. 1 (S. 10): „Ens est, quod habet essentiam realem, aptamque ad realiter existendum." — An einen Einfluß Claubergs dürfte nicht zu denken sein. Clauberg spricht von einer dreifachen Bedeutung des ens: 1. als das „quod cogitari potest" (intelligibile); 2. als aliquid im Gegensatz zum nihil; 3. als „res, quae per se existit, ut substantia"; maßgeblich ist die 3. Bedeutung (Met. de ente, 4 [Op., S. 283]).

[133] Eine eigentliche Definition wird abgelehnt, in praxi allerdings nicht immer eindeutig. Vgl. Scheibler, Op. met., l. I c. 2 nr. 18; Hebenstreit, Phil. pr., P. I c. 1 th. 77 (S. 77).

[134] Hebenstreit, Phil. pr., P. I c. 1 th.6 (S. 79 f.): „Nimirum Ens vulgo sic solet describi: quod est extra nihil, quod vere et realiter existit, quod citra mentis operationem existit, h. e. quod existit, licet nulla creatura cogitet, illud existere, quod actu est, quod habet veram et realem existentiam." Die Einteilung in „ens possibile (h. e. id, quod potest vere existere, sive vere existat, sive non)" und „ens actuale" ist demnach keine wahre, da das possibile als solches kein Seiendes ist (vgl. th. 7).

[135] Nach Scheibler (Op. met., l. I c. 2 nr. 17) ist in der Metaphysik das ens nominaliter zu nehmen, d. h. ohne Rücksicht auf Existenz oder Nichtexistenz (vgl. nr. 3). In diese Richtung geht auch Scherzers Definition (in Berufung auf Aristoteles): „Ens est, quod habet, vel habere potest actualem Existentiam: Ut, lapis est" (Vadem., P. I [def.], S. 67).

Schulmetaphysik; bei Daniel Stahl findet sie sich fast mit denselben Worten. Im 1. Kapitel „de aliquibus entis distinctionibus" zu Beginn der „Institutiones metaphysicae" bringt er als 3. distinctio die von „ens participaliter" und „ens nominaliter"; letzterer zufolge wird all das ein Seiendes genannt, dem die Existenz nicht widerspricht, gleichgültig, ob es aktuell existiert oder nicht [136]. In diesem Sinn ist auch eine Rose im Winter oder jede Kreatur vor ihrer Erschaffung ein Seiendes; versteht man das ens participaliter, ist die Rose im Winter natürlich kein Seiendes [136]. Demnach ist ein ens nominaliter ein ens reale [137]. Stahl ist hier von Mendoza abhängig, wie das 2. Kapitel „Quid sit ens" klar zeigt. Mendoza wird von den zahlreich angeführten spanischen Autoren am häufigsten zitiert. Die Beschreibung des ens, die Mendoza in den „Disputationes Metaphysicae" II Sect. I gibt (auch andere schärfen sie ein), findet die volle Zustimmung Stahls: „Ens est, quod non repugnat existere": genau die Definition Wolffs in „Ontologia", § 134. Diese Worte bezeichnen dasselbe, was man gewöhnlich mit „ens reale esse id, quod potest esse citra mentis operationem" meint. Stahl führt den Satz Mendozas nicht nur an, sondern fragt nach dessen innerem Grund: Manches kann in Wirklichkeit nicht existieren wie z. B. der vernunftlose Mensch (homo irrationalis); dies sind die entia rationis. Manches kann aber existieren, wie der vernunftbegabte Mensch; dies sind die entia realia. Fragt man nach der Ursache dieser Verschiedenheit, so ist sie darin zu sehen, daß manche Seiende Prädikate in sich schließen, die sich gegenseitig widersprechen. Da solche Prädikate in demselben nicht koexistieren können, können auch die Dinge selbst, deren Prädikate sie sind, nicht existieren. Einen unvernünftigen Menschen kann es nicht geben, weil das Wesen des Menschen durch das „irrationale" zerstört wird. Können aber die Prädikate koexistieren, so können auch diejenigen selbst existieren, deren Prädikate sie sind. „Causa ergo, propter quam aliquid existere potest, est, quia caret praedicatis contradictionem involventibus. Unde magis a priori ens sic describi potest: Ens est, quod non habet praedicata se invicem destruentia, seu contradictionem implicantia" [138].

[136] Stahl, Inst. met., P. I c. 2 nr. 17 (S. 7): „Ens nominaliter sumptum omne illud dicitur ens, cui non repugnat existere, seu actu existat seu non."

[137] P. I c. 2 nr. 17 (S. 9). Vgl. Anm. 113.

[138] P. I c. 2 (S. 10 f.): „Non displicet illa descriptio Mendozae Disp. Met. II Sect. I quam et alii inculcant: Ens est, quod non repugnat non existere. Quae verba idem significant, quod vulgo dicitur, ens reale esse id, quod potest esse citra mentis operationem ... quae concipimus, in duplici sunt differentia: Quaedam non possunt

Beide Momente des Wolffschen Seinsbegriff sind gegeben, auch wenn vom possibile und Widerspruchsprinzip nicht die Rede ist und statt ratio causa steht. Die bei Wolff feststellbare Verschiebung des Seinsverständnisses ins Logisch-Begründende weist also über die Schulmetaphysik, speziell Stahl [139], auf die spanische Spätscholastik, hier Mendoza, zurück.

c) Folgen der Ontologie Wolffs

Mit dem Seinsbegriff sind für die weitere Entwicklung der Wolffschen Ontologie die Weichen gestellt. Geht es entscheidend um die innere Struktur des Seienden, so wird die ontologische Vielfalt der Seienden und die damit zusammenhängende Frage nach ihrer Einheit und der Art ihrer Einheit nebensächlich, wenn nicht gar überflüssig. Der „analogia entis", die in der Schulmetaphysik, auf welche Weise auch immer, einen festen Platz hatte, ist damit der Boden entzogen. Für das Verständnis des Bezugs vom Endlichen zum Unendlichen und umgekehrt sicher nicht ohne entscheidende Folgen.

4. Wesen, Attribut, Modus

Nachdem die Nominaldefinition des Seienden gegeben ist, macht sich Wolff daran, den noch gänzlich unbestimmten Seinsbegriff zu entwickeln. Wie beim Scheinbegriff eines leeren Gefäßes, in das man Beliebiges hineintun kann, ist zu zeigen, wie das dem Seienden Zukommende bestimmt wird, d. h. was an erster Stelle zu setzen ist, um dann zu anderem fortzuschreiten, das mit der Setzung des Ersten zugleich gesetzt werden muß oder wenigstens gesetzt werden kann [140]. Es geht um den apriorischen Aufbau des Seienden. Bei der Suche nach dem, was als Erstes im Seienden

revera et citra mentis operationem existere, ut homo irrationalis, et haec sunt entia rationis, non realia. Quaedam autem possunt existere, ut homo rationalis, et dicuntur entia realia. Quod si causam hujus diversitatis quaeras, nulla alia est, quam quod quaedam includunt praedicata, quae sibi invicem repugnant, seu, quorum unum destruit alterum. Et quia talia praedicata non possunt in eodem coexistere, ideo et illa ipsa, quorum sunt praedicata, non possunt existere, quemadmodum non potest dari homo irrationalis, quia hominis essentia constituitur per rationale, et destruitur per irrationale. Quaedam autem non includunt praedicata se invicem destruentia. Et quia praedicata hujusmodi possunt coexistere, ideo et ea ipsa, quorum sunt praedicata, existere possunt. Sic praedicata essentiam homini constituentia sunt animal et rationale, quae quia invicem non repugnant, sed in eadem re existere possunt, propterea et homo existere potest in rerum natura. Causa ergo . . ."

[139] Zu Stahl außer Wundt, Schulmet. auch Wundt, Philos. an Univ. Jena, S. 34 ff.

[140] Ont., § 142 not.

zu setzen ist — es kann nur das sein, wodurch es als möglich erkannt wird, nämlich das sich gegenseitig nicht Widersprechende, muß alles ausgeschlossen werden, was entweder durch anderes oder durch Modi eines der Gesetzten determiniert wird, denn als Determiniertes kann es nicht an die erste Stelle gesetzt werden [141]. Was sich im Seienden nicht widerspricht und sich auch nicht gegenseitig determiniert, nennt man die Wesensbestimmungen (essentialia) — und diese konstituieren das Wesen, die „essentia" [142]. Das Wesen ist also das Erste, das vom Seienden begriffen wird, und ohne das Wesen kann das Seiende nicht sein [143]. Einen inneren Grund, weshalb die essentialia dem Seienden innewohnen, gibt es nicht. Da sie das Erste sind, das im Seienden gesetzt wird, kann man in diesem nichts den Wesensbestimmungen Früheres begreifen, woraus man erkennen könnte, weshalb sie innewohnen [144].

Durch sein Wesen ist ein Seiendes möglich [145]. Das Wesen eines Seienden erkennt demnach der, der dessen innere Möglichkeit erkennt. Dies trifft aber nur auf die apriorische Erkenntnis der Möglichkeit zu (a posteriori erkennen wir ja jedes unseren Sinnen gegebene Seiende als möglich, auch wenn wir sein Wesen nicht kennen), so daß nur der die innere Möglichkeit erkennt, der sie durch Konstruktion beweisen kann oder durch die

[141] § 142: „Si ens quoddam concipiendum, primo loco in eo ponenda sunt, quae sibi mutuo non repugnant, quae tamen non per alia determinantur, nec quorum unum per alterum determinatur." — Im vorhergehenden Kapitel (§ 104—131) hatte Wolff die Begriffe „determinatum" und „indeterminatum" untersucht. § 105: „Indeterminatum adeo est, de quo nihil adhuc affirmari potest, etsi de eo quid affirmari posse non repugnet." Das „indeterminatum" ist das „determinabile" (§ 106). § 112: „Est adeo determinatum, de quo aliquid affirmari debet." § 115: „Positis adeo determinantibus ponuntur quoque determinata." § 116: „Determinantia sunt ratio sufficiens determinati."

[142] § 143. Das Beispiel der nota: Dreizahl und Gleichheit der Seiten sind die essentialia des gleichseitigen Dreiecks.

[143] § 144: „... essentia primum est, quod de ente concipitur, nec sine ea ens esse potest." Dt. Met., § 33 ff. Vgl. die Definition Scherzers (Vadem., P. I [def.], S. 77): „Essentia est id, quod primo in re concipitur, sine quo res esse non potest, estque fundamentum, et causa ceterorum, quae sunt in eadem re: Ut, animal rationale est hominis essentia." (Scherzer bezieht sich auf Thomas, De ente et essentia.); auch Stahl, Inst. met., P. I c. 4 (S. 33): „Essentia ... est id, quod primo in re seu in objecto aliquo concipitur." Clauberg, Met. de ente, 56 (Op., S. 292): „Ex omnibus autem, quae rei alicui attribuuntur, unum solemus considerare tanquam primum, praecipuum et intimum rei, quod reliqua quodammodo complectitur, aut certe eorum omnium quasi radix et fundamentum est. Hoc ipsum vocamus rei Essentiam, das wesen eines dinges / et cum respectu ad proprietates et operationes inde promanantes, etiam Naturam dicimus." — Vgl. Wundt, Schulmet., S. 180.

[144] Ont., § 156.

[145] § 153.

genetische Definition erkennt [146]. Die Frage nach der Erkenntnis des Wesens sei nur als Beispiel für viele andere Stellen angeführt, an denen Wolff, nachdem er den ontologischen Sachverhalt entwickelt hatte, sich mit dessen Erkenntnismöglichkeit bzw. -art befaßt.

Von den Wesensbestimmungen werden die Attribute (Eigenschaften [147]) unterschieden. Ebenso wie die Wesensbestimmungen wohnen sie den Seienden beständig inne, solange das Seiende besteht, sind aber im Gegensatz zu den Wesensbestimmungen determiniert, eben durch die Wesensbestimmungen [148]. (An diesem Unterschied sind beide auch als solche zu erkennen [149].) Die Attribute selbst werden nochmals in „attributa propria" und „attributa communia" unterschieden; von diesen reden wir, wenn sie durch einige der essentialia bestimmt werden, von jenen, wenn sie durch alle essentialia zugleich determiniert werden [150].

Von den Attributen, die den zureichenden Grund in den Wesensbestimmungen haben [151], werden die Modi [152] unterschieden. Was durch die Wesensbestimmungen nicht determiniert wird, ihnen aber auch nicht widerspricht, kann dem Seienden innewohnen, auch wenn es aktuell nicht innewohnt; widerspricht es aber den Wesensbestimmungen, kann es dem Seienden nicht innewohnen; der Stein z. B. kann warm werden, nicht aber spezifisch leichter als die Luft, da dies dem Wesen des Steins widerspricht [153]. Was nun den Wesensbestimmungen nicht widerspricht, von diesen aber auch nicht determiniert wird, wird „modus" genannt; die Scholastik nannte es „accidens praedicabile" [154]. Da sie dem Seienden nicht beständig innewohnen müssen, sondern bald innewohnen, bald

[146] § 154 f.

[147] Vgl. Dt. Met., dt.-lat. Reg.

[148] Ont., § 145: „Quae per essentialia determinantur, dicuntur Attributa." Vgl. § 146; Dt. Met., § 44.

[149] Ont., § 152.

[150] § 146. Das erläuternde Beispiel der nota: Im gleichseitigen Dreieck sind Dreizahl und Gleichseitigkeit der Seiten die essentialia, die Dreizahl der Winkel ein durch die Dreizahl der Seiten determiniertes attributum commune, die drei unter sich gleichen Winkel attributum proprium, determiniert durch Gleichheit und Dreizahl der Seiten.

[151] § 157 ff.

[152] In der Dt. Met. entspricht „modus" der Terminus Zustand (vgl. § 121); das dt.-lat. Reg. schweigt sich aus. In Dt. Met., A, § 37 werden „modificationes" und „modi" mit „Veränderungen" wiedergegeben; Ludovici II setzt modus: Zufälligkeit, unbeständige Beschaffenheit, Weise.

[153] Ont., § 147.

[154] § 148.

auch nicht, sind sie leicht als Modi zu erkennen [155]. Kriterium ist also die Zeit.

Die Frage nach dem Grund der Modi ist nicht mehr so eindeutig zu beantworten wie bei den Attributen und Wesensbestimmungen. In „Ontologia", § 160 gibt Wolff eine zusammenfassende Antwort: „Cur modi inesse possunt, ratio sufficiens in essentialibus continetur: cur vero actu insint, ratio vel in modis antecedentibus, vel in ente alio ab eo, cui insunt, diverso aut pluribus istiusmodi entibus, vel denique partim in modis antecedentibus, partim in ente alio ab eo, cui insunt, diverso, vel pluribus etiam entibus aliis quaerenda." Gründet die Möglichkeit der Modi in den Wesensbestimmungen, ist sie zu den Attributen zu zählen; gründet sie aber in anderen Modi, zu den Modi [156]. Mittels und in den Modi tritt das einzelne Seiende in Beziehung zu den anderen; für den Zusammenhang der Dinge sind die Modi konstitutiv, wie sich in der Cosmologie zeigen wird.

Was einem Seienden innewohnt, hat seinen Ort entweder bei den Wesensbestimmungen, den Attributen oder den Modi; alle inneren Prädikate des Seienden sind somit in bestimmte Klassen eingeteilt [157]. Diese Gliederung findet sich in dieser Weise weder in der Schulmetaphysik noch bei Clauberg [158]. Der innere Aufbau des Seienden ist zu seinem Ende gekommen. Hier auf die logische Struktur der notae eines Begriffs zu verweisen, ist nicht nur äußere Ähnlichkeit, sondern zeigt einen inneren Zusammenhang zwischen Begriff und Seiendem. Zu fragen, ob nun das Seiende, das im Begriff vorgestellt wird, Modell ist für die Analyse des inneren Aufbaus eines Begriffs oder der Begriff für den Aufbau des Seienden, ist nicht möglich, da beide sich sachlich völlig entsprechen, allerdings nicht in der menschlichen Erkenntnis, die nicht immer eine deutliche ist und sein kann. Unter der Voraussetzung dieser gegenseitigen Übereinstimmung kann man sagen, es entspreche eher der Denkart Wolffs, den Begriff als Modell zu nehmen; jedenfalls ist Begriffsanalyse letztlich Seinsanalyse und Seinsanalyse Begriffsanalyse.

[155] § 151.
[156] § 164 ff.
[157] § 149.
[158] Sehr wahrscheinlich ist an Leibniz' Einfluß zu denken; vgl. Wolffs Brief v. 16. Jan. 1711 (Briefw., S. 136) u. Leibniz' Brief v. 9. Jul. 1711 (Briefw., S. 140). Auch an Spinozas Einteilung in Substanz, Attribut und Modus ist zu denken (vgl. Eth. I, def. 3—5 [Gebh. II, 45]).

Da sich gezeigt hat, daß im Wesen der Grund dessen enthalten ist, was ihm außer den Wesensbestimmungen entweder beständig innewohnt (Attribute) oder innewohnen kann (Modi) [159], kann Wolff eine erweiterte Nominaldefinition der essentia geben: „Essentia potest definiri per id, quod primum de ente concipitur et in quo ratio continetur sufficiens, cur cetera vel actu insint, vel inesse possint" [160]. Von diesem Begriff des Wesens behauptet Wolff, er stimme mit dem der Philosophen überein [161]. Suarez, der von den Scholastikern die Dinge der Metaphysik am tiefsten durchdacht habe, und dessen in den „Disputationes metaphysicae" gegebene Definition kommen besonders zur Sprache [162]. Auch Descartes habe, wie „Principia Philosophiae", I, 53 zeigen, den bei den Jesuiten erlernten Begriff beibehalten, ebenso dessen bester Interpret Clauberg in der „Metaphysica de ente" (§ 56) [162]. Suarez und Clauberg werden aber kritisiert, weil sie, die gesehen hätten, daß Wesen und Natur verwandt und dennoch verschieden seien, sich mit einem undeutlichen Begriff zufriedengegeben hätten [162]. — Das Seiende wurde nicht nur als das Widerspruchsfreie verstanden, sondern auch als das der Existenz nicht Widersprechende. Wie versteht Wolff Existenz?

5. Existenz

Wie oben gezeigt, besteht der Grund der Möglichkeit der Existenz in der Widerspruchsfreiheit des Seienden, im possibile. Niemand wird bestreiten, daß das Existierende möglich ist [163]. Die Umkehrung des Satzes gilt jedoch nicht: Was möglich ist, existiert deshalb noch nicht [164]. Durch die Möglichkeit wird die Existenz nicht determiniert; diese ist also nicht als der zureichende Grund der Existenz anzusprechen, so daß man daraus, daß etwas a priori als möglich erkannt wird, noch nicht erkennen kann, weshalb es existiert [165]. Dies wird durch die Erfahrung bestätigt [166].

[159] Ont., § 167.
[160] § 168.
[161] § 169.
[162] § 169: „Suarez in Disputationibus Metaphysicis ... essentiam rei id esse dicit, quod est primum et radicale ac intimum principium omnium actionum ac proprietatum, quae rei conveniunt." Vgl. Anm. 143.
[163] § 170; Dt. Met., § 15.
[164] Ont., § 171; Dt. Met., § 13.
[165] Ont., § 172.
[166] § 172 not.

Außer der Möglichkeit ist also noch etwas anderes erforderlich, damit das Seiende existiert [167]. Dieses noch Erforderliche nennt Wolff als „Erfüllung der Möglichkeit" [168] Existenz: „Hinc Existentiam definio per complementum possibilitatis" [169]. Existenz wird auch „actualitas" genannt [169].

Diese Definition läßt noch offen, was es ist, das hinzukommen muß, um die Möglichkeit zu „erfüllen" und das Seiende vom Zustand der Möglichkeit in den der Aktualität überzuführen [170]. Wolff will dies an der entsprechenden Stelle zeigen: In der natürlichen Theologie wird er beweisen, was der Existenzgrund Gottes und der Welt ist, in der Cosmologie, wie die Existenz des Kontingenten in der materiellen Welt determiniert wird, in der Psychologie schließlich, wie im menschlichen Geist das Mögliche zum Akt gelangt [171].

Eine weitere Klärung erfährt der Existenzbegriff, wenn man das Kapitel II „De ente singulari et universali" der folgenden Sectio hinzunimmt. Dort sagt Wolff: „Quicquid existit vel actu est, id omnimode determinatum est" [172]. Was existiert, sind Einzeldinge; ein Einzelding oder Individuum ist also das allseitig Bestimmte (omnimode determinatum) [173]. Das Allgemeine (ens universale), das nicht durchgängig bestimmt ist bzw. nur die mehreren Einzeldingen gemeinsamen inneren Bestimmungen enthält unter Ausschluß derer, die in den Individuen ver-

[167] § 173.

[168] Vgl. Dt. Met., dt.-lat. Reg.: Erfüllung: complementum.

[169] Ont., § 174. Dt. Met., § 14: „Es muß also außer der Möglichkeit noch was mehrers dazu kommen / wenn etwas seyn sol / wodurch das mögliche seine Erfüllung erhält. Und diese Erfüllung des möglichen ist eben dasjenige / was wir Würcklichkeit nennen. Worinnen sie aber bestehet / das ist / wie das mögliche zur Würcklichkeit gelanget / wird unten an seinem Orte gezeigt werden." Vgl. bes. die Studie von Michaelis.

[170] Ont., § 174 not.

[171] § 174 not. — Im Anschluß daran bringt Wolff die Einteilung des Seienden in ens actuale und ens potentiale; während sie für die Schulmetaphysik von großer Bedeutung ist, tritt sie bei Wolff ganz zurück. § 175: „Ens quod existit, dicitur ens actuale, vel etiam ens actu: quod vero ad alia existentia relatum in iis habere potest rationem sufficientem existentiae suae, ens potentiale seu ens potentia appellamus"; am Beispiel vom Baum und Samen wird dies erläutert. Weitere Einteilungen: § 176 ff.

[172] § 226.

[173] § 227. Individuationsprinzip ist demnach die „omnimoda determinatio eorum, quae enti actu insunt" (§ 229).

schieden sind [174], kann nicht existieren [175]. Dies wird durch die Erfahrung bestätigt: Es existiert Petrus, Paulus und Johannes, aber nicht der Mensch als Gattung [176]. Was existiert, ist allseitig bestimmt, und nur das allseitig Bestimmte existiert; ein notwendiger Zusammenhang zwischen abgeschlossener Bestimmtheit und Existenz. Die Existenz eines Seienden setzt dessen allseitige Bestimmung voraus. Ist nun Existenz selbst „Teil" dieser durchgängigen Bestimmung, oder ist sie durch diese eo ipso gegeben? Der Text spricht für Letzteres. Mit der omnimoda determinatio ist die Existenz gegeben. Bestimmt wird ein Seiendes durch die Wesensbestimmungen, die Attribute und Modi. Entscheidend für totale Bestimmtheit eines Seienden sind die Modi, also auch die anderen Seienden, letztlich der Weltzusammenhang. Da alle Seienden außer Gott in ihrem Wesen nicht völlig determiniert sind, erfordern sie „demnach eine Ursache ihrer Würcklichkeit ausser ihnen" [177]. Die Ursachenlehre, auf die hier einzugehen wäre, führt, da eine unendliche Reihe in den zufälligen Ursachen nicht möglich ist, zu einem notwendigen Wesen als erster Ursache [177]. Existenz kann demnach nicht isoliert verstanden werden, sondern nur vom Ganzen der Welt her [178]. Vom Widerspruchsprinzip ausgehend, über den Begriff des ens, des Wesens, der Attribute und Modi führt der Weg der apriorischen Konstruktion über den Existenzbegriff notwendigerweise zum Weltbegriff.

In der Bestimmung der Existenz als „complementum possibilitatis" weicht Wolff von der Tradition der Schulmetaphysik ab. Sie definiert Existenz meist als „actus secundum quem res est extra causas" [179] oder als „actus essendi, quo res ponitur extra nihilum" [180]. Durch die Existenz wird, wie Scheibler sagt [181], das Wesen aktuiert. Das Wesen wird

[174] § 230. — Die universalen Seienden werden durch teilweise Ähnlichkeit der Individuen konstituiert; diese Ähnlichkeit nennt man species, die der species genus (§ 232 ff.).

[175] § 235.

[176] § 235 not.

[177] Dt. Met. A, § 7.

[178] Vgl. Michaelis, Ontol. Sinn d. complementum possibilitatis, S. 46 ff.

[179] Scheibler, Op. met., l. I c. 15 nr. l. Scherzer, Vadem., P. I (def.), S. 79: „Existentia est id, quo aliqua res ponitur extra causas formaliter."

[180] Scharf, Met. ex., l. I c. 1 (S. 7).

[181] Scheibler, Op. met., l.. I c. 15 nr. 19: „Quidnam igitur actuatur per existentiam? Essentia actuatur: Essentia, inquam, dicitur actuari, quia possibilis est. Actuatur autem, quia ipsi sic manenti imprimatur existentia: sed quod realitas essentiae, quae prius erat sub natura possibili, tota postea sit existens et actu" (mit Hinweis auf Suarez).

aktuiert, weil es möglich ist — unmißverständlicher: in Potenz ist. Dieses Aktuiertwerden ist aber nicht so zu verstehen, als würde dem in sich so bleibenden Wesen die Existenz „eingedrückt", sondern die Realität des Wesens, die zuvor in seiner Natur eine mögliche war, ist danach in seiner Ganzheit eine existierende [181]. Existenz wird nicht verstanden als eine noch zum Wesen hinzukommende Vollkommenheit, sondern als das das ganze Wesen mit allen seinen Bestimmungen erfassende principium quo der Aktualität.

Wolffs Existenzbegriff ist demgegenüber mehr additiv, da ein Seiendes durch und in seiner vollständigen Determination ein Existierendes wird, abgesehen davon, daß es durch den Wolffschen Begriff des possibile seine besondere Prägung erfährt. Bei einigen Schulmetaphysikern wird im Anschluß an die Existenz die „duratio" in der dreifachen Art als „aeternitas", „aevum" und „tempus" behandelt [182]; Wolff stellt diese Beziehung nicht her.

6. Allgemeine Seinsbestimmungen

a) Im allgemeinen; Definition

Wie die Schulmetaphysik behandelt auch Wolff im Anschluß an den Seinsbegriff die allgemeinen Beschaffenheiten (affectiones [183]) des Seins [184]. Auf eine eingehende Darstellung dieser „affectiones" sei hier verzichtet, ebenso auf einen Vergleich mit der in diesem Fragenkreis ziemlich differenzierten Auffassung der Schulmetaphysik. Einige Hinweise sollen dazu dienen, den Seinsbegriff in seiner weiteren Entfaltung zu zeigen und zu einem gewissen Abschluß zu bringen. (Da die Lehre von den Seinsbestimmungen nicht in der Sectio II, die sich thematisch mit dem Seinsbegriff befaßt, behandelt wird, sondern in einer eigenen Sectio, entsteht der Eindruck, es handle sich um einen selbständigen Fragenkomplex.)

Wolff, dessen Behandlung der affectiones über ein Drittel der Ontologie beansprucht, kennt die Grundeinteilung der Schulmetaphysik in „passiones simplices" oder „unitae" (unum, verum, bonum, bei manchen —

[182] Vgl. Scheibler, Op. met., l. I c. 15; die duratio bildet zusammen mit dem alicubi (c. 16) die beiden Attribute des ens actuale. Hebenstreit, Phil. pr., P. I c. 2 th. 14 (S. 140): „duratio est existentia permanens, seu permansio in existentia, permanentia rei in suo esse"; th. 16 (S. 141) bringt die drei Arten der duratio.

[183] Vgl. Ludovici II.

[184] Vgl. Wundt, Schulmet., S. 187 ff.

bei Scheibler z. B. als die umfassendste affectio — auch das perfectum [185]) und „passiones disjunctae" (z. B. Akt-Potenz, Ursache-Wirkung) [186] nicht. Im Gegensatz zur Schulmetaphysik behandelt er als affectio auch Quantität und Qualität; beide werden von den Schulmetaphysikern unter den Akzidenzien behandelt. (Wegen der Ablösung der scholastischen Grundeinteilung „substantia — accidentia" durch das Wolffsche Schema „essentia — attributum — modus" wohl konsequent.)

Die Beschaffenheiten des Seienden definiert Wolff folgendermaßen: „Per Affectiones entis intelligimus quaevis ipsius praedicata, quorum ratio vel in essentia sola, vel una in aliis ab eadem diversis continetur, sive ea enti intrinseca fuerint, sive extrinseca" [187]. Wie schon dargelegt, gründen die Attribute in den Wesensbestimmungen allein, die Modi hingegen nicht; demnach umfassen die affectiones die Attribute und Modi, also alle inneren Prädikate. Der Begriff der affectio ist also umfassender als der von Attribut und Modus zusammen, da auch äußere Prädikate, die den Bezug eines Seienden zum anderen in sich schließen — daß z. B. das eine größer oder geringer als das andere genannt wird — unter ihnen begriffen werden.

Wolff beginnt die Darstellung der affectiones mit den Begriffen der Identität und Ähnlichkeit (cap. I), fährt mit „De ente singulari et universali" (cap. II) fort und kommt über „De necessario et contingenti" (cap. III), „De quantitate et agnatis notionibus" (cap. IV) und „De qualitate et agnatis notionibus" (cap. V) zu „De ordine, veritate et perfectione" (cap. VI) [188].

[185] Res und aliquid werden als Synonyma des ens angesprochen.

[186] Die einfachen passiones können einzeln mit dem Seienden vertauscht werden, die disjunkten jeweils nur gemeinsam (das Seiende ist z. B. Akt oder Potenz). Wundt (Schulmet., S. 190) führt diese Unterscheidung auf Scotus und seine Schule zurück. Da ihm aber eine entsprechende Darstellung aus scotistischen Kreisen nicht bekannt ist, scheint ihm „diese Anwendung und Auswertung von Duns Bemerkung in dem Aufbau der Metaphysik der deutschen Schulwissenschaft eigentümlich zu sein." — Clauberg spricht von der duratio und dem alicubi als Attributen der Existenz (Met. de ente, 99 ff. [Op., S. 300 ff.]), von der unitas, veritas, bonitas und perfectio als Attributen, die mehr die essentia betreffen (nr. 119 [Op., S. 303]); von diesen absoluten Attributen unterscheidet er die relativen: z. B. prior — posterior, causa — effectus (nr. 206 [Op., S. 318]).

[187] Ont., § 179.

[188] Vgl. S. 114 ff.

b) Unum, Qualität, Quantität

Wolff beginnt das IV. Kapitel mit der Definition der Einheit: „Inseparabilitas eorum, per quae ens determinatur, unitas entis appellatur" [189]. Diese Definition wird aus der Unveränderlichkeit des Wesens der Dinge abgeleitet. Diese Einheit trifft aber nicht nur für das Wesen im allgemeinen, das ens universale zu, sondern auch für das „vereinzelte" Wesen, das ens singulare; und in diesem Sinn kann man auf Grund der Einheit jedes Seiende als Individuum betrachten [189]. Da die Wesensbestimmungen eines Seienden voneinander nicht getrennt werden können „salvo ente" (d. h. unter Wahrung von Gattung, Art oder Individualität), ist auf Grund der Einheit jedes Seiende so ein Etwas, daß nichts außer ihm selbst dasselbe sein kann [190], was heißt: „Ens omne cum universale, tum singulare esse unum" [190]. Diese Einheit nennt man gewöhnlich transzendentale Einheit [191], womit die Verbindung und Übereinstimmung mit der Schulmetaphysik hergestellt sein soll. Vielheit entsteht dadurch, daß es mehreres gibt, das eines ist, d. h. mehrere Einheiten, ohne dasselbe zu sein [192].

Sehr ausführlich beschäftigt sich Wolff an verschiedenen Stellen des Kapitels mit dem Zahlenbegriff. Die Begriffe des Ganzen und Teils werden erörtert und im Anschluß an die Definition der Quantität die der Gleichheit und Ungleichheit.

Von der Quantität gibt Wolff zwei Definitionen; die eine ist eine generische: „Quantitas in genere definiri potest, quod sit discrimen internum similium, hoc est, illud, quo similia salva similitudine intrinse differre possunt" [193]. Zur Abhebung von der Qualität (cap. V), die als „omnis determinatio rei intrinseca, quae sine alio assumpto intelligi potest" [194] definiert wird, kann man den Begriff der Quantität nur haben, wenn das im Begriff Erfaßte als aktuell gegenwärtig angeschaut wird, so daß man von etwas Abwesendem keinen Begriff hervorrufen kann, es sei denn, man beziehe es auf etwas Gleichartiges, das gegenwärtig oder gegeben ist; deshalb wird Quantität definiert „per determinationem intrinsecam, quae tantum dari, sine alio assumpto autem intelligi nequit" [195]. Jede innere

[189] Ont., § 328.
[190] § 325.
[191] § 329 not.
[192] § 331.
[193] § 348.
[194] § 452.
[195] § 453.

Determination ist Quantität oder Qualität [196]. Die Wesensbestimmungen zählen zu den Qualitäten, ebenso — sieht man von der Quantität ab — die Attribute und Modi [197]. Manche Qualitäten haben im Seienden nichts Früheres als sie selbst, es sind die „qualitates primitivae", die Wesensbestimmungen; die anderen Qualitäten, die „qualitates derivativae" sind entweder notwendige, wenn sie den Grund ihrer aktuellen Inexistenz in den ursprünglichen Qualitäten haben (die Attribute), oder kontingente, wenn sie in den ursprünglichen den Grund der Möglichkeit der Inexistenz haben (die Modi) [198].

c) Ordo und Wahrheit

Von großer Bedeutung für Wolffs System sind die Ausführungen über die transzendentale Wahrheit. Wolffs Definition: „Veritas adeo, quae transcendentalis appellatur et rebus ipsis inesse intelligitur, est ordo in varietate eorum, quae simul sunt ac se invicem consequuntur, aut, si mavis ordo eorum, quae enti conveniunt" [199]. In der nota bemerkt Wolff dazu, er habe Wahrheit so definiert, daß sie zugleich auf Gott, die Welt, insofern sie als ein Seiendes betrachtet wird, und jedes Individuum in der Welt — wie den einzelnen Menschen oder Baum — angewandt werden könne [200].

Bestimmend für diesen Wahrheitsbegriff ist der Begriff der Ordnung. (Übrigens nicht nur für den Wahrheitsbegriff — oder gerade weil für den Wahrheitsbegriff; auch wenn der Ordnungsbegriff fast nicht thematisch angegangen wird, und wenn schon, dann nur in wenigen Paragraphen, dürfte er mit dem Begriff der Möglichkeit als der zentrale Begriff Wolffschen Denkens angesehen werden. Wie im Möglichkeitsbegriff das Kontradiktionsprinzip sich erstmals „konkretisiert", so im Ordnungsbegriff das Prinzip vom zureichenden Grund. Die demonstrativische Methode ist ohne den unreflektiert angewandten Ordnungsbegriff undenkbar; ihre strenge Beweiskraft verdankt sie ausschließlich dem Ordnungsbegriff.

[196] § 454.

[197] Ont., § 456 f.

[198] § 459 ff.

[199] § 495. Dt. Met., § 142: „Und ist demnach die Wahrheit nichts anders als die Ordnung der Veränderungen der Dinge: hingegen der Traum ist Unordnung in den Veränderungen der Dinge." Auch Dt. Met. A, § 43.

[200] Ont., § 495 not. Selbst im Traum gibt es Wahrheit, da jede Unordnung etwas an Ordnung haben muß.

Das einzelne Seiende, die Welt, die Wissenschaften sind „Proben" des Ordnungsbegriffs.)

„Ordo" ist für Wolff „similitudo obvia in modo, quo res juxta se invicem collocantur, vel se invicem consequuntur", sei es etwa in der Art, wie in den „Elementen" Euklids die Sätze und Beweise aufeinanderfolgen oder wie in einer Bibliothek die Bücher aufgestellt werden, so daß jedem Buch nach einer bestimmen Regel (gleiches Format, Fachgebiet, Erscheinungsfolge) der entsprechende Ort zugewiesen wird [201]. Gibt es in koexistierenden oder aufeinanderfolgenden Dingen eine Ordnung, werden die Orte der Einzelnen auf dieselbe Art determiniert [202]. In der Art der Determination ist der zureichende Grund enthalten, weshalb einem jeden dieser und nicht ein anderer Ort zugewiesen wurde [203]. Die Determinationsart wird in einer Regel ausgesagt [204]. Sind mehrere Regeln zu beobachten, gibt es auch wieder eine Ordnung der Regeln etc. [205].

Der Ordnung wird die Unordnung entgegengesetzt [206]; sie ist das Kennzeichen des — inhaltlich betrachteten — Traumes, in dem alles ohne zureichenden Grund und in kontradiktorischen Gegensätzen geschieht, während in der Wahrheit der Dinge das Einzelne mit zureichendem Grund geschieht und das Kontradiktorische ausgeschlossen ist [207]. Ordnung unterscheidet die Wahrheit vom Traum [208].

Die transzendentale Wahrheit wird, als dem Seienden innerlich, der Urteilswahrheit gegenübergestellt [209]. Wie weit sich Wolffs ontologisches Wahrheitsverständnis von dem der Scholastik unterscheidet — daß sich sein Begriff nicht im Gegensatz zum undeutlichen der Scholastik befinde, weist er auch hier nach [210], zeigt die Begründung des in der Schulmetaphysik gängigen Satzes „omne ens est verum" [211].

[201] § 472. Dt. Met., § 132: „Wenn vielerley zusammen als eines betrachtet wird / und findet sich in ihnen etwas ähnliches: so entstehet daraus eine Ordnung / daß demnach die Ordnung nichts anders ist / als die Ähnlichkeit des mannigfaltigen in einem."

[202] Ont., § 473.

[203] § 474.

[204] § 475; Dt. Met., § 141.

[205] Ont., § 476. — Zu Notwendigkeit und Kontingenz der Regeln vgl. § 481 f.; zur Erkenntnis von Ordnung § 488 ff.

[206] § 485.

[207] § 493.

[208] § 494 not.; Dt. Met., § 142.

[209] Ont., § 496 not. (Beispiel des wahren Goldes).

[210] § 502.

[211] Vgl. Wundt, Schulmet., S. 213 ff. Für Clauberg: Met. de ente, 155 (Op., S. 308).

Wolffs Verständnis dieses Satzes ist folgerichtig, wenn man seinen Seinsbegriff als Ausgangspunkt nimmt. Wolffs Gedankengang: Was dem Seienden innewohnt, gehört entweder zu den Wesensbestimmungen, den Attributen oder Modi. Die Wesensbestimmungen widersprechen sich nicht, sind auch nicht durch irgendetwas determiniert, also allein durch das Widerspruchsprinzip determiniert. Die Attribute und die Möglichkeit der Modi finden den zureichenden Grund in den Wesensbestimmungen, werden also durch das Prinzip vom zureichenden Grund determiniert. Im Seienden findet sich demnach nichts, das nicht durch das Widerspruchsprinzip oder das Prinzip vom zureichenden Grund bestimmt wäre, so daß auf Grund dieser Determination jedem Prädikat, das einem Ding zukommt, der Ort zugewiesen wird. Es gibt also in jedem Seienden Wahrheit, folglich ist jedes Seiende wahr.

Von daher zeigt sich wieder von neuem die Bedeutung der beiden Prinzipien der Ontologie. Alles, was dem Seienden innewohnt, wird durch sie determiniert [212]. „Widerspruchsprinzip und Prinzip vom zureichenden Grund sind Quelle jeder Wahrheit, die es in den Dingen gibt, d. h. es gibt in den Dingen Wahrheit, soweit das Innewohnende durch diese Prinzipien bestimmt wird" [213]. Hebt man beide Prinzipien auf, besonders das letztere, wird aus der Welt eine einem beständigen Traum entsprechende Fabelwelt oder ein Schlaraffenland [214].

Die logische Wahrheit wird durch die transzendentale Wahrheit begründet. Gibt es keine transzendentale Wahrheit, kann man nicht beweisen, dem absolut oder unter einer beigefügten Bedingung gesetzten Subjekt komme ein Prädikat notwendig und beständig zu. Das Prädikat wird also in keiner Weise durch das Subjekt bestimmt, ob als absolutes durch die Definition des Subjekts oder als hypothetisches durch die beigefügte Bedingung. Die logische Wahrheit der allgemeinen Sätze beruht aber in der Bestimmbarkeit des Prädikats durch das Subjekt. Somit steht als Ergebnis fest: „Wenn es in den Dingen keine transzendentale Wahrheit gibt, gibt es keine logische Wahrheit der Allgemeinsätze, und auch von den Einzelsätzen nur für den Augenblick" [215].

[212] Ont., § 497; Dt. Met., § 146: „Weil demnach dadurch / daß alles sowohl in den einfachen, als zusammengesetzten Dingen in einander gegründet ist (§ 30) / eine Ordnung entstehet (§ 132); so ist auch in ihnen Wahrheit. Und ist demnach jedes Ding etwas wahres."

[213] Ont., § 498. Dt. Met., § 114 führt nur den Satz vom zur. Grund als Ursprung der Wahrheit an.

[214] Ont., § 498 not.

[215] § 499.

Ebenso ist die transzendentale Wahrheit Grundlage der Disziplinen. Gibt es keine transzendentale Wahrheit in den Dingen, so sind auch keine Disziplinen, die ja mit allgemeinen Sätzen arbeiten, möglich [216]. Diese grundlegenden erkenntnismetaphysischen Ausführungen Wolffs enden mit der Feststellung, daß auch für die Disziplinen die letzten, die transzendentale Wahrheit konstituierenden Prinzipien, Kontradiktionsprinzip und Prinzip vom zureichenden Grund sind [217].

d) Bonum bzw. perfectum

Im Anschluß daran behandelt Wolff das dritte transcendentale der Scholastik, die „bonitas transcendentalis"; allerdings unter dem Begriff der „perfectio" [218]: „Est consensus in varietate, seu plurium a se invicem differentium in uno. Consensum vero appello tendentiam ad idem aliquod obtinendum. Dicitur perfectio a Scholasticis bonitas transcendentalis" [219]. Die perfectio, ebenfalls wie die transzendentale Wahrheit als Struktureinheit verstanden, zum Unterschied von dieser jedoch final bestimmt, wird durch das Beispiel vom Auge erläutert: Der Bau des Auges ist so eingerichtet, daß die einzelnen Teile auf die Abzeichnung eines klaren und deutlichen Bildes des sichtbaren Gegenstandes auf der Retina, wie sie für klare und deutliche Sicht erfordert wird, ausgehen. Wegen dieser Übereinstimmung im Bau wird das Auge vollkommen genannt [220]. Auf eine weitere Darstellung — es folgt die Definition der Unvollkommenheit, die Frage nach dem Grad der perfectio, deren Regeln und der Begriff der Ausnahme, Größe und Grade der Vollkommenheit — sei hier verzichtet. Bedeutsamer als die affectio der Vollkommenheit ist für die mit der Gotteserkenntnis zusammenhängenden Fragen die affectio der Notwendigkeit und Kontingenz.

[216] § 500.

[217] Vgl. den Abschnitt über die Prinzipien der Ontologie.

[218] Scheibler z. B. unterscheidet die perfectio als 4. Transzendentale vom bonum; Scharf leitet wie die meisten Schulmetaphysiker das perfectum vom bonum ab; ähnlich Clauberg, der das perfectum als Grad der bonitas versteht (Met. de ente, 185 [Op., S. 314]). Vgl. Wundt, Schulmet., S. 216 ff.

[219] Ont., § 503. Dt. Met., § 152: „Die Zusammenstimmung des mannichfaltigen machet die Vollkommenheit der Dinge aus."

[220] Ont., § 503 not. Die weiteren Beispiele — Uhr, das menschliche Leben als Komplex freier Handlungen — zeigen die Allgemeingültigkeit dieser affectio.

IV. NOTWENDIGKEIT UND KONTINGENZ

1. Begriff und Begründung

Das Kapitel, in dem Wolff als dritte affectio generalis des Seienden Notwendigkeit und Kontingenz [221] behandelt, beginnt, da in die Definition der Notwendigkeit eingehend, mit der Definition des Gegensatzes (oppositum), indirekt also mit dem Kontradiktionsprinzip. Von Gegensätzen ist zu reden, wenn das eine das andere ausschließt [222]. Die Gegensätze sind entweder kontradiktorische oder konträre; kontradiktorische, wenn sie zugleich nicht sein können, wie z. B. 3 Winkel haben und nicht 3 Winkel haben oder warm und nicht warm; konträre, wenn sie demselben Seienden nicht zugleich innewohnen können, wie 3 gleiche Winkel und 3 ungleiche Winkel haben oder warm und kalt [222]. Wolff fügt noch eine dritte Art hinzu, wie Entgegengesetztes sich zueinander verhalten kann: das privative Entgegengesetztsein, d. h. die Art, wie Etwas und dessen Privation, „ens positivum" und „ens privativum" einander entgegengesetzt sind [223].

Diese Gegensätze können zugleich nicht sein, wohl aber das eine oder andere, d. h. jeder Teil ist in sich möglich. Ist aber ein Teil unmöglich, so ist der andere nicht nur dennoch möglich, sondern notwendig. Damit ist die Verbindung von Begriff und Art des Gegensatzes — von Wolff in dieser Form ausdrücklich nicht gesagt — zum Begriff des Notwendigen hergestellt: „Cujus oppositum impossibile, seu contradictionem involvit, id Necessarium dicitur" [224]. Daß in einem Dreieck alle Winkel zusammen nicht zwei Rechten gleich sind, ist unmöglich; folglich hat das Dreieck notwendigerweise drei Winkel, die zwei Rechten gleich sind; daß zwei und zwei notwendigerweise vier, daß das ens a se notwendigerweise existiert, wird auf dieselbe Weise begründet [225].

[221] Zur Frage von Notwendigkeit und Kontingenz ist „De differentia nexus rerum sapientis et fatalis necessitatis . . ." heranzuziehen (Auseinandersetzung mit Spinozas „necessitas fatalis").

[222] Ont., § 272: „Per Opposita hic intelligimus, quorum unum involvit negationem alterius."

[223] § 273 ff.

[224] § 279. Dt. Met., § 36: „Wenn dasjenige / was einem Dinge entgegen gesetzet wird / etwas wiedersprechendes in sich enthält, so ist dasselbe Ding nothwendig." Dt. Met. A, § 17 bezeichnet dieses Notwendige als das „absolute necessarium".

[225] Ont., § 279 not.

Mit dem Begriff der Notwendigkeit ist als Gegenbegriff auch der der Kontingenz gegeben: „Contingens est, cujus oppositum nullam contradictionem involvit, seu quod necessarium non est" [226].

In diesem Zusammenhang [227] erinnert Wolff an „De differentia nexus rerum sapientis et fatalis necessitatis ...", wo er den Begriff der Notwendigkeit aus arithmetischen und geometrischen Beispielen abgeleitet habe, da alle einmütig zugeben, was den Zahlen und Figuren innewohne, seien notwendige Wahrheiten. Wolff rechtfertigt dort die in der „Deutschen Metaphysik" (§ 36) gegebene Definition der Notwendigkeit und erklärt, wie er zu diesem Begriff gekommen sei; ein interessanter Einblick in seine Denkarbeit. Nach diesem Bericht [228], der die aposteriorische Ableitung des Begriffs im Unterschied zur apriorischen der Ontologie gibt, geht er von folgendem Beispiel aus: Es ist, wie jeder zugibt, absolut notwendig, daß die Winkel des Dreiecks zwei Rechten gleich seien; dagegen sei es aber keineswegs absolut notwendig, daß die Figur des Tisches eine quadratische sei. Welcher Unterschied besteht nun, so Wolff, zwischen diesen beiden Sätzen, logisch betrachtet, und was ist der Grund, daß die Aussage einmal eine notwendige, zum andern aber eine kontingente ist? Der Unterschied ist kein anderer, als daß im ersten Satz das Gegenteil unmöglich, im zweiten aber möglich ist, denn der Tisch kann auch rund und vieleckig gemacht werden. Somit war es evident, daß das Notwendige als das bezeichnet wird, dessen Gegenteil unmöglich, das Kontingente aber als das, dessen Gegenteil möglich ist. Er habe aber, so fährt Wolff fort, nicht geruht und nach dem Grund geforscht, weshalb in dem einen Fall das Gegenteil unmöglich, im andern aber möglich sei. Er habe von neuem auf die Beispiele geachtet und erkannt, daß die Gleichheit der drei Winkel mit zwei Rechten durch die Dreizahl der Seiten und die Art der Seiten, nämlich der Geradlinigkeit bestimmt werde, so daß die Qualität der Winkel bei gleichzeitiger Wahrung von Zahl und Seitenart nicht geändert werden könne, während die quadratische Figur durch das, was der Begriff des Tisches einschließt, nicht bestimmt werde, so daß bei Wahrung des Begriffs der Tisch auf verschiedene Weise bestimmt werden könne. So habe er, endet Wolff den Gedankengang, schließlich den Grund der Kontingenz in der Verschiedenheit der Bestimmbarkeit gesucht (in determinabilitatis diversitate).

[226] § 294. Auch Diff. nex. s. I c. 8 (S. 19).
[227] Ont., § 279 not.
[228] Diff. nex., s. I c. 8 (S. 17 f.).

Der Grund der Notwendigkeit liegt also in der Einzigkeit der Bestimmbarkeit, oder, wie es die „Ontologia" sagt: „Quod necessarium est, id unico modo determinabile est"[229] bzw. „Quod unico modo determinabile est, id necessarium est"[230]. Deshalb konnte das Notwendige auch definiert werden als das, was anders nicht bestimmt werden kann[231]; wohl ein Hinweis auf die in der Schulmetaphysik übliche Definition „Necessarium est, quod aliter se habere non potest"[232]. Die Schulmetaphysik kennt übrigens nicht nur diese Definition; bei den in Jena lehrenden Metaphysikern Stahl und Hebenstreit findet sich bereits Wolffs eigene Definition[233]. An Scheiblers Definition der Notwendigkeit[234] erinnert Wolffs Gleichsetzung von Notwendigkeit und Unveränderlichkeit: „Was notwendig ist, ist unveränderlich" und „was unveränderlich ist, ist notwendig"[235]. Entsprechend ist das Verhältnis von Kontingenz und Veränderlichkeit[236].

[229] Ont., § 284.

[230] § 285.

[231] § 285 not.: „necessarium ... quod sit id, quod unico saltem modo determinabile, seu quod aliter determinari nequit."

[232] Stahl, Inst. met., P. I c. 27 (S. 261) mit Berufung auf Aristoteles; Stahl, Comp. met., tab. 12. Scherzer, Vadem., P. I (def.), S. 139 (aus Aristoteles 2 de interpr.); Hebenstreit, Phil. pr., P. III s. 2 c. 10 th. 2 (S. 180); Scharf, Met. ex., 1. II c. 10 (S. 124). Zum Ganzen vgl. Wundt, Schulmet., S. 204 ff.

[233] Stahl, Inst. met., P. I c. 27 (S. 264) definiert in Berufung auf Gabriel III dist. XVI Q. I die „necessitas absoluta" als das, „cujus oppositum includit contradictionem." Hebenstreit, Phil. pr., P. III s. 2 c. 10 th. 6 (S. 882): „Necessarium in se dicitur, cujus contrarium in se est impossibile." Auch Jak. Martini, Part. met., l. I s. 10 nr. 17: „Necessitas definitionis sive demonstrationis est, inquit Philippus, ubi, si fingatur oppositum, fit implicatio contradictionis, ut, si homo non est animal rationale, homo non est ..." Ebenso Scherzer, Vadem., P. I (def.), S. 140: „Necessarium logicum est, cui ex terminis repugnat non esse. Sic necessarium est, hominem esse rationalem."

[234] Scheibler, Op. met., l. I c. 18 nr. 1: „Necessarium est, quod habet entitatem immutabilem. Contingens est, quod habet entitatem mutabilem." Und nr. 16: „Et sic Necessitas adaequate est nihil aliud quam essentia immutabilis; Et contingentia est essentia ut mutabilis."

[235] Ont., § 292 f.

[236] § 295 f. Dt. Met., § 175: „Da man nun dergleichen Sache / die nicht nothwendig ist / zufällig zu nennen pfleget; so ist klar / daß dasjenige zufällig ist / davon das entgegengesetzte auch seyn kan / oder dem das entgegengesetzte nicht wiederspricht." Vgl. die Definition der Schulmetaphysik: „Contingens est, quod potest aliter se habere; seu quod potest esse et non esse." So Scherzer, Vadem., P. I (def.), S. 43 mit Hinweis auf Aristoteles (de interpr.). Scheibler, Op. met., l. I c. 18 nr. 102; im übrigen vgl. Anm. 232. — Zur Definition des Thomas vgl. Ont., § 296 not.; auch Diff. nex., s. I c. 8 (S. 20).

2. Absolute und hypothetische Notwendigkeit

Ebenfalls in der Schulmetaphysik gebräuchlich [237], wenn auch nicht ohne weiteres im Sinne Wolffs [238], ist die Unterscheidung in absolute und hypothetische Notwendigkeit. Die Unterscheidung ist darauf zurückzuführen, daß wir einerseits ein Ding in sich oder absolut betrachten können, d. h. nur auf sein Wesen oder seine Definition achten, zum anderen es aber auch unter einer bestimmten Bedingung, d. h. hypothetisch, ansehen können, wobei außer dem Wesen noch andere Bestimmungen vorausgesetzt werden, die mit der Setzung des Wesens nicht gesetzt sind, einer Setzung aber auch nicht widersprechen [239]. Der Unterschied zwischen beiden besteht darin, daß beim absolut Notwendigen das Gegenteil unmöglich, beim hypothetisch Notwendigen jedoch nicht schlechthin, sondern nur unter einer bestimmten Bedingung [240]. Damit ist das hypothetisch Notwendige in sich kontingent [241]. Kontingenz wird also nicht durch die hypothetische Notwendigkeit aufgehoben, da sie eigentlich selbst Kontingenz ist, sondern allein durch die absolute Notwendigkeit [242], die eigentlich Notwendigkeit ist. Nichts Neues wird dem hinzugefügt, wenn Wolff sagt, das absolut Notwendige sei unveränderlich, das hypothetisch Notwendige, in sich veränderlich, könne sich nicht ändern, solange die Bedingung gegeben ist, unter der es notwendig ist [243].

Quelle der absoluten Notwendigkeit ist das Wesen; alles, was aus dem Wesen des Seienden entsteht, ist absolut notwendig; was aber von woanders herkommt, ist nur hypothetisch notwendig [244].

[237] Scheibler, Op. met., l. I c. 18 nr. 90: „Necessitas absoluta est, quae sumitur ab intrinseco, qua quid est immutabile, postulante id natura alicujus rei. Unde et necessitas naturae et definitionis dicitur. Necessitas autem hypothetica est, qua quid est immutabile, ex positione extrinseca alicujus circumstantiae. Ita necessitas absoluta est, Deum esse justum, et ignem urere. Necessitas autem hypothetica est, de qua ait Ar. de interpr. c. 8 Unumquodq. quod est, eo ipso dum est, necesse est esse." Vgl. Anm. 232.

[238] Vgl. Ont., § 302 not. Vgl. Wundt, Schulmet., S. 204 f.

[239] Ont., § 301.

[240] § 302. — Als Beispiel der hypothetischen Notwendigkeit wird in der Schulmetaphysik Wolffs „principium certitudinis" „Quodlibet, dum est, necessario est" (§ 288), von ihm als „canon tritissimus in philosophia" bezeichnet (not.), angeführt.

[241] § 318. Vgl. Scheibler, Op. met., l. I c. 18 nr. 14: „Necessitas hypothetica significat rem contingentem." Hebenstreit, Phil. pr., P. III s. 2 c. 10 Ax. 1 (S. 888): „Necessitas hypothetica stat cum contingentia."

[242] Ont., § 319.

[243] § 325.

[244] § 315; Dt. Met., § 176.

Nicht nur das Wesen selbst, als durch das Widerspruchsprinzip begründet, ist absolut notwendig und unveränderlich [245], sondern auch die Attribute und die „possibilitas proxima" der Modi [246], wie sich aus deren Begriff ergibt. Die Modi hingegen sind nur hypothetisch notwendig bzw. kontingent wie die Wärme des den Sonnenstrahlen ausgesetzten Steines [247].

3. Notwendigkeit und Kontingenz der Existenz

Erst jetzt sind im Gedankengang Wolffs die Voraussetzungen gegeben, um die Frage nach der Existenz zu stellen; bei Wolff ist sie nicht Mittelpunkt des Fragenkreises von Notwendigkeit und Kontingenz, eine Konsequenz aus der Bestimmung der Existenz als complementum possibilitatis bzw. der Ableitung aus dem Wesen als dem possibile.

Anders ist es in der Schulmetaphysik, auch wenn manche Aussagen eher ein Verständnis im Sinne Wolffs nahezulegen scheinen [248]. Kontingenz wird im Hinblick auf Existenz verstanden, und zwar in doppeltem Sinn: als Sein schlechthin und als akzidentelles Sein [249]. Ganz entschieden auch bei Clauberg [250].

Hinsichtlich der Existenz teilt man die Seienden in notwendige und kontingente; andere Arten gibt es nicht [251]. Ein notwendiges Seiendes ist ein Seiendes, dessen Existenz absolut notwendig ist, den zureichenden Grund seiner Existenz also in seinem Wesen hat [252]; das kontingente

[245] Ont., § 299 f.; § 303; auch Diff. nex., s. I c. 12 (S. 31 ff.). — In der Schulmetaphysik wird das Wesen durchgehend als notwendig und unveränderlich angesehen. Vgl. Scherzer, Vadem., P. III (ax.), reg. V (S. 10): „Essentiae rerum sunt sicut numeri"; reg. VI (S. 11): „Essentiae rerum sunt aeternae."

[246] Ont., § 304 f. 313.

[247] Ont., § 306. 314.

[248] So ist in Scheiblers Definition der Kontingenz (vgl. Anm. 234) essentia im weitesten Sinne als entitas zu verstehen, keineswegs aber im Sinne des Wolffschen Wesensbegriffs.

[249] Vgl. z. B. Stahl, Inst. met., P. I c. 28 (S. 266 f.): „Contingens est, quod aliter se habere potest. Id quod dupliciter potest intelligi: 1. Quoad esse simpliciter, quatenus scil. potest esse et non esse . . . 2. Quoad esse accidentale."

[250] Clauberg, Met. de ente, 95 (Op., S. 299): „Ratione existentiae dividitur Ens in Necessarium et Contingens. Ens necessarium est, quod ita existit, ut non possit non existere . . . et est solus Deus. Ens contingens est, quod ita existit, ut possit etiam non existere. Et hoc ipsum est, quod fuit aliquando possibile, hoc est, quod ita non fuit, ut potuerit esse."

[251] Ont., § 311 not.

[252] § 308 f.

Seiende hingegen hat den zureichenden Grund nicht in seinem Wesen, sondern außerhalb seiner in einem anderen oder in einem von ihm verschiedenen Seienden [253]. (Am entsprechenden Ort will Wolff zeigen, daß alle Seienden außer Gott kontingent sind [254].) Das kontingente Seiende existiert nur kontingent; seine Existenz ist, wenn es zu existieren beginnt, nur hypothetisch notwendig [255].

Das kontingente Seiende hat den Grund seiner Existenz nicht in sich selbst. Etwa in einer unendlichen Reihe kontingenter Seiender? Wolff lehnt diese Reihe ab [256]: Angenommen in einer Reihe kontingenter Seiender A, B, C, D etc. werde A durch B, B durch C, C durch D etc. bis ins Unendliche determiniert, so daß A den Grund seiner Existenz in B, B ihn wiederum in C etc. habe. A kann nur existieren, wenn B ist, B wiederum setzt die Existenz von C voraus etc.; da aber jedes Seiende der Reihe kontingent ist, kann durch die Reihe die Existenz von A nicht begründet werden. Wenn die Reihe der Kontingenten, von denen das eine durch das andere determiniert wird, existiert, muß es den zureichenden Grund in einem notwendigen Seienden außerhalb der Reihe haben [257].

Am Ende der Darstellung dieses Abschnitts ist nicht nur darauf hinzuweisen, daß Wolff auch hier die Übereinstimmung seiner Begriffe mit dem allgemeinen Sprachgebrauch und mit Thomas betont [258], sondern ebenso auf die gelegentlichen erkenntnismetaphysischen Ausführungen — die Notwendigkeit des Möglichen, von der die Gewißheit in den Wissenschaften abhängt, da in den Beweisen letztlich alles auf die innere Möglichkeit zurückgeführt wird [259]; durch den Begriff der Notwendigkeit wird das principium certitudinis, die Grundlage der Gewißheit aposteriorischer Erkenntnis, bekräftigt [260] — und vor allem auf den polemischen Aspekt des Kapitels. Wolff muß sich gegen den vor allem von Hallenser Theologen erhobenen Vorwurf des Spinozismus verteidigen, d. h. er muß nachweisen, daß er im Gegensatz zu Spinoza durch den Notwendigkeitsbegriff die Kontingenz nicht aufhebe und zudem das universal geltende Prinzip vom zureichenden Grund nicht notwendigerweise absolute Notwendigkeit mit sich bringe.

[253] § 310.

[254] § 310 not.

[255] § 319.

[256] § 322 f.

[257] § 324.

[258] § 326 f. (Vgl. Anm. 232 u. 236.).

[259] § 286 f.; auch § 281 f.

[260] § 288.

4. Wolffs Kritik an Spinoza; zureichender Grund und Notwendigkeit

Mit dem Vorwurf des Spinozismus, näherhin der Ablehnung jeder Kontingenz, befaßt sich Wolff besonders in der gegen Lange und die Theologische Fakultät von Halle gerichteten Schrift „De differentia nexus rerum ..." und in der alle Lehrpunkte des Spinozismus umfassenden Sectio II der „Theologia naturalis II" [261]. Wolffs Stellung zu Spinoza kann hier nur unter dem Gesichtspunkt der Begriffe Notwendigkeit und Kontingenz skizziert werden; deren Anwendung auf den Weltbegriff ist in der Cosmologie darzulegen.

Wolff beginnt seine Auseinandersetzung mit einem Zitat aus den „Cogitata metaphysica" [262], in denen Spinoza von zwei Arten der Notwendigkeit spricht: der Notwendigkeit hinsichtlich des Wesens und der Notwendigkeit hinsichtlich der Ursache.

Hinsichtlich des Wesens existiert Gott notwendig, da sein Wesen ohne Existenz nicht begriffen werden kann. Hinsichtlich der Ursache werden z. B. die materiellen Dinge unmöglich oder notwendig genannt; betrachten wir nämlich nur ihr Wesen, so kann man es klar und deutlich ohne Existenz begreifen, weshalb sie niemals aus Kraft und Notwendigkeit des Wesens existieren können, sondern nur kraft der Ursache, d. h. Gottes, des Schöpfers aller Dinge. Wenn es im göttlichen Dekret liegt, daß etwas existiert, so existiert es deshalb notwendig; wenn nicht, ist seine Existenz unmöglich. Was nämlich weder durch eine innere Ursache — kraft des Wesens — noch durch eine äußere — das göttliche Dekret als einzige äußere Ursache aller Dinge — existieren kann, dessen Existenz ist unmöglich.

Wolff wirft nun Spinoza vor [263], er habe nicht genügend zwischen den Begriffen des Notwendigen und Unmöglichen unterschieden, noch einen allgemeinen Notwendigkeitsbegriff entwickelt. Spinozas Unterscheidung des Notwendigen enge die Notwendigkeit allein auf die Existenz ein, ohne den Bezug auf das Wesen einzuschließen. Daß Spinoza für unmöglich erkläre, was nicht im göttlichen Dekret enthalten ist, damit also Möglichkeit von diesem Dekret bzw. vom göttlichen Willen abhängig mache, begünstige die These von der „necessitas fatalis".

[261] Theol. nat. II, § 671 ff. Zum Begriff des Spinozismus vgl. § 671.

[262] Diff. nex., s. I c. 8 (S. 20 f.). Das Spinozazitat aus „Cogitata Metaphysica" I, c. 3 p. 100. 101 (Gebh. I, 240 f.).

[263] Diff. nex., s. I c. 8 (S. 21 ff.).

Auch die in der Ethik[264] gegebene Definition des Notwendigen — das Notwendige wird der Freiheit entgegengesetzt und wird so Synonym von Zwang — zeige das Ungenügen des spinozistischen Notwendigkeitsbegriffs. Scheint die in der „Ethik" gegebene Definition der Kontingenz[265] auf den ersten Blick mit der Wolffs übereinzustimmen, zeigt sich doch bei näherem Hinsehen ein himmelweiter Unterschied. Unmißverständlich äußere Spinoza seine Auffassung von der Kontingenz, wenn er in den „Cogitata metaphysica"[266] das Mögliche wie das Kontingente als Mängel unserer Wahrnehmung erklärt und beiden jeglichen Realitätswert abspricht. — Die Cosmologie, die den nexus rerum zu untersuchen hat, wird den Unterschied zwischen Spinoza und Wolff ganz deutlich zeigen.

Wie der Zusammenhang von zureichendem Grund und Notwendigkeit zu sehen ist, wird in der Ontologie erörtert[267]. Mit der Feststellung, daß zureichender Grund und absolute Notwendigkeit nicht gleichzusetzen sind, wehrt Wolff den gegnerischen Angriff ab. Das Prinzip vom zureichenden Grund ist nicht Quelle der absoluten Notwendigkeit[268]. Ob das durch den zureichenden Grund Begründete absolut notwendig ist oder nicht, hängt davon ab, worin der zureichende Grund enthalten ist. Ist der zureichende Grund im Wesen eines Dings enthalten, ist das Begründete absolut notwendig; ist der Grund aber in etwas vom Wesen Verschiedenen enthalten, ist das Begründete nur hypothetisch notwendig[269]. Der Notwendigkeitscharakter des hypothetisch Notwendigen — solange etwas ist, ist es notwendig — ist nicht vom Prinzip des zureichenden Grundes abzuleiten, sondern vom Kontradiktionsprinzip[270]. Aus dem Prinzip des zureichenden Grundes aber kann man erkennen, weshalb etwas, solange es ist, notwendig ist, wie man z. B. aus dem Widerspruchsprinzip ableitet, daß ein Stein, solange er warm ist, notwendigerweise warm ist, aber aus dem Prinzip des zureichenden Grundes erkennen kann, weshalb er jetzt warm ist, nämlich weil er eine Zeitlang der Wärme des Feuers ausgesetzt war[270].

[264] Ethica I, def. 7 (Gebh. II, 46).

[265] I, def. 3 (Gebh. II, 45): „Per substantiam intelligo id, quod in se est, et per se concipitur; hoc est id, cujus conceptus non indiget conceptu alterius rei, a quo formari debeat."

[266] Cogit. met., I c. 3 p. 102 (Gebh. I, 242).

[267] Ont., § 320 f.

[268] § 320 not.

[269] § 320.

[270] § 289.

Durch die Gegenüberstellung von „ratio sufficiens" und „ratio determinans"[271] wird der Zusammenhang von zureichendem Grund und Notwendigkeit noch präzisiert. Ist A der zureichende Grund von B, insofern es existiert, spricht man von Determinierendem; von zureichendem Grund aber insofern, als durch A erkannt werden kann, weshalb B ist und nicht eher nicht ist. Das Determinierende bestimmt die Dinge entweder als absolut oder hypothetisch notwendige[271]. Indem hier der zureichende Grund als Erkenntnisprinzip verstanden wird, steht das Prinzip außerhalb der Frage von Notwendigkeit und Kontingenz.

In der Fabelwelt zeigt sich diese Verschiedenheit von determinierendem und zureichendem Grund. Die Fabelwelt kennt Ursachen des Bestehenden; das Determinierende ist der Wille des Menschen[272]. Einen zureichenden Grund aber gibt es in der Fabelwelt nicht, da man nicht erkennen kann, wie aus dem Willen des Menschen das Geschehen in der Fabelwelt folgt[272]. So verstanden, kann Wolff mit Recht sagen, Descartes habe, indem er die „qualitates occultae" der Scholastiker aus der Philosophie verwiesen und klares und deutliches Philosophieren gefordert habe, mit der „perceptio clara et distincta" das Prinzip vom zureichenden Grund eingeführt und auch den Unterschied zwischen zureichendem Grund und dem in sich betrachteten Determinierenden erkannt[272]. — Kommen in den Begriffen der Notwendigkeit und Kontingenz mehr die Voraussetzungen der Gotteserkenntnis zur Sprache, so bei der Erörterung der Begriffe des Endlichen und Unendlichen der Bezug des Endlichen und Unendlichen selbst.

[271] § 321.
[272] § 321 not.

V. ENDLICHES UND UNENDLICHES

1. Begriff

Wolff beginnt seine Untersuchung „De Ente finito et infinito" — auch in der Schulmetaphysik außer bei Hebenstreit ein eigenständig behandelter Fragenkreis — mit dem Endlichen und Unendlichen in der Mathematik. Dafür beansprucht er über die Hälfte des Kapitels. Die Schulmetaphysik, die das mathematisch Unendliche bzw. Endliche als eine von fünf Arten kennt [273], räumt ihm diesen Raum nicht ein; Scheibler weist die mathematische Definition des Unendlichen, die Aristoteles gibt, für die Metaphysik zurück, da der Begriff des Unendlichen dort „ad significandas perfectiones" diene [274]. Der mathematische Begriff [275] wird von Wolff offenbar als Vorbild für den ontologischen angesehen; er muß also vor diesem behandelt werden.

Das Endliche oder Begrenzte definiert Wolff als das, „quo majus concipi potest" [276]. Von größeren Ausdehnungen, größeren Graden oder Kräften z. B. kann man nämlich nur dann reden, wenn das, im Vergleich zu dem sie größer sind, begrenzt ist [277]. Damit ist auch die entgegengesetzte Definition des Unendlichen als des „quo majus concipi posse repugnat" gegeben [277]. Beide Definitionen stimmen mit dem Sprachgebrauch der Mathematiker überein; von einer endlichen Zahl reden sie nämlich, wenn eine größere gedacht werden kann, von einer unendlichen aber, wenn in der entsprechenden Ordnung eine größere nicht gedacht werden kann [277].

[273] Stahl (Inst. met., P. II c. 1 [S. 423 f.]) kennt, Armandus de bello visu folgend, 5 Arten: 1. infinitum secundum durationem; 2. infinitum extensione quantitatis continuae, die es actu nicht gibt; 3. infinitum quantitate discreta; 4. infinitum secundum quantitatem virtutis; 5. infinitum vigore. Diese 5 Arten führt er auf 2 zurück: infinitum in quantitate und infinitum extra quantitatem. — Scheibler (Op. met., l. I c. 13 nr. 7 ff.) kennt ebenfalls 5 Arten, führt das mathematisch Unendliche aber nicht an: „finitum est 1. quod habet fines essentiae" (es hatte die essentia nicht vor der Schöpfung und wird einmal nicht sein); 2. „Finitum habet fines perfectionum" (sie konnten und können nicht sein); 3. „Finitum habet fines in virtute et operatione"; 4. „Finitum habet fines ratione durationis"; 5. „Finitum habet fines praesentiae." Der Begriff des Unendlichen wird — infinitum ist ein negatives Wort — durch Entfernung des Endlichen als Endlichem gewonnen.

[274] Scheibler, Op. met., l. I c. 13 nr. 5.

[275] Die entsprechenden Definitionen Wolffs: Ont., § 796 bzw. § 798. Wie Leibniz lehnt auch Wolff eine unendliche Zahl und Größe ab (§ 797).

[276] Ont. § 285. Selbstverständlich kann im Bereich des Endlichen ebenso auch ein „minus" gedacht werden (§ 826).

[277] § 825 not.

Das Endliche hat Grenzen; diese zeigen an, was zu einem Ding gehört und was nicht mehr zu ihm gehört [278]. Da die das Ding konstituierende Realität als solche nicht verändert werden kann, soll das Ding es selbst bleiben, so kann sie, die als begrenzte ausgegeben wird, nur in ihren Grenzen verändert werden, wie z. B. die Figur eines Ausgedehnten, die Schnelligkeit einer Kraft oder die Richtung eines Bewegten [279]. Das Veränderliche in einem Seienden sind die Modi; nach dem Gesagten können in einem Seienden nur die Grenzen verändert werden; folglich sind die Modi nichts anderes als die Grenzen oder bestehen in Begrenzungen [280]. Demnach „besteht jede Modifikation eines Dings in der Veränderung der Grenzen" [281]; weder geht also etwas Substantielles [282] zugrunde noch wird es hervorgebracht, ebenso wird weder etwas aus Nichts hervorgebracht noch ins Nichts zurückversetzt [283].

Das endliche Seiende kann auf Grund seiner Endlichkeit sukzessiv verschiedene Begrenzungen bzw. Modi haben und infolge der nicht gleichbleibenden Modi verschiedene Zustände (status) [284]. Wolff faßt diesen Sachverhalt in den „genuinen Begriffen des endlichen Seienden" bzw. der endlichen Substanz: „Ens igitur finitum non simul est, quod esse potest" [285]. Die durch die Erfahrung feststehende Tatsache, daß dem endlichen Seienden zu verschiedener Zeit Gegenteiliges zukommen kann, der Stein z. B. bald warm, bald kalt sein kann [286], läßt Wolff diesen Begriff in der Definition des „realen endlichen Seienden" noch schärfer fassen: „Ens adeo finitum reale est ens, in quo omnia simul inesse nequeunt, quae eidem actu inesse possunt" [287].

Entsprechend läßt sich nun das unendlich Seiende bestimmen. Als dem endlichen Seienden entgegengesetzt muß es, was es sein kann, zugleich sein; es kann also definiert werden „per ens in quo sunt omnia simul, quae eidem actu inesse possunt" [288]. Aktuell Veränderliches — im

[278] § 468.
[279] § 827.
[280] § 828. § 829 bringt den Unterschied vom einfachen und zusammengesetzten Modus.
[281] § 830 f.
[282] Vgl. Definition der Substanz in § 768.
[283] § 832 f.
[284] § 834.
[285] § 835. Dt. Met., § 109; Dt. Met. A, § 38.
[286] Ont., § 836.
[287] § 837.
[288] § 838. Dt. Met., § 109.

Gegensatz zum In-sich-Veränderlichen — kann es im unendlichen Seienden nicht geben, also keine Modi bzw. nur Wesensbestimmungen und Attribute, es sei denn, es gebe etwas dem Modus Analoges, das nach Art eines Attributs innewohnen kann [289].

Was meint Wolff mit dem einem Modus Analogen? Die Modi werden durch das Wesen eines Dings nicht bestimmt, es ist den beiden Gegensätzen gegenüber indifferent, diese widersprechen nicht dem Wesen [290]. Wenn nun etwas so beschaffen ist, daß sein Gegenteil dem unendlichen Seienden nicht schlechthin widerspricht, ein aktuelles Innewohnen aber unmöglich ist, kann man von einem dem Modus Analogen sprechen; und da sein Gegenteil aktuell niemals innewohnen kann, ist es nach Art eines Attributs im unendlichen Seienden [290]. Solch ein „modi analogum" ist z. B. das Dekret der Welterschaffung [291]. Das entgegengesetzte Dekret, nämlich die Welt nicht zu erschaffen, hätte Gott nicht absolut widersprochen, da er die Welt frei geschaffen hat. Nachdem Gott aber in seiner an der höchsten Vernunft ausgerichteten Freiheit glaubte, lieber die Welt zu erschaffen als sie nicht zu erschaffen, hat das Dekret „de mundo non condendo" keinen zureichenden Grund, war also niemals in Gott. Gerade im Blick auf die Freiheit des unendlichen Seienden lassen sich durch das „modi analogum" Schwierigkeiten vermeiden. Da dieses nicht den absoluten Widerspruch zu seinem Gegenteil fordert, sind diese analoga nur hypothetisch notwendig [292].

Das unendliche Seiende wird in der Schulmetaphysik als nichtkategoriale Substanz bestimmt [293]. Bei Descartes und — in radikaler Anwendung des cartesianischen Substanzbegriffs — bei Spinoza ist der Substanzbegriff ein eigentlich nur dem Unendlichen zukommender Begriff. Wolff kann sich dieser Tradition nicht entziehen, auch wenn er dem Substanzbegriff bei weitem nicht diese Bedeutung zumißt. Substanz als „sub-

[289] Ont., § 839 ff.

[290] § 841 not. Entsprechend die Definition in § 842: „Modi analogum est, cujus oppositum enti infinito absolute non repugnat, quod tamen rationem sufficientem in eodem non agnoscit, cur actu unquam insit."

[291] § 842 not.

[292] § 843.

[293] Vgl. z. B. Scheibler, Op. met., l. II c. 3 nr. 176: Gott ist Substanz. Auf die Frage, wie Gott Substanz sei, antwortet er: „Deum esse substantiam, solum de substantiae nomine apprehendendo id ens, quod per se est, sive subsistit, seu quod esse suum habet prorsus independenter ad aliud sustentans" (nr. 181). Und nr. 182: „Deus non est per se substantia praedicamentalis."

jectum perdurabile et modificabile" [294] kann wegen der Bestimmung der Veränderlichkeit nicht ohne weiteres von Gott ausgesagt werden. Substanz muß also wie in der Schulmetaphysik auf eine eigentümliche Weise von Gott ausgesagt werden. Wolff führt zu diesem Zweck den Begriff des „per eminentiam esse" ein, womit etwas von einem Seienden ausgesagt wird, das es zwar im eigentlichen Sinn nicht ist, statt dessen aber etwas in sich hat, das an die Stelle dessen tritt, das man ihm nur unter Widerspruch zusprechen kann [295]. Diese Seinsart des „per eminentiam esse" trifft auf die „modi analoga" zu. Gott ist also auf eminente Weise veränderlich [296]. Die Voraussetzung für die Anwendung des Substanzbegriffs auf Gott ist damit erfüllt. Da Gottes Existenz kein Ende kennt, also fortdauert [297], ist auch die andere Voraussetzung gegeben: folglich kann das unendliche Seiende in eminenter Weise Substanz genannt werden [298]. Auf dieselbe Weise kommt dem unendlich Seienden das Handeln (actio) zu [299].

Wolff schließt das Kapitel über das Endliche und Unendliche mit der Bestimmung der Natur des einfachen endlichen und unendlichen Seienden, die in der begrenzten bzw. unbegrenzten Kraft besteht [300]. Der Begriff des unendlichen Seienden werde in der natürlichen Theologie noch weitere Klarheit erhalten; dabei sind methodische Hinweise, die Wolff gegen Ende des Kapitels gibt, wohl zu beachten [301]: Wir reden vom unendlichen Seienden wie vom endlichen Seienden wegen der zwischen beiden bestehenden Analogie; was dem unendlichen Seienden innewohnt, erklären wir auf dieselbe Weise, wie wir es beim endlichen Seienden gewohnt sind; der Begriff des unendlichen Seienden berichtigt die Begriffe, so daß

[294] Ont., § 768. Dt. Met., § 114 definiert folgendermaßen: „Nehmlich ein vor sich bestehendes Ding ist dasjenige / welches die Quelle seiner Veränderungen in sich hat." Dazu bemerkt Wolff in Dt. Met. A, § 39, diese Definition lasse „sich nicht auf Gott als ein unendliches Wesen appliciren"; dagegen könne die Substanzdefinition im Sinne des „ens vi vel potentia agendi praeditum" auch auf Gott übertragen werden.

[295] Ont., § 845: „Per eminentiam esse dicitur ens, quod proprie loquendo non est, ubi tamen quid habet in se, quod vicem ejus supplet, quod proprie eidem tribui repugnat."

[296] § 846.

[297] § 844.

[298] § 847.

[299] § 848.

[300] § 849 f.

[301] § 848 not.; § 844 not.

durch diese bequeme Redeweise kein Irrtum aufkommt; einen anderen Begriff vom unendlichen Seienden haben wir nicht, als daß das ihm Innewohnende eine gewisse Analogie mit dem dem Endlichen Innewohnenden hat.

2. Wolffs Begriff im Vergleich mit der Schulmetaphysik und deren Analogielehre

Wolffs Begriff des Endlichen und Unendlichen unterscheidet sich im Wortlaut nicht allzusehr von dem einzelner Schulmetaphysiker. Scheibler z. B. versteht das Endliche als das, „quod habet fines vel terminos essentiae suae: ut est omne Ens creatum", und das Unendliche entsprechend als das keine Grenzen Habende [302]; Stahl das Unendliche als das jede Vollkommenheit wesentlich Einschließende und entsprechend dann das Endliche als das in seiner Vollkommenheit Begrenzte [303]; Clauberg das Endliche als das weniger Vollkommene, das Unendliche als das Vollkommenste [304].

Wolff könnte sich mit seiner Definition des endlichen Seienden ohne weiteres anschließen. Aus der Übereinstimmung der Formulierungen aber eine sachliche Übereinstimmung abzuleiten, wäre voreilig. Tatsächlich kann Wolff auch in diesem Fall nicht ohne weiteres als Sachwalter der Schulmetaphysik angesehen werden. Während es bei Stahl nicht so eindeutig ist, bezieht sich Scheibler, wenn er von Grenzen des Endlichen spricht, zuerst auf die das Seiende konstituierende Existenz. Wolffs Seinsbegriff muß sich auch auf den Unendlichkeits- bzw. Endlichkeitsbegriff auswirken. Der Unterschied zwischen Endlichem und Unendlichem ist nach Wolff im Bereich der Modi anzusetzen, zu denen bekanntlich auch die Existenz zu rechnen ist. Nicht nur Scheibler, sondern ebenso auch Stahl, um nur diese beiden anzuführen, erklären als der Unterscheidung in endliches und unendliches Seiendes — Jak. Martini sagt, diese Unterschei-

[302] Scheibler, Op. met., l. I c. 13 nr. 1 (vgl. Anm. 273).

[303] Stahl, Inst. met., P. I c. 1 (S. 423): „Ens infinitum est, quod non habet terminos suae perfectionis, sed essentialiter includit omnem perfectionem. Ex adverso finitum est, quod suae perfectionis habet terminos, et non includit omnem perfectionem possibilem. — Vgl. auch Scherzer, Vadem., P. I (def.), S. 109 f.; Scharf, Met. ex., l. II c. 12: „Finitum est quod habet fines sive terminos essentiae."

[304] Clauberg, Met. de ente, 198 (Op., S. 316): „Propter hanc graduum distinctionem perfectioni tribuitur quantitas seu magnitudo quaedam, quae et entitas nuncupatur, unde res magna vel parva, tanta vel tanta, Infinita, hoc est, summe perfecta, vel Finita, hoc est, minus perfecta esse dicitur." Ebenso De cogn. Dei, exerc. LXI (Op., S. 697).

dung sei nach Suarez die erste und wesentlichste [305] — gleichwertige Einteilungen z. B. die in ens a se und ens ab alio, ens per essentiam und per participationem, increatum und creatum, necessarium und contingens, in purus actus und ens potentiale [306]. Diese Einteilungen, die sich in dieser Form bei Wolff nicht finden, zeigen, wie radikal im Vergleich zu Wolff der Unterschied zwischen Endlichem und Unendlichem gesehen wird.

Die Schulmetaphysiker stellen aber nicht nur den Unterschied heraus, sie bedenken auch die Gemeinsamkeit. Wie die Gemeinsamkeit zu verstehen ist, wobei gleichzeitig der Verschiedenheit Rechnung getragen werden muß, wird in der Analogielehre ausgeführt. Allgemein wird die Auffassung vertreten, daß der Begriff des Seienden und der daraus folgenden Eigenschaften weder äquivok noch univok, sondern analog von Gott und den Kreaturen ausgesagt wird [307]; in der Formulierung der Analogie weichen die Autoren jedoch von einander ab. Jak. Martini, der in den „Partitiones et quaestiones metaphysicae" wie Stahl im Anschluß an die Einteilung des Seienden in Endliches und Unendliches von der Analogie spricht, während es die anderen Autoren im Rahmen des Seinsbegriffs tun, spricht von einer „analogia proportionis" [308], Corn. Martini [309] und Stahl [310] dagegen von einer „analogia attributionis". Ob von einer analogia proportionis oder attributionis gesprochen wird oder die Analogie, wie z. B. bei Scheibler [311], Hebenstreit [312] und Scharf [313], in ihrer Art nicht

[305] Jak. Martini, Part. met., l. II s. 1 nr. 2 (S. 619).

[306] Scheibler, Op. met., l. I c. 13 nr. 11 ff.; Stahl, Inst. met., P. I c. 1 (S. 427 f.); Jak. Martini, Part. met., l. II s. 1 nr. 17.

[307] Vgl. Wundt, Schulmet., S. 186 f.

[308] Jak. Martini, Part. met., l. II s. 1 q. 3: „nam essentia quaedam est in creaturis, dependens ab essentia Dei: ideoq. in ea proportionaliter conveniunt." Als Vertreter der Äquivozität führt er nach Thomas (De pot. 7,7) Rabbi Moyses an, als Vertreter der Univozität Scotus.

[309] Corn. Martini (Met., S. 75 ff.) schließt sich eng an Cajetans „De analogia" an. Die analogia attributionis im Sinne einer Analogie „secundum extrinsecam denominationem" (wie beim Gesundsein) lehnt er ab.

[310] Stahl, Inst. met., P. II c. 2 (S. 432): „... ens respectu Dei et creaturarum esse analogum analogia attributionis, et quidem ea, qua analogum reperitur in utroque extremo."

[311] Scheibler, Op. met., l. I c. 2 nr. 38: „Entis generalem sive communem conceptum non esse univocum, sed analogum"; nr. 39: „Quid igitur Ens sit analogum, in comparatione ad creatum et increatum, apparet, quia ipsum Ens creatum requirit dependentiam ad creatorem in declaratione essentiae suae."

[312] Hebenstreit, Phil. pr., P. I s. 1 th. 3 (S. 61): der Seinsbegriff — in Bezug auf Substanz und Akzidens, Gott und Kreaturen — ist nicht äquivok, nicht univok, „sed commune pros hen kai mian tina physin."

näher bestimmt wird, sie wird so verstanden, daß das ens den Analogaten, d. h. Gott und den Kreaturen — auch Substanz und Akzidenzien [314] — innerlich (formaliter) zukommt, in erster Linie Gott, in zweiter erst den Kreaturen, insofern sie von Gott abhängig sind.

3. Wolff und Clauberg

Von einer Analogie in diesem Sinne weiß Wolff nichts. Sein Seinsbegriff kann univok auf Gott und die Geschöpfe angewandt werden, wenn auch nicht in seiner ganzen Entfaltung: hinsichtlich der Modi sind Gott und die Kreaturen verschieden, und nur in Bezug auf sie spricht Wolff von einer Analogie, den „modi analoga". Der Seinsbegriff ist also nur teilweise univok. Ist Wolff in diesem Verständnis von anderen Denkern beeinflußt? Da sich unter den Vertretern der Schulmetaphysik niemand findet, ist vielleicht an Clauberg zu denken.

Clauberg behandelt diese Fragen in seinen „De cognitione Dei et nostri ... Exercitationes centum". Zwischen Gott und der Kreatur besteht eine Ähnlichkeit (similitudo) [315], die auch durch den unendlichen Abstand des Endlichen vom Unendlichen nicht aufgehoben wird, denn das Sein und das dem Sein als solchem Zugesprochene ist beiden gemeinsam, womit jedoch nicht gesagt ist, der Abstand könne jemals aufgehoben werden [316]. Daß Gott und die Kreaturen mit gemeinsamen Namen benannt werden, wie z. B., Suarez folgend, mit ens, aliquid, substantia, hat seinen Grund in dieser Ähnlichkeit [317]. Clauberg weist die Auffassung zurück, diese Ähnlichkeit bestehe nur in Namen und Benennungen [317]. Diese Namen, die weder homonym noch metaphorisch sind, sind geeignet, einen allgemeinen Begriff hervorzubringen: „Ens enim cum dico, et a Deo et a Creatura conceptum abstraho, nec de illo magis quam de hac, immo

[313] Scharf, Met. ex., l. c. 1 (S. 20): „Denique et hoc notabile est, quod conceptus Entis in respectu ad immediate inferiora sit analogicus. Sic analogice tribuitur ens Deo et creaturis. Creatura est ens et Deus est ens, sed ita tamen per analogiam, ut Deus primario sit Ens et independenter, sed creatura secundario Ens dicitur et dependenter a Deo, quia nisi Deus ens esset, h. e. nisi Deus revera esset, nulla creatura essentiam habere posset, quandoquidem omnem suam Entitatem unice habet a Deo per creationem. Sic ens analogice tribuitur Substantiae et Accidenti, ..."

[314] Scheibler, Op. met., l. I c. 2 nr. 40; Hebenstreit s. Anm. 312; Scharf s. Anm. 313.

[315] Clauberg, De cogn. Dei, exerc. LX (Op., S. 695 f.): „Deum et creaturam habere aliquam in re similitudinem et convenientiam."

[316] Exerc. LXI (Op., S. 697 f.).

[317] Exerc. LXII (Op., S. 698 f.).

necque de illo necque de hac cogito" [318]. Mit diesem allen Dingen gemeinsamen und von allen abstrahierten (praecisus) Begriff [318] wird weder Gott noch die Kreatur adäquat repräsentiert, sondern nur, was wir im allgemeinen (in genere) von Gott und der Kreatur erkennen [319]. Weil diese Begriffe gewissermaßen abstrakt sind, sind sie nicht klar und deutlich genug, sondern ziemlich undeutlich [320].

4. Wolffs Seinsbegriff und der Bezug des Endlichen zum Unendlichen

Auch von Clauberg dürfte Wolff nicht entscheidend beeinflußt sein. Claubergs von Gott und den Kreaturen abstrahierte Begriffe sind, ohne daß dies auch nur andeutungsweise gesagt wird, nach Art der Analogie zu verstehen, können aber als auf Univokität hin tendierend verstanden werden. Wolffs Seinsbegriff ist eine eigenständige Leistung. Sein Verständnis des Bezugs vom Endlichen zum Unendlichen ist unter der Voraussetzung dieses Seinsbegriffs naheliegend. Während in der Analogie Gemeinsamkeit und Verschiedenheit in denselben Begriff zusammengedacht werden, legt Wolff in derselben Sache einen univoken Begriff zugrunde, der in gleicher Weise auf alle Bezugsglieder zutrifft, durch die hinzugefügten Differenzen aber der Verschiedenheit Rechnung trägt. Das Modell geometrischer Relationen läßt sich auch hier nicht verleugnen.

[318] Exerc. LXIII (Op., S. 700).
[319] Exerc. LXIV (Op., S. 702 f.).
[320] Exerc. LXV (Op., S. 703).

C. COSMOLOGISCHE VORAUSSETZUNGEN DER GOTTES-ERKENNTNIS

I. ALLGEMEINES ZUR WOLFFSCHEN COSMOLOGIE

1. Name und Bestimmung der Cosmologie; transzendentale und experimentale Cosmologie

Wollte man sich bei der Untersuchung der Voraussetzungen der Gotteserkenntnis auch nur auf die elementarsten beschränken, „Welt" und deren Kontingenz dürften nicht übergangen werden. Wolff sagt ausdrücklich, er habe „die allgemeine Betrachtung der Welt zu dem Ende angestellet / damit wir einen sicheren Grund der Erkänntniß Gottes und der natürlichen Religion hätten" [1]. Diese „allgemeine Betrachtung der Welt" stellt eine neue Disziplin dar [2], die Wolff nach seinen eigenen Worten unter dem in den Schulen unbekannten Namen der „Cosmologia generalis" oder „transcendentalis" begründet hat [3]. Daß man zerstreut einiges von dem behandelt habe, was zu dieser Disziplin gehört, will Wolff nicht bestreiten [4].

Mit der aus dem „Discursus praeliminaris" übernommenen Definition dieser Disziplin beginnen die Prolegomena der „Cosmologia": „Cosmologia generalis est scientia mundi seu universi in genere, quatenus scilicet ens idque compositum atque modificabile est" [5]. Transzendentale Cosmologie wird sie genannt, weil in ihr nur das von der Welt bewiesen wird, was ihr als zusammengesetztem und veränderlichem Seienden zukommt, so daß sie sich zur Physik verhält wie die Ontologie zur gesamten Philosophie [6]. Die transzendentale Cosmologie liefert demnach die Grundlage der Physik, die im Gegensatz zu jener nicht die Welt im allgemeinen und

[1] Dt. Met., § 173. — Außer den in der Einleitung (S. 2 f.) genannten Untersuchungen vgl. zur Cosmologie Wolffs Julius Schaller, Geschichte der Naturphilosophie I (Leipzig, 1841), 511 ff.; auch J. V. Burns, Dynamism in the cosmology of Chr. Wolff (New York, 1966).

[2] Diff. nex., s. I § 2 (S. 2 f.); Disc. prael., § 78 not.; Cosm., § 1 not.

[3] Cosm., § 1; praef., S. 9*.

[4] §1; Disc. prael., § 78 not.

[5] Cosm., § 1. Disc. prael., § 78: „Datur vero etiam generalis mundi contemplatio, ea explicans, quae mundo existente cum alio quocunque possibili communia sunt. Ea philosophiae pars, quae generales istas notiones, easque ex parte abstractas, evolvit, Cosmologia generalis vel transcendentalis a me vocatur. Definio autem Cosmologiam generalem per scientiam mundi in genere."

[6] Cosm., § 1 not.

damit auch alle möglichen Welten, sondern diese bestimmte Welt zum Gegenstand hat [7].

Die transzendentale Cosmologie ist ein Teil der Metaphysik und hat ihren Ort nach der Ontologie und vor der natürlichen Theologie [8]. Aus der Ontologie, die das Seiende im allgemeinen und die allgemeine Theorie des zusammengesetzten Seienden behandelt, entnimmt die transzendentale Cosmologie ihre Prinzipien, so daß in der Cosmologie auf die Welt im allgemeinen angewandt wird, was in der Ontologie vom Seienden im allgemeinen und dem zusammengesetzten Seienden entwickelt worden war [9]. Da jedem durch die Erfahrung bekannt ist, daß die Welt ein zusammengesetztes und veränderliches Seiendes ist, gibt es hinsichtlich der Legitimität dieser Applikation keine Schwierigkeiten [10]. Hatten nach Ecole schon Aristoteles und dessen Kommentatoren wie Thomas und Zabarella, auch manche Thomisten wie Joannes a. S. Thoma, den Weg bereitet, die Welt auf philosophische Art zu erklären, indem sie zur Erforschung der Welt metaphysische Prinzipien einführten wie Materie und Form, Akt und Potenz etc., so ist Wolff zwar in dieser Hinsicht nicht der erste, wohl aber darin, daß er die Cosmologie mit den Begriffen und Prinzipien der Ontologie verbindet, d. h. aus ihr eine Cosmologie a priori ableitet und sie zu den metaphysischen Disziplinen zählt [11]. Auch in seiner Cosmologie ist Wolff von Leibniz abhängig. Da er aber in manchem eine eigene, von Leibniz abweichende Auffassung vertritt, kann man ihn — wie Ecole gezeigt hat — auch in der Cosmologie nicht einfach als Kompilator von Leibniz abtun [12].

Von dieser Art der Cosmologie, die eine wissenschaftliche ist, wird die sogenannte „Cosmologia experimentalis" unterschieden [13]. Was jene auf wissenschaftliche Weise entwickelt, schöpft diese aus Beobachtungen [13]; die allgemeinen Bestimmungen der Welt können nämlich durch Abstraktion aus den Beobachtungen gewonnen werden [14]. Diese Cosmologia experimentalis hat eine doppelte Aufgabe: Einmal bestätigt sie aposterio-

[7] Vgl. Einleitung (S. 45).
[8] Disc. prael., § 99.
[9] Cosm., § 2.
[10] § 2 not.
[11] Introd., S. XXXIX.
[12] Ecole, „Cosmologie wolfienne et dynamique leibnizienne", Les études philos., 9 (1964), 3—9.
[13] Cosm., § 4.
[14] § 3.

risch aus Beobachtungen, was zuvor a priori aus Prinzipien der Ontologie bewiesen wurde, und zeigt damit deren Übereinstimmung mit der Wahrheit und nimmt die Furcht, aus vielleicht nicht ganz richtig gestellten Prinzipien sei Wahrheitswidriges abgeleitet; zum andern bewirkt sie, daß die im Durchdenken zusammenhängender Beweise noch nicht so Geübten den Prinzipien ohne Zögern zustimmen [15]. Wolffs Absicht, eine gewisse und nützliche Philosophie zu geben, wird auf diese Weise entsprochen, da nichts übergangen wird, was nicht irgendwie zur Gewißheit beiträgt [15].

Beide Arten der Cosmologie stehen in einem Verhältnis gegenseitiger Abhängigkeit: Insofern die Cosmologia experimentalis aus Beobachtungen schöpft, was in der wissenschaftlichen Cosmologie bewiesen wurde, setzt sie die wissenschaftliche voraus; insofern es aber keinen Widerspruch bedeutet, aus Beobachtungen bzw. aus beobachteten Phänomenen zu entnehmen, was in der wissenschaftlichen Cosmologie zu behandeln ist, kann die Cosmologia experimentalis vor der wissenschaftlichen ausgebildet und mit dieser verbunden werden [16]. Wolff hält es nicht für unmöglich, die gesamte Cosmologia generalis aus Beobachtungen abzuleiten; durch die Erfahrung würden wir aber belehrt, daß dies nicht ohne weiteres geschehen könne [17]. Der Grund liegt darin, daß zuerst feststehen muß, wonach in den Beobachtungen zu fragen ist, um dann die ganze Aufmerksamkeit auf das richten zu können, was in den Beobachtungen verborgen ist [17]. Wenn wir schon a priori wissen, was in den Dingen erforscht werden muß, können wir die Aufmerksamkeit entsprechend ausrichten [17]. Die transzendentale Cosmologie liefert also der aposteriorisch vorgehenden Cosmologie die „notiones directrices" [18]. Der Vorrang der wissenschaftlichen Cosmologie wird zudem noch dadurch begründet, daß nicht alles so beschaffen ist, daß es aus Beobachtungen abgeleitet werden kann, ohne anderes vorauszusetzen [19]. Zudem ist nicht zu übersehen, daß man bei Ableitungen aus Beobachtungen leicht in Hypothesen fällt, wo bei apriorischem Vorgehen sichere Prinzipien zur Verfügung ständen, und damit nur auf langwierigen Umwegen zur Wahrheit gelangt [19]. Das Beste für die Wissenschaft wäre es natürlich, die wissenschaftlichen Disziplinen mit den experimentellen zu verbinden und

[15] § 3 not., 4 not.
[16] § 5.
[17] § 5 not.
[18] Cosm., praef., S. 13*.
[19] § 5 not.

nach Möglichkeit jene diesen vorauszuschicken, womit Wolff seine eigene Absicht ausspricht [19]. Der transzendentalen Cosmologie kommt somit unbestritten der Primat zu.

2. Bedeutung der Cosmologie, insbesondere für die Erkenntnis Gottes

Die transzendentale Cosmologie wird vor der Theologie behandelt, weil sie der Theologie die sichere Grundlage liefert. Damit ist über die eigentliche Bedeutung der Cosmologie schon das Entscheidendste gesagt. (Deren Bedeutung für die rationale Psychologie soll dadurch keineswegs in Abrede gestellt werden [20], ebensowenig natürlich der große Nutzen für die Physik [21]) Aus dem in der Cosmologia generalis Behandelten können Gottes Existenz und die Begriffe seiner Attribute mit demonstrativischer Methode erschlossen werden: die Existenz Gottes, weil die Cosmologie, die die Welt und auch die existierende Welt betrachtet, nach dem zureichenden Grund dieser Welt fragen muß; die Attribute Gottes, weil auch bestimmt werden muß, welcher Art dieser Urheber der Welt ist, d. h. welche Attribute ihm zukommen, um zu erkennen, weshalb die Welt existiert und weshalb als solche [22].

„Die Kontingenz des Universums und der Naturordnung sind zusammen mit der Unmöglichkeit des reinen Zufalls die Leiter, auf der man von dieser sichtbaren Welt zu Gott aufsteigt" [23]. Im Unterschied zu anderen, die auch diese Leiter benutzt haben, habe er, so Wolff, das Argument durch die cosmologischen Prinzipien zur Evidenz gebracht und damit zu einem wirklichen Beweis gemacht [23]. Gerade darin hat die Cosmologia generalis ihre reichste Frucht; und hätte sie keine andere als diese, würde es sich ihretwegen allein schon lohnen, diese Disziplin durchzuführen [24].

Da die Atheisten Gottes Existenz auf Grund einer vermeintlichen Notwendigkeit der Welt ablehnen, kommt der Cosmologie auch eine wichtige apologetische Bedeutung zu [25].

[20] Vgl. Anm. 506 (S. 124).
[21] Cosm., praef., S. 9* ff.; § 7 not.
[22] § 6.
[23] Cosm., praef., S. 9*.
[24] § 6 not. Wolff bemerkt eigens, er führe damit die Theologie durch, wie sie Paulus in Röm. 1,20 lehre.
[25] Dt. Met. A, § 173.

3. Darstellungen der Cosmologie; Gliederung der „Cosmologia"

Die Cosmologie, die die Welt als zusammengesetztes Seiendes betrachtet, muß erklären, wie die Welt als zusammengesetzte aus den einfachen Substanzen hervorgeht, d. h. sie muß die Lehre von den Elementen der materiellen Dinge behandeln [26]; da sie zudem die Welt als veränderliches Seiendes ansieht, muß sie die allgemeinen Prinzipien der Veränderung der materiellen Dinge erklären, d. h. die Prinzipien der von der Mechanik bewiesenen Bewegungsregeln, nämlich die von der Mechanik vorausgesetzten Bewegungsgesetze [27].

Damit ist für die lateinische Darstellung der Cosmologie das Programm festgesetzt. Da die „Cosmologia generalis, methodo scientifica pertractata, qua ad solidam, inprimis Dei atque Naturae cognitionem via sternitur" von 1731 die ausführlichste Darstellung ist, soll sie die Grundlage der folgenden Untersuchung bilden. Die „Cosmologia" entspricht dem 4. Kapitel („Von der Welt") der „Deutschen Metaphysik". Mit zu berücksichtigen ist „De differentia nexus rerum ..." von 1724 bzw. 1723, besonders die Sectio I.

Die „Cosmologia" ist in 3 Sectionen eingeteilt. Die Sectio I „De notione mundi seu universi" handelt in Kapitel I „De rerum nexu et quomodo inde resultet universum" und in Kapitel II „De essentia mundi et ejus attributa". Die Sectio II „De notione corporum, ex quibus mundus componitur" beschäftigt sich in Kapitel I „De essentia et natura corporum", in Kapitel II „De elementis corporum", in Kapitel III „De ortu corporum ex elementis" und in Kapitel IV, das über ein Drittel des gesamten Werkes beansprucht, „De legibus motus". Für die Gotteserkenntnis bedeutsamer ist die Sectio III „De natura universa et perfectione mundi" mit Kapitel I „De natura universa in genere, itemque Naturali et supernaturali", Kapitel II „De perfectione mundi" und Kapitel III „De ordine mundi atque naturae".

[26] Cosm., § 7.
[27] § 8.

II. DER WELTBEGRIFF

1. Die Welt abstrakt und konkret; Definition von Welt

Wolff spricht von Welt in abstracto und in concreto, d. h. von Welt schlechthin und von dieser konkret existierenden Welt, die er zum Unterschied von jener „mundus adspectabilis" nennt [28]. Beide, die abstrakt betrachtete Welt und die sichtbare Welt, unterscheiden sich wie Gattung von Art oder Gattung bzw. Art von Individuum [29]. Alles, was von der Welt schlechthin ausgesagt wird, kommt auch der sichtbaren Welt zu [29]. Wolff gibt demnach zuerst die Definition von Welt schlechthin, um sie dann auf die konkrete Welt anzuwenden: „Series entium finitorum tam simultaneorum, quam successivorum inter se connexorum dicitur Mundus, sive etiam Universum" [30]. Daß kein Terminus in dieser Definition enthalten ist, der nicht schon genügend erklärt worden wäre, sei es der des „ens finitum", der „simultanea" und „successiva" in der Ontologie, der des „nexus" in den der Definition vorangehenden Paragraphen der „Cosmologia", wird von Wolff eigens vermerkt [31]. Damit ist indirekt bestätigt, daß die Definition den Anforderungen der Methode entspricht.

2. Begriff und Arten des „nexus rerum"

Die Definition der Welt steht gleichsam als Resultat am Ende einer ausführlichen Erörterung des Begriffs des Nexus und dessen Arten. Was versteht Wolff unter „nexus", und wie ist dieser beschaffen?

Wolff beginnt die Untersuchung mit der Nominaldefinition des Nexus: „Ea inter se connecti dicuntur, quorum unum continet rationem sufficientem coexistentiae, vel successionis alterius" [32]. Der zureichende Grund ist es also, der den Zusammenhang [33] zweier Seienden konstituiert, sei es in der Art der Koexistenz oder der Art der Sukzession.

[28] § 49.
[29] § 49 not.
[30] § 48. Dt. Met., § 544: „... daß die Welt eine Reihe veränderlicher Dinge sey, die neben einander sind / und auf einander folgen / insgesamt aber mit einander verknüpfft sind."
[31] Cosm., § 48 not.
[32] § 10.
[33] Vgl. Dt. Met., dt.-lat. Reg.: Zusammenhang: nexus.

Um dies zu erläutern und zugleich nachzuweisen, daß sein Nexusbegriff mit dem allgemein üblichen identisch sei, führt er als Beispiel den menschlichen Körper an, der viele von einander verschiedene Organe hat [34]. Von diesen Organen sagt man, sie seien miteinander verbunden. Fragt jemand, worin dieser Nexus bestehe, so sagt man: in der Struktur. Fragt man aber, ob die Organe als Organe, d. h. insofern sie zu einem Nutzen dienen, und nicht insofern sie materielle Seiende sind, unter sich verbunden sind, wird man auf deren Funktion verweisen. So kann man z. B. Schlund und Magen unter zweifachem Aspekt betrachten: als materielle Seiende oder als Organe eines lebendigen Körpers. Betrachtet man sie als materielle Seiende, ist aus der Struktur von Magen und unterem Teil des Schlundes der Grund ihrer Koexistenz zu entnehmen: betrachtet man sie als Organe, ist der Grund ihrer Koexistenz in der Funktion zu suchen, d. h. im Weiterleiten der Nahrung bzw. der Verdauung. Dieser verschiedenen Rücksicht entsprechen auch verschiedene Nexus; der Nexus materieller Teile ist ein anderer als der von Organen, selbst wenn dieselben Seienden unter verschiedener Rücksicht zugleich materielle Teile und Organe sind. (Mit dieser zweifachen Betrachtungsweise sind die beiden Disziplinen angesprochen, die dazu dienen, den nexus rerum zu durchschauen: Teleologie und Physik; diese erklärt, weshalb das eine auf das andere folgt, jene, wie das eine des anderen wegen ist, d. h. die Zwecke der Dinge [35].)

Welche Arten von Nexus kennt Wolff? Worin besteht der Nexus näherhin? Der Nexus fordert zumindest zwei Seiende, erschöpft sich aber nicht darin. Auch zwischen mehreren kann ein Zusammenhang bestehen. Als Prinzip der Verbindung mehrerer Seiender führt Wolff den Satz an: „Quae cum eodem tertio connectuntur, ea inter se connectuntur" [36]. Auf Grund dieses Satzes sind selbst in einer Reihe von koexistierenden sukzessiven Seienden — die Reihe kommt dadurch zustande, daß das Vorhergehende mit dem Nächstfolgenden beständig verbunden wird — die einzelnen Seienden miteinander verbunden [37].

Die Abhängigkeit, die zwischen unter sich Verbundenen besteht, ist eine hinsichtlich der Existenz, natürlich auch in einer Serie [38]. Diese Aus-

[34] Cosm., § 10 not.

[35] § 11 not.

[36] § 12.

[37] § 13. Nota: Ein Beispiel gibt der menschliche Körper oder das Auge. — Zum Begriff des kausal und final verstandenen nexus rerum vgl. auch Dt. Met. A, § 176.

[38] Cosm., § 14 f.

sage Wolffs überrascht, da Existenz nicht nur, wie die Beispiele zeigen [39], die Abhängigkeit der Aktualität der Funktion A (Weiterleitung der Nahrung durch den Schlund) meint, sondern die Existenz des Schlundes selbst als von der des Magens abhängig erklärt und umgekehrt, denn das eine ist wegen des anderen, und wäre das eine nicht, wäre auch das andere nicht, wie auch das eine ohne das andere seiner Funktion nicht nachkommen kann. Wenn Wolff hier von einer gegenseitigen Abhängigkeit hinsichtlich der Existenz spricht, kann dies nur vom Zweckganzen einer Serie bzw. zusammenhängender Serien her verstanden werden. Nimmt man den Wolffschen Existenzbegriff an, ist dies nicht abwegig, denn Existenz als komplementärer Modus fordert notwendig den Zusammenhang mit anderen Seienden und kann nur im Zusammenhang und aus dem Zusammenhang als aktueller Modus begriffen werden.

Nachdem bestimmt ist, worin der Nexus besteht, lassen sich dessen Arten angeben. Folgende werden von Wolff angeführt: der Nexus zwischen Ursache und Verursachtem [40], Wirkung und Wirkursache [41], Mittel und Ziel [42], zwischen Subjekt und Prädikat in einem determinierten Satz [43]; ebenso sind die Attribute und die Möglichkeit der Modi eines Dings mit dem Wesen, die Aktualität der Modi aber mit anderen Modi oder anderen Dingen verbunden [44]; nicht zu übersehen der Zusammenhang von Zeichen und Bezeichnetem [45]. Zusammenhänge, die rein ontologisch zu verstehen sind, werden unbekümmert und ohne irgendwelchen Unterschied zusammen mit solchen, die rein logischen Charakter haben, angeführt.

3. Die Reihe der sukzessiven Dinge

„Der Nexus der sukzessiven Dinge besteht in der Abhängigkeit der Wirkung von der Wirkursache und im allgemeinen in der Abhängigkeit des Verursachten von der Ursache" [46]. In jedem Nexus sukzessiver Dinge muß etwas vorausgehen. Ist dies sachlich oder zeitlich zu verstehen? Da das Vorausgehende den Grund bzw. die Ursache des Folgenden in sich enthalten muß, muß das „Vorausgehen" auf jeden Fall sachlich verstanden werden; ein rein zeitliches Verständnis würde Wolffs Aussage nicht gerecht. Daß das sachliche Früher gleichzeitig auch als ein zeitliches zu

[39] § 14 not.
[40] § 16.
[41] § 17.
[42] § 18.
[43] § 19 f.
[44] § 21.
[45] Cosm., § 22.
[46] § 23.

verstehen ist, wird durch Wolffs Ausführungen nahegelegt; ausdrücklich äußert er sich zur Frage von Ursache bzw. Grund und Zeit allerdings nicht.

Daß das Vorausgehende im Nexus sukzessiver Dinge in erster Linie sachlich zu verstehen ist, wird durch den Hinweis Wolffs, daß Gleichzeitigkeit nicht unbedingt Abhängigkeit kraft der Koexistenz bedeute, bekräftigt: Wenn von koexistierenden Dingen eines die Wirkursache des anderen ist, ist das andere mit dem ersteren verbunden, insofern sie sukzessiv sind und nicht insofern sie koexistieren, wie z. B. am Vater-Sohn-Verhältnis gezeigt werden kann [47].

Wenn etwas von einer gemeinsamen Wirkursache zugleich hervorgebracht wird, besteht zwischen ihnen eine sukzessiv-simultane Verbindung, nicht eine der Koexistenz [48].

Ursache und Verursachtes können auf doppelte Weise miteinander verbunden sein: einmal durch Kausalität, zum andern durch Finalgründe; so ist die Bewegung des Zeigers mit der Uhr auf doppelte Weise verbunden: insofern sie von der Struktur der Uhr abhängt, zum andern insofern der Uhrmacher dadurch die Stundenanzeige beabsichtigt [49]. Der Finalzusammenhang zwischen Ursache und Verursachtem setzt ein handelndes Vernunftwesen voraus [50]. Unter dieser Voraussetzung besteht der Zusammenhang der sukzessiven Dinge bzw. einer Serie gleicherweise in der Abhängigkeit des Verursachten von der Ursache, des Zieles vom Mittel und der Handlung der Wirkursache vom Ziel [51].

Verschiedene sukzessive Reihen sind als ganze miteinander verbunden, wenn aus ihnen gleichzeitig Ursachen zusammenkommen, um dasselbe zu verursachen [52].

4. Die Reihe der koexistierenden Dinge

Nach den sukzessiven Reihen sind die koexistierenden näher zu untersuchen. Eine Verbindung der Koexistenz nach ist dann gegeben, wenn zwei Seiende koexistieren und das eine den zureichenden Grund der Veränderungen des anderen in sich enthält; am Beispiel der Sonne und der

[47] § 27.
[48] § 29 f.
[49] § 32: „Causa et causatum duplici modo inter se connecti possunt, tum per causalitatem, tum per rationes finales."
[50] § 31.
[51] § 34 f. — Als Beispiel einer Serie, die sowohl kausal wie final verstanden werden kann, führt Wolff (§ 35 not.) den Zusammenhang Sonne — Wasserdämpfe — Wolken — Regen — Wachstum an.
[52] § 37.

von ihr abhängigen Veränderungen auf der Erde ist dies ganz deutlich zu zeigen [53]. Der Zusammenhang zwischen diesen koexistierenden Seienden kann auch final verstanden werden, setzt man ein intelligentes handelndes Wesen voraus [54]. Auch der Nexus der koexistierenden Dinge kennt verschiedene Formen [55].

Nachdem Wolff den Begriff des Nexus, dessen Arten der Sukzession und Koexistenz entwickelt hat, wird der Gedankengang „konkreter", wenn er auf die endlichen Seienden und die Möglichkeit ihrer Verbindung zu sprechen kommt. Endliche Seiende sind auf Grund ihrer Endlichkeit, wie in der Ontologie gezeigt, in ihren Modi auf andere Seiende „angewiesen" [56]. Sie können also wie Ursachen und Wirkungen verbunden werden bzw. als auf diese Weise verbunden erscheinen [57], ein Zusammenhang, der auch final verstanden werden kann, setzt man ein handelndes Vernunftwesen voraus [58].

Wolffs Deduktion ist nun an dem Punkt angelangt, da er die zu Beginn der Darstellung schon angeführte Definition der Welt geben kann.

5. Bestimmung der sichtbaren Welt

Was bisher in abstracto von der Welt gesagt wurde, kann nun auf diese sichtbare Welt angewandt werden. Der Nachweis der Legitimität dieser Anwendung wird folgendermaßen geführt: Die in der sichtbaren Welt existierenden Dinge sind endlich, da veränderlich; von den auf unserer Erde existierenden Teilkörpern erfahren wir es jeden Augenblick; von den Totalkörpern — Sonne, Mond, die übrigen Planeten und Fixsterne — zeigen es die Beobachtungen der Astronomen, was hier einfach vorausgesetzt wird (z. B. veränderliche Flecken in der Sonne und den Planeten) [59]. Daß es mehrere gleichzeitige und sukzessive Dinge in dieser Welt gibt, lehrt die tägliche Erfahrung [60]. Durch ausführliche Beispiele zeigt Wolff, daß Koexistierendes und Sukzessives in der Welt verbunden ist [61]. So kann er jetzt die sichtbare Welt bestimmen als „series rerum finitarum simultanearum et successivarum, inter se connexarum" [62].

[53] § 38.
[54] § 39.
[55] § 40 ff.
[56] § 44.
[57] § 46.
[58] § 47.
[59] § 50; Dt. Met., § 543.
[60] Cosm., § 51 f. Zeugnis vom Sukzessiven in der Welt geben die Bücher der Historiker (§ 52 not.).
[61] § 53 f.
[62] § 55.

Als Verdeutlichung ist es zu verstehen, wenn Wolff am Ende der Untersuchung des nexus rerum den Zusammenhang der Dinge als einen nach Raum, Zeit und Existenz bestimmt. Da Raum in der Ordnung der gleichzeitigen Dinge, insofern sie koexistieren, besteht (§ 589 Ontol.), sind die Dinge im Universum dem Raum nach verbunden[63]; ebenso sind sie der Zeit nach verbunden, denn Zeit besteht in der Ordnung sukzessiver Dinge in einer fortlaufenden Serie (§ 572 Ontol.)[64]. Da in der Welt sowohl sukzessive wie koexistierende Dinge miteinander verbunden sind, hängen in der Welt die Dinge hinsichtlich der Existenz von einander ab[65]. — Damit sind die Voraussetzungen gegeben, die Frage nach Wesen und Eigenschaften, insbesondere nach der Kontingenz dieser Welt zu stellen.

[63] § 56; Dt. Met., § 546.
[64] Cosm., § 57; Dt. Met., § 547.
[65] Cosm., § 58.

III. WESEN UND ATTRIBUTE DER WELT

1. Das Wesen der Welt; die Welt als eine, ganze und zusammengesetzte; die Welt als Maschine

Da das Wesen bekanntlich in der Möglichkeit und diese wiederum in der Art, wie etwas hervorgeht, besteht, wird das Wesen der Welt bestimmt als der Modus, in dem diese und nicht andere endliche Seiende miteinander verbunden werden [66]. Werden die endlichen Dinge auf eine andere Weise miteinander verbunden, ist das Wesen nicht mehr dasselbe; es besteht eine andere Welt, die von der bestehenden verschieden ist. Im Modus der Zusammensetzung ist zudem der Grund all dessen, was der Welt zukommt, zu suchen [67].

Aus dem Wesen der Welt begründet Wolff deren Einheit, indem er auf die Ähnlichkeit des Wesens der Dinge mit den Zahlen verweist (jede Zahl stellt eine Einheit dar, ebenso dann auch die Wesen) oder indem er auf die Unveränderlichkeit des Wesens bzw. die Untrennbarkeit des das Wesen Konstituierenden rekurriert [68]. Der eigentliche Grund der Einheit der Welt liegt im Nexus, durch den alle Dinge miteinander verbunden sind [69].

Die Einheit der Welt ist die eines zusammengesetzten Seienden; die Welt, die ein Ganzes darstellt, besteht nämlich aus von einander verschiedenen Teilen, d. h. aus entweder simultan oder sukzessiv existierenden Seienden [70].

Die Welt, die sichtbare wie jede andere, wird von Wolff als Maschine bestimmt [71]. Diese Feststellung ist von großer Bedeutung, da dadurch das Verständnis der Welt als eines Mechanismus zum Ausdruck kommt. Wolff greift damit nicht nur Gedanken des Descartes, sondern auch die von Boyle auf [72]. Die Definition der Maschine als eines „ens compositum, cujus mutationes modo compositionis convenienter beneficio motus consequuntur" [73] trifft sich mit dem, was von der Welt gesagt wurde. Jedes zu-

[66] § 59: „Essentia mundi consistit in modo, quo res finitae datae, non aliae inter se connectuntur." Dt. Met., § 552.
[67] Cosm., § 63; Dt. Met., § 554.
[68] Cosm., § 60; Dt. Met., § 549; Dt. Met. A, § 174.
[69] Cosm., § 60 not.; Dt. Met. A, § 175.
[70] Cosm., § 61 f.; Dt. Met., § 550 f.
[71] Cosm., § 73; Dt. Met., § 557; auch Dt. Met. A, § 183.
[72] Belege bringt Ecole in Cosm., S. 467 f. ad p. 62.
[73] Cosm., § 65.

sammengesetzte Seiende ist als zusammengesetzes als Maschine anzusprechen [74].

2. Ordnung und transzendentale Wahrheit der Welt

Weil die Welt eine Maschine ist, Simultanes und Sukzessives untereinander nach Raum und Zeit verbunden ist, gibt es in der Welt Ordnung [75]. Die den Kausalzusammenhang darlegende Physik und die final vorgehende Teleologie zeigen auf vortreffliche Weise diese Ordnung [76].

Mit der Feststellung, daß es in der Welt Ordnung gibt, ist zugleich gesagt, daß sich in der Welt transzendentale Wahrheit findet; denn diese ist bekanntlich nichts anderes als Ordnung in der Verschiedenheit der simultanen und sukzessiven Seienden [77]. Näherhin wird die Wahrheit in der Welt aus dem Maschinencharakter der Welt begründet, so daß der Mechanismus der Welt die Quelle der transzendentalen Wahrheit darstellt; diese macht die Welt zu einem wahren Seienden und unterscheidet sie dadurch von einer imaginären Welt [78].

Die transzendentale Wahrheit in der Welt macht eine Wissenschaft von der Welt und den in ihr existierenden Dingen erst möglich, da von ihr die logische Wahrheit aller Allgemeinsätze und deren Anwendung auf Einzelfälle abhängt; sie bildet also die Grundlage der Physik [79]. Da die transzendentale Wahrheit vom Mechanismus abhängt, ist dieser der Grund der Naturwissenschaft [79]. Mit Recht wird deshalb von neueren Physikern, so Wolff, die Naturphilosophie „Mechanische Philosophie" genannt [80].

[74] § 74.
[75] § 76 f.; Dt. Met., § 558.
[76] Cosm., § 76 not.
[77] § 78; Dt. Met., § 558.
[78] Cosm., § 78 not.; Dt. Met., § 559 f.
[79] Cosm., § 79 not.
[80] § 79 not. — In § 75 bestimmt Wolff die „Mechanica Philosophia" näherhin als eine Philosophie, die „mutationes, quae ipsis [sc. rebus in mundo adspectabili existentibus] accidunt, ex eorum structuris, texturis et mixtionibus, seu ex modo compositionis secundum regulas motus intelligibili modo explicat." Vgl. auch Ges. kl. Schr. III, S. 723 ff. Zum Verständnis der Welt als Maschine und der sog. Mechanisierung des Weltbilds vgl. E. J. Dijksterhuis, Die Mechanisierung des Weltbilds (Berlin, 1956), S. 530 ff.

3. Kontingenz und Notwendigkeit der Welt

Von besonderer Bedeutung für die Gotteserkenntnis ist die Aussage von der Kontingenz der Welt und der sich daraus ergebenden Forderung nach einem nicht kontingenten Grund.

Um die Kontingenz der Welt zu beweisen, muß Wolff seiner Weltdefinition entsprechend die Kontingenz der sukzessiven und die der koexistierenden Dinge nachweisen. Die Kontingenz des Sukzessiven in der Welt läßt sich auf zweifache Weise begründen: Allein schon durch Aufmerksamkeit auf die undeutlichen Wahrnehmungen, durch Erfahrung also, zeigt es sich, daß das Sukzessive — näherhin zusammengesetzte Substanzen und Modi von Substanzen — veränderlich ist; es hat nämlich Anfang und Ende und erweist sich so als kontingent [81]. Dazuhin ergibt sich aus dem Begriff des Sukzessiven selbst dessen Kontingenz, denn Sukzessives kann nur dann existieren, wenn das Vorhergehende existiert [81]. Nachdem sich die Serie der sukzessiven Dinge als kontingent erwiesen hat, spricht Wolff von einer Serie kontingenter Dinge in der Welt und bestimmt diese Serie selbst als vielfache, nicht als einfache (z. B. die Genealogie eines Menschen) [82]. Der Akt eines einzelnen kontingenten Seienden wird durch die Serie determiniert; die einzelnen Seienden sind von einander abhängig wie die Wirkung von der Ursache [83].

Das kontingente zusammengesetzte Seiende muß hinsichtlich des Aktes noch unter anderem Gesichtspunkt betrachtet werden, nämlich unter dem der Koexistenz. Das zusammengesetzte Seiende kann in seinem Akt nicht von den es konstituierenden koexistierenden Teilen abhängig sein, denn bei Annahme des Gegenteils wäre die Koexistenz der Teile notwendig und die Seienden würden immer existieren; der Grund ihres Aktes muß deshalb außerhalb des zusammengesetzten Seienden gesucht werden, und zwar in den koexistierenden Seienden, was Wolff am Beispiel der Abhängigkeit unseres lebendigen Körpers von Speise, Trank, Luft etc. erläutert [84].

Das einzelne Seiende ist in seiner Kontingenz als sukzessives vom Vorhergehenden, als zusammengesetztes von den koexistierenden Seienden

[81] Cosm., § 80; Dt. Met., § 565.
[82] Cosm., § 81 f.
[83] Cosm., § 83.
[84] § 84.

abhängig. Wolff faßt diesen Sachverhalt zusammen, wenn er sagt: „Entis compositi contingentis in mundo existentia ejusdemque modi determinantur per mundum integrum" [85].

Das Einzelne kann daher niemals als isoliertes Seiendes gesehen werden, sondern ist auch als Einzelnes nur möglich im Ganzen der Welt und nur vom Ganzen der Welt her zu verstehen [86]. Daß dieser Weltzusammenhang ein umfassender ist, wird von Wolff dadurch zum Ausdruck gebracht, daß er nicht nur von einer Abhängigkeit des Zukünftigen vom Vorhergehenden, sondern ebenso von einer Abhängigkeit des Vergangenen vom Zukünftigen spricht, insofern als es nämlich von der Beschaffenheit des Vorhergehenden abhängt, daß das Zukünftige als ein solches und nicht als ein anderes zur Wirklichkeit gelangt [86]. (Die Ähnlichkeit und Verschiedenheit mit der Auffassung von Leibniz, der das Einzelne ebenfalls nur in und vom Weltganzen her versteht, wird damit wie schon in der Erkenntnisfrage auch von der Cosmologie her offenkundig. Daß das Einzelne nur im und vom Ganzen her verstanden wird, ist beiden gemeinsam; im Wie aber unterscheiden sie sich: Bei Leibniz begreift das Einzelne, die Monade als repraesentatio mundi, die Welt in sich, der Zusammenhang von Einzelnem und Welt ist also ein innerer, während er bei Wolff als ein dem Einzelnen äußerlicher anzusehen ist, begründet durch den raum-zeitlichen Nexus der Dinge.)

Im Gegensatz zu Spinoza, der als möglich nur zuläßt, was auch tatsächlich in der sichtbaren Welt zur Wirklichkeit gelangt, ist nach Wolff der Bereich des Möglichen weiter als der des einmal Wirklichen [87]. Von zwei Kirschsteinen wird nur aus dem ein Kirschbaum, der in den Boden gelegt wird, aus dem anderen aber, der aufgebrochen und gegessen wird, nicht, obwohl er ebenso ein Kirschbaum hätte werden können, wenn er in den Boden gelegt worden wäre; der eine wird ein Baum, weil er in dieser sichtbaren Welt eine Ursache hat, die seine Aktualität determiniert, der andere aber wird kein Baum, da er einer solchen Ursache entbehrt [87]. Allgemein gefaßt: „In mundo nihil actum consequitur, nisi cujus causa in serie rerum, ex qua constat, continetur" [88]. Wolff spricht im

[85] § 87.
[86] § 87 not.
[87] § 97 not.
[88] § 97. Damit ist auch jeder Zufall — als „actualitas sive existentia destituta ratione sufficiente" (§ 94) definiert — aus der Welt ausgeschlossen (§ 96); der reine Zufall steht in Widerspruch zum Prinzip vom zur. Grund, ist also unmöglich (§ 95). Vgl. auch Dt. Met., § 572.

weiteren davon, daß etwas, das möglich ist und in der Reihe der Dinge eine Ursache hat, notwendig zur Wirklichkeit gelange [89]; eine Aussage, die auf den ersten Blick gegen die Kontingenz zu sprechen scheint. (Das innerlich Mögliche, das, weil es in der Welt eine Ursache hat, zur Wirklichkeit gelangt, wird von Wolff auch als „extrinsece possibile" bezeichnet [90].)

Gelangt ein Mögliches in dieser Welt nicht zur Wirklichkeit, ist damit noch nicht gesagt, es könne überhaupt nicht zur Wirklichkeit kommen. Da es offenbar in dieser Welt keine Ursache hat — sonst wäre es nämlich einmal wirklich, ist eine andere Reihe von sukzessiven und koexistierenden Dingen gefordert, die die Ursache der Wirklichkeit dieses Möglichen enthält, d. h. wenn ein Mögliches zur Wirklichkeit gelangen müßte, in dieser Welt aber nicht zur Wirklichkeit gelangt, müßte eine andere Welt existieren [91]. Da das Einzelne nur im Ganzen einer Welt gedacht wird, ist eine andere Welt gefordert, soll ein Mögliches wirklich werden, das in dieser Welt nicht wirklich wird. Diese anderen Welten, in denen mögliche Dinge, die in der gegenwärtigen Welt nicht zur Wirklichkeit kommen, wirklich werden können, sind durchaus möglich [92].

Von daher wird auch die obige Aussage von der Notwendigkeit dessen, was in dieser Welt zur Wirklichkeit gelangt, verständlich. Es ist eine hypothetische, keine absolute Notwendigkeit. Hypothetisch deshalb, weil diese Notwendigkeit diese Serie von Dingen voraussetzt, ganz davon abgesehen, daß die Kontingenz durch die Erfahrung des Beginnens und Aufhörens der Dinge zur Genüge begründet ist [93].

Mit Nachdruck betont Wolff, daß das notwendige Geschehen in der Welt deren Kontingenz nicht aufhebe, nicht zuletzt deshalb, weil dadurch im Gegensatz zu Spinoza die Möglichkeit des Wunders begründet wird [94]. Daß sich weder aus dem zureichenden Grund dessen, was in der Welt

[89] Cosm., § 98: „Si quid intrinsece possibile fuerit et in serie rerum, ex qua constat mundus, habet causam efficientem sufficientem, id necessario actum consequitur."

[90] § 111, § 114.

[91] § 99 f.; Dt. Met., § 567 ff., § 573.

[92] Cosm., § 101; Dt. Met., § 569 ff. Zur Möglichkeit vieler Welten vgl. auch Monitum, § 5 (S. 9) (mit Hinweisen auf Leibniz und Thomas). Auf das Werk des Bernard de Fontenelle, Entretiens sur la pluralité des mondes (nouv. éd., La Haye, 1750 [¹1686]) sei in diesem Zusammenhang bes. hingewiesen (vgl. Überweg III, 420).

[93] Cosm., § 102; Dt. Met., § 575 ff. Zur Kontingenz der Welt in Abhebung von Spinoza vgl. Diff. nex., s. I, § 9 (S. 23 ff.), 11 (S. 30 f.), 14 (S. 40 ff.); auch Monitum, § 2 ff. (S. 4 ff.).

[94] Cosm., § 103.

geschieht, absolute Notwendigkeit ergibt noch aus dem nexus rerum (absolut notwendig ist mit dem Wesen der Dinge die Möglichkeit der Zuordnung der Dinge, keineswegs aber die so und nicht anders ausgeführte Koordination, wie aus der Rede von Möglichkeit verschiedener Welten deutlich wird), bestätigt die Aussage von der hypothetischen Notwendigkeit [95].

Bei Wolffs Ausführungen über die Kontingenz der Welt fällt auf, daß die ontologisch verstandene Kontingenz, die Kontingenz der Existenz, gegenüber der mehr logisch begriffenen der Möglichkeit mehrerer Welten in den Vordergrund tritt. (In dem von Wolff in aller Ausführlichkeit begründeten Vergleich der Welt mit einer Uhr [96] wird dieser Sachverhalt in einem anschaulichen Bild ausgedrückt.) Da die Welt kontingent ist, bedarf sie einer Begründung.

4. Unmöglichkeit eines „progressus in infinitum" und die Existenz eines außerweltlichen Seienden

Das Kontingente in der Welt findet in der Reihe der sukzessiven Dinge nicht den zureichenden Grund, sondern nur in einem Seienden außerhalb der Reihe, und dieses Seiende muß notwendig sein [97]. Ein „progressus in infinitum", d. h. eine unbegrenzte Reihe kontingenter Dinge [98] — Wolff spricht von einem progressus rectilineus und circularis [99], ist nicht möglich, da dadurch der Grund der Existenz irgendeines Seienden nicht gegeben werden kann [100].

Da auch der reine Zufall unmöglich ist, sind von der Cosmologie her die Voraussetzungen gegeben, die Existenz eines notwendigen Seienden, d. h. Gottes, zu beweisen.

Mit der Kontingenz der Welt hätte man sich nicht bis ins Letzte befaßt, wollte man auf die Kontingenz der Elemente und der Bewegungsgesetze nicht wenigstens hinweisen.

[95] § 104 f.
[96] § 117; Dt. Met., § 556.
[97] Cosm., § 90.
[98] § 91.
[99] Cosm., § 92.
[100] § 92.

IV. KONTINGENZ VON ELEMENTEN, BEWEGUNGSGESETZEN UND NATUR (ÜBERBLICK)

1. Körper

Was wir mit den Sinnen von der Welt wahrnehmen, ist nicht die Welt in ihrer Ganzheit und in ihren Gründen. Wie die Erfahrung zeigt, ist das, was wir mit den Sinnen und auch mit Hilfe von Instrumenten in dieser Welt wahrnehmen können, immer zusammengesetzt; nur zusammengesetzte Seiende sind der Beobachtung zugänglich, andere bleiben ihr unzugänglich, auch wenn die Sinne in ihrer Leistungsfähigkeit durch Instrumente vergrößert werden [101]. Der sinnlichen Erfahrung sind nur die Phänomene zugänglich, und was den Sinnen zugänglich ist, gehört in den Bereich der Phänomene [102].

Die Körper als zusammengesetzte Seiende [103] sind zusammen mit den Bestimmungen der Ausdehnung [104], der „vis inertiae" [105] und der „vis activa bzw. motrix" [106] Phänomene [107].

2. Elemente

Die Körper sind Aggregate einfacher Substanzen, von Wolff Elemente genannt [108]. Die Elemente, die weder mit Leibniz' Monaden identisch sind [109] noch als „Puncta Zenonica" angesprochen werden können [110],

[101] § 66 ff.

[102] Vgl. Wolffs Definition (§ 225): „Phaenomenon dicitur, quicquid sensui obvium confuse percipitur." Vgl. Campo I, 228 ff.

[103] Cosm., § 119. 176. 179; Dt. Met., § 606. Dt. Met., § 626 gibt eine knapp zusammenfassende Bestimmung des Körpers: „Und auf solche Weise gehöret zu einem Cörper 1. eine Materie / 2. ein Wesen und 3. eine bewegende Krafft / daß man demnach einen Körper erklären kan: Er sey ein aus Materie zusammengesetztes Ding, das eine bewegende Kraft in sich hat."

[104] Cosm., § 122. In der nota wendet sich Wolff gegen die cartesianische Gleichsetzung von Körper und Ausdehnung.

[105] § 130.

[106] § 142, § 149.

[107] § 226. 296 ff.

[108] § 176; Dt. Met., § 582. In Cosm., § 181 definiert Wolff: „Elementa dicuntur principium internum corporum irresolubile in alia, sive primum."

[109] Cosm., § 243 not.; Dt. Met., § 599 f.; Dt. Met. A, § 206. 215 f. 251.

[110] Cosm., § 215: „Punctum Zenonicum dicitur ens simplex, quod praeter carentiam partium nullam aliam determinationem intrinsecam admittit, seu minimum in extenso uniformi, quod nullam prorsus habet partem." Da die Puncta Zenonica gleich sind, können sie nicht die Einheiten der materiellen Dinge sein (§ 216 ff.).

sind nicht ausgedehnt, haben keine Figur, keine Größe, erfüllen keinen Raum und sind ohne innere Bewegung; Bestimmungen, die sich aus dem Charakter einfacher Substanzen ergeben [111]. Außerdem sind die Elemente unteilbar [112] und insofern Atome, nämlich „atomi naturae" bzw. Monaden oder Einheiten, und zwar physische im Gegensatz zu arithmetischen, nicht aber „atomi materiales" [113].

Die einzelnen Elemente selbst sind einander unähnlich [114] und mit einer gewissen Kraft begabt [115]. Da sie nicht zugleich als ganze existieren, sondern das Spätere das Frühere voraussetzt, sind sie endliche Seiende [116].

Aus den Elementen entstehen die Körper mit all ihren Bestimmungen [117]. Die Ausdehnung entsteht durch Aggregation der Elemente [118]. (Um die Problematik dieser Aussage, daß Ausgedehntes aus Nichtausgedehntem entstehen soll, weiß Wolff, gibt aber keine Lösung [119].) Die aktive Kraft der Körper resultiert aus der Kraft der Elemente [120]; der Nexus der materiellen Dinge hängt vom Nexus der Elemente ab [121]. Ebensowenig wie die Elemente sind auch die Körper einander gleich. Es gibt keinen Körper, der dem anderen ähnlich ist; es gibt keine Individuen, die sich nur der Zahl nach unterscheiden [122]. Damit ist auch die große Mannigfaltigkeit der Dinge begründet, im „principium indiscernibilium" zum Audruck gebracht [123]. Diesen Gedanken übernimmt Wolff, wie er selbst sagt, von Leibniz [124]. — Die Endlichkeit der Elemente wird von Wolff reflektiert, nicht aber die darin mitgesagte Kontingenz der Elemente.

[111] § 184; Dt. Met., § 383 f.
[112] Cosm., § 185.
[113] Cosm., § 186 f.
[114] § 195; Dt. Met., § 586 ff.
[115] Cosm., § 196.
[116] § 203. — Zur Art des Ursprungs der Elemente vgl. Ont., § 687 ff.
[117] Zu den zwischen Elementen und Körpern anzusetzenden Korpuskeln wie zum Begriff der Korpuskularphilosophie vgl. Cosm., § 227 ff.
[118] § 221. 223; Dt. Met., § 603.
[119] Cos., § 221 not.; Wolff meint die Schwierigkeit sei nicht größer als bei der Frage nach dem Ursprung der Vielheit aus dem Nicht-Vielen, der Zahl aus der Einheit. Dt. Met., § 604.
[120] Cosm., § 180; Dt. Met., § 697.
[121] Cosm., § 205.
[122] § 246 ff.; Dt. Met., § 589 f. Wolff stellt sich damit gegen die Scholastik, die die einzelnen Dinge nur der Zahl nach unterschied. Zum „Nutzen" dieser Auffassung vgl. Dt. Met. A, § 211.
[123] Dt. Met., § 589.
[124] Cosm., § 246 not.

3. Bewegungsgesetze

Was in der körperlichen Welt an Veränderungen geschieht, geschieht mittels der Bewegung [125]. Im Konflikt der Körper wird die Bewegungskraft nach bestimmten Regeln verändert, die man „regulae motus" nennt [126]. Die allgemeinen Prinzipien dieser Regeln nennt man Bewegungsgesetze [127]. Die Gesetze werden von den Mathematikern angenommen, nicht aber bewiesen; beweisen muß sie der Metaphysiker [128]. Auf diese Gesetze selbst kann hier nicht eingegangen werden; nur deren Kontingenz hat zu interessieren.

Gegen Spinoza, der die Bewegungsgesetze für ewig, unveränderlich und notwendig erklärt, behauptet Wolff deren Kontingenz mit der Begründung, daß sie auf den zureichenden Grund zurückzuführen sind, nicht aber auf das Wesen der Dinge, das im Gegensatz zum zureichenden Grund allein Notwendigkeit mit sich bringt [129].

4. Natur und Naturordnung

Da die Bewegungsgesetze kontingent sind, ist es auch die Natur und die Naturordnung. Wolff definiert Natur als „principium actionum et passionum corporis, et in genere per principium actionum et passionum entis internum" [130]. Unter der Natur des Universums bzw. der „natura universa" oder Natur schlechthin versteht Wolff das „principium mutationum in mundo eidem intrinsecum" [131]. In der Natur ist der Grund enthalten, warum die Veränderungen in der Welt solche sind und nicht andere [132]. Die „natura universa" ist das Aggregat aller Bewegungskräfte, die den in der Welt zugleich koexistierenden Körpern innewohnen [133]. Da nun die Bewegungsgesetze nur hypothetisch notwendig sind, die Kräfte der Körper also grundsätzlich auch nach anderen Gesetzen verändert werden können, ist auch die Natur der Dinge frei von absoluter Notwendigkeit [134].

[125] § 128.
[126] § 302.
[127] § 303.
[128] § 303 not.
[129] § 528.
[130] § 145.
[131] Cosm., § 503; Dt. Met., § 629.
[132] Cosm., § 505.
[133] § 507.
[134] § 529.

(Wolff befaßt sich im Zusammenhang des Verhältnisses von Natürlichem und Übernatürlichem, im zweitletzten Kapitel der „Cosmologia", mit der Frage des Wunders, das nicht zuletzt durch die Kontingenz der Natur als möglich erwiesen wird [135].)

Unter Naturordnung versteht man die Ordnung, die die Natur im Handeln einhält [136]; diese ist in den Bewegungsregeln enthalten [137]. Da die Bewegungsregeln kontingent sind, ist es auch die Naturordnung, was Wolff wiederum im Gegensatz zu Spinoza, der von einer unveränderlichen Naturordnung spricht, betont [138].

[135] § 514 ff.; Dt. Met., § 632 ff.
[136] Cosm., § 577; Dt. Met., § 718.
[137] Cosm., § 559.
[138] § 561.

V. RAUM UND ZEIT

Vom Sukzessiven wurde gesagt, es sei der Zeit nach verbunden, das Koexistierende bzw. Simultane dem Raum nach. Beide, Raum und Zeit, bestehen nur mit den Dingen, deren Ordnung sie sind [139]. Nicht in der Cosmologie, sondern in der Ontologie untersucht Wolff Raum und Zeit [140].

1. Raum

Raum definiert Wolff als „ordo simultaneorum, quatenus scilicet coexistunt" [141]. Wolff beruft sich auf die Definition, die Leibniz im 3. Brief an Clarke und im Brief an Remond gibt [142]. Aus dieser Definition folgt, daß Raum nur dann gegeben ist, wenn es gleichzeitig existierende Dinge gibt [143]. Sobald mehrere Seiende zugleich existieren, existiert auch der Raum, hören sie auf zu existieren, besteht auch der Raum nicht mehr [143]. Dabei ist der Raum von den simultanen Dingen wie von deren Existenz verschieden, ohne daß man ihn deshalb für ein Seiendes halten müßte [144].

Auf den imaginären Raumbegriff („exstensum uniforme continuum, quod est indivisibile ac immobile, et a rebus existentibus penetrabile") führt es Wolff zurück, wenn Raphson und More von einem wirklichen Raum oder einem unendlichen Seienden sprechen und ihn zum Attribut Gottes machen, oder wenn Newton vom Sensorium Gottes spricht [145]. Die Möglichkeit des Raumes führt Wolff auf die Möglichkeit der Koexistenz zurück [146].

2. Zeit

Zeit definiert Wolff als „ordo successivorum in serie continua", wiederum in Abhängigkeit von Leibniz [147]. Auch Zeit gibt es nur dann, wenn in einer kontinuierlichen Reihe Sukzessives existiert, und Zeit gibt es,

[139] Zum Wolffschen Raum- und Zeitbegriff vgl. Werner Gent, Die Philosophie des Raumes und der Zeit I (Bonn, 1926).
[140] Ont., § 572 ff.
[141] § 589.
[142] § 589 not. Leibniz' Stellen bei Gerh. VII, 363; III, 612.
[143] Ont., § 600.
[144] § 601.
[145] § 599.
[146] § 591.
[147] § 572. Leibniz' Stellen bei Gerh. VII, 363; III, 612.

sobald Sukzessives existiert [148]. Ebenso wie der Raum ist auch die Zeit von den sukzessiven Dingen und deren Existenz verschieden [149]. Die Möglichkeit der Zeit ist mit der Möglichkeit sukzessiver Dinge gegeben, auch wenn diese noch nicht existieren; die Zeit bezeichnet in abstracto die mögliche Ordnung sukzessiv in einer kontinuierlichen Reihe existierender Dinge, so daß sie auch ohne Existenz der Dinge begriffen werden kann [150]. Eine besondere Art der Zeit ist die Dauer. Sie wird definiert als „existentia simultanea cum rebus pluribus successivis" [151].

Nachdem nun die Voraussetzungen der Gotteserkenntnis in den Grundzügen untersucht sind, kann die Frage der Gotteserkenntnis in einem zweiten Teil selbst angegangen werden.

[148] Ont., § 574.
[149] § 575.
[150] § 576.
[151] § 578.

TEIL II

DIE GOTTESERKENNTNIS IN IHRER DURCHFÜHRUNG

A. ALLGEMEINE CHARAKTERISIERUNG DER GOTTESERKENNTNIS

I. DIE MÖGLICHKEIT DER GOTTESERKENNTNIS

1. Descartes, Clauberg, Leibniz; Schulmetaphysik

Die Frage nach der Möglichkeit der Gotteserkenntnis wird von Wolff ausdrücklich nicht gestellt. Daß Gott in seiner Existenz, seinem Wesen und seinen Eigenschaften vom Menschen erkannt werden kann, ist ihm ebenso selbstverständlich wie für Descartes, Clauberg und Leibniz. In der Schulmetaphysik hingegen wird die Frage gestellt „An Deus naturaliter cognosci possit". Die Frage wird zwar nicht radikal nach der Möglichkeit der Gotteserkenntnis schlechthin gestellt, sondern durch die vom theologischen Hintergrund bestimmte Fragestellung von ihrer letzten Konsequenz abgehalten; aber sie wird gestellt. Es geht um die Möglichkeit der natürlichen Gotteserkenntnis, wobei „natürlich" in doppelter Richtung zu verstehen ist: Einmal im Blick auf die durch die Offenbarung ermöglichte übernatürliche Gotteserkenntnis, so daß mit „natürlich" die Erkenntnisfähigkeit des geschaffenen Intellekts gemeint ist, zum andern im Gegensatz zur erworbenen Gotteserkenntnis, so daß „natürlich" eingeborene, aktuelle Gotteserkenntnis bedeuten würde. In der Antwort wird meist das „naturaliter" im ersten Sinn bejaht, im zweiten verneint. Zur Begründung ein Blick in die wichtigsten Lehrbücher der Schulmetaphysik.

Scheibler beschäftigt sich in den Vorfragen seines Kapitels über Gott mit der Frage „An Deus naturaliter cognosci possit?" [1]. Gegen die Argumente: Der geschaffene Intellekt ist endlich, Gott aber unendlich, also ist Gott kein dem menschlichen Intellekt entsprechendes Objekt;

[1] Scheibler, Op. met., l. II c. 3 nr. 17—23. — Literatur zu Teil II: Außer den auf S. 3 (mit Anm.) angegebenen Untersuchungen bes. Campo II, 573—627.

wenn Gott durch das natürliche Licht erkannt werden könnte, hätten die Heiden Gottes Existenz nicht negiert — antwortet er in Berufung auf Paulus: „naturaliter posse aliquid cognosci de Deo"; allerdings kann er dieser erworbenen Erkenntnis der Unendlichkeit Gottes und der Endlichkeit des geschaffenen Intellekts wegen keinen comprehensiven Charakter zusprechen [2].

Scheiblers Schüler Stahl behandelt in den „Institutiones metaphysicae" aus der natürlichen Theologie nur die Gottesbeweise; die Frage nach der Möglichkeit der Gotteserkenntnis wird nicht aufgegriffen. Auch von Wolffs Lehrer Hebenstreit nicht, der sich im übrigen — unter Erwähnung von Descartes — gegen eine aktuelle, angeborene Gotteserkenntnis oder Gottesidee ausspricht [3].

Von den Wittenberger Metaphysikern bejaht Jak. Martini, gestützt auf die Hl. Schrift und die Väter, aber auch auf Aussagen Platos, Aristoteles' und Ciceros, die Frage „An homini naturaliter sit notum Deum esse?" [4] Der Mensch hat die natürliche Kraft, Gott zu erkennen, und zwar aus natürlichen Prinzipien; eine angeborene Gotteserkenntnis lehnt er, durch die Erfahrung bestätigt, ab [4].

Sein Schüler und Nachfolger Scharf stellt sich ebenfalls positiv zur Möglichkeit der natürlichen Gotteserkenntnis: Philosophen, auch heidnische, hätten aus ihren Prinzipien vieles von Gott erkannt; außerdem lehre es die Hl. Schrift, wobei er u. a. die von allen Autoren zitierte Stelle Röm. 1,19.20 zitiert [5]. In der sich an die „Pneumatica" anschließenden quaestio I fragt Scharf nochmals „An detur Notitia Dei naturalis, eaq. sit discenda e Libro Naturae"? und antwortet wie Jak. Martini [6].

Der Wittenberger Meier spricht sich, ohne nach der Möglichkeit der Gotteserkenntnis zu fragen, für eine natürliche, und zwar erworbene Gotteserkenntnis aus; die ersten Prinzipien, die durch Gott von Natur aus — nicht durch Tätigkeit des Geistes — in den Intellekt gelegt wurden, ermöglichen die aktuelle Gotteserkenntnis [7].

Von den calvinischen Vertretern der Schulmetaphysik stellt sich, im Gegensatz zu Corn. Martini und Keckermann, Timpler die Frage und be-

[2] Scheibler, Op. met., l. II c. 3 nr. 18 f. 21.
[3] Hebenstreit, Phil. pr., P. I c. 4 th. 5—7 (S. 290 ff.).
[4] Jak. Martini, Part. met., l. II s. 2 qu. 3 (S. 663 ff.).
[5] Scharf, Pneum., l. II c. 1 (S. 41 f.).
[6] L. II q. 1 (S. 95 ff.).
[7] Meier, Pneum., P. spec. l. I c. 1 s. 1 (S. 240 f.).

antwortet sie positiv, vorausgesetzt, man rede nicht von einer vollkommenen Erkenntnis Gottes [8].

Die Gründe, die, sofern sie überhaupt gegeben werden, eine positive Antwort rechtfertigen sollen, erscheinen als unzureichend. Dieser Eindruck ändert sich, wenn man sich vergegenwärtigt, daß die eigentliche, ontologische Begründung der Möglichkeit der Gotteserkenntnis in der Lehre von der zwischen dem Unendlichen und Endlichen bestehenden Analogie gegeben wird. Diese Analogie wird, wie später zu zeigen, durchwegs vertreten, ein Bezug zur Frage nach der Möglichkeit der Gotteserkenntnis jedoch nicht hergestellt. Auf diesem Hintergrund zurück zu Wolff.

2. Wolff

Thematisch fragt Wolff nicht nach der Möglichkeit der Gotteserkenntnis, obwohl er in der „Ratio praelectionum" die Behandlung der Frage in Aussicht stellt [9]; es lassen sich aber einige entsprechende Äußerungen finden. Was Wolff von der Ähnlichkeit der Seele mit Gott, von der Ähnlichkeit von Welt und Gott sagt, kann als Begründung der Möglichkeit der Gotteserkenntnis verstanden werden, gewiß nicht in einem transzendentalphilosophischen Sinn, sondern eher erkenntnismetaphysisch.

a) Ähnlichkeit Seele — Gott

In der „Deutschen Metaphysik" (§ 1076) schreibt Wolff: „Weil das Wesen Gottes eine Aenlichkeit hat mit dem Wesen unserer Seele (§ 1067) / die Seele aber sich selbst erkennet (§ 730), und also einen Begriff von sich selbst hat (§ 273); so haben wir eben dadurch zugleich einen Begriff von Gott ..."; oder in der „Theologia naturalis I", § 1095 not.: „... cognitionem Dei, qualem jam in nos cadit, nobis esse possibilem propter animae cum Deo similitudinem essentialem ..." Die Erkenntnis Gottes ist also möglich auf Grund der Ähnlichkeit zwischen Gott und der Seele, so daß wir unfähig wären, Gott zu erkennen, würden wir dieser Ähnlichkeit beraubt [10].

Worin besteht diese Ähnlichkeit und inwiefern ist sie eine wesentliche? Diese „quaedam similitudo essentialis" zwischen Gott und der Seele be-

[8] Timpler, Met. syst., l. IV c. 2 (S. 369 f., 375 ff.).

[9] Rat. prael., s. II c. 3 § 56 (S. 160).

[10] Theol. nat. I, § 1095 not.: „Sane si ista similitudine destitueremur, nec cognitionis Numinis capaces essemus."

steht darin, daß beiden als einfachen Substanzen die Kraft innewohnt, das Universum vorzustellen; allerdings — und dadurch wird die Ähnlichkeit im Wesen eingeschränkt und eine Unähnlichkeit sichtbar — mit dem Unterschied, daß die Seele sich diese bestehende Welt vorstellt, Gott aber alle möglichen, die Seele sich nicht alles klar und deutlich vorstellen kann, und zudem nur sukzessiv, Gott aber alles deutlich und zugleich [11]. Diese Ähnlichkeit besteht in dem Maße, als es die Differenz zwischen unendlichem und endlichem Seienden [12] bzw. die „differentia realitatum limitatarum et illimitatarum" [13] zuläßt. Danach ist es konsequent, wenn Wolff sagt: Drückt man das Unendliche auf das Endliche herab, so zeigt sich das Gott Innewohnende als der Seele innewohnend; erhebt man hingegen das Endliche zum Unendlichen, so zeigt sich das der Seele Innewohnende als Gott innewohnend [14]. Nur fragt es sich, ob dieses Auf und Ab der Sache gerecht wird. Wolff faßt den Unterschied zwischen Gott und Seele graduell, unbeschadet seiner Behauptung, Gott sei wesentlich von der Seele unterschieden; eine Behauptung, die verständlich wird, wenn man Wolffs Auffassung, der Grad einer Kraft mache einen wesentlichen Unterschied unter den Dingen aus, berücksichtigt [15]. Da eine Erkenntnis der Seele möglich ist, empirisch wie rational, ist nach alledem auch eine Erkenntnis Gottes möglich.

b) Ähnlichkeit Welt — Gott

Ein weiterer Grund für die Möglichkeit der Gotteserkenntnis liegt in der Ähnlichkeit zwischen Welt und Gott. (Die Ähnlichkeit Seele — Gott hat zweifellos den Vorrang; ein Erbe cartesianischer Skepsis den Sinnen gegenüber und methodische Vorsicht hinsichtlich idealistischer Positionen.) Diese Ähnlichkeit kommt in der Rede von der Welt als Spiegel der Existenz und der Vollkommenheiten Gottes zum Ausdruck. Dieser Gedanke wird von Wolff, nicht ohne sich auf Röm. 1,20 zu berufen, sehr breit ausgeführt. Wolff zeigt nicht nur, wie die Welt Gottes Eigenschaften allgemein repräsentiert, sondern auch wie sie die einzelnen Eigenschaften

[11] § 1092.

[12] § 1092: „Datur quaedam similitudo essentialis inter Deum et animam, quantam admittit differentia inter ens infinitum et finitum."

[13] Theol. nat. II, § 407.

[14] Theol. nat. I, § 1092 not.: „Constabit autem hac collatione, animae inesse, quae Deo insunt, infinito ad finitudinem depresso, et Deo inesse, quae animae insunt, finito ad infinitudinem elevato."

[15] Dt. Met. A, § 335.

widerspiegelt, z. B. seine notwendige Existenz, seinen Intellekt, seine Weisheit und Güte etc.; aber nicht nur die Welt als Ganzes, sondern auch jedes einzelne Seiende spiegelt Gottes Eigenschaften wider [16] — wohl ein Nachwirken der Monadenlehre von Leibniz. Weil die Welt Spiegel Gottes, „ein Meisterstück eines so grossen Werkmeisters" [17] ist, ist sie die Leiter, auf der wir zu Gott aufsteigen [18].

c) Gottes Schöpfungsabsicht

Die Aussage, daß wir durch die Betrachtung der Welt und der Seele zur Erkenntnis Gottes kommen [19], sie dadurch also möglich ist, läßt sich noch weiter zurückführen, nämlich auf Gott und seine Absicht bei der Schöpfung. Gerade in der Ähnlichkeit, „daß die Welt Gottes Vollkommenheiten als in einem Spiegel vorstellet", liegt die Hauptabsicht Gottes bei der Verwirklichung der Welt [20]. (Wolffs Aussagen über die Schöpfungsabsicht sind damit noch nicht erschöpft.) Somit ist nach Wolff, wenn von ihm auch nicht so thematisiert, Gott selbst der letzte Grund der Möglichkeit der Gotteserkenntnis. — Nachdem die Gotteserkenntnis sich als möglich erwiesen hat, ist sie selbst in ihrer Qualität näher zu bestimmen.

[16] Zur Rede von der Welt als Spiegel Gottes vgl. z. B. Dt. Met., § 1046 ff.; Absicht, § 11 ff.; Diff. nex., s. I § 3 (S. 5 f.); Theol. nat. I, § 798—820; Ges. kl. Schr. I, 508 ff.

[17] Ges. kl. Schr. I, 509.

[18] Theol. nat. I, § 115 not.; Absicht, Vorrede [S. 4].

[19] Dt. Met., § 1079; Dt. Met. A, § 1. 173; Theol. nat. II, § 366. 429.

[20] Dt. Met., § 1045. Theol. nat. I, § 608; Theol. nat. II, § 371; Ges. kl. Schr. I, 508: „Gott hat die Welt hauptsächlich darzu gemacht, daß die Menschen aus diesen sichtbaren Geschöpfen, Gottes unsichtbares Wesen erkennen mögen."

II. ART UND WEGE DER GOTTESERKENNTNIS

1. Descartes, Clauberg, Leibniz

Auch die Frage nach der Art und Weise der Gotteserkenntnis wird von Wolff eigens nicht gestellt, ebensowenig wie von Descartes, Clauberg oder Leibniz. Anders in der Schulmetaphysik. Scheibler z. B. beschäftigt sich mit der Frage „Quomodo Deus cognoscatur?" [21], Scharf mit „Qualis detur notitia Dei naturalis?" [22]. Ebenso lebt in der Schulmetaphysik die Tradition der drei Wege der Gotteserkenntnis, der via negationis, der via causalitatis und der via eminentiae, weiter. Inwieweit, in anderem Zusammenhang und in anderer Terminologie vielleicht, diese Tradition bei Descartes oder Leibniz weiterwirkt, sei hier nicht entschieden. Bei Descartes — und in geringem Maße auch bei Clauberg — finden sich Aussagen über die Beschaffenheit der Gotteserkenntnis, die ins Zentrum des cartesianischen Denkentwurfs führen.

Descartes bezeichnet die Erkenntnis Gottes, die Idee des Unendlichen, als die klarste und deutlichste: „maxime clara et distincta" [23]; die Idee des Unendlichen geht in gewissem Sinne der des Endlichen voraus [24]. Diese Bewertung der Gotteserkenntnis ist für ein Denken, das vom Cogito ausgehend dieses selbst nur durch die Wahrhaftigkeit Gottes begründen kann, konsequent. Eine maßlose Übersteigerung menschlichen Wissens und eine Verendlichung Gottes wird von Descartes aber eindeutig abgewiesen. Die Unbegreiflichkeit Gottes steht im Mittelpunkt seiner Metaphysik. Dieses scheinbare Paradoxon von gewissester Erkenntnis und Gottes Unbegreiflichkeit für den menschlichen Intellekt wird von Descartes dadurch gelöst, daß das „clare et distincte" dem „intelligere" zugesprochen wird, nicht aber dem „comprehendere" [25]. Den auf der Seinsanalogie begründeten und durch die drei Momente der negatio, causalitas und eminentia bestimmten Aufstieg zu Gott hat Descartes durch die von Gouhier so genannte „inversion métaphysique" ersetzt [26]. Die Richtung der cartesia-

[21] Scheibler, Op. met., l. II c. 3 nr. 34—30.

[22] Scharf, Pneum., l. II q. 2 (S. 107—111).

[23] Desc., Med. III, 25 (AT VII, 46).

[24] Med. III, 24 (AT VII, 45).

[25] I. Resp. (AT VII, 112); V. Resp. (AT VII, 367 f.).

[26] Gouhier, Pensée métaphysique de Descartes, S. 211 ff. Gouhier gibt (S. 205—232) eine ausgezeichnete Darstellung der cartesianischen Sicht der Gotteserkenntnis (mit zahlreichen Stellen aus Descartes' Werken. Vgl. auch Gueroult I, 225 ff., 303 f.

nischen Antwort angedeutet zu haben, muß im Rahmen dieser Arbeit genügen.

Clauberg schließt sich eng an Descartes an, wenn er in den „De Cognitione Dei et nostri ... Exercitationes centum" [27] unsere Erkenntnis des Unendlichen eher als positiv denn als negativ einschätzt [28] und die Idee Gottes als klare und deutliche, wenn auch nicht als adäquate und vollkommene ansieht; denn die meisten Attribute Gottes erreichen wir durch unseren Geist nicht und werden sie auch niemals erreichen [29].

2. Schulmetaphysik

In eine andere Denkwelt führt die Schulmetaphysik. Scheibler bestimmt die Gotteserkenntnis als nicht quidditativ und nicht comprehensiv [30]. Die quidditative Erkenntnis besteht darin, daß alle Wesensprädikate eines Dings in positiven und eigentlichen Begriffen erfaßt werden. Da aber unsere Erkenntnis Gottes von dessen Wirkungen ihren Anfang nimmt und keine Wirkung Gott adäquat darstellen kann, ist eine quidditative Erkenntnis Gottes unmöglich [31]. Folglich ist auch eine comprehensive Erkenntnis Gottes für den geschaffenen Intellekt ganz und gar unmöglich, denn eine comprehensive Erkenntnis, die in der vollständigen Erkenntnis dessen besteht, was in einem Erkennbaren ist, umfaßt außer den quidditativen auch noch andere Attribute [32]. Im weiteren spricht Scheibler von der dreifachen Art, Gott zu erkennen: negativ, durch die „via eminentiae" und „ex actibus Dei". Die Gotteserkenntnis erweist sich als eine negative, da wir von Gott unsere Unvollkommenheiten entfernen, z. B. wenn wir sagen: Gott ist unendlich, unkörperlich und unbegrenzt [33]. Damit ist nicht gesagt, es gäbe überhaupt keine affirmative Gotteserkenntnis; eine rein negative Erkenntnis ist nämlich, wie Scheibler in Berufung auf Scotus festellt, widersprüchlich, da nach Aristoteles eine Ne-

[27] In Clauberg, Opera omnia philosophica, S. 595—764.

[28] Clauberg, De cogn. Dei, exerc. X (Op., S. 612): „Cogitationes nostras de Infinito non esse potius negativas quam positivas existimandas."

[29] Exerc. XII (Op., S. 651): „Sic itaque possumus etiam habere ideam Dei claram et distinctam, etiamsi plurimas ejus proprietates, attributa, perfectiones mente non assequamur, nec unquam assecuturi simus." „Ita quid Deus sit clare percipis, licet innumera in divinarum perfectionum latentia non attingas."

[30] Scheibler, Op. met., l. II c. 3 nr. 24—26.

[31] Nr. 24.

[32] Nr. 21. 25 f.

[33] Nr. 27: „... removendo ab illo imperfectiones nostras ..."

gation eine affirmatio voraussetze, so daß von daher eine Erkenntnis Gottes durch positive Termini nicht als sich widersprechend erscheinen muß [33]. Scheibler folgt jedoch Dionysius Areopagita und Augustinus und zieht eine Erkenntnis durch negative Termini vor [34]. Begründet wird dies dadurch, daß in einem verneinten Satz die Negation nicht nur wahr, sondern das von Gott verneinte Prädikat, weil ein geschaffenes, auch adäquat und distinkt erkannt wird, während wir in einem affirmativen Satz das von Gott ausgesagte Prädikat nicht distinkt und adäquat erkennen, sondern undeutlich und wie im allgemeinen; wenn wir z. B. sagen: Gott ist weise, sprechen wir ihm eine Vollkommenheit zu, die in Wirklichkeit eine geschaffene ist, und übersehen dabei den unendlichen Abstand zwischen Gottes Weisheit und der der Geschöpfe [34]. Die via negationis muß aber durch die via eminentiae ergänzt werden. Wenn wir von Gott unsere Unvollkommenheiten entfernen, muß er höhere Vollkommenheiten haben; die Güte Gottes z. B. muß erhaben sein über unsere unvollkommene Güte [35]. Die Erkenntnis durch die via eminentiae ist möglich, da Gott causa aequivoca der Dinge ist, und die Vollkommenheiten des Verursachten in höherer Weise (eminenter) in der Ursache präexistieren müssen [35]. Die via causalitatis meint Scheibler, wenn er sagt, wir erkennen Gott aus seinen Tätigkeiten [36]. Durch Gottes Wirkungen also erkennen wir ihn als den ersten Beweger und den Erhalter der Dinge [36].

Die Gotteserkenntnis ist Scheibler zufolge also negativ und, insofern Negation Affirmation voraussetzt, auch affirmativ; durch die via eminentiae bestimmt, ist sie, weil auf die Tätigkeiten Gottes angewiesen, eine indirekte, im Kausaldenken durchgeführte. Die starke Betonung des negativen Moments ist bei Scheibler nicht zu übersehen.

Stahl äußert sich in den „Institutiones metaphysicae" weder zur Qualität der Gotteserkenntnis noch zu den drei Wegen. Hebenstreit kennt wenigstens die drei Wege, allerdings in einer ungewohnten Reihenfolge: via causalitatis, via eminentiae et perfectionis und zuletzt die via negationis [37]. Eine Erläuterung der Wege erspart sich Hebenstreit.

Der Wittenberger Jak. Martini begründet die Unmöglichkeit einer quidditativen Gotteserkenntnis — sie ist eine Erkenntnis per definitionem —

[34] Nr. 28.
[35] Nr. 29.
[36] Nr. 30.
[37] Hebenstreit, Phil. pr., P. II th. 8 (S. 456). Auch Scherzer kennt die 3 Wege: Vadem., P. II (dist.), S. 55.

teils mit der die Schärfe unseres Geistes übersteigenden Immaterialität Gottes, teils mit seiner Unendlichkeit, denn unserem endlichen Intellekt ist das Unendliche von Natur aus unfaßbar, teils mit der Einfachheit Gottes, die unser in die Erkenntnis der körperlichen Dinge eingetauchter Geist niemals erreichen kann [38]. Da wir Gott nur durch seine Wirkungen erkennen, keine Wirkung aber Gott adäquat darstellen kann, ist die Erkenntnis eine unvollkommene [38].

Scharf beruft sich in seinen Ausführungen über die Beschaffenheit der Gotteserkenntnis wiederholt auf seinen Vorgänger und Lehrer Jak. Martini [39]; er qualifiziert sie als unvollkommen, undeutlich, nicht quidditativ, sondern „quidditatis", als nicht comprehensiv, sondern als apprehensiv [40]. Apprehensiv und damit unvollkommen ist unsere Gotteserkenntnis, da wir nur einiges von Gott erkennen, nicht aber alles, wie es bei einer comprehensiven Erkenntnis der Fall sein müßte [40]. Nicht von einer „cognitio quidditativa", sondern von einer „cognitio quidditatis" kann man sprechen, da wir nur etwas von der Wesenheit erkennen, und die Erkenntnis deshalb auch nicht deutlich sein kann [40]. Auch Scharf kennt den dreifachen Weg der Gotteserkenntnis: 1. die via negationis, die in der Entferung der kreatürlichen Unvollkommenheiten von Gott besteht (z. B. creatura finita — Deus infinitus; corpora — Deus incorporeus); 2. die via causalitatis: daß Gott aus seinen Tätigkeiten und Wirkungen erkannt wird (als creator, conservator, primus motor und causa prima); 3. die via eminentiae, durch die Gott die Vollkommenheiten der Geschöpfe per eminentiam zugesprochen werden (z. B. bonitas, sapientia in den Geschöpfen — Deus optimus, sapientissimus) [41].

Wie Scharf bezeichnet auch Meier die Gotteserkenntnis als nicht quidditativ, nicht comprehensiv, sondern als „cognitio quidditatis", als undeutlich und unvollkommen [42]. Von den drei Wegen gibt er in Berufung auf Jak. Martini der via negationis den Vorzug und bezeichnet sie als „via omnium optima et perfectissima" [43].

[38] Jak. Martini, Part. met., l. II s. 2 nr. 13—23 (S. 649 ff.); Exerc., l. II ex. 4 theor. 2 (S. 645); ebd. (S. 638): „Difficultas autem haec et obscuritas ex quatuor Dei attributis potissimum fluit: Ex spiritualitate sive immaterialitate: ex purissima simplicitate, ex infinitate, ex aeternitate."

[39] Wundt, Schulmet., S. 115 f.

[40] Scharf, Pneum., l. II c. 1 (S. 45 f.) u. l. II q. 2 (S. 107 ff.).

[41] L. II c. 1 (S. 46 f.).

[42] Meier, Pneum., P. spec. l. I c. 1 s. 2 ax. 1 (S. 264 f.).

[43] L. I c. 1 s. 1 (S. 241, 258 ff.).

Von den reformierten Metaphysikern sei Timpler erwähnt. Er spricht von einem zweifachen Weg, etwas zu erkennen: Von der „via a simpliciter prioribus ad posteriora" und der „via a simpliciter posterioribus ad priora", dem allein der Mensch in der Erkenntnis der Natur Gottes folgen kann [44]. Dieser Weg geht vom Sinnlichen zum Nichtsinnlichen, vom Körperlichen zum Unkörperlichen, vom Zusammengesetzten zum Einfachen, vom Zeitlichen zum Ewigen, vom Endlichen zum Unendlichen, vom Natürlichen zum Übernatürlichen und schließlich von der Wirkung zur ersten Wirkursache [44].

In der näheren Kennzeichnung der Gotteserkenntnis und in der Lehre von den drei Wegen ergibt sich für die Schulmetaphysik ein relativ einheitliches Bild. Die Gotteserkenntnis ist unvollkommen, nicht comprehensiv, undeutlich und indirekt. Das negative Moment wird allgemein betont. Descartes' Auffassung und die der Schulmetaphysik sind verschieden: hier undeutlich — dort die deutliche Erkenntnis, und dennoch treffen sie sich im nicht comprehensiven Charakter der Gotteserkenntnis, in der Sicht des Abstandes zwischen Endlichem und Unendlichem. Was lehrt nun Wolff?

3. Wolff: Symbolische Erkenntnis Gottes

Auch in dieser Frage muß versucht werden, aus verschiedenen Bemerkungen die Auffassung Wolffs zu eruieren. Im 6. Kapitel der „Deutschen Metaphysik" beginnt er sofort mit dem Beweis der Existenz Gottes, ohne sich mit irgendwelchen Vorfragen allgemeiner Art zu befassen; auch die Prolegomena der „Theologia naturalis I", die der Ort einer solchen Frage wären, schweigen sich aus.

Wolff bezeichnet in der „Deutschen Metaphysik" unsere Erkenntnis von Gott als eine figürliche und stellt sie damit einer anschaulichen Erkenntnis gegenüber, wie er es in der „Ratio praelectionum" schon getan hatte [45]. Die durch die Randbemerkung „Beschaffenheit der Erkenntnis Gottes" ausgewiesene Stelle der „Deutschen Metaphysik" (§ 1079) im Wortlaut: „Es ist demnach klar / daß wir in dieser Welt keine anschauende / sondern nur eine figürliche Erkäntnis Gottes haben (§ 1078). Was aber anschauendes dabey anzutreffen / gehöret unserer Seele zu (§ 1076) / dergestalt daß wir jetzund Gott nur sehen durch unsere Seele

[44] Timpler, Met. syst., l. IV c. 2 (S. 377).
[45] Rat. prael., s. II c. 3 § 56 (S. 160 f.).

(§ 1076) und die Welt (§ 1046) als wie in einem Spiegel." Ähnlich heißt es in „Theologia naturalis I", § 1095 not.: „Deum intuitive non cognoscimus, cum rerum a nobis diversarum cognitio intuitiva ad sensus restringatur et imaginandi facultatem, quae a sensu pendet (§ 117 Psych. empir.). Deus igitur invisibilis (§ 89) intuitive a nobis pro praesente cognoscendi modo cognosci nequit. Cognosci ideo debet per creaturas, quatenus ex iis, quae ipsi insunt, colligimus, quae Deo inesse debent ..." Der Mensch kann Gott also nur indirekt erkennen: durch Vermittlung der Schöpfung, durch Welt und Seele. Auf Grund dieser Mittelbarkeit ist eine intuitive Erkenntnis ausgeschlossen. Mittels des schlußfolgernden Denkens kann unter Verwendung des Kausalitätsprinzips bzw. des Prinzips vom zureichenden Grund Gott vom Menschen erkannt werden. Dieser Weg berührt sich mit der via causalitatis der Schulmetaphysik. Es ist wohl angemessener, von „berühren" statt von „ist" zu reden; in der Schulmetaphysik liegt der Akzent eindeutig auf dem ontologischen Kausalzusammenhang, bei Wolff hingegen auf dem „colligere", dem schlußfolgernden Denken, das allerdings Prinzipien verwendet, die nicht nur erkenntnismethodisch, sondern auch ontologisch zu verstehen sind. Wolffs Ausgangspunkt in der Gotteserkenntnis ist den obigen Aussagen zufolge aposteriorisch, denn symbolische Erkenntnis setzt ja die intuitive voraus; in unserem Falle sind Seele und Welt das Anschauliche.

Der Nachteil dieser symbolischen Erkenntnisart — symbolisch, weil das Erkannte nicht selbst vorgezeigt, sondern nur durch die symbola anschaulich gemacht werden kann — erweist sich in gewisser Hinsicht als Vorzug. Die symbolische Erkenntnis ist nämlich — wie schon gezeigt — deutlicher als die intuitive. Daß Wolff die Gotteserkenntnis wie Descartes als „cognitio maxime clara et distincta" bezeichnet, läßt sich nicht ausmachen; Wolffs Ausgangspunkt legt es nicht nahe.

Gerade in der Tatsache, daß wir eine figürliche Erkenntnis haben, ist die Möglichkeit begründet, zu Begriffen von Gottes Wesen und Vollkommenheiten zu gelangen. Was in der anschauenden Erkenntnis beieinander und ineinander angetroffen wird, wird durch die figürliche Erkenntnis getrennt [46]. Der nächste Schritt, durch den wir zu den Begriffen von Gott kommen, besteht darin, die Grenze unseres Wesens und unserer Eigenschaften wegzulassen: „Denn da unser Wesen, und die in ihm gegründete Eigenschafften eingeschräncket sind (753) / Gott aber in allem

[46] Dt. Met., § 1078.

unendlich ist (§ 1072); so dörffen wir nur die Einschränckungen unseres Wesens und unserer Eigenschafften weglassen / so bekommen wir einen Begriff von dem Wesen und den Eigenschafften Gottes" [47]. Da diese Begriffe in Wörter oder Zeichen ausgedrückt werden, kann Wolff sagen: „Denn wir dörffen nur die Wörter oder Zeichen weglassen / dadurch die Einschränckungen angedeutet werden / und andere davor an die Stelle setzen / dadurch die Befreyung von allen Schrancken bedeutet wird; so stellen nachdem die Wörter oder andere Zeichen das uneingeschränckte in Gott vor" [48].

Wie dies zu geschehen hat, erläutert Wolff in der „Deutschen Metaphysik" (§ 1077) durch ein Beispiel. Ausgangspunkt ist das Wesen der Seele, das in der Kraft besteht, die Welt vorzustellen; Zielpunkt das Wesen Gottes. Das Verfahren schematisch dargestellt:

Seele		Gott
1. stellt nur diese Welt vor	Weglassen	1. stellt alle Welten vor
2. nur weniges deutlich	der	2. alles deutlich
3. eines nach dem andern (in der Zeit)	Einschränkungen	3. alles auf einmal

Ebenso kann man mit allen Eigenschaften verfahren [49]. — Ist damit die Erkenntnis Gottes letztlich nur ein Problem sprachlicher Operationen? Daß das Uneingeschränkte in Gott vielfach nur durch negative, die „Einschränckungen" andeutende Termini ausgesagt werden kann (unendlich, unkörperlich etc.), und wie zum andern bei Termini, die das Endliche und Unendliche positiv bezeichnen (gut, weise etc.), zu verfahren sei, wird, mit gewisser Einschränkung für die Frage der positiven Termini, von Wolff offenbar nicht als Problem empfunden.

Die Formulierung „Weglassen der Einschränkungen" erinnert an die via negativa bei Scheibler und Scharf [50]. Während beide großen Wert auf die negative Seite dieses Weges legen, ist Wolff an der positiven Seite der „entschränkten" Begriffe und Aussagen interessiert, das Nega-

[47] § 1076. Theol. nat. I, § 1095: „Si notiones distinctas eorum, quae animae nostrae per essentiam et naturam ejus insunt, a limitationibus liberemus; notiones habemus perfectionum divinarum, seu attributorum Dei."

[48] Dt. Met., § 1078.

[49] § 1077.

[50] Vgl. S. 213 ff.

tive des Weges verflüchtigt sich in das Methodische. Die entschränkten Begriffe selbst werden in ihrer Qualität nicht mehr befragt. Daß das negative Moment sehr stark zurücktritt, geschieht nicht von ungefähr; eine Theologia negativa wie sie in der Schulmetaphysik und auf ihre Weise auch bei Descartes [51] entwickelt wurde, ist Wolff fremd. In der positiven Wertung der via negativa scheint er von Clauberg abhängig zu sein [52].

Die via eminentiae wird angesprochen, wenn Wolff sagt, die der Seele innewohnenden Realitäten seien Gott im absolut höchsten Grad zuzusprechen [53], ja alle Realitäten überhaupt [54]. (Damit wird die Frage der positiven Termini indirekt gelöst.)

Daneben findet sich bei Wolff auch die Formulierung, Gott werde etwas „per eminentiam" zugesprochen. (Wie sich aus dem folgenden ergibt, versteht Wolff unter „per eminentiam" nicht dasselbe wie die Schulmetaphysik. Schon daß die Aussageweise nur auf den Sinnenbereich zutreffen soll, zeigt den Unterschied.) Von einem Seienden wird bekanntlich gesagt, es sei „per eminentiam", wenn es das, was von ihm gesagt wird, im eigentlichen Sinne nicht ist, aber dennoch etwas in sich hat, das an die Stelle dessen tritt, das ihm im eigentlichen Sinn nicht zugesprochen werden kann [55]. So können z. B. Sinne und Einbildungskraft Gott im eigentlichen Sinn nicht zugesprochen werden, jedoch „per eminentiam" [56]. D. h. was gegenwärtig ist in der Welt, erkennen wir durch die Sinne. Gott, der keine Sinne hat, erkennt das Gegenwärtige in der Welt ebenfalls als Gegenwärtiges. Der Akt des Intellekts tritt an die Stelle der für uns notwendigen Sinne. In diesem Sinn kann man Gott per eminentiam Sinne zusprechen [57]. Wenn wir z. B. vom Sehen Gottes reden, so ist damit der Akt des göttlichen Intellekts gemeint, wodurch er die existierenden Dinge hinsichtlich ihrer inneren Bestimmungen und der gegenseitigen Beziehungen zu einander in jedem Augenblick erkennt; Hören bezeichnet

[51] Vgl. Anm. 26.

[52] Vgl. S. 213.

[53] Theol. nat. II, § 70: „Realitates, quae insunt animae nostrae, Deo tribuendae in gradu absolute summo."

[54] § 15.

[55] Ont., § 845.

[56] Theol. nat. I, § 1096 u. II, § 158. 259: sensus; I, § 1097 u. II, § 160 f.: visus et auditus; I, § 1098 u. II, § 167: imaginatio; I, § 1099 u. II, § 169: memoria; I, § 1104 u. Dt. Met., § 1071: affectus.

[57] Theol. nat. II, § 158; I, § 1053.

den Akt des Intellekts, wodurch er das durch das Gehör in der Sinnenwelt Wahrnehmbare erkennt [58]. Sinnesorgane hingegen können Gott auch auf die Art der eminentia nicht zugesprochen werden, da Gott nicht wie die Sinne auf ein vermittelndes Organ angewiesen ist; von Organen Gottes kann man bestenfalls „sensu hieroglyphico" reden [59].

Daß Gott etwas, das aus einer Begrenzung als solcher folgt, etwa aus der Begrenztheit des menschlichen Intellekts oder Willens als solcher, nicht zugesprochen werden kann, versteht sich von selbst [60]. Aus diesem Grunde können z. B. die Fähigkeiten der Seele Gott nur „per modum actus" zugesprochen werden [61].

Abschließend läßt sich sagen, daß Wolff auf eine etwas veränderte Weise die drei Wege der Schulmetaphysik aufgenommen hat, das negative Moment aber sehr zurücktreten läßt, ohne allerdings die cartesianische Position ohne weiteres zu übernehmen. Die auffallend geringe Bedeutung des Negativen ist auf die Tendenz des Wolffschen Denkens, zu klarer und deutlicher Erkenntnis zu gelangen, zurückzuführen und letztlich wohl auf das Fehlen der Analogielehre. Endliches und Unendliches sind bei Wolff „näher" als in der Schulmetaphysik, unter Verkennung des unendlichen Charakters des Unendlichen. — Nach dieser allgemeinen Charakterisierung der Gotteserkenntnis nun zu dieser selbst. Sie ist gemäß dem in den Prolegomena der „Theologia naturalis I" entworfenen Programm Erkenntnis der Existenz, des Wesens und der Eigenschaften Gottes und dessen, was durch die Eigenschaften Gottes als möglich erkannt wird. Danach wird sich der Gang der Untersuchung zu richten haben.

[58] II, § 161.
[59] I, § 1097 not. II, § 162 ff.
[60] I, § 136.
[61] II, § 78.

B. DIE ERKENNTNIS DER EXISTENZ GOTTES: DIE GOTTESBEWEISE

I. DIE BESCHAFFENHEIT MÖGLICHER GOTTESBEWEISE

Was Wolff von der Philosophie im allgemeinen hinsichtlich Methode und Resultat fordert [1], gilt im besonderen Maße vom Gipfel der theoretischen Philosophie, für die Lehre von Gott. Diese Forderungen, die konsequent eine ausführliche Kritik an nicht wenigen der überlieferten Gottesbeweise mit sich bringen, werden in der 1718 erschienenen Programmschrift „Ratio praelectionum Wolfianarum in Mathesin et philosophiam universam" formuliert. Dort heißt es: „Da die Erkenntnis Gottes äußerst schwierig und bedeutsam ist, glaubte ich, besonders hier die genaue Methode mit größter Strenge befolgen zu müssen: nur richtig definierte Worte zu gebrauchen, beim Schließen nur evidente Prämissen, und schließlich alle Konklusionen mit dem ersten Begriff von Gott zu verbinden" [2]. In den Prolegomena der „Theologia naturalis I" werden diese Forderungen wiederum aufgegriffen: „Was in der natürlichen Theologie behandelt wird, muß bewiesen werden" [3]; davon hängt ihr Charakter als Wissenschaft ab, als die sie zu Beginn des Werkes definiert wird [4]. Als Beweisprinzipien werden, wie in der Logik allgemein dargelegt, nur Nominaldefinitionen, unbezweifelte Erfahrungen, Axiome und schon bewiesene Sätze angenommen; auch für die natürliche Theologie kann folglich als Beweisprinzip nur zugelassen werden, was sich auf Erfahrung oder Beweis stützt bzw. zu den Nominaldefinitonen gehört [5].

Irgendeine Nominaldefinition Gottes muß vorausgesetzt werden, wenn seine Existenz bewiesen werden soll [6]. Da mehrere Nominaldefinitionen Gottes gebildet werden können, ist es in unser Belieben gestellt, welche wir wählen [7]. Gleichgültig ist die Wahl jedoch nicht, da von der Art der Nominaldefinition auch die Art des Gottesbeweises abhängt, so daß die Nominaldefinition ausgewählt werden muß, die der Beweis, den man

[1] Vgl. Einleitung (S. 41 f.).
[2] Rat. prael, s. II c. 3 § 36 (S. 153).
[3] Theol. nat. I, § 2.
[4] § 1.
[5] § 8.
[6] § 5.
[7] § 5 not.

führen will, erfordert [7]. Zum andern wird von der Nominaldefinition, aus der Gottes Attribute abgeleitet werden sollen [8], gefordert, daß sie nicht mehr enthalte als zur Ableitung der Attribute dienlich ist [9]. (Von daher wird verständlich, meint Wolff, wie unvollkommen Systeme natürlicher Theologie sind, in denen der Nexus zwischen den göttlichen Attributen und der im Gottesbeweis zugrundegelegten Nominaldefinition zu den Desiderata zählt, und wie sie unmöglich Menschen befriedigen können, die durch den Gebrauch der demonstratio gelernt haben, das Gewisse vom Ungewissen zu unterscheiden [10].) Diese, unter verschiedenen Aspekten immer wieder geforderte „demonstrativische Methode" ist nicht Selbstzweck, sondern dient dem Ziel der „certa Dei cognitio" [11]. Wolff wendet sich energisch gegen die Behauptung, es sei besser, statt der demonstrativischen Methode eine andere anzuwenden, da das Volk und auch die meisten Gebildeten (eruditi) die Beweise nicht verstehen [12]. Die natürliche Theologie, so entgegnet er, wird nicht des Volkes, sondern der Gebildeten wegen durchgeführt [12]. Sollten unter den Gebildeten welche sein, die zu schwachen Geistes sind, als daß sie die Beweise verstehen könnten, so geht sie die natürliche Theologie nichts an [12]. Man muß an die denken, schließt Wolff, die das Gewisse vom Ungewissen unterscheiden können, damit sie nicht durch Ungewißheit zum Atheismus geführt werden [12]. (Dieser Angriff richtet sich wohl gegen die Gegner in Halle, insbesondere gegen Lange [13].)

Viele der bisherigen Gottesbeweise entsprechen nicht den Forderungen der demonstrativischen Methode und erreichen damit auch ihr Ziel nicht, nämlich von Gott eine gewisse Erkenntnis zu geben. Sie bedürfen deshalb der Kritik.

[8] § 6.
[9] § 7.
[10] § 6 not.
[11] § 3.
[12] § 3 not.
[13] Vgl. Lange, Mod. disq., S. 1.

II. KRITIK DER BISHERIGEN GOTTESBEWEISE

1. Philosophischer Hintergrund

Es würde zu weit führen, im Sinne eines philosophiegeschichtlichen Hintergrunds alle Gottesbeweise zusammenzustellen, die Wolff wohl gekannt hat. Descartes' Gottesbeweise zu skizzieren, ist überflüssig [14]. Ebenso erübrigt es sich, auf Claubergs Beweise näher einzugehen; er übernimmt Descartes' Beweise, allerdings in systematischer Darlegung [15]. Auf die von Leibniz gegebenen Beweise [16] wird besser an Ort und Stelle verwiesen, auch für die, die Wolff nicht übernimmt. Spinoza und Locke sind in dieser Hinsicht für Wolff ohne Bedeutung. Die vielfachen Beweise der Schulmetaphysik [17] darzulegen, würde einen den Rahmen dieser Arbeit

[14] Vgl. die in der Einleitung angegebene Literatur zu Descartes; außerdem Alexander Koyré, Descartes und die Scholastik (Bonn, 1923).

[15] Clauberg beschäftigt sich in „De cognitione Dei ..." mit den Gottesbeweisen. In exerc. VI (Op., S. 605 ff.) bringt Clauberg den 1. Beweis: „... habemus conceptum de Deo ... quatenus imago quaedam est entis perfectissimi, debet habere causam efficientem exemplarem, in qua omnis illa realitas, omnis illa perfectio, quae in conceptu illo est repraesentative ... reperiatur actu, formaliter, fundamentaliter ..."; da bei der Durchforschung der „tota rerum universitas" eine solche Exemplarursache nicht gefunden werden kann, muß als Ursache Gott bzw. „ens illud summe perfectum, cujus in me notio aliqua, sive idea sive conceptus est" existieren. (Exerc. VII Op., S. 609 führt den Beweis näher aus.) Der 2. Beweis wird in exerc. XXII (Op., S. 636) geführt: „1. me, ut durem, positive debere conservari ab aliqua causa." 2. Diese Ursache kann ich nicht sein. 3. Auch nicht die Eltern, „nec aliud quid Deo minus perfectum; sed 4. Deus necessario is esse debet, ita ut ab eo pendeam totus ego et solo et semper." (Der Beweis wird weitergeführt in exerc. XXIII — XXV [Op., S. 636 ff.]). Der 3. Beweis findet sich in exerc. XXXI (Op., S. 647): „Quod continetur in alicujus rei idea sive conceptu, id ipsum de ea re verum est. Atqui existentia necessaria continetur in idea seu conceptu Dei, seu, necessitas existendi in Dei idea continetur. Ergo verum est, Deum necessario existere."

[16] Zu Leibniz' Gottesbeweisen vgl. Jacques Jalabert, Le Dieu de Leibniz (Paris, 1960); auch Joseph Iwanicki, Leibniz et les démonstrations mathématiques de l'existence de Dieu (Strasbourg, Theol. Diss., 1933). Weitere Literatur bei Kurt Müller, Leibniz-Biographie.

[17] Eine Untersuchung über die Gottesbeweise in der Schulmetaphysik steht noch aus. Die entsprechenden Stellen in den Werken der eingesehenen Autoren seien wenigstens angegeben: Scheibler, Op. met., l. II c. 3 nr. 31—44 (dieselben Beweise auch in Scheiblers „Liber Sententiarum" u. „Theologia naturalis sive Angelographia"). Stahl, Inst. met., P. spec. s. 1. c. 3 f. (S. 433—438). Hebenstreit, Phil. pr., P. I c. 4 th. 9—12 (S. 322 ff.). Jak. Martini, Part. met., l. II s. 2 nr. 5—9 (S. 648 f.); Exerc., l. II ex. 4 th. 1. Scharf, Pneum., l. II c. 2 (S. 48 ff.) u. l. II q. 1 (S. 95 ff.). Meier, Pneum., P. spec., l. I c. 1 s. 1 (S. 248 ff., 256 ff.) u. s. 2 (S. 264). Corn. Martini, Met. com., S. 322—325. Timpler, Met. syst., l. IV c. 2 (S. 370 ff.).

sprengenden Exkurs verlangen. Insofern sie den Hintergrund der Wolffschen Kritik bilden, müssen sie natürlich berücksichtigt werden. Ergänzend sei noch bemerkt, daß Wolff die quinque viae des Thomas von Aquin aus Carbo [18] und Hebenstreit [19] zugänglich waren. Hebenstreit führt beim historischen Bericht die quinque viae zwar in der Reihenfolge des Thomas an, in der ausführlichen Behandlung aber schlägt er eine andere Reihenfolge ein: er beginnt mit dem „argumentum ab ordine et gubernatione universi", das ihm als das „liquidissimum argumentum" gilt [20]. (Die Tatsache, daß Hebenstreit von den Argumenten des Thomas sagt, sie seien „demonstrationes solidas, exquisitas et liquidas", sei eigens vermerkt [21].)

2. Kritik im allgemeinen

An verschiedenen Stellen seiner Werke äußert sich Wolff in kritischem Sinn zu den Gottesbeweisen, vor allem dort, wo er sich ex professo mit ihnen befaßt. Die „Ratio praelectionum" ist der einzige Ort, wo Wolff sich ausdrücklich und systematisch mit der Kritik der Gottesbeweise beschäftigt [22]. Die Fehler der einzelnen Argumente will er jedoch nicht zu ausführlich behandeln [23]. Die Unvollkommenheiten, die Wolff bei der Prüfung der gewöhnlich vorgebrachten Argumente findet, faßt er in vier Gruppen zusammen:

1. Einige Gottesbeweise sind fehlerhaft der Form oder der Materie nach [24].
2. Andere bestehen aus Prämissen, die niemals ohne weiteres (gratis) als solche anerkannt werden und die schwieriger zu beweisen sind als die Existenz Gottes selbst [25].
3. Wieder andere sind Einwänden ausgesetzt (exceptionibus obnoxia), die schwieriger zu beseitigen sind, als Gottes Existenz auf einem anderen Weg zu beweisen [25].

[18] Carbo, Comp., S. 4 f.
[19] Hebenstreit, Phil. pr., P. I c. 4 th. 9 (S. 322 ff.).
[20] Th. 9 (S. 323).
[21] Th. 10 (S. 336).
[22] Rat. prael., s. II c. 3 § 37—47 (S. 153—158). Vgl. Campo II, 584 ff.
[23] Rat. prael., s. II c. 3 § 38 (S. 154).
[24] § 37. 39 (S. 153 f.).
[25] § 37 (S. 153 f.): „Cum argumenta examinarem, quae pro demonstranda existentia Dei in medium afferri solent; multis eadem imperfectionibus laborare deprehendi, alia enim vitiosa sunt; alia constant praemissis quas nemo gratis concedet, quasque diffi-

4. Der Gottesbegriff mancher Beweise ist in vielem so undeutlich, ja sogar dunkel, daß man die göttlichen Attribute kaum daraus ableiten kann [25].

3. Kritik im besonderen

Die allgemeine Kritik wird an einzelnen Gottesbeweisen konkretisiert.

a) Beweis des ens a se [26].

Dieser Beweis, der Versuch eines mathematischen Beweises, wird folgendermaßen durchgeführt:

„Aliquid existit, sed
nihil nil potest.
Ergo aliquid existit a se ipso, hoc est
Ens a se ipso existit."

Dieser Beweis ist fehlerhaft der Form nach (Gruppe 1). Selbst der größte Beweiskünstler kann aus diesem Beweisgang keine logische Form herausholen noch irgendeine Art von crypsis ausdenken, um diesen Beweis zu retten. (Auf die restlichen Beweise, die im Anschluß daran nachweisen wollen, daß das ens a se mit den Attributen ausgestattet sei, die wir Gott zusprechen, will Wolff nicht eingehen.)

Dieser von Wolff kritisierte Beweis findet sich nach Lange [27] bei Joh. Raphson in dessen Werk „Demonstratio de Deo" (p. 13); Raphson wollte Lange zufolge diesen Beweis nicht in einer logischen Form, sondern in der den Mathematikern eigenen Form vorlegen. — Zwischen logischer und mathematischer Form in dieser Art zu unterscheiden, kann von Wolff nicht gebilligt werden. Übrigens ist dieser Beweis, den kritischen Einwänden Rechnung tragend, Wolffs eigentlicher Beweis, sowohl in der „Deutschen Metaphysik" wie in der „Theologia naturalis I". (Der Obersatz ist näher zu bestimmen: Entweder existiert etwas aus sich selbst oder durch ein anderes; dann ist nachzuweisen, daß das ens a se Gott ist.)

cilius demonstrare licet, quam existentiam Dei; alia exceptionibus obnoxia sunt, quae difficilius tolluntur, quam Dei existentia aliunde demonstratur. Non jam urgeo, notionem Dei, quae per nonnulla argumenta stabilitur, in multis esse confusam, immo obscuram, ut genuinas attributorum divinorum rationes aegre admodum inde deduxeris."

[26] § 40 (S. 154 f.).

[27] Lange, Mod. disq., S. 201.

b) Beweis aus der Ordnung der Welt [28]

Diesem Beweis, der aus der Ordnung der Welt auf einen ordnenden Urheber schließt, wird ein Fehler in der Materie nachgewiesen (Gruppe 1): Er stützt sich auf falsche Prämissen. Der Fehler der „fallacia dicti simpliciter" ergibt sich dadurch, daß der Satz „ubi datur ordo, ibi datur ordinans" als schlechthin wahr angenommen wird, während er tatsächlich nur in gewisser Hinsicht Gültigkeit hat, nämlich allein in der kontingenten Ordnung.

Ausführlich wird diese Kritik nochmals in der „Theologia naturalis I" aufgegriffen [29]. Wolff fordert nicht nur, daß die Prämissen des Beweises:

„Ubi datur ordo, ibi datur ordinans.
Atqui in universo datur ordo.
Ergo datur ordinans, hoc est Deus"

als nicht aus sich evident, obwohl wahr, bewiesen werden, sondern kritisiert auch den Sprung, der im Schluß vom „ordinans in universo" auf Gott besteht, wobei „Gott" im Sinn der Hl. Schrift verstanden wird. In der Nominaldefinition wird vorausgesetzt, durch das Wort Gott werde der Urheber der Weltordnung bezeichnet. Daß dem Weltordner die Attribute zukommen, die in der Hl. Schrift Gott zugesprochen werden, ist noch zu beweisen.

Der Beweis, der sich im wesentlichen mit der quinta via des Thomas, also dem teleologischen Beweis trifft, erfreut sich in der Schulmetaphysik großer Wertschätzung. In der Physikotheologie ist der Beweis aus der Ordnung zusammen mit dem verwandten Beweis aus den Absichten der Dinge der Beweis schlechthin. Auf die Bewegung der Physikotheologie soll erst später eingegangen werden. Hier ein Blick in die Schulmetaphysik.

Hebenstreit führt den Ordnungsbeweis zweimal an. Einmal im Zusammenhang mit der Darlegung der quinque viae des Thomas, wo er ihn, wie gesagt, als „argumentum ab ordine et gubernatione hujus universi" seiner Bedeutung wegen an erster Stelle behandelt [30]. Ein zweitesmal geht Hebenstreit auf diesen Weg ein, da ihm auch außerhalb des wissenschaftlichen Denkens eine hervorragende Bedeutung zukomme; seine Leichtigkeit verschaffe ihm unbegrenzte Breitenwirkung und gebe ihm damit den Vorzug vor allen anderen Beweisen. Dem „animus vulgaris", sorgfältigen

[28] Rat. prael., s. II c. 3 § 41 (S. 155).
[29] Theol. nat. I, § 8 not.
[30] Hebenstreit, Phil. pr., P. I c. 4 th. 9 (S. 323 ff.).

Beweisen unzugänglich, ist es ohne subtilen Beweis möglich, auf den ersten Blick zur Erkenntnis der Existenz Gottes zu gelangen, wenn er nur mit Aufmerksamkeit Maschine und Ordnung dieser Welt betrachtet [31]. Daß dieser „volkstümliche", weithin als einsichtig angesehene Weg Hebenstreits Kritik herausfordert, ist für einen Propagator der demonstrativischen Methode selbstverständlich.

Bei Scheibler findet sich dieser Beweis als „probatio II Ex ordine et constitutione mundi" [32]. Aus der Feststellung, daß es in der Welt Gegensätze gibt (z. B. warm — kalt) und diese Gegensätze sich erhalten, wird eine „sapientissima quaedam mens" gefordert [33]. Ebenso wird aus der Tatsache, daß die vernunft- und leblosen Dinge äußerst wirksame Neigungen haben, die Einheit der Welt zu erhalten, selbst wenn es zu ihrem Nachteil ist, ein einheitsstiftendes Prinzip gefordert, das man Gott nennt [34]. — Auch hier zeigt sich ein Mangel an streng metaphysischer Beweisführung.

Nicht anders ist es bei Scharf, der ohne näheren Beweis feststellt: „... ex ordine rerum omnium admirabili non minus constat Deum esse" [35]. In der quaestio I „An detur Notitia Dei naturalis" legt er ausführlich dar, wie auf diese Weise auch dem „idiota" der „status mundi et ordo rerum in mundo existentium" und damit Gott leicht erkennbar ist [36]. — Ähnlich bei dem vielleicht noch heranzuziehenden (6.) Beweis Timplers „a gubernatione mundi" [37].

Von diesen offenkundigen Mängeln befreit, übernimmt Wolff den Beweis aus der Ordnung in der Welt in den „Horae subsecivae", wie später darzulegen ist.

c) Beweis aus dem kunstvollen Bau der Weltmaschine [38]

Diesen Beweis, ein „Zwilling" des vorigen, trifft derselbe Vorwurf der fallacia dicti simpliciter. Wenn der Beweis von dem kunstvollen Auf-

[31] Th. 12 (S. 343 ff.).
[32] Scheibler, Op. met., l. II c. 3 nr. 39—42.
[33] Nr. 39.
[34] Nr. 40.
[35] Scharf, Pneum., l. II c. 2 (S. 50); vgl. auch den 1. Beweis (S. 48): „Datur admirandum creationis opus. E. datur Creator admirandae potentiae, a quo factum est illud. Hic Creator est Deus Opt. Max."
[36] L. II q. 1 (S. 98 ff.).
[37] Timpler, Met. syst., l. IV c. 2 (S. 371 f.).
[38] Rat. prael., s. II c. 3 § 42 (S. 155).

bau der Weltmaschine auf Gott als deren Urheber schließt, geht er von der Voraussetzung aus, ein kunstvoller Aufbau setze einen Künstler voraus. Dieser Satz ist aber nicht schlechthin wahr, sondern gilt zunächst nur in gewisser Hinsicht, nämlich von der Werken der Kunst. Für sie ist diese Annahme durch die Erfahrung (per inductionem) nachgewiesen. Der Fehler der fallacia dicti simpliciter bleibt so lange bestehen, bis bewiesen ist, daß, was für die Werke der Kunst gilt, auch auf die Werke der Natur angewandt werden könne.

Dieser Beweis wird von Hebenstreit zusammen mit dem vorigen als Weg für den „animus vulgaris" angegeben [39]. Scharf führt ihn als zweites Argument an: „ab opificio hujus mundi desumptum; cujus opifex sit necessum est" [40]. Als Begründung ist wohl der folgende Satz anzusehen: „Non enim casu aliquo confluxit, sed a sapientissimo artifice factum esse patet, cum sit summe admirandum artificium et artificiosissimum opificium" [40]. Dieses „ingens universi amphiteatrum" ist die Stimme, die unaufhörlich ruft: Gott ist; es beweist handgreiflich einen höchsten Architekten [40]. — Auch hier kann man von einem Beweis im eigentlichen Sinn nicht reden. Der „Beweis", mit begeisterten Worten geführt, hat nur moralischen Gewißheitsgrad.

d) Beweis aus dem Anfang des Menschengeschlechtes bzw. aus dem Anfang der Welt [41]

Dieser Beweis, dessen Gang Wolff nicht nachzeichnet, wird abgelehnt, weil in ihm Prämissen angenommen werden — der Anfang des Menschengeschlechtes bzw. der Welt, die selbst schwieriger zu beweisen sind als die Existenz Gottes (Gruppe 2). Bisher sei weder das eine noch das andere aus Vernunftprinzipien bewiesen worden. Wenn jemand daraus, daß er einen Anfang des gegenwärtigen Zustandes der Erde zeigen könne, annimmt, die Welt habe einen Anfang, macht er sich einer doppelten fallacia dicti simpliciter schuldig. Hat er nämlich den Anfang der Erde hinsichtlich des gegenwärtigen Zustands bewiesen, kann er deshalb der Erde noch nicht einen Anfang hinsichtlich eines jeden Zustandes zuschreiben; noch weniger kann er, was er von einem Teil der Welt, der Erde nämlich, bewiesen hat, auf alle Teile der Welt anwenden.

[39] Vgl. Anm. 31.
[40] Scharf, Pneum., l. II c. 2 (S. 49 f.).
[41] Rat. prael., s. II c. 3 § 43 (S. 155 f.).

Wolff hält den Anfang der Welt nicht für beweisbar [42]. Er weiß sich darin mit Thomas von Aquin einig, dessen Stellungnahme in der Summa theologica (I 46,2) er nach Carbo zitiert [42]. Wer Gottes Existenz wirklich beweisen will, darf sich dieses Arguments nicht bedienen, ebensowenig wie andererseits ein Atheist aus der Ewigkeit der Welt Gottes Nichtexistenz beweisen kann; denn die Ewigkeit der Welt wäre nicht die Ewigkeit Gottes [43]. (Gerade in der Frage des Anfangs der Welt und der Ewigkeit der Welt steht Wolff in scharfem Gegensatz zu den Hallenser Theologen [44].)

In den Schulmetaphysiken bzw. Pneumatiken war der von Wolff kritisierte Beweis nicht aufzufinden. Einen ähnlichen Beweis kennt Timpler, der seinen ersten Beweis als „demonstratio ab ortu mundi, quem quotidie oculis nostris intuemur" bezeichnet und nach der causa efficiens der Welt, die den Charakter der Wirkung hat, fragt [45]. Lange führt als Vertreter der Argumente aus dem Anfang der Welt und des Menschengeschlechtes einen Jakobus Abbadie an [46].

e) Beweis aus dem Begriff des ens perfectissimum [47]

Dieses „celebre hodie argumentum, a Cartesio renovatum" trifft dieselbe Kritik wie den vorangehenden Beweis. Leibniz [48] schon hatte es beanstandet, daß man einfach annehme, die absolut höchste Vollkommenheit sei möglich, was aber bisher noch kein Cartesianer bewiesen habe. Auch habe bisher noch niemand unter Vermeidung von Paralogismen gezeigt, daß vollkommenster Intellekt und Wille bzw. jede höchste Vollkommenheit mit notwendiger Existenz verbunden sei. Er wisse sehr wohl,

[42] Diff. nex., s. I § 17 (S. 55 f.). (Die Thomasstelle findet sich bei Carbo, S. 83, nicht — wie Wolff angibt — S. 96). Vgl. auch Dt. Met. A, § 420.

[43] Diff. nex., s. I § 17 (S. 56) (mit Verweis auf Dt. Met., § 1075); auch Theol. nat. I, § 1016.

[44] Vgl. Lange, Mod. disq., S. 21—27.

[45] Timpler, Met. syst., l. IV c. 2 (S. 370).

[46] Lange, Mod. disq., S. 193.

[47] Rat. prael., s. II c. 3 § 44 (S. 156).

[48] Leibniz weist in seinem (1.) Brief an Wolff vom 21. Febr. 1705 darauf hin, daß Descartes' bzw. Anselms Beweis erst dann geometrisch vorgehe, „si unum supponas, nempe Deum esse possibilem" (Briefw., S. 18). Leibniz nimmt damit Stellung zu Wolffs „De algorithmo infinitesimali differentiali", worin dieser das ontologische Argument von Descartes vertreten hatte. Vgl. Campo II, 580 ff. — Wolff hätte Leibniz' Kritik schon aus den „Memoires pour l'histoire des sciences et des beaux arts" (häufig „Journal de Trévoux" genannt), 1701 (Gerh. IV, 405 f.) u. aus den „Meditationes" (1684) (Gerh. IV, 424) kennen müssen.

so fährt Wolff fort, daß jeder darauf aus sei, den Satz „Ens a seipso est summe et infinite perfectum" zu beweisen; aber in dem schwachen Beweis, den man beibringe, würden so viele Verstöße gegen die Kunst des Schlußfolgerns begangen, daß es zu weit führen würde, sie einzeln aufzuzählen.

Bekanntlich hat Wolff die „Theologia naturalis" ein zweitesmal behandelt, weil er sie auf dem sogenannten ontologischen Argument aufbauen wollte. Wolffs Beweis trägt den kritischen Forderungen Rechnung; er beweist deshalb, wie später darzulegen, die Möglichkeit des ens perfectissimum.

Während das sogenannte ontologische Argument bei Descartes, Malebranche, Spinoza, im englischen Platonismus eines More und Cudworth und bei Leibniz eine große Rolle spielt, wird es in der Schulmetaphysik fast nie als Argument angeführt [49].

f) Beweis aus den Absichten der Dinge (a finibus rerum) [50]

aa) Auch dieser Beweis beruht wie der vorige auf unbewiesener Prämisse. Wolff wirft denen, die „magna cum pompa" aus den Absichten (fines [51]) der Dinge einen Beweis führen, vor, sie nähmen ohne Beweis an, „dari rerum naturalium fines". Wollten sie aber diese Voraussetzung beweisen, so befürchtet Wolff einen circulus vitiosus. Was mit diesem Zirkel gemeint ist, wird aus Wolffs gegen Lange, der ihm die Ablehnung dieses Arguments vorgeworfen hatte [52], gerichteten Schrift „De differentia nexus rerum ..." klar [53]. Wolff wiederholt hier die Kritik am teleologischen Argument, von dem man sage, es dränge vor allen übrigen Argumenten zur Zustimmung. Wolff gesteht zu, daß die Betrachtung der Absichten im Geiste die Idee der Weisheit erzeugt und er, nachdem er auf dem Weg der Kontingenz zur Existenz Gottes gelangt sei, aus den Absichten die Weisheit Gottes erkenne. Bevor aber nicht Gottes Existenz

[49] Eine Ausnahme bildet Jak. Martini, der als logischen Gottesbeweis — er kennt noch metaphysische und physische — Anselms Argument anführt (Exerc., l. II ex. 4 Theor. 1 [S. 605]). — Zur Geschichte des ontolog. Arguments in der Neuzeit vgl. Dieter Henrich, Der ontologische Gottesbeweis (2. Aufl., Tübingen, 1967). Zu Clauberg vgl. Anm. 15.

[50] Rat. prael., s. II c. 3 § 45 (S. 157).

[51] Wolff übersetzt „finis" mit „Absicht" (vgl. Dt. Met., dt.-lat. Reg. u. Ludovici II). Wird im folgenden finis mit Ziel oder Zweck wiedergegeben, ist der undifferenzierte Terminus Absicht immer mitzubedenken; soweit möglich, soll der Wolffsche Sprachgebrauch übernommen werden.

[52] Lange, Mod. disq., S. 193.

[53] Diff. nex., s. I § 5 (S. 11 f.).

und die Abhängigkeit des gegenwärtigen Weltzustandes vom freien Entschluß Gottes feststehe, sei es nicht gewiß, ob der Nutzen (usus), den die Naturdinge sich gegenseitig erweisen, als finis zu verstehen sei oder nicht. Eine Absicht setze nämlich nach der allgemeinen Auffassung einen frei Handelnden voraus, der die Absicht intendiert und seinetwegen handelt. Wer also bei der Betrachtung der Naturdinge annimmt, ihre gegenseitige Nutzerweisung sei final zu verstehen, setzt stillschweigend voraus, die Struktur der Dinge und ihr gegenwärtiger Zustand hätten anders sein können, d. h. gegenwärtiger Zustand und Struktur gingen auf eine in bestimmter Absicht geschehene Wahl zurück, und folglich werde auf Grund der Kontingenz die Existenz des Seienden, von dem die Welt abhängt, vorausgesetzt, wodurch man beim Schließen den Fehler einer Erschleichung (vitium subreptionis) begehe; davon aber hängt nach Wolffs Meinung die Kraft des Argumentes ab. Wolff behauptet nicht, die Voraussetzung enthalte etwas Falsches; aber eine gute Methode verlangt, daß weder etwas unbewiesen vorausgesetzt noch mittels einer Erschleichung als klar hingenommen wird, was eines Beweises bedarf; soweit die Kritik Wolffs.

Wer sind die Vertreter dieses Beweises? Descartes und seine Richtung lehnen einen teleologischen Beweis ab; mechanistisches Kausaldenken und Finalität im Bereich der res exstensa schließen sich aus. Leibniz begründet zwar die Gesetze des Mechanismus durch eine finale Betrachtungsweise, kennt aber keine ausgesprochen teleologischen Beweise. In der Schulmetaphysik ist dieser Beweis als Beweis ex ordine bzw. a gubernatione bekannt, wenn auch nicht bei allen Denkern. Hebenstreit stellt, wie schon gesagt, die quinta via des Thomas an die erste Stelle: aus der Tatsache, daß Dinge, die Sinne und jegliches Erkenntnisvermögen entbehren, in der Regel immer ihr Ziel erreichen, muß ein Seiendes gefordert werden, das die Dinge auf ihr Ziel hinrichtet; und dieses Seiende ist Gott [54]. Ebenso ist hier der erwähnte „volkstümliche" Beweis Hebenstreits anzuführen, der aus der Betrachtung der Weltordnung und Weltmaschine zu einem moderator und opifex kommt [55]. Scheiblers entsprechender Beweis „ex ordine et constitutione mundi" wurde ebenfalls angeführt [56]; erwähnt sei aber noch dessen an dritter Stelle angegebener Ausgangspunkt: „Iterum videmus: unam rem deservire ad bonum particulare alterius ..." [57],

[54] Vgl. S. 226.
[55] Vgl. S. 226 f.
[56] Vgl. S. 227.
[57] Scheibler, Op. met., l. II c. 3 nr. 41.

eine Formulierung, die an Wolff denken läßt. Scharfs zweiter Beweis „ex opificio mundi" geht wie sein Ordnungsbeweis in diese Richtung [58]. Ebenso Timplers sechster Beweis „a gubernatione mundi": „... omnesque res tam inanimatae, quam animatae, tam irrationales tam rationales ad finem certum suaeque naturae convenientem ferantur; necesse est esse summum aliquem rectorem et gubernatorem mundi, a cujus nutu et directione omnia pendeant"; dieser rector und gubernator ist Gott [59].

bb) Im Blick auf die Schulmetaphysik erscheint Wolffs Kritik am Ausgangspunkt dieses Beweises durchaus als berechtigt. Sehr wahrscheinlich aber richtet Wolff seine Kritik nicht auf die Schulmetaphysik, sondern auf die zu seiner Zeit in Blüte stehende Physikotheologie, eine Bewegung, die unter verschiedenster Hinsicht — etwa als Insekten-, Frosch-, Sterntheologie — aus der Beschaffenheit der Natur die Eigenschaften Gottes zu erkennen und zu bewundern lehrt [60]. Die Physikotheologen setzen als selbstverständlich voraus, daß die Natur voller „Absichten" Gottes ist. Wolff muß an dieser Richtung Kritik üben, will er seiner demonstrativischen Methode nicht absagen. Umso erstaunlicher aber ist es, daß Wolff selbst durch seine 5 bzw. 6 Jahre nach der „Ratio praelectionum" erschienenen „Vernünfftige Gedancken von den Absichten der natürlichen Dinge" [61] als Physikotheologe auftritt, ja sich nach Wolfgang Philipp als den Urheber der Physikotheologie betrachte, was er jedoch niemals sei [62]. (Welche Bedeutung Wolff als Physikotheologen zukommt, ist hier nicht zu entscheiden; nach dem von Philipp als Begründung für Wolffs Urheberanspruch angegebenen Stelle aus der Vorrede zur 2. Auflage der „Absichten" [63] ist dies zumindest mit einem Fragezeichen zu versehen. Wolff war von der Bedeutung seiner Person überzeugt; die angeführte Stelle scheint sich aber eher auf eine eigenständige formale Leistung zu beziehen, die mit „systematisch" und „sicher" zu kennzeichnen wäre.)

Hat sich Wolff von der kritischen Einstellung der „Ratio praelectionum" entfernt? Wenn ja, weshalb findet sich dann kein entsprechender Beweis in den lateinischen Werken, ja unter der lateinischen Reihe keines, das der „Deutschen Teleologie" entsprechen würde? Die Lösung liegt wohl

[58] Vgl. S. 227.

[59] Timpler, Met. syst., l. IV c. 2 (S. 372).

[60] Zur Physikotheologie vgl. Wolfgang Philipp, Das Werden der Aufklärung in theologiegeschichtlicher Sicht (Göttingen, 1957).

[61] Titelblatt: 1724, Vorwort: 30. Sept. 1723; nach Ludovici I, § 59 bereits im Sommer 1723 „aus der Druckerey".

darin, daß Wolff für den streng wissenschaftlichen Bereich das teleologische Argument aus den genannten Gründen nach wie vor ablehnt, ihm aber für „weite Kreise" die Bedeutung nicht abspricht. Daß die „Absichten" deshalb in deutscher Sprache geschrieben sind, wird von Wolff in einer Vorrede, die er dem in deutscher Übersetzung erschienenen Werk „Erkenntniß der Weisheit, Macht und Güte des göttlichen Wesens ..." des berühmten holländischen Physikotheologen Bernhard Nieuwentyt unter dem 9. April 1731 gewidmet hat, bestätigt: „Denn die Erkenntniß Gottes aus seinen Werken gehöret nicht allein für Gelehrte, sondern auch für andere, welche eine andere Lebens-Art erwählet, darinnen sie dem menschlichen Geschlechte dienen. ... Und ich habe zu dem Ende selbst die Erkenntniß der Natur und die Erkenntniß Gottes aus derselben und seiner Verherrlichung durch dieselbe in unserer Mutter-Sprache vorgetragen, damit auch andere, welche die Sprache der Gelehrten nicht verstehen, sich daraus erbauen können" [64]. Sein Vorhaben beschreibt er folgendermaßen: „Indem wir nemlich die Absichten der natürlichen Dinge erklären wollen, so müssen wir vor allen Dingen zeigen, daß die Welt so eingerichtet ist, daß man darinnen klare und deutliche Gründe findet, daraus man Gottes Vollkommenheit schlüssen und dadurch einigen Begriff von ihnen erlangen kan, soweit es nemlich angehet, daß unser Verstand einen Begriff von dem erreichen mag, was an sich unendlich ist. Darnach müssen wir untersuchen, wie eines in der Welt immer um des anderen Willen ist, damit wir begreiffen lernen, was eines in der Welt dem anderen nutzet, und warum ein jedes geschiehet" [65]. In diesem Sinne handelt Wolff z. B. „von der Zahl der Welt-Cörper", „Von dem Baue der Welt", „Von den Witterungen der Lufft", „Von dem Blitze und andern Feuer-Zeichen". Es geht Wolff dabei nicht um den Ausgangspunkt eines strengen Beweises, sondern um eine Bestätigung dessen, was im 6. Kapitel der „Deutschen Metaphysik" oder aus der Hl. Schrift von Gottes Eigenschaften schon erkannt ist: „Indem wir die natürlichen Dinge dergestalt beschaffen finden, daß wir daraus als aus untrüglichen Gründen die Vollkommenheiten Gottes schlüssen können (§ 3); so dienen uns dieselben zu Proben dessen, was wir entweder aus natürlichen Gründen (c. 6. Met.) von den Eigenschafften Gottes und sonst erkandt, oder aus der Schrifft davon ge-

[62] Philipp, a.a.O., S. 19 f., 136 ff.
[63] S. 19.
[64] Ges. kl. Schr. I, 515 f.
[65] Absicht, § 3.

lernet, und werden dadurch destomehr versichert, daß beyde Erkäntniß Wahrheit sey, absonderlich, daß wir in der natürlichen Erkäntniß von Gott richtig geschlossen, gleichwie wir in der Rechen-Kunst versichert werden, daß das Exempel richtig sey ..., wenn die angestellte Probe mit dem facit übereinkommet" [66]. (In der „Nachricht" etwa wird dies durch den Terminus „Theologia experimentalis" zum Ausdruck gebracht: „Wer diese Abhandlung [die „Absichten"] mit Bedacht durch gehen wil / der wird finden / daß hierinnen eine Theologia experimentalis enthalten / darinnen durch seine [Gottes] Wercke bestetiget wird / was wir in der Theologia naturali durch Vernunfft-Schlüsse heraus gebracht" [67].) Diese Äußerung ist im Zusammenhang mit Wolffs Auffassung von der Erfahrung als Bestätigung des auf anderem Weg Gefundenen zu sehen; bekanntlich wird die philosophische Erkenntnis durch die historische bestätigt. Damit soll nicht bestritten werden, daß der praktisch-religiöse Gesichtspunkt der „Erbauung" [68] in den Schriften nach der Art der „Absichten" nicht der entscheidenste sei: „Da alle Erkenntniß nichts nuzet / wenn sie nicht zu ihrem rechten Zweck angewandt und das Gemüthe des Menschen dadurch gebessert wird; die Erkenntniß aber der Natur uns zur Erkenntniß Gottes führen, und dadurch zur Verherrlichung Gottes und einem gegründeten Eiffer in allen Tugenden bringen soll: so hat man besonders auch diejenigen zu loben, die davor sorgen, wie die Erkenntniß des Schöpffers möge angewendet werden" [69].

g) Beweis aus dem Gewissenspruch (a dictamine conscientiae)

Dieses argumentum, „quod a dictamine conscientiae desumitur, unde existentia remuneratoris bonorum et vindicis scelerum clandestinorum arguitur", wird kritisiert, weil es Einwänden ausgesetzt ist, die sich nur mit Schwierigkeit beseitigen lassen [70]. Wolff verweist auf den Einwand, der Gewissensspruch sei eine aus der Erziehung resultierende Überzeugung; diesen Einwurf zu widerlegen, sei nicht so leicht wie man gewöhnlich annehme, wenn Gottes Existenz noch nicht durch ein anderes Argument bewiesen ist. (Daß durch Röm. 2,14.15 das dictamen conscientiae als Gottesbeweis nahegelegt werde, wird ebenfalls von manchen negiert, da

[66] § 4.
[67] Nachr., § 187. 202.
[68] Ges. kl. Schr. I, 516.
[69] S. 514.
[70] Rat. prael., s. II c. 3 § 46 (S. 157) (der Hinweis geht auf Grotius).

sich Paulus seiner nur bediene, um die Existenz eines Naturrechts zu sichern, das es, wie wohl bekannt ist, auch geben könne, wenn kein Gott existierte [70].) Campo bemerkt zu Recht, daß Wolff mit der Erklärung des Gewissens aus der Erziehung nicht einen eigenen Einwurf vorbringe, so daß es von seiten der pietistischen Gegner Wolffs verfehlt war, ihm dies zum Vorwurf zu machen [71]. Wolff geht es auch diesmal wieder um die Forderungen der Methode, um evidente Argumente.

Das Argument findet sich als „argumentum ex testimonio conscientiae" in der Schulmetaphysik [72]. Hebenstreit entwickelt das Argument folgendermaßen: „Die Guten freuen sich über das, was sie recht (recte) getan haben, auch wenn niemand sie belohnt und sie selbst nicht an menschlichen Lohn denken; die Schlechten erschrecken zuweilen über ihre Untaten, nur von der nackten Erinnerung getrieben"; Freude und Schrecken können nur „ex interno quodam et natura insito sensu Numinis alicujus benefacta remunerantis, scelera autem vindicantis" begründet werden [73]. Scheibler bringt diesen Beweis zusammen mit dem Argument „ex populorum consensu" als dritten Beweis: Wir machen sehr oft die Erfahrung, daß bei schlechten Taten das Gewissen von großer Angst geplagt wird und Strafe befürchtet, die mächtigsten Fürsten nicht ausgenommen; dieses Gewissensurteil zeigt einen Rächer an, d. h. Gott [74]. — Bei Scharf ist es das 7. Argument: „ex metu innato et conscientiis" [75]. Meier entwickelt den Beweis „ex conscientiae testimonii veritate" als 2. Argument nach dem ersten, das „ex principiorum practicorum in cordibus hominum inscriptione" — diese Prinzipien erscheinen im Unterschied von Gut und Böse — auf den Gesetzgeber schließt; da das Gewissen das praktische, die allgemeinen Vorschriften auf besondere Fälle anwendende Urteil ist, ist die Reihenfolge der Beweise auch eine sachliche [76]. — Bei Timpler ist es als 9. Argument das letzte [77].

[71] Campo II, 589.

[72] Daneben wird noch ein religionsgeschichtliches Argument („ex consensu omnium populorum") angeführt. Alle Völker wissen von der Existenz Gottes und verehren ihn — auf welche Weise auch immer. Vgl. Scheibler, Op. met., l. II c. 3 nr. 44; Hebenstreit, Phil. pr., P. I c. 4 th. 11 (S. 340) (Hebenstreit spricht sogar von einem Naturinstinkt); Scharf, Pneum., l. II c. 2 (S. 51); Timpler, Met. syst., l. IV c. 2 (S. 372).

[73] Hebenstreit, Phil. pr., P. I c. 4 th. 11 (S. 339 f.).

[74] Scheibler, Op. met., l. II c. 3 nr. 43.

[75] Scharf, Pneum., l. II c. 2 (S. 48 u. 51).

[76] Meier, Pneum., P. spec. l. I c. 1 s. 1 (S. 248 ff.).

[77] Timpler, Met. syst., l. IV c. 2 (S. 372).

h) Ableitung der Attribute aus der Nominaldefinition [78]

Der 4. Gesichtspunkt, unter dem die Gotteserkenntnis kritisch betrachtet wird, bezieht sich auf den Gottesbegriff und die Möglichkeit der daraus zu erfolgenden Ableitung der göttlichen Attribute. Manche Argumente setzen einen Gottesbegriff voraus (der vorhergehende Beweis dient Wolff als Beispiel), aus dem sich die Attribute Gottes kaum ableiten lassen. Es wird schwierig sein, aus dem Gottesbegriff des „boni remunerator et mali vindex" zu beweisen, dieses Seiende sei mit den Attributen ausgestattet, die wir Gott zusprechen.

4. Leibniz' Beweise, die Wolff weder übernimmt noch kritisiert

Im Anschluß an diese Kritik skizziert Wolff seinen eigenen Gottesbeweis. Bevor dieser Entwurf dargelegt wird, noch eine kurze Überlegung zu den Beweisen von Leibniz, die Wolff bekannt sein mußten, die er aber weder übernimmt noch kritisiert: der Beweis aus der Bewegung bzw. den Bewegungsgesetzen, der prästabilierten Harmonie und der Beweis aus den „vérités éternelles".

a) Beweis aus der Bewegung bzw. den Bewegungsgesetzen

Leibniz' Beweis aus der Bewegung bzw. den Bewegungsgesetzen [79] -- Bewegung meint hier Bewegung der Materie — hat seinen natürlichen Platz in den Jugendschriften, also vor dem definitiven Entwurf seiner Philosophie in der Monadenlehre. Leibniz gibt diesen Beweis in seiner Reifezeit zwar nicht auf, integriert ihn aber in den Kontingenzbeweis. In den 1718 erstmals veröffentlichten „Principes de la nature et de la grâce, fondés en raison", also in einer Wolff zugänglichen Schrift, sagt Leibniz von diesem Beweis: „et c'est une des plus efficaces et de plus sensibles preuves de l'existence de Dieu pour ceux qui peuvent approfondir ces choses" [80]. In der Wolff ebenfalls zugänglichen Schrift „Considerations sur les Principes de Vie . . ." von 1705 [81] sagt Leibniz: „. . . Cette maxime aussi, qu'il n'y a point de mouvement, qui n'ait son origine d'un autre mouvement suivant les regles mechaniques, nous mene au

[78] Rat. prael., s. II c. 3 § 47 (S. 157 f.).
[79] Vgl. Jalabert, Le Dieu de Leibniz, S. 94 ff. (mit Stellenangabe).
[80] Princ. de nat., 11 (Gerh. VI, 603). Vgl. S. 23 (mit Anmerkungen).
[81] Veröffentlicht in „Histoire des Ouvrages des Savans", Mai 1705.

premier Moteur . . ." [82]. Auch in der für Wolff so wichtigen Theodizee nennt Leibniz diesen Beweis „Une preuve merveilleuse d'un être intelligent et libre" [83]. — Wolff erwähnt diesen Beweis überhaupt nicht, obwohl ihn auch die Schulmetaphysik [84] veranlassen müßte, sich wenigstens dazu zu äußern.

b) Beweis aus der prästabilierten Harmonie

Auf den Beweis aus der prästabilierten Harmonie wurde Wolff von Leibniz selbst aufmerksam gemacht. Unter dem Datum des 9. November 1705 schreibt er an Wolff: „. . . Hinc autem nova et hactenus incognita divinae existentiae demonstratio veteribus additur, qui Harmonia substantiarum mutuo influxu carentium non potest esse nisi ex communi causa" [85]. Eine Reaktion Wolffs auf diesen Hinweis ist im Briefwechsel nicht festzustellen. Daß die prästabilierte Harmonie zwischen Leib und Seele nicht möglich ist, „wo nicht noch ein verständiges und von der Welt unterschiedenes Wesen ist / welche sie zusammen gebracht", und daraus „unwiedersprechlich" folgt, „daß ein Urheber der Welt und der Natur, das ist / ein Gott ist" [86], steht für Wolff außer Frage. Ebenso ist er überzeugt, „es ließen sich auch hieraus alle göttlichen Eigenschafften erweisen / wenn wir nicht für rathsamer hielten / solches unten auf eine andere Weise auszuführen" [87]. Es ließe sich also auf der prästabilierten Harmonie eine ganze Theologia naturalis aufbauen. In den „Anmerkungen" gibt Wolff in Bezugnahme auf diese

[82] Gerh. VI, 542. Noch ausführlicher wird der Beweis in dem Wolff unbekannten „Eclaircissement sur les Natures Plastiques et les Principes de Vie" (Gerh. VI, 546 ff.) dargelegt (Gerh. VI, 548 f.).

[83] Theod. III, 345 (Gerh. VI, 319).

[84] Wolffs Lehrer Hebenstreit (Phil. pr., P. I c. 4 th. 9 [S. 326 ff.]) führt als 2. Beweis das „argumentum ex motu" an, versteht Bewegung aber örtlich: „illud, quod movetur (localiter), ab alio movetur", während Thomas, dessen Wege Hebenstreit anführt, Bewegung in der Sicht von Akt — Potenz versteht. Am Beispiel der Uhr werden die zwei Prinzipien erläutert, auf die sich der Beweis stützt, nämlich „omne quod movetur, ab alio movetur" und „in ordine moventium non dari progressum in infinitum". Scheibler, Stahl, Scharf, Meier und Timpler kennen den Beweis nicht. Corn. Martini bringt den Beweis in eigenartiger Verbindung mit dem teleologischen Argument (Met. com., S. 322—324), während Jak. Martini (Part. met., l. II s. 2 nr. 6—9 [S. 648 f.]) den Beweis faktisch auf den Ursachenbeweis zurückführt.

[85] Briefw., S. 44. Vgl. auch Gerh. VI, 541 u. Gerh. VII, 411. Vgl. Jalabert, Dieu de Leibniz, S. 111 ff.

[86] Dt. Met., § 768. Psych. rat., § 626.

[87] Dt. Met., § 768.

Stelle den Grund an, weshalb er diese Möglichkeit ablehnt: „Daß ich aber nicht vor rathsam gehalten die gantze Theologiam naturalem aus dieser Harmonie herzuleiten / wie es gar wohl hätte geschehen können / ist aus keiner anderen Ursache gewesen / als weil ich eine so wichtige Lehre / der gleichen die Lehre von Gott ist / nicht auf eine Hypothesin bauen wollen / die noch nicht von allen angenommen wird" [88]. Und einen Satz weiter: „Man muß demnach die Lehre von Gott auf solche Gründe bauen / die niemand in Zweiffel ziehen kann . . ." In „De differentia nexus rerum . . ." sagt er zwar, er sei mit dem einer Meinung, der behaupte, „harmoniam praestabilitam inter mentem et corpus demonstrativa ratione arguere existentiam Numinis", nimmt aber diesem als eigenständig angesehenen Argument seine demonstrativische Kraft, wenn er fortfährt: „attamen attentius arguendi modum considerans clarissime videbis, cur hinc existentia Divinitatis inferatur, non aliam subesse rationem, quam contingentiam actus" [89]. Der Beweis hält Wolffs methodischen Forderungen nicht stand; als selbständiges Argument kann er deshalb nicht zugelassen werden.

c) Beweis aus den vérités éternelles

Wenn Wolff die soeben angeführten Beweise auch nicht in der thematischen Kritik der „Ratio praelectionum" behandelt, so bezieht er doch Stellung. Leibniz' Beweis aus den vérités éternelles [90] aber wird nicht einmal erwähnt. Kannte Wolff diesen Beweis vielleicht gar nicht? In der für das Denken von Leibniz wichtigen Schrift „Specimen inventorum de admirandis naturae Generalis arcanis" spricht Leibniz von einem förmlichen Gottesbeweis aus den ewigen Wahrheiten: „Si nulla esset substantia aeterna, nullae forent aeternae veritates; itaque hinc quoque probatur Deus qui est radix possibilitatis, ejus enim mens est ipsa regio idearum sive veritatum" [91]. Wolff kannte aber diese Schrift ebensowenig wie die für den Sachverhalt wichtige, unter dem Datum vom 23. Nov. 1697 verfaßte „De rerum originatione radicali" [92]. Daß Wolff diesen Beweis überhaupt nicht gekannt habe, läßt sich aus diesem Tatbestand allein noch nicht begründen, da der Kern des Beweises auch in Schriften

[88] Dt. Met. A, § 280. Vgl. auch Psych. rat., § 626 not.
[89] Diff. nex., s. I c. 5 (S. 10).
[90] Vgl. Jalabert, a.a.O., S. 119 ff.
[91] Gerh. VII, 311.
[92] Gerh. VII, 302 ff.; bes. 303—305.

vorgebracht wird, die Wolff bekannt waren, allerdings ohne daß ausdrücklich von einem Beweis die Rede ist. So z. B. in dem zur Theodizee zählenden Essay „Causa Dei": „Dependentia rerum a Deo extenditur tum ad omnia possibilia, quae non implicant contradictionem; tum etiam ad omnia actualia. Ipsa rerum possibilitas, cum actu non existunt, realitatem habet fundatam in divina existentia: nisi enim Deus existeret nihil possibile foret, et possibilia ab aeterno sunt in ideis Divini intellectus" [93]. Gerade diese Gedanken übernimmt Wolff in „Theologia naturalis II", § 174, wenn er die These „Per Deum omnia possibilia sunt, nec eo sublato quicquam possibile" entwickelt; aus dem vorliegenden Material aber einen Gottesbeweis durchzuführen, liegt ihm offenbar fern. Vielleicht ist dies erklärbar, wenn man sich erinnert, daß Wolff seinem apriorischen Beweis ein aposteriorisches Fundament zu geben versucht, was hier nicht ohne Schwierigkeiten möglich wäre. — Im Anschluß an die Kritik der Gottesbeweise entwickelt Wolff einen eigenen Entwurf.

[93] Causa Dei, 7 f. (Gerh. VI, 439 f.). Ebenso Theod. II, 184 (Gerh. VI, 226 f.), 189 (Gerh. VI, 229); Monadologie, 43—45 (Gerh. VI, 614).

III. WOLFFS EIGENER BEWEIS IM ENTWURF [94]

Während er über einen sicheren, evidenteren und zweckmäßigeren Gottesbeweis nachdachte, so beginnt Wolff, habe er sich darüber besonnen, daß nur hinsichtlich der Existenz der Dinge die Gründe im göttlichen Willen zu suchen seien, die Wesenheiten der Dinge aber notwendig und ohne die göttlichen Attribute erkennbar seien [95]. Dabei habe er erkannt, man müsse von der Existenz des Universums auf die Existenz Gottes schließen [95]. Wolffs Weg wäre somit der des klassischen kosmologischen Beweises in dessen Form des Kontingenzbeweises, wenn er nur nicht sogleich auf große Schwierigkeiten stoßen würde; die Idealisten lehnen nämlich die Realexistenz des Universums ab; und diese zu beweisen, sei nicht leicht [96]. Im Gegenteil, die Gründe, mit denen die Idealisten die Realexistenz als vernunftwidrig erweisen wollen, können nicht ohne Schwierigkeiten und Umwege beseitigt werden; gibt man nämlich eine Realexistenz zu, so gerät man in unentwirrbare philosophische Labyrinthe, von denen Mitteilung und Erhaltung der Bewegung, Teilung und Zusammensetzung des Kontinuums, die Verbindung von Leib und Seele nur Beispiele sind [96]. Wolff meint nun, sein Argument kranke bei Annahme der Realexistenz des Universums an denselben Unvollkommenheiten, die er zuvor bei anderen Argumenten festgestellt habe [96]. Dennoch habe er geglaubt, auf diesem Weg bestehen zu sollen, da der beim Beweis aus der Existenz des Universums zu Grunde gelegte erste Gottesbegriff, nämlich Gott als „substantia, in qua continetur ratio sufficiens existentiae universi", identisch sei mit dem Gottesbegriff von Genesis 1,1, so daß seine Philosophie auch im ersten Gottesbegriff mit der Hl. Schrift übereinstimme [97].

Dann, so fährt Wolff fort, habe er sich erinnert, daß Skeptiker und Idealisten die Idealexistenz des Universums nicht negieren, sondern Phänomene und deren Ordnung anerkennen [98]. Deshalb habe er geglaubt, das Argument so fassen zu müssen, daß es in gleicher Weise schlüssig sei, ob Real- oder Idealexistenz des Universums [98]. — Die Ba-

[94] Rat. prael., s. II c. 3 § 48—58 (S. 158 ff.). Die Skizze eines Gottesbeweises findet sich in Wolffs Brief an Leibniz v. 2. Dez. 1705 (Briefw., S. 48 f.).

[95] Rat. prael., s. II c. 3 § 48 (S. 158).

[96] § 49 (S. 158).

[97] § 50 (S. 158 f.).

[98] § 51 (S. 159).

sis des Arguments, und dieses ist nun einmal die reale Existenz des Universums, wird in gefährlicher Weise verengt, ihre Tragfähigkeit und Festigkeit zu der eines schwankenden „Zwischenbodens", zumal der neutrale Ausgangspunkt nicht positiv bestimmt wird und eine Reihe von Fragen offen bleibt. Die neutrale Position, mit der Wolff dem Argument freie Bahn schaffen und ihm unangreifbare Geltung sichern will, wird teuer erkauft. Daß es sich dabei tatsächlich um eine „idealistische" Wende handelt, wird durch Wolffs Text bestätigt: „Auf der Suche nach dem Grund der Idealexistenz des Universums habe ich gezeigt, daß es ein ens a se gibt und in ihm der Existenzgrund alles Übrigen (falls es irgendetwas gibt) enthalten ist" [99]. (Inwieweit Wolff seinen Entwurf realisiert, bleibt hier noch offen.) Aus dem Begriff des ens a se beweist Wolff im weiteren dessen Eigenschaften und folgert, daß weder unser Geist noch das körperliche Universum, sollte es realexistent sein, das ens a se ist, dieses folglich von unserem Geist und dem körperlichen Universum verschieden ist [99]. Weiter leitet Wolff daraus den schon in § 25 erwähnten Gottesbegriff ab: Gott ist „substantia omnia universa possibilia unico actu distincte aut, si mavis, adaequate sibi repraesentans" [100].

Aus diesem Gottesbegriff fließt nicht nur, was die Erkenntnis des göttlichen Intellekts betrifft, sondern ebenso läßt sich daraus — bedenkt man damit zugleich die ideale oder reale Existenz eines Universums — der göttliche Wille mit seinen Attributen ableiten [101]. Somit gibt es drei Quellen der göttlichen Attribute: Aseität, Intellekt und Wille [101].

Im folgenden will Wolff dann, wie aus seiner philosophischen Einstellung zu erwarten, deutliche Begriffe von Intellekt, Willen und den Attributen Gottes geben, um den Unterschied zwischen den Vollkommenheiten Gottes und den übrigen möglichen Geistern angeben zu können [102]. Dabei beweist er hinsichtlich der einzelnen Attribute, daß in ihnen der absolut höchste Grad von Vollkommenheit enthalten ist, woraus schließlich gefolgert wird, was die Cartesianer anstelle einer Definition annähmen, nämlich Gott sei „ens summe perfectum" [102].

Der Weg der Gotteserkenntnis wäre damit eigentlich durchschritten. Wolffs Programm geht aber noch weiter. Mittels der allgemeinen Begriffe der gemeinsamen Vollkommenheiten will er die generische Ähnlich-

[99] § 52 (S. 159).
[100] § 53 (S. 159 f.).
[101] § 54 (S. 160).
[102] § 55 (S. 160).

keit Gottes und des Geistes zeigen; fügt man den allgemeinen Begriffen die spezifische Differenz hinzu, gelangt man zu den Vollkommenheiten Gottes bzw. unseres Geistes [103]. Daraus will er ferner zeigen, wie die menschliche Gotteserkenntnis möglich ist, und daß der homo viator sich nur einer abstraktiven, aber keiner intuitiven Gotteserkenntnis erfreuen könne, wobei zugleich der Vorzug der intuitiven Erkenntnis vor der abstraktiven nachgewiesen und gezeigt werde, daß es von der ersteren unendlich viele Arten geben könne [103]. In der Ausführung des Programms geht Wolff darauf nicht ein.

Mit einer Bemerkung zur Erörterung des Willens Gottes bringt Wolff den Entwurf zu Ende: er will die Arten zeigen, wie der Mensch zur Erkenntnis des Willens Gottes kommen kann, und gibt im Zusammenhang damit zugleich demonstrativische Kriterien der göttlichen Offenbarung, dem zu Nutzen, der den Vorzug der christlichen Religion vor den anderen und deren Wahrheit beweisen will [104].

Im Rückblick auf sein Programm stellt Wolff fest, er habe in der schwierigen Lehre von Gott jeden Stein gewälzt, so daß es hinsichtlich der Definitionen und Beweise berechtigterweise nichts zu wünschen gibt; seine metaphysischen Beweise hielten daher derselben Analyse stand wie der in der Geometrie üblichen [105]. — Damit hat Wolff sein Ziel erreicht: die Gotteserkenntnis steht in ihrem Anspruch auf Beweisbarkeit und Gewißheit der Geometrie in nichts nach.

Bevor die Durchführung des Programms untersucht werden soll, zur Frage der Zahl der Gottesbeweise. Das Programm erweckt den Eindruck, e i n Gottesbeweis genüge. Tatsächlich führt Wolff aber mehrere durch.

[103] § 56 (S. 160 f.): „Monstro deinde similitudinem genericam Dei et mentis per notiones perfectionum communium generales, quae additis differentiis specificis abeunt in perfectiones Dei et mentis nostrae."

[104] § 57 (S. 161).

[105] § 58 (S. 161).

IV. DIE ZAHL DER GOTTESBEWEISE

In den „Anmerckungen über die vernünfftige Gedancken von Gott, der Welt und der Seele des Menschen, auch allen Dingen überhaupt" kommt Wolff auf die Frage nach der Zahl der Gottesbeweise zu sprechen. Seine Antwort: Ein Gottesbeweis genügt [106]. In der „Theologia naturalis I" wird dieselbe Antwort nochmals gegeben [107]. Folgende Gründe veranlassen Wolff zu dieser Antwort [108]:

1. Aus der beim Beweis der Existenz Gottes benutzten Nominaldefinition sind Gottes Eigenschaften abzuleiten. Bei verschiedenen Beweisarten sind auch verschiedene Nominaldefinitionen zu Grund zu legen. Will man nun Gottes Existenz durch mehrere Argumente beweisen, muß man seine Eigenschaften ebenfalls aus mehreren Nominaldefinitionen ableiten, es sei denn man beweise, das Seiende, das durch mehrere Nominaldefinitionen angezeigt werde, sei ein und dasselbe, insofern aus dem in der einen Definition Angenommenen dasselbe abgeleitet werde wie aus dem in der anderen Definition Angenommenen. Entweder führt man also verschiedene Theologien durch, in denen dasselbe auf verschiedene Weise behandelt wird, oder man führt die eine auf die andere zurück, so daß sie einen Teil gemeinsam haben und man so dieselbe Arbeit nicht zweimal, dreimal oder noch öfter hat. Am Ende wird auf verschiedene Weise doch nur dasselbe behandelt.

2. Wenn man schon durch ein Argument Gewißheit von der Existenz Gottes und all dessen, was aus der Nominaldefinition abzuleiten ist, erreicht, genügt ein Beweis.

3. Wenn ich schon durch ein Argument Gewißheit habe, erkenne ich durch ein zweites, drittes oder viertes nur, was ich bereits weiß. Im Gegensatz zu Wahrscheinlichkeitsgründen, die, in größerer Zahl gegeben, eine stärkere Zustimmung hervorrufen, erhält ein Beweis dadurch, daß man ihm noch weitere hinzufügt, keine größere Beweiskraft, da diese eine ganzheitliche (integer) ist und jede Furcht vor dem Gegenteil ausschließt.

[106] Dt. Met. A, § 342: „Ob es gleich sonst gewöhnlich ist / viele Beweise von der Existenz Gottes beyzubringen; so bin ich doch nur bey einem einigen geblieben / nicht allein weil ein einiges gnung ist / sondern auch weil man bey einem demonstrativischen Vortrage nicht wohl mehr als einen gebrauchen kann."

[107] Theol. nat. I, § 10.

[108] Nach § 10. (Vgl. Anm. 106).

In der ein Jahr später erschienenen „Theologia naturalis II" bestätigt Wolff zwar diese Auffassung, schränkt sie aber doch insofern ein, als er es für wohlüberlegt (non inconsultum) hält, Gottes Existenz und Attribute auf verschiedene Weise zu beweisen und so verschiedene Systeme einer Theologia naturalis auszuführen [109]. Den Grund sieht Wolff darin, daß einiges auf die eine Weise leichter zugänglich sei als auf die andere; wie z. B. beim Beweis aus dem Begriff des ens perfectissimum die göttlichen Attribute viel leichter abzuleiten seien, als wenn man sie aus der Kontingenz des Universums erschließen würde: die Qualitäten der Seele sind von jeder Begrenzung zu befreien und Gott nach Art eines Aktes zuzusprechen [109].

Wolff führt insgesamt vier Beweise durch: drei aposteriorische, die nur verschiedene Arten des kosmologischen Arguments darstellen: den Beweis aus der Existenz des Menschen („Deutsche Metaphysik", „Theologia naturalis I"), den Beweis aus der Kontingenz des Universums („De differentia nexus ...") und den Beweis aus der Naturordnung („Horae subsecivae"); dazu als vierten den gewöhnlich als apriorisch geltenden, von Wolff aber als aposteriorisch verstandenen Beweis aus dem Begriff des ens perfectissimum. Daß Wolff verschiedene Beweise entwickelt, ist wohl vom zeitgenössischen Denken und geschichtlichen Erbe her zu verstehen.

[109] II, praef. [S. 4 f.].

V. DIE GOTTESBEWEISE IM EINZELNEN

1. Beweis aus der Existenz des Menschen bzw. der Seele (kosmologischer Beweis)

Wolff führt diesen Beweis, von ihm gewöhnlich Beweis aus der Kontingenz des Universums genannt [110], im 6. Kapitel der „Deutschen Metaphysik" und im 1. Teil der „Theologia naturalis" durch. Auf Grund des Ranges beider Werke ist dieser Beweis als Wolffs eigentlicher Beweis anzusehen. Ein Unterschied in der Beweisführung besteht zwischen beiden Werken im wesentlichen nicht; das lateinische Werk übertrifft jedoch das deutsche an Ausführlichkeit — und Weitschweifigkeit. Um eine doppelte Darstellung zu vermeiden, diene die „Theologia naturalis I" als Leitfaden. Ein schematischer Überblick über die entscheidenden Schritte des Beweises sei zur Orientierung vorangestellt:

a) *Ausgangspunkt:* 1. Unsere Existenz bzw. die der Seele

2. Grund der Existenz
   a) in uns oder
   b) in einem anderen
   bb) wenn in einem anderen, kein progressus in infinitum

1. Ergebnis: 3. Also existiert ein Ens necessarium; dieses ist entweder die Seele selbst oder ein davon verschiedenes Seiendes

b) 1. Das Ens necessarium existiert aus eigener Kraft

2. Was aus eigener Kraft existiert, ist ens a se

2. Ergebnis: 3. Also existiert das ens a se
— Zusatz: es existiert, weil möglich —

c) Eigenschaften des ens a se

d) Ermittlung des ens a se:
1. a. Sichtbare Welt
   b. Elemente
   c. Atome — sind nicht
   d. Materie — ens a se
2. Seele

3. Ergebnis:		Das ens a se ist von Welt, Elementen und Seele verschieden
4. Ergebnis:		Das ens a se hat Existenzgrund von Welt, Elementen und Seele in sich
e)	1.	Nominaldefinition Gottes
	2.	Ens a se ist Gott
Beweisziel:	3.	Also existiert Gott

a) Von unserer Existenz bzw. der der Seele zur Existenz des ens necessarium

In der „Deutschen Metaphysik" beginnt Wolff seinen Beweis — in Bezugnahme auf den 1. Paragraphen des ganzen Werkes — mit dem lapidaren Satz: „Wir sind" [111]. Die „Theologia naturalis I" gibt den Ausgangspunkt differenzierter: „Anima humana existit (§ 21 Psych. emp.) seu nos existimus (§ 14 Psych. emp.)" [112]. Unter dem Einfluß cartesianischen Denkens wird von den möglichen Beweisgrundlagen die angenommen, die die sicherste und gewisseste ist: die Existenz des Menschen, näherhin die Existenz der Seele; der menschliche Körper erweist sich ja auf dem Denkweg der „Meditationes" nicht als wesentlicher Teil des mit der größtmöglichen Gewißheit ausgestatteten „Ich". Das Ich, von dem die Existenz ausgesagt wird, wird, wie schon gesagt, mit der Seele gleichgesetzt [113].

Im Entwurf der „Ratio praelectionum" hatte Wolff die Existenz des Universums als Ausgangspunkt vorgesehen. Wenn er jetzt davon abgeht und als Beweisgrund die Existenz der Seele nimmt, kann er sich von vornherein den dort aufgetretenen Schwierigkeiten entziehen. Wolffs Argument scheint sich im Ansatzpunkt mit Descartes' 2. aposteriorischen Beweis bzw. dem Beweis Claubergs zu treffen. Descartes' Beweis ist aber nicht einfach ein Beweis aus unserer Existenz, sondern daraus, daß wir selbst, die wir Gottes Idee haben, existieren [114]; eher wäre an Claubergs 2. Beweis „ex animae meae existentia continuata" [115] zu denken, wenn es

[110] Vgl. Dt. Met. A, § 342; Diff. nex., s. I c. 3 (S. 3).
[111] Dt. Met., § 928.
[112] Theol. nat. I, § 24.
[113] Dt. Met., § 944. Vgl. S. 52.
[114] Desc., II. Resp., propos. 3 (AT VII, 168 f.).
[115] Clauberg, De cogn. Dei, exerc. XXII (Op., S. 636) (vgl. Anm. 15).

Wolff um die Kontinuität der Existenz und deren Begründung ginge statt nur um das Faktum der Existenz.

Die Verschiedenheit des Wolffschen Beweises zeigt sich ganz deutlich, wenn im nächsten Schritt die Existenz der Seele begründet werden muß. Dies geschieht mit Hilfe des großen Prinzips vom zureichenden Grund. Paragraph 928 der „Deutschen Metaphysik" im Wortlaut: „Wir sind (§ 1). Alles / was ist / hat seinen zureichenden Grund / warum es vielmehr ist als nicht ist (§ 30): Und also müssen auch wir einen zureichenden Grund haben / warum wir sind. Haben wir nun einen zureichenden Grund / warum wir sind: so muß derselbe Grund entweder in uns / oder ausser uns anzutreffen seyn. Ist er in uns zu finden; so sind wir nothwendig (§ 32): ist er aber in einem andern zu finden so muß doch das andere seinen Grund / warum es ist / in sich haben / und also nothwendig seyn. Und demnach giebet es ein nothwendiges Ding". Das „ist er aber in einem anderen zu finden ..." wird in der Parallele der „Theologia naturalis I" genauer ausgeführt und dadurch begründet: „... Quod si ponas nos rationem existentiae habere in ente, quod denuo rationem existentiae suae in alio habet; non pervenietur ad rationem sufficientem, nisi tandem in ente aliquo subsistas, quod existentiae suae rationem sufficientem in seipso habet" [116].

Wolffs Weg zur Existenz des „nothwendigen Dings" ist gekennzeichnet durch zwei unangefochtene Prinzipien: durch das im Rahmen eines schulmäßig durchgeführten Gottesbeweises neue Prinzip vom zureichenden Grund und den bei Clauberg, Descartes und in der Schulmetaphysik in gleicher Weise gültigen Satz von der Widersprüchlichkeit und damit Unmöglichkeit eines progressus in infinitum [117]. Was dem Wolffschen Weg etwas Eigenständiges gibt, wird deutlich, wenn er in Abhebung vom geschichtlichen Hintergrund gesehen wird. Während sich nämlich sowohl Descartes, Clauberg wie die Schulmetaphysiker in den vergleichbaren Beweisen [118] von der Sache selbst leiten lassen, d. h. das sich in

[116] Theol. nat. I, § 24. Dt. Met. A, § 343.

[117] Vgl. Clauberg, De cogn. Dei, exerc. XVII („Cur in ideis nostris non detur progressus in infinitum, sed ad primam earum causam exemplarem necessario veniatur") (Op., S. 626 f.), exerc. XXVI (Op., S. 640). Vgl. z. B. Desc., Med. III, 34 (AT VII, 50). Die Schulmetaphysik wendet den Satz im Beweis aus den causae per se subordinatae an; vgl. Scheibler, Op. met., l. II c. 3 nr. 34. 36 f.; Stahl, Inst. met., P. spec. s. 1 c. 3 (S. 433 f.); Scharf, Pneum., l. II c. 2 (S. 50); Hebenstreit, Phil. pr., P. I c. 4 th. 9 (S. 330 ff.).

[118] Vergleichbare Beweise sind der Ursachen- und Kontingenzbeweis, also Thomas' secunda u. tertia via. Vgl. Hebenstreit, Phil. pr., P. I c. 4 th. 9 (S. 329 f.). (H. gibt

ihrem Sein als verursacht bzw. kontingent Zeigende gewissermaßen immanent auf seine Begründung hin befragen, ist Wolffs Vorgehen sozusagen äußerlich — konstruierend, d. h. das Faktum der Existenz wird als reines Faktum genommen, das Existierende aber nicht in seinem Sein befragt und zu begründen versucht, sondern irgendwie von außen her ein allgemeingültiges Prinzip — das vom zureichenden Grund — herangebracht, auf das Existierende angewandt und, nachdem die „Verbindung" beider hergestellt ist, nach der Begründung des Existierenden gefragt. Nur von diesem Denken in Prinzipien und Relationen her ist es verständlich, daß noch offen bleibt, ob die Seele das ens necessarium ist oder ein anderes Seiendes. Der bisherige Beweisgang hat einen unverkennbar logischen Zug. Überspitzt formuliert handelt es sich um die Konkretion des Prinzips vom zureichenden Grund: wenn etwas ist, muß es auf Grund dieses Prinzips notwendigerweise auch etwas Notwendiges geben, da im gegenteiligen Fall das Prinzip absurd wäre; nun existieren wir, also ...

Mit dem Ergebnis des ersten Schrittes, der Existenz des ens necessarium, könnte der Beweis zu Ende sein, wenn man dem Beispiel der Schulmetaphysik und der quinque viae des Thomas [119] folgte und das ens necessarium bzw. die prima causa mit Gott gleichsetzte. Weshalb geht Wolff den umständlichen Weg über die Gleichsetzung des ens a se mit dem ens necessarium und der negativen Bestimmung des ens a se, bis er seinen Beweis schließen kann mit dem Ergebnis: Gott existiert? Ens necessarium und Gott ohne weiteres gleichzusetzen, ist ihm vom ersten Schritt her verwehrt. Zum andern hatte ihn schon Leibniz im Brief vom 8. Dezember 1705 darauf aufmerksam gemacht, daß es zwar wahr sei, daß das ens a se notwendig existiere und keine entia ab alio existierten,

die Wege des Thomas verflacht wieder). Scheibler, Op. met., l. II c. 3 nr. 34—38: „a subordinatione causarum, in eaque evitando processu in infinitum". Stahl, Inst. met., P. spec. s. 1 c. 3 f. (S. 433 ff.): „Si datur ens factum dabitur etiam aliquod ens non factum. Sed datur ens factum. E. etiam datur aliquod non factum ..." Jak. Martini, Part. met., l. II s. 2 nr. 6—9 (S. 648 f.): vom ens factum (finitum) zur prima causa. Scharf, Pneum., l. II c. 2 (S. 50 f.): „ex ratione dependentis" u. „ex necessarii conditione". Meier, Pneum., P. spec. l. I c. 1 (S. 256 ff.): „ex ordine causarum ad se invicem" u. „ex ratione dependentiae". Corn. Martini, Met. com., S. 322 ff.: „ex rerum dependentia" u. „ex causis sibi essentialiter subordinatis". Timpler, Met. syst., l. IV c. 2 (S. 371): „a necessaria dependentia causae secundae a prima" u. „a necessaria dependentia entis contingentis ac temporalis ab ente absolute necessario et aeterno".

[119] S. th. I, 2,3 c: „Ergo est necesse ponere aliquam causam efficientem primam. Quam omnes Deum nominant." „Ergo necesse est ponere aliquid quod sit per se necessarium ...: quod omnes dicunt Deum." — Zur Schulmetaphysik vgl. Anm. 117.

wenn jenes nicht wäre, es aber nicht leicht sei, genau zu beweisen, das ens a se sei Gott; Lukrez würde behaupten, alle seine Atome seien entia a se [120]. Auch Daniel Stahl weist darauf hin, daß mit dem Beweis der Existenz eines ens non factum Gott noch nicht bewiesen sei [121]. Die Identität von ens a se und Gott ist also zu beweisen.

Bevor nun Wolff den Beweis weiterführt — er geht „caute ac provide" voran, besinnt er sich, ob sein bisheriger Weg von allen Richtungen anerkannt werde, der Beweis also von allen philosophischen Hypothesen frei sei und daher allgemeine Zustimmung verlange [122]. Da die Materialisten mit der Immaterialität der Seele keineswegs auch die Existenz der Seele als eines sich seiner selbst bewußten Dings leugnen, die Idealisten nur die Realexistenz der Seele kennen und die Dualisten, zu denen auch Wolff sich zählt, die Existenz der immateriellen Seele behaupten [122], ist die allgemeine Anerkennung des bisherigen Beweises ganz gesichert, so daß der nächste Schritt getan werden kann.

b) Vom ens necessarium zum ens a se

Das ens necessarium bedarf zu seiner Existenz nicht der Kraft eines anderen Seienden; andernfalls wäre es nicht ens necessarium [123]. Wenn gesagt wird, es existiere aus eigener Kraft, ist das „magis negante quam ajente sensu" gesagt; deutlich zu erklären, wie etwas aus eigener Kraft existiert, vermögen wir nicht [124]. Dies gilt ebenso vom ens a se, wie wir ein Ding nennen, das aus eigener Kraft existiert [125]. Auf Grund der Identität von ens necessarium und ens a se [126] steht fest: „Datur ens a se" [127], es gibt ein „selbständiges Wesen" [128]. Der Grund seiner Existenz ist in seiner Wesenheit enthalten [129]. Im Unterschied zum ens ab alio fließt die Existenz des ens a se notwendigerweise aus seiner Wesenheit, so daß es nur als existierend begriffen werden kann [129]. Da ein Seiendes durch sein Wesen möglich ist, existiert das ens a se, weil es möglich ist [130].

[120] Briefw., S. 50. Vgl. auch Dt. Met. A, § 343: „Diejenigen demnach / welche vermeynet / sie hätten die Existenz Gottes erwiesen / wenn sie die Nothwendigkeit eines selbständigen Wesens ausgemacht / irren gar sehr ..."

[121] Stahl, Inst. met., P. spec. s. 1 c. 4 (S. 434 ff.): „Demonstratio, dari ens increatum, nondum demonstratum est Deum esse ..."

[122] Theol. nat. I, § 24 not.

[123] § 25.

[124] § 26.

[125] § 37; Dt. Met., § 929.

[126] Theol. nat. I, § 31 not.; 33.

[127] § 29.

[128] Dt. Met., § 929.

[129] Theol. nat. I, § 31.

[130] § 34. Die nota geht auf den Zusammenhang von Möglichkeit und Existenz ein. (Vgl. Gerh. IV, 405 f.)

Weshalb dieser „Wechsel" vom ens necessarium zum ens a se? Wolff gibt den Grund damit an, daß er in der Nominaldefinition Gottes als genus „ens a se" setze[131]. (Im Entwurf der „Ratio praelectionum", die diesen Schritt nicht kennt, sondern direkt von der idealen Weltexistenz auf das ens a se schließt[132], hatte Wolff diese Nominaldefinition wegen der Übereinstimmung mit Genesis 1,1 als die günstigste angenommen.)

Welches Seiende ist das ens a se? Diese Antwort ist erst möglich, wenn das ens necessarium bzw. ens a se, wie im Entwurf angekündigt, in seinen aus der Aseität abzuleitenden Attributen näher bestimmt ist, so daß entschieden werden kann, ob unsere Seele, die Körper und damit die Welt dem Begriff des ens a se widersprechen[133].

c) Eigenschaften des ens a se

Aus der notwendigen Existenz des ens a se ergibt sich: Seine Existenz hat weder Anfang noch Ende[134] und ist deshalb ewig[135] und unermeßlich[136], kann nicht entstehen, vergehen oder vernichtet werden[137]; es ist das Erste und Letzte[138]. Da Entstehen und Vergehen der Wesenheit des ens a se widersprechen, jedes zusammengesetzte Seiende aber entstehen und vergehen kann, wie die Ontologie zeigt, ist das ens a se kein zusammengesetztes Seiendes, nicht ausgedehnt, sondern einfach[139]. Da es durch eigene Kraft besteht, ist es von allem unabhängig[140]. Nachdem das ens a se, soweit für den Beweisgang erforderlich, in seinen Eigenschaften bestimmt ist, kann durch Vergleich via exclusionis das ens a se konkret ausgemacht werden.

d) Ermittlung des ens a se

Die sichtbare Welt ist nicht das ens a se[141]. Die Begründung wird aus der Cosmologie erbracht. Sie zeigt, daß die Welt ein zusammengesetztes Seiendes ist. Da das ens a se aber kein zusammengesetztes Seiendes sein kann, ist die sichtbare Welt nicht ens a se, sondern ens ab alio[141].

[131] Theol. nat. I, § 29 not.
[132] Vgl. S. 240 f.
[133] Theol. nat. I, § 29 not.; Dt. Met., § 928.
[134] Theol. nat. I, § 35 f.
[135] § 39; Dt. Met., § 931.
[136] Theol. nat. I, § 40—43; Dt. Met., § 932.
[137] Theol. nat. I, § 37 f.
[138] § 45; Dt. Met., § 934.
[139] Theol. nat. I, § 46—49; Dt. Met., § 935 f.
[140] Theol. nat. I, § 330; Dt. Met., § 938.
[141] Theol. nat. I, § 50 f.; Dt. Met., § 939.

Die Elemente sind nicht entia a se [142]. Wie wiederum aus der Cosmologie zu begründen, sind die Körper Aggregate von Elementen; aus den Körpern wiederum ist wie aus Teilen die Welt zusammengesetzt; ohne Elemente kann die Welt also nicht existieren [142]. Da nun eine andere Welt ebenso möglich ist als die gegenwärtig existierende, müßten auch andere Elemente existieren, wenn diese andere mögliche Welt existierte, denn unabhängig von der sichtbaren Welt können sie nicht als existierend begriffen werden: die Existenz der Elemente ist die Existenz der Welt selbst [142]. Da nun die Welt kein ens a se ist, können es auch die Elemente nicht sein [142]. Zu demselben Ergebnis kommt man auf indirekte Weise, indem man annimmt, die Elemente seien entia a se, hätten folglich notwendige Existenz; demnach gäbe es keine anderen Elemente, also auch keine andere Welt; die Welt wäre also notwendig, was absurd ist [142]. Wäre der Zusammenhang zwischen Welt und Elementen nicht als ein absolut notwendiger gesehen, so daß die Elemente nicht ohne die Welt existieren könnten, wäre der Schluß von der Welt auf die Elemente in der Frage des ens a se hinfällig. Der tiefste Grund, weshalb Welt und Elemente nicht das ens a se sein können, liegt in der logischen Kontingenz beider.

Die materiellen Atome und die einförmige Materie sind keine entia a se [143]. Der Grund liegt darin, daß in beider Wesenheit ein Existenzgrund nicht enthalten ist [143]. (Wenn Wolff nach den Elementen Atome und Materie als kontingent bestimmt, indem er deren Kontingenz aus Gründen der Einfachheit aus dem Begriff des ens ab alio ableitet, ist dies seiner Weitläufigkeit zuzuschreiben [144].)

Auch die Seele ist nicht das ens a se. In der „Deutschen Metaphysik" beweist dies Wolff auf eine zweifache Art, jedesmal im Rückgriff auf die beiden psychologischen Kapitel. Der Beweis, der daraus, daß die Vorstellungskraft, worin Wesen und Natur der Seele bestehen, sich nach dem Stand des Körpers in der Welt und den Veränderungen in den Sinnesorganen richtet, „also den Grund ihrer Vorstellung mit ausser sich / nemlich in der Welt" hat, die Abhängigkeit der Seele von der Welt zeigt und damit beweist, daß die Seele nicht „selbständiges Wesen" sein kann, da dieses „von allen Dingen independent ist", setzt die Realexistenz der Welt voraus [145]. Da die Idealisten aber behaupten, die Welt bestehe nur in

[142] Theol. nat. I, § 52.

[143] § 53 f. — Elemente, Atome u. einförmige Materie werden in der Dt. Met. nicht berücksichtigt.

[144] § 55—58.

[145] Dt. Met., § 941 f.

den Gedanken der Seele, will Wolff noch einen Beweis geben, der auch die Idealisten zufriedenstellt, „denn in einer so wichtigen Materie / als die gegenwärtige ist / muß man sich nach einem jeden richten / so viel nur möglich ist" [146]. Dieser Beweis ist derselbe wie der in der „Theologia naturalis I" entwickelte: Wesen und Natur der Seele bestehen darin, sich diese Welt vorzustellen; beständig bringt die Seele die Idee des Universums mit allen seinen Zuständen hervor, auch im Traum [147]. Daß sie diese Welt vorstellt und nicht eine andere, liegt im notwendigen und unveränderlichen Wesen der Seele [147]. Nun sind aber auch andere Welten möglich, die sich ebenso vorstellen lassen wie diese, d. h. es sind auch noch andere Arten von Seelen möglich [147]. „Und auf solche Weise müssen wir einen zureichenden Grund haben (§ 30) / warumb diese und nicht andere Seelen jetzund und hier in dieser Ordnung zugegen sind. Da nun dieser in der Seele nicht kan angetroffen werden / eben deswegen weil eine andere Art der Seele sowohl möglich ist als sie; so muß der Grund / warumb sie da ist / in etwas andrem zu suchen seyn / was von ihr unterschieden ist" [147]. Damit ist bewiesen, daß die Seele nicht das „selbständige Wesen" sein kann [147].

Auch die Idealisten müssen einen Grund angeben, weshalb bei der Möglichkeit anderer Welten gerade diese Seelen und nicht andere existieren [148]. Mit dem Nachweis der logischen Kontingenz der Seele und mittels des Prinzips vom zureichenden Grund können also alle Richtungen überzeugt werden, daß die Seele nicht ens a se ist; auch deren Einfachheit bedeutet nicht Aseität [149].

Damit steht als negatives Ergebnis fest: Welt, Elemente, Atome, Materie und die Seele sind jeweils nicht das ens a se. Das ens a se muß also von all diesen verschieden sein, und dazuhin muß es den Grund der Existenz dieser Seienden in sich enthalten [150]. Das ens a se ist nur eines; mehrere entia a se anzunehmen, geschähe nämlich ohne Grund, da der Existenzgrund der sichtbaren Welt und der menschlichen Seele in e i n e m ens a se gefunden werden könne [151].

[146] § 942.
[147] § 943. Theol. nat. I, § 59.
[148] Theol. nat. I, § 59. not.
[149] § 60.
[150] § 62—64; Dt. Met., § 930. 940. 945.
[151] Theol. nat. I, § 66.

e) Nominaldefinition Gottes; Ergebnis: Gott existiert

Jetzt führt Wolff die Nominaldefinition Gottes ein, die übrigens nicht genau die des Entwurfs ist: „Per Deum intelligimus ens a se, in quo continetur ratio sufficiens, existentiae mundi hujus adspectabilis et animarum nostrarum"[152]. Die Nominaldefinition faßt somit das bisherige Ergebnis zusammen. Wichtig ist es Wolff zu zeigen, daß seine Definition die der Hl. Schrift ist[153]. In Form eines Syllogismus wird der Beweis zum endgültigen Ziel geführt: Das ens a se existiert; mit dem Wort Gott ist das Wort ens a se gemeint; also: Datur Deus[154]. — Nachdem sich Gott als das ens a se erwiesen hat, werden ihm alle Eigenschaften zugesprochen, die oben vom ens a se ausgesagt worden waren[155].

Im Rückblick auf den Beweisgang Wolffs zeigen sich drei auffallende Merkmale: das erste betrifft die Methode, das zweite Prinzipien und Inhalt, das dritte den Schwerpunkt des Beweisganzen. Zum Methodischen: Wolff geht Schritt für Schritt voran, behutsam und vorsichtig, immer im Blick auf gegnerische Positionen und mögliche Einwände; von ihnen läßt er sich in seinem Beweisgang bestimmen, um ja das durch eine genaue Anwendung der Methode garantierte Ziel eines absolut sicheren und von niemandem bestreitbaren Resultats zu erreichen; deshalb auch das Bestreben, möglichst alles in Syllogismen zu fassen und jede Aussage zu rechtfertigen, selbst auf die Gefahr von Wiederholungen hin. Das Methodische steht in engstem Zusammenhang mit dem Beweisinhalt und den anzuwendenden Prinzipien. Der Beweis ist durch eine konsequente Anwendung des Prinzips vom zureichenden Grund und des Widerspruchsprinzips gekennzeichnet. Das Prinzip vom zureichenden Grund gestattet es Wolff, vom Ontologischen zum Logischen und vom Logischen zum Ontologischen zu wechseln je nach augenblicklicher Notwendigkeit. Da Kontingenz, das den Beweis von innen her bestimmende und vorantreibende Moment, meist als logische Kontingenz verstanden wird, erhält der Beweis sein Gepräge mehr vom Logischen statt vom Ontologischen. Der

[152] § 67. In der nota bemerkt Wolff, er habe „et animarum nostrarum" hinzugefügt, um den Idealisten Rechnung zu tragen. Dt. Met., § 945: „Es ist demnach Gott ein selbständiges Wesen / darinnen der Grund von der Würcklichkeit der Welt und der Seelen zu finden."

[153] Theol. nat. I, § 68.

[154] § 69. Dt. Met., § 946: „Weil nun gewiß ist / daß es ein dergleichen selbständiges Wesen giebet; (§ 945) so ist auch ein Gott."

[155] Theol. nat. I, § 70 ff.; Dt. Met., § 947; Dt. Met. A, § 342.

aposteriorische Charakter des Beweises ist deshalb noch nicht in Frage zu stellen oder gar abzustreiten, aber die Tendenz läßt sich nicht übersehen. Was den Schwerpunkt des Beweises angeht, ist im Vergleich mit den Beweisen der Schulmetaphysik und des Cartesianismus unschwer eine Verlagerung auf den letzten Teil des Beweises festzustellen. Der größte Teil des Beweises wird auf den Nachweis der Identität von ens a se und Gott verwandt. In den Beweisen der Schulmetaphysik und des Cartesianismus fehlt der Gedanke, diese Gleichsetzung zu beweisen bzw. zu begründen; daß das philosophische Beweisergebnis mit Gott identisch sei, war selbstverständlich. (Die religionsphilosophische Problematik dieser Gleichsetzung war Wolff allerdings auch unbekannt.)

2. Beweis aus der Kontingenz des Universums

In „De differentia nexus rerum ..." (1723) sagt Wolff: „In demonstranda existentia Dei usus sum argumento a contingentia hujus universi petito ..." [156]; dabei denkt er an den Beweis der „Deutschen Metaphysik". Thomas habe denselben Beweis durchgeführt, der übrigens bei Philosophen und Theologen so bekannt sei, daß er in die Compendien der natürlichen und geoffenbarten Theologie eingegangen sei [156]. Wolff behauptet nun von sich, er habe den Beweis auf einen so hohen Grad von Gewißheit gebracht wie bisher noch niemand vor ihm; dies sei durch die Anwendung des vor Leibniz noch nicht genügend bekannten Prinzips vom zureichenden Grund möglich gewesen [156]. Alle anderen Beweise seien nicht so wirksam; sie hätten nur größere oder geringere moralische Gewißheit und seien entsprechenden Argumenten der Atheisten ausgeliefert [157]. Weil er von der Kontingenz des Universums aus argumentiere, habe er die Abhandlung über die Welt — gemeint ist das 4. Kapitel der „Deutschen Metaphysik" — vorausgeschickt [158]. Diese transzendentale Cosmologie habe ihn wie ein überaus treuer Begleiter zu Gott und dessen Eigenschaften geführt [159]. Dies ist möglich, weil diese Welt ein Spiegel der Existenz Gottes und seiner Vollkommenheiten ist, wie durch die Hl. Schrift bestätigt werde (Röm. 1,20) [160].

[156] Diff. nex., s. I § 3 (S. 3 f.).
[157] § 4 (S. 7).
[158] § 3 (S. 3).
[159] § 4 (S. 8).
[160] § 3 (S. 5 f.).

Einen förmlichen Beweis entwickelt Wolff in dieser Schrift allerdings nicht. Da hier aber im Gegensatz zum Beweis der „Deutschen Metaphysik" nicht die Seele, sondern die Kontingenz der Welt zum Ausgangspunkt und Beweiskern genommen wird, ist eigens davon zu handeln. (Im Beweis der „Deutschen Metaphysik" ist die Kontingenz der Welt bekanntlich der Grund, weshalb die Welt bei der Ermittlung des ens a se ausscheidet; die zentrale Rolle spielt sie in diesem Beweis nicht.) Wolff, der diesmal keine Rücksichten auf die Idealisten nimmt, wohl weil man ihn selbst des Idealismus bezichtigt hatte, spricht von der Kontingenz als dem einzig sicheren Weg, wie vom Universum zur Existenz Gottes zu gelangen sei: „ . . . non dari in universo generatim expenso quicquam praeter contingentiam, unde ad Dei existentiam firmo mentis ratiocinio assurgere valeas" [161]. (Auch die prästabilierte Harmonie führe nur auf Grund der Kontingenz des Aktes zur Existenz Gottes; wäre sie notwendig „quoad actum", ließe sich daraus die Existenz Gottes nicht erschließen [161].) Daß mit Kontingenz ebensowenig wie in Leibniz' Kontingenzbeweis in der Theodizee [162] nicht allein die Kontingenz der Existenz gemeint ist, ließ schon der oben angeführte Hinweis Wolffs vermuten, er sei „a contingentia h u j u s universi" ausgegangen. Von Kontingenz ist unter zweifacher Rücksicht die Rede: „Deprehendi autem universum hoc esse speculum existentiae divinae vi contingentiae suae cum in corporum actu, tum in legibus naturae motus obviae, unde rerum eventus pendent" [163]. Die Bewegungsgesetze der Natur sind kontingent in dem Sinne, als Gott auch andere Gesetze hätte geben können. Um die logische Kontingenz ist es Wolff in dieser Schrift hauptsächlich zu tun; er muß sich gegen die Beschuldigung des Spinozismus verteidigen und ist deshalb besorgt, die Kontingenz des nexus rerum gegen den spinozistischen Fatalismus herauszustellen [164]. Die Kontingenz der Existenz bleibt nicht unberücksichtigt, tritt aber in den Hintergrund. Auch wenn Wolff behauptet, sein Beweis sei der des Thomas, so spiegeln sich doch in den Beweisen beider verschiedene Welten.

3. Beweis aus der Naturordnung

In den „Horae subsecivae Marburgenses" beschäftigt sich Wolff mit der „Methode, die Existenz Gottes aus der Ordnung der Natur zu be-

[161] § 5 (S. 10).
[162] Theod. I, 7 (Gerh. VI, 106 f.).
[163] Diff. nex., s. I § 3 (S. 6).
[164] § 6 ff. (S. 13 ff.).

weisen" [165]. In einer Art Vorbemerkung erinnert Wolff an die Kritik, die er in der „Ratio praelectionum" an diesem Beweis in dessen üblicher Gestalt geübt hatte, daß nämlich der Fehler der fallacia dicti simpliciter dem Beweis die strenge Beweiskraft nehme [166]. Auch wenn man ihm vorwerfe, er habe durch seine Kritik den besten und klarsten Gottesbeweis verworfen, ändere dies, so betont Wolff, nichts an der Tatsache, daß der Satz „ubi datur ordo, ibi datur ordinans" in seiner Anwendung auf die Naturordnung bewiesen werden müsse, da mit der Naturordnung allein deren Kontingenz nicht ohne weiteres feststehe, zumal Spinoza und andere Fatalisten zwar eine Naturordnung anerkennen, eine Kontingenz aber leugnen [166]. Wolff legt das Gewicht der Darlegung nicht so sehr auf den Inhalt des Beweises, sondern vielmehr auf das methodische Vorgehen, das durch zahlreiche Bemerkungen von geradezu pedantischer Genauigkeit Schritt für Schritt näher bestimmt und erläutert wird. (Eine Untersuchung über die Anwendung der Wolffschen Methode fände hier ein ergiebiges Feld.) In der Darstellung des Beweises selbst ist jedoch mehr auf den Inhalt zu achten. Der Beweis, dessen Prinzipien aus der Ontologie und Cosmologie genommen werden, ist nach Wolffs Worten in der Hauptsache auf vier Punkte zurückzuführen:

a. Es gibt eine Naturordnung
b. Diese ist kontingent
c. Sie hat einen Urheber (autor)
d. Dieser Urheber ist Gott [167]. — Diese vier Punkte sind nun einzeln zu untersuchen.

a) Tatsache der Naturordnung [168]

Die Grundlage des Beweises, das Faktum der Naturordnung, wird ganz aus der Cosmologie übernommen. In der Cosmologie wird, wie gezeigt, begründet, daß es eine Naturordnung gibt, daß sie mit der Ordnung der Welt als einer „series entium finitorum tam simultaneorum, quam successivorum inter se connexorum" nicht ohne weiteres übereinstimmt,

[165] Hor. subs. 1730, trim. autumn. III: De methodo existentiam Dei ex ordine naturae demonstrandi (S. 660—683). Auch in Ges. kl. Schr. IV, 233—275.

[166] Hor. subs. 1730, trim. autumn. III, § 1 (S. 660 f.).

[167] § 2 (S. 661 f.): „Ad quatuor potissimum redit existentiae Dei ex ordine Naturae demonstratio. Ostendendum nimirum est 1. dari naturae ordinem, eumque 2. esse contingentem, ac ideo 3. eundem habere autorem, huncque 4. autorem non esse alium nisi Deum."

[168] § 3 (S. 668 ff.).

vielmehr in den Modifikationen der Bewegungskräfte besteht (§ 557.558 Cosmol.), also in Schnelligkeit und Richtung. Wer beweisen will, daß es eine Naturordnung gibt, muß nachweisen, daß Schnelligkeit und Richtung in den Körpern sich nach bestimmten feststehenden Gesetzen ändern.

b) Kontingenz der Naturordnung [169]

Nur mit Mühe kann man beweisen, daß es eine Naturordnung gibt; mit Evidenz erst, seitdem man im letzten [d. h. 17.] Jahrhundert die Bewegungsgesetze entdeckt hat. Von noch größerer Bedeutung aber ist es, die Kontingenz der Naturordnung zu beweisen, d. h. nach dem oben Gesagten, die Kontingenz der Regeln der Bewegung bzw. deren Prinzipien, der Naturgesetze, zu beweisen. Das ganze Geschäft läuft darauf hinaus, die Abhängigkeit dieser Naturgesetze vom Prinzip des zureichenden Grundes als der Quelle des Kontingenten zu erkennen. Bevor klar ist, daß diese Gesetze keineswegs aus dem Wesen der Materie und des Körpers resultieren, müssen viele Prinzipien vorausgesetzt bzw. übernommen werden, ontologische vom Seienden im allgemeinen, cosmologische vom Begriff des Körpers. Vielen, die mit abstrakten Begriffen nicht vertraut sind und denen es an Scharfsinnigkeit fehlt, wird es nicht gelingen, die Kontingenz der Naturordnung zu erkennen.

c) Urheber (autor) der Naturordnung [170]

Nachdem nun die Kontingenz der Naturordnung feststeht, muß aus dem Begriff der Kontingenz bewiesen werden, daß es einen Urheber jener Ordnung gibt. Unter „Urheber der Ordnung" versteht man dabei das Seiende, in dem der zureichende Grund enthalten ist bzw. das innewohnt, wodurch erklärt wird, weshalb eher diese als eine andere Naturordnung besteht. Kraft des Prinzips vom zureichenden Grund wird gezeigt, daß es notwendigerweise einen Urheber der Naturordnung gibt, da jeder Zufall ausgeschlossen ist. Aus dem Wesen der in der Welt existierenden Körper folgt nicht notwendigerweise, daß die Veränderungen der Körper nach diesen Gesetzen vor sich gehen und nicht vielmehr nach anderen. Der Grund der Gesetze ist also außerhalb der existierenden Körper zu suchen. In der Cosmologie habe er, so Wolff mit Verweis auf § 182 ff., zur Genüge dargelegt, daß die wahren Elemente der materiellen Dinge einfache

[169] § 4 (S. 673 ff.).
[170] § 5 (S. 676 ff.).

Substanzen seien, Materie und Bewegungskraft aber daraus resultierende Phänomene. Die Bewegungsgesetze der Körper erwachsen also aus anderen Gesetzen der Veränderungen der einfachen Substanzen. Somit ist klar: Diese Bewegungsgesetze gelten, weil diese einfachen Substanzen existieren, so daß andere einfache Substanzen existieren müßten, wenn die Körper andere Bewegungsgesetze haben sollten. Die Kontingenz der Bewegungsgesetze hängt also von der kontingenten Existenz der Elemente ab, worauf ebenfalls die kontingente Existenz diese Universums zurückgeht. Will man daher die Existenz eines Urhebers der Naturordnung scharfsinnig genug beweisen, muß man die Existenz eines Urhebers des Universums oder der Welt beweisen. So kehrt das Argument aus der kontingenten Weltordnung zum Argument aus der Kontingenz des Universums selbst, dessen sich Wolff bedient, zurück. Wolff läßt es sich am Ende des Abschnitts nicht nehmen, auf die großen Schwierigkeiten hinzuweisen, die im Beweis der Existenz eines Urhebers der Naturordnung gerade für die Einsichtsvolleren bestehen, es sei denn, man begnüge sich mit einem argumentum ad hominem. Nicht ohne Ironie weist er damit seinen Gegnern nach, daß ihr leichterer Beweis in Wirklichkeit einer der schwierigsten sei.

d) Gott ist Urheber der Naturordnung [171]

Die Existenz eines Urhebers der Weltordnung ist bewiesen; zu beweisen bleibt noch, daß dieser Autor Gott ist. Setzt man beim Beweis aus der Naturordnung den Gottesbegriff „Deus est ens, quod est autor ordinis naturae, seu in quo ratio sufficiens continetur, cur hic potius sit naturae ordo, quam alius" voraus, so kann man, nachdem die Existenz eines Urhebers der Naturordnung feststeht, folgern: Gott ist, d. h. ein Seiendes, das den zureichenden Grund der Existenz dieser Ordnung enthält. Der Beweis ist damit aber noch nicht zu Ende, da gezeigt werden muß, daß die obige Nominaldefinition Gottes mit dem übereinstimmt, was die Hl. Schrift unter Gott versteht. Daraus, daß in diesem Seienden der zureichende Grund der Naturordnung enthalten ist, sind die Attribute abzuleiten, die Gott in der Hl. Schrift zugesprochen werden und die keinem anderen Seienden mitgeteilt werden können. Es ist zu zeigen, daß in keinem Seienden der zureichende Grund der Naturordnung enthalten sein kann, wenn man ihm nicht die Attribute zuerteilt, die Gott der Hl. Schrift

[171] § 6 (S. 678 ff.).

nach allein zukommen, wie z. B. Allwissenheit und höchste Weisheit. — Der Beweis ist damit an seinem Ende angelangt: aus der Nominaldefinition können jetzt die göttlichen Eigenschaften abgeleitet werden, was ausdrücklich zu tun, Wolff hier nicht beabsichtigt.

In der conclusio [172] weist Wolff nochmals darauf hin, wie schwierig der Beweis sei, und wirft denen, die glauben, mit dem armseligen Schluß „Es gibt eine Weltordnung, also gibt es einen Ordnenden, d. h. Gott" sich und andere überzeugen zu können, vor, sie dächten „pueriliter de re tam ardua". Er habe, um Umwege zu vermeiden, den Beweis der Kontingenz der Welt vorgezogen.

Auch in diesem Beweis sind das Prinzip vom zureichenden Grund und die logisch verstandene Kontingenz die bestimmenden Momente. Die Bewegungsgesetze als Ansatzpunkt und die sich daraus ergebende Nominaldefinition Gottes machen den Beweis zu einem eigenständigen; im Grunde aber basiert der Beweis, wie er selbst gezeigt hat, auf dem Beweis aus der Kontingenz der Welt. Vergleicht man den Wolffschen Ordnungsbeweis mit den entsprechenden Beweisen der Schulmetaphysik [173] — auch Wolffs Gegner in Halle übernehmen ihre Beweise vermutlich aus der Schulmetaphysik, so fallen Wolffs Beweisstrenge und ebenso der Ausgangspunkt auf. Von Bewegungsgesetzen ist in der Schulmetaphysik nicht die Rede. Der Beweis der Schulmetaphysik ist eher ein argumentum ad hominem denn eine genuine demonstratio. Dieser Beweis ist eine geradezu augenfällige Konkretisierung des Wolffschen Programms, die Begriffe und Beweise der Scholastiker zu verbessern, sie zuvor also zu übernehmen, und eine Verbindung mit der modernen Wissenschaft herzustellen. — Mit dem nun folgenden Beweis weicht Wolff jedoch von der Tradition der Schulmetaphysik ab.

4. Beweis aus dem Begriff des ens perfectissimum

In der „Ratio praelectionum" hatte Wolff den sogenannten ontologischen Beweis kritisiert, nicht aber im geringsten angedeutet, ihn auch übernehmen zu wollen. Wenn Wolff den Beweis aus dem Begriff des ens perfectissimum nun dennoch durchführt und deswegen die lateinische Theologie zweimal behandelt, dürfte dies auf verschiedene Gründe zurückzuführen sein: die große Bedeutung, die diesem Argument in der Zeit

[172] § 7 (S. 681 ff.).
[173] Vgl. S. 226 f.

Wolffs zukommt, und Wolffs Bemühen, alles in sein System einzubringen; damit eng zusammenhängend der Grundzug Wolffschen Denkens, Aposteriorisches und Apriorisches zusammenzubringen; und schließlich, wie Wolff selbst ausführt, die Vorzüge dieses Beweises, daß er sich als Krönung bzw. als eigentliche Begründung eines wahren Systems erweist.

Der 2. Teil der „Theologia naturalis" [174], 1737, also ein Jahr nach dem 1. Teil erschienen, behandelt den Stoff der natürlichen Theologie zwar auf eine eigenständige Weise, indem Existenz und Eigenschaften Gottes aus dem Begriff des ens perfectissimum abgeleitet werden, setzt aber den 1. Teil grundsätzlich voraus und bezieht sich in zahlreichen Hinweisen auf das dort Dargestellte. Der 2. Teil ist dem ersten keineswegs ebenbürtig. Daß der 1. Teil vorausgesetzt und ein Großteil des „Materials" von ihm übernommen wird, ist letztlich nicht auf äußere Gründe etwa der Didaktik oder einer gerafften Darstellung zurückzuführen, sondern wird, wie sich bald zeigen wird, aus dem inneren Zusammenhang beider Teile bzw. der inneren Abhängigkeit des zweiten vom ersten begründet.

a) Der angeblich apriorische Charakter des Beweises

Descartes' Beweis der Existenz Gottes aus dem Begriff des ens summe perfectum in der 5. Meditation bestimmt entscheidend die weitere Geschichte der Gottesbeweise [175]. Inwieweit Descartes' Argument einfachhin als eine Neuaufnahme des anselmianischen Arguments zu bewerten ist oder nicht, ob der sogenannte ontologische Beweis innerhalb des cartesianischen Opus eine eindeutige Darstellung erfahren hat oder als mehrschichtig anzusprechen ist, kann hier unerörtert bleiben [176]. Entscheidend ist der apriorische Charakter, der diesem Argument allgemein zugesprochen wird.

Wolffs aposteriorischem Beweis, dem sogenannten kosmologischen Argument, stellt man gewöhnlich als 2. Wolffschen Beweis den aus dem

[174] Die „Theologia naturalis. Pars posterior" ist in 2 Sectionen aufgegliedert: Sectio I: Qua existentia et attributa divina a priori demonstrantur; Sectio II: De atheismo aliisque agnatis erroribus. Mit letzteren sind Fatalismus, Deismus, Naturalismus, Anthropomorphismus, Materialismus, Idealismus, Paganismus, Manichäismus, Spinozismus und Epikuräismus gemeint. Hier interessiert Sectio I u. die Widerlegung von Atheismus u. Deismus der Sectio II.

[175] Vgl. Dieter Henrich, Der ontologische Gottesbeweis. Zu Wolff: S. 55 ff.

[176] S. 10 ff. Vgl. auch Gueroult, Descartes selon l'ordre des raisons I, 388 ff.; Gueroult stellt den apriorischen Charakter des Beweises in Frage.

Begriff des ens perfectissimum als einen apriorischen Beweis gegenüber, was nicht zuletzt durch die doppelte Darstellung der „Theologia naturalis" gerechtfertigt erscheint. Bei näherem Hinsehen wird es jedoch fraglich, ob es um den apriorischen Charakter dieses Beweises so eindeutig bestellt ist wie allgemein angenommen. Die Überschrift der Sectio I kündigt zwar an: „Existentia et attributa divina a priori demonstrantur", der Titel des Werkes aber macht stutzig. Dort heißt es: „... pars posterior, qua existentia et attributa Dei ex notione entis perfectissimi et natura animae demonstrantur". Dem apriorischen Ausgangspunkt „ex notione entis perfectissimi" wird gleichwertig ein zweiter, unbestreitbar aposteriorischer hinzugefügt: ex natura animae. Diese schon im Titel offenkundige Fragwürdigkeit des rein apriorischen Beweischarakters und die unübersehbare Doppelgesichtigkeit des Arguments wird durch die praefatio bestätigt und noch verstärkt. Dort sagt Wolff ausdrücklich, dieser Beweis, der allgemein als Beweis a priori angesehen werde, weil Gottes Existenz aus dessen Definition als des ens perfectissimum erschlossen werde, könne zutreffender „Beweis aus der Betrachtung der Seele" genannt werden, da nicht feststehe, was das ens perfectissimum sei, wenn man nicht aus den Realitäten der Seele die göttlichen Attribute erschließe[177]. Und einige Sätze später behauptet er, die Existenz Gottes aus dem Begriff des ens perfectissimum zu beweisen, sei dasselbe, wie sie aus der Betrachtung unserer Seele abzuleiten; so ginge, glaubt er, dieser Beweis nicht weniger aposteriorisch vor als der im 1. Teil aus der Betrachtung dieser sichtbaren Welt durchgeführte[178]. (Da dieser als Beweis „ex contemplatione mundi" apostrophierte Beweis des 1. Teils eigentlich auch ein Beweis „ex contemplatione animae" ist, wäre die Gleichheit beider Beweise noch überzeugender.) Diesen Aussagen zufolge wird die Existenz des ens perfectissimum aus dessen Begriff deduziert, also apriorisch erkannt, die Attribute des ens perfectissimum jedoch, die notwendig sind, um festzustellen, welches Seiende als das ens perfec-

[177] Theol. nat. II, praef. [S. 2]: „Haec demonstratio vulgo a priori fieri dicitur, propterea quod existentia Dei necessaria ex ipsa ejus definitione, nimirum quod sit ens perfectissimum, infertur. Enimvero cum constare nequeat, quale sit ens perfectissimum, nisi quatenus ex realitatibus, quae insunt animae, colligas attributa divina ... ; rectius dici poterat, existentiam Dei hoc pacto ex contemplatione animae demonstrari."

[178] [S. 3]: „Ex notione igitur entis perfectissimi existentiam veri Numinis demonstrare idem est ac eandem ex contemplatione animae nostrae derivare, sicque demonstratio non minus a posteriori procedit, quam si ex contemplatione mundi hujus adspectabilis derivatur, quemadmodum parte prima fecimus."

tissimum auszugeben ist, d. h. um den Gottesbeweis vollständig führen zu können, sollen aus den Realitäten der Seele erschlossen, also auf aposteriorischem Weg gewonnen werden. Weshalb soll aber gerade aus den Realitäten der Seele auf Gottes Attribute geschlossen werden? Ein willkürliches und unbegründetes Vorgehen, wenn nicht schon der Begriff des ens perfectissimum selbst durch willkürliche Bestimmung aus dem Begriff der Seele gebildet würde [179] und damit auch die aus dem Begriff des ens perfectissimum deduzierte Existenz durch die aposteriorische Begründung eben dieses Begriffes sich ebenfalls irgendwie, wenn auch nur verschwindend, auf die Seele gründete. Indem Wolff wenigstens eine gewisse aposteriorische Begründung des Begriffs des ens perfectissimum gibt, hat er dem verwundbarsten Punkt des apriorischen Arguments Rechnung getragen, allerdings weder bewußt noch absichtlich. Sein kritisches Interesse war auf einen anderen Punkt gerichtet: Die Möglichkeit des ens perfectissimum zu beweisen. Der Beweis ist nach Auskunft der praefatio also folgendermaßen durchzuführen: Der Begriff des ens perfectissimum wird gebildet, dessen Möglichkeit erwiesen und aus der Betrachtung der Seele die göttlichen Attribute abgeleitet, wodurch sich klar zeigt, daß das ens perfectissimum nicht nur Gott genannt werde, sondern auch Gott sei [179].

b) Vorzug dieses Beweises

Zwei Gründe bewegen Wolff, diesem Beweis den Vorzug zu geben und damit ein anderes System natürlicher Theologie aufzubauen. Einmal ließen sich bei diesem Beweis Gottes Attribute leichter ableiten als beim kosmologischen Beweis [180]. Zum anderen erlaubt es dieses System, alle Wahrheiten von Gott abzuleiten und auf diese Weise ein wirkliches System zu errichten. Den Ursprung der Ideen im göttlichen Intellekt will Wolff nämlich a priori aus der Natur und dem Wesen Gottes selbst ableiten; die Notwendigkeit der Wesen und deren Unabhängigkeit vom göttlichen Willen würde dadurch in helles Licht gerückt [181]. Mit größter Evidenz zeigt sich so, wie jede Wahrheit kraft der Prinzipien des Widerspruchs

[179] [S. 4]: „Dum vero notionem entis perfectissimi per arbitrariam determinationem formavimus ex notione animae nostrae et ejus possibilitate adstructa ex hujus contemplatione deduximus attributa divina, ut liquido constaret ens perfectissimum non dici, sed esse Deum."

[180] [S. 4 f.].

[181] [S. 5].

und des zureichenden Grundes aus Gott folgt, daß man auch nicht im geringsten in Zweifel ziehen kann, daß in diesen beiden Prinzipien die Erkenntnis aller Dinge an ihr Ende gelangt und jede Erkenntnisgewißheit von ihnen abhängt, die ontologischen Begriffe durch sie folglich zur Genüge erklärt werden [181]. Auf diese Weise wird die Möglichkeit der Idee eines wahrhaft philosophischen Systems bewiesen, in dem die Erkenntnis aller Dinge a priori aus den göttlichen Attributen selbst als den ersten Möglichkeiten durch die letzten Gründe abgeleitet wird [182]. Damit hätte sich der tiefste Wunsch des „Systematikers" Wolff erfüllt: Ein geschlossenes apriorisch — deduktives System ist möglich.

c) Wolffs Sicht der Geschichte des Beweises

Die wechselvolle Geschichte des ontologischen Arguments sieht Wolff in der ihm eigenen ungeschichtlichen Denkart [183]. Schon unter den Scholastikern habe eine Kontroverse bestanden, ob sich mit Recht aus dem Begriff des ens perfectissimum dessen, d. h. Gottes, Existenz ableiten lasse oder nicht. Anselm habe dies bejaht, andere verneint. Überraschenderweise wird Thomas als Befürworter des Beweises angeführt, wenn auch mit Einschränkungen. Thomas habe in seinem Scharfsinn darauf hingewiesen, daß man erst dann aus dem Begriff des ens perfectissimum die Existenz ableiten könne, wenn nachgewiesen sei, daß irgendeinem Seienden die höchste Vollkommenheit zukommen könne. Descartes habe das Argument Anselms in seinen Meditationes allen anderen Beweisen vorgezogen und so die Kontroverse von neuem entfacht. Leibniz schließlich habe Thomas zugestimmt und gefordert, zuerst die Möglichkeit des ens perfectissimum nachzuweisen, um nicht einen Scheinbegriff (notio deceptrix) befürchten zu müssen. Clauberg fehlt in diesem Überblick. Weshalb Thomas zum Vorgänger von Leibniz gemacht wird, bleibt unverständlich, es sei denn, man nimmt an, Wolff habe Leibniz durch Thomas relativieren wollen. Nun zum Beweis selbst.

d) Der Beweisgang selbst

Der Beweis läßt sich als in 6 Schritten durchgeführt darstellen:

1. Definition des ens perfectissimum

[182] [S. 6]: „Atque hoc pacto ideae systematis vere philosophici, in quo omnis rerum cognitio prorsus a priori ex ipsis attributis divinis, tanquam primis possibilibus, per rationes ultimas derivatur, possibilitatem demonstravimus . . .".

2. Aus der Definition abgeleitete Bestimmungen des ens perfectissimum
3. Die Möglichkeit des ens perfectissimum
4. Gott ist das ens perfectissimum
5. Notwendige Existenz als höchste Realität
6. Gottes Existenz ist notwendig.

1. Wolff beginnt mit der Definition des ens perfectissimum: „Ens perfectissimum dicitur, cui insunt omnes realitates compossibiles in gradu absolute summo" [184]. Wolff kann diese Definition erst in § 6 und nicht schon in § 1 geben, da nach Wolffs Methode die Bestandteile der Definition bekannt sein müssen, bevor diese selbst gegeben werden kann; sie sind also vorgängig zur Definition zu klären. Die Begriffe werden aus der Ontologie übernommen. „Compossibile" wird dabei genannt, was zusammen demselben Subjekt inne sein kann [185], also die Wesensbestimmungen, Attribute und Modi eines Seienden [186]. Wichtig ist zudem die Feststellung, daß die compossibilia in sich betrachtet möglich sind [187]. Unter „realitas" versteht Wolff das, was einem Seienden wirklich (vere) innewohnt und nicht nur auf Grund unserer verworrenen Wahrnehmungen innezuwohnen scheint; im letzteren Fall handelte es sich um Phänomene wie z. B. bei den Farben, nicht aber um Realitäten wie beim Intellekt unserer Seele [188]. Zur Definition selbst gibt Wolff einige Erläuterungen [189], um nicht schon zu Beginn Schwierigkeiten hervorzurufen, die sich nur schwer widerlegen lassen. Über den Modus, in dem die compossiblen Realitäten dem vollkommensten Seienden innewohnen, will Wolff an dieser Stelle noch nichts sagen; es bleibt offen, ob formal oder per eminentiam. Wenn er sagt, alle compossiblen Realitäten sind im ens perfectissimum enthalten, will er damit nicht negieren, daß schlechthin alle innewohnen. Bevor aber nicht bewiesen ist, ob alle Realitäten compossibel sind oder nicht, will er es noch offen lassen, ob ihm schlechthin jede Realität zuerteilt werden kann oder manche zu trennen sind. Schließlich bemerkt er noch zu „in gradu absolute summo", daß „ens perfectissimum" absolut und nicht comparativ verstanden werde.

[183] Theol. nat. II, § 13 not.
[184] § 6.
[185] § 1.
[186] § 3.
[187] § 4.
[188] § 5.
[189] § 6 not.

2. Was dem vollkommensten Seienden innewohnt, hat laut Definition den absolut höchsten Grad, so daß Größeres nicht gedacht werden kann. Daraus folgt: Das ens perfectissimum ist unbegrenzt [190], unveränderlich [191], unendlich [192]; der absolut höchste Grad einer Realität schließt jeden Mangel aus [193].

3. Im Anschluß an die nähere Bestimmung des ens perfectissimum ist dessen Möglichkeit aufzuzeigen. Diese wird folgendermaßen bewiesen [194]: a. Da das ens perfectissimum alle compossiblen Realitäten enthält, ist es nicht notwendig, daß in ihm eine Realität negiert wird, weil eine andere gesetzt wird. Einen Widerspruch enthält der Begriff des ens perfectissimum hinsichtlich der innewohnenden Realitäten also nicht. b. Da die Realitäten im absolut höchsten Grad innewohnen, ist ein Mangel ausgeschlossen; es ist also unmöglich, daß etwas, das sich auf irgendeine Weise auf diese Realitäten bezieht, negiert werden kann. Der Begriff des ens perfectissimum kann also hinsichtlich des Grades der Realitäten keinen Widerspruch in sich schließen. c. Da demnach weder hinsichtlich der Realitäten noch hinsichtlich des Grades ein Widerspruch besteht, ist überhaupt kein Widerspruch gegeben; also ist der Begriff des ens perfectissimum und damit das ens perfectissimum selbst möglich. Würde die Möglichkeit nicht bewiesen, ließe sich Gottes Existenz nur hypothetisch aus dem Begriff deduzieren [195].

4. Nach der näheren Bestimmung des ens perfectissimum und dem Aufweis dessen Möglichkeit führt Wolff die Nominaldefinition Gottes ein: „Deus est ens perfectissimum, scilicet absolute tale" [196]. Auf Grund dieser Gleichsetzung von Gott und ens perfectissimum treffen alle vom ens perfectissimum gemachten Aussagen auch auf Gott zu: In Gott sind alle Realitäten im absolut höchsten Grad enthalten; Gott ist unbegrenzt, unveränderlich und unendlich [197]. Und der entscheidenste Gesichtspunkt: Da das ens perfectissimum möglich ist, ist auch Gott möglich [198]. — Die Existenz Gottes ist damit aber noch nicht bewiesen.

5. Um zu beweisen, daß Gott existiert, muß nachgewiesen werden, daß Existenz eine Realität ist; zudem muß hinsichtlich des absolut höchsten

[190] § 7 f.
[191] § 9.
[192] § 10.
[193] § 11.
[194] § 13.
[195] § 13 not.
[196] § 14.
[197] § 15—18.
[198] § 19.

Grades dieser Realität entschieden werden. Wolff geht folgendermaßen vor [199]: a. Die notwendige Existenz ist eine Realität. Dies wird im Rückgriff auf den 1. Teil der „Theologia naturalis" begründet; dort wurde nämlich bewiesen, daß das ens necessarium existiert. b. Auch die kontingente Existenz bzw. die hypothetisch notwendige Existenz ist eine Realität. Die Begründung liefert die Cosmologie: Das Sukzessive in der Welt ist kontingent. c. Notwendige und kontingente Existenz sind gleicherweise Realitäten. Ein Drittes außer notwendiger und kontingenter Existenz gibt es nicht. Unterschiede in der Existenz — da es sich um Qualitäten handelt, können es nur graduelle sein — können nur hinsichtlich der Existenznotwendigkeit begriffen werden. Ein höherer Existenzgrad als der der notwendigen Existenz kann nicht gedacht werden. Die notwendige Existenz ist also „realitas gradus absolute summi". — Da dieser Beweisschritt in seinem entscheidenden Punkt, daß nämlich die notwendige Existenz eine Realität ist, auf die „Theologia naturalis I" rekurriert, scheint die Eigenständigkeit des ganzen Arguments zumindest in Frage zu stehen. Tatsächlich ist der Rekurs nur ein methodischer: Wolff hat nicht die Absicht, ein ganzes System der natürlichen Theologie durchzuführen, sondern nur die „praecipua momenta" zu beweisen, weshalb er sich auf den 1. Teil berufen kann, wenn dort schon bewiesen wurde, was in der Durchführung eines neuen Systems an Ort und Stelle eigens bewiesen werden müßte [200].

6. Da nun in Gott alle compossiblen Realitäten im absolut höchsten Grad innewohnen, kommt ihm die Existenz als Realität im höchsten Grade, d. h. als notwendige Existenz zu. Also existiert Gott notwendigerweise.

Weil Gott ens necessarium ist, ist er, wie im 1. Teil nachgewiesen, auch ens a se. Damit ist der Anschluß an den 1. Teil hergestellt, so daß von dort übernommen werden kann, was aus der Aseität Gottes abgeleitet wurde.

e) Rückblick

Stellt man in Rechnung, daß Wolffs denkerisches Interesse dem Möglichen und nicht dem Realexistenten gilt, überrascht es, wenn der apriorische Beweis nicht als Hauptbeweis betrachtet wird [201]. Dazu kommt, daß

[199] § 20.
[200] § 20 not.
[201] Dies gegen Cottier (Gottesbeweis in Aufklärungsphilosophie, S. 108), der behauptet, Wolff betrachte den apriorischen Beweis als seinen Hauptbeweis.

es, wie nach den Vorbemerkungen auch der Beweis selbst zeigt, um den apriorischen Charakter des Beweises nicht so eindeutig bestellt ist. Zweifellos wird vom Begriff, der durch den Nachweis seiner Möglichkeit als realer ausgewiesen wird, auf die Realexistenz geschlossen und damit das Charakteristikum des apriorischen Arguments erfüllt. Da aber nach der Begründung des Begriffs des ens perfectissimum gefragt und dieser irgendwie auf die Seele und deren Eigenschaften zurückgeführt wird, wird dem Beweis eine aposteriorische Grundlage gegeben. Diese Tatsache und die andere, daß der kosmologische Beweis als Wolffs Hauptbeweis anzusprechen ist, wird auf das Erbe der Schulmetaphysik zurückzuführen sein. Gleichzeitig zeigt der Beweis aber auch, wie weit sich Wolff von dieser Tradition entfernt hat. Dem apriorischen Argument wird man in der Beurteilung wohl erst dann gerecht, wenn man es vom Ganzen des Wolffschen Denkens her sieht.

5. Schluß vom Begriff irgendeiner höchsten Vollkommenheit auf Gottes Existenz

In „De differentia nexus rerum ...", also 13 bzw. 14 Jahre vor der Durchführung des ontologischen Arguments in der „Theologia naturalis II", spricht Wolff von einer Art des ontologischen Arguments, das sich auf Descartes' Beweis zurückführen lasse [202]. Nachdem Wolff festgestellt hatte, die Welt sei auf Grund ihrer Kontingenz Spiegel der Existenz Gottes, bemerkt er, man könne auch auf andere im Universum ausgedrückte Zeichen der Gottheit achten, erreiche dabei zwar nicht die Idee der Existenz Gottes, sondern die anderer göttlicher Eigenschaften, könne aber auf dem Umweg über die Attribute zur Existenz Gottes kommen. Dies sei möglich, weil die Attribute untereinander verbunden seien, so daß man von einem Attribut auf das andere schließen könne, also auch auf die zu den göttlichen Attributen zählende notwendige Existenz, ebenso wie man auch von der Dreizahl der Seiten eines Dreiecks auf die Dreizahl der Winkel schließe. Wolff erläutert dies am Beispiel des Begriffs der höchsten Weisheit. Wenn z. B., so führt er aus, jemand aus der Betrachtung des Universums den Begriff der göttlichen Weisheit erworben hat, kann er sicher auf die göttliche Existenz schließen. Die göttliche Weisheit ist die absolut höchste, die göttliche Existenz absolut notwen-

[202] Diff. nex., s. I § 5 (S. 10 f.).

dig. Es gibt eine Verbindung (nexus) zwischen absolut höchster bzw. vollkommenster Weisheit und notwendiger Existenz. Begründet wird diese Aussage nicht. Es ist aber nicht jedermanns Sache, meint Wolff, diese Verbindung zu durchschauen, ebensowenig, den Begriff der absolut höchsten Weisheit aus der Betrachtung des Weltalls abzuleiten, es sei denn, man habe zuvor die Existenz Gottes aus der Kontingenz der Welt abgeleitet. Im weiteren [203] geht Wolff auf die Forderungen ein, die später in der „Theologia naturalis II" zur Anwendung gelangen. So müsse man zuerst die Realität eines Begriffes beweisen, bevor man etwas Sicheres aus ihm ableiten wolle; so ist z. B. der Begriff der höchsten Weisheit als möglich zu beweisen. Um diesen Nachweis auf jede göttliche Vollkommenheit anwenden zu können, beweist Wolff allgemein die Möglichkeit einer höchsten Vollkommenheit, so daß man von verschiedenen Ausgangspunkten aus im Rückgriff auf Descartes' Argument zur Existenz Gottes kommen kann. — Dies sei der Vollständigkeit wegen den angeführten Beweisen noch hinzugefügt.

Die Existenz Gottes zu beweisen, ist die eine Aufgabe der Theologia naturalis; Gottes Attribute zu untersuchen und darzustellen, ist die andere.

[203] § 5 (S. 12).

C. DIE ERKENNTNIS DER EIGENSCHAFTEN GOTTES

I. ALLGEMEINE CHARAKTERISIERUNG

1. Quellen und System der göttlichen Attribute

In allen Darstellungen der Lehre von Gott nimmt die Behandlung der göttlichen Eigenschaften den weitaus größten Teil in Anspruch. Wolff will ein vollständiges System der natürlichen Theologie geben, muß also bemüht sein, alles was von Gott erkannt werden kann, darzulegen. Solch ein vollständiges System führt er in der „Deutschen Metaphysik" durch, allerdings in gedrängter Form und hauptsächlich auf die Grundlinien bedacht. Das ausführlichste System liefert der 1. Teil der „Theologia naturalis", die mit 1120 Paragraphen nicht nur auf alle erdenklichen Einzelheiten eingeht, sondern durch Weitschweifigkeit oft eher verdunkelt denn klarstellt. Die apriorisch vorgehende „Theologia naturalis II", die Wolff nicht in einem vollständigen System darlegen will, besteht größtenteils aus Verweisen auf den 1. Teil. Wolff ist es nicht nur um Vollständigkeit zu tun, sondern auch um die Übereinstimmung seiner Lehre von Gott, d. h. der von ihm untersuchten Attribute Gottes mit denen der Hl. Schrift; auch hier geht es nicht ohne Weitschweifigkeit und Pedanterie.

Den gewaltigen Stoff der göttlichen Attribute in einer der demonstrativischen Methode entsprechenden Weise darzulegen, ist nicht einfach. Wolff beanstandet gerade die mangelnde Systematik, das unzureichende Herausstellen des Zusammenhangs der Eigenschaften mit der Nominaldefinition [1]. Er will den inneren Zusammenhang der Theologia naturalis, den Zusammenhang zwischen den Existenzbeweisen und der Lehre von den Attributen wie den Zusammenhang der Attribute untereinander dadurch herstellen, daß aus der beim Beweis der Existenz Gottes zu Grunde gelegten Nominaldefinition alle Eigenschaften Gottes abgeleitet werden [2]. Die Nominaldefinition muß deshalb so beschaffen sein, daß sie diesem Vorhaben gerecht wird [3], weshalb Wolff in der Kritik der „Ratio praelectionum" die Nomaldefinitionen nicht ausgenommen hatte [4]. Im wesentlichen sind es zwei Nominaldefinitionen, von denen die Attribute

[1] Theol. nat. I, § 6 not.
[2] § 6.
[3] § 7.
[4] Rat. prael., s. II c. 3 § 37 (S. 153 f.), 47 (S. 157 f.).

Gottes abgeleitet werden: die mit der „Deutschen Metaphysik" übereinstimmende Definition der „Theologia naturalis I" [5]: Gott ist „ens a se, in quo continetur ratio sufficiens existentiae mundi hujus adspectabilis et animarum nostrarum", und die der „Theologia naturalis II" [6]: Gott ist „ens perfectissimum", d. h. Seiendes, das alle compossiblen Realitäten im absolut höchsten Grad enthält. Gott müssen demnach alle Attribute zugesprochen werden, die zur inneren Begründung der Nominaldefinition erforderlich sind. Da die Übereinstimmung beider Definitionen grundsätzlich feststeht — das ens perfectissimum ist auch ens necessarium, das ens necessarium auch ens a se, so daß ens perfectissimum ens a se ist —, können die aus der 1. Definition abgeleiteten Attribute auch für das auf dem Begriff des ens perfectissimum aufgebaute System übernommen werden.

Die „Ratio praelectionum" spricht von drei Quellen der göttlichen Attribute: von Aseität, Intellekt und Wille [7]. Dies steht nicht im Widerspruch zum eben Gesagten. Intellekt und Wille sind Quellen vieler Attribute, selbst aber abgeleitete Quellen.

Die Attribute, die aus der Aseität Gottes bzw. dem Begriff des ens perfectissimum unmittelbar abgeleitet werden, mußten schon dargelegt werden, um feststellen zu können, welches Seiende das ens a se ist. Verstand und Wille, als solche in der Definition nicht unmittelbar ausgesprochen, werden auf zweifache Weise abgeleitet: In der „Deutschen Metaphysik" und der „Theologia naturalis I" als Grund der Existenz dieser Welt und dieser Seelen mit Hilfe der Theorie der vielen möglichen Welten, in der „Theologia naturalis II" auf die in der praefatio angekündigte einfachere Art der Übertragung der Realitäten der Seele auf Gott, was wie folgt begründet wird. Gott sind alle compossiblen Realitäten im absolut höchsten Grad zuzusprechen; da Gott ein einfaches Seiendes ist, müssen ihm alle Attribute zugesprochen werden, die mit seiner Einfachheit compossibel sind; die der Seele als einfacher Substanz innewohnenden Realitäten sind der Einfachheit compossibel. Also sind die der Seele innewohnenden Realitäten Gott im absolut höchsten Grad zuzusprechen [8]. Da der Seele Verstand (vis repraesentativa) und Wille

[5] Theol. nat. I, § 67. Dt. Met., § 945.
[6] Theol. nat. II, § 14.
[7] Rat. prael., s. II c. 3 § 54 (S. 160).
[8] Theol. nat. II, § 70.

zukommen, sind sie auch Gott zuzusprechen [9], im absolut höchsten Grade natürlich, d. h. ohne jeglichen Mangel und Begrenztheit, nach Art des Aktes und nicht der Fähigkeit; der Verstand ist in Gott ein einziger, unveränderlicher Akt [10].

Auf dieselbe Weise werden als Grund der Welt die Attribute der Macht, Weisheit und Güte Gottes, und ebenso die göttlichen Tätigkeiten der Schöpfung und Vorsehung abgeleitet; in der „Theologia naturalis I" mehr unter aposteriorischem Gesichtspunkt, in der „Theologia naturalis II" mehr unter apriorischem. Daß bei Wahrung der Grundzüge die Stellung der einzelnen „Zentralattribute" variabel ist, zeigt ein Vergleich der beiden Theologien. Während in der „Theologia naturalis I" „potentia" und „voluntas" zusammen behandelt werden, wird in der „Theologia naturalis II" „voluntas" selbständig, „potentia" aber im Zusammenhang mit „creatio" behandelt; ebenso wird in „Theologia naturalis II" „providentia" eigenständig, in „Theologia naturalis I" aber zusammen mit „creatio" behandelt; die Kapitel „De sapientia et bonitate Dei" und „De jure Dei in creaturas" sind als eigenständige nur in der „Theologia naturalis I" zu finden. Nicht nur eine gewisse Variabilität in der Ableitungsreihe lockert das streng geschlossene System, sondern auch die Tatsache, daß Wolff am Schluß der „Theologia naturalis I" ein eigenes Kapitel „De attributis divinis quae per anteriora demonstrantur" anfügt, das die Attribute behandelt, die sich woanders nicht gut unterbringen ließen, obwohl es sich teilweise um Wiederholungen handelt. Dem Wunsch, ein streng geschlossenes System zu geben, wird durch die Verwirklichung des Planes nicht ganz entsprochen.

2. Die Darstellung der göttlichen Attribute in der Schulmetaphysik

Um Wolffs Eigenart und Leistung besser herauszustellen, sei die Behandlung der göttlichen Attribute in der Schulmetaphysik knapp skizziert. Wolff ist gerade in dieser Frage hauptsächlich von der Schulmetaphysik abhängig, allerdings nicht ohne von Leibniz übernommene Theologumena, wie etwa Gottes Willen und die Wahl der besten aller Welten, mit einzuarbeiten. Wolffs Leistung dürfte nicht zum geringsten in der Verbindung der theologischen Tradition der Schulmetaphysik (gerade hinsichtlich der Attribute) mit der Theologie von Leibniz bestehen.

[9] § 71. 184.
[10] § 71 f., 78.

Am ausführlichsten beschäftigt sich Scheibler mit der Lehre von den göttlichen Attributen [11]. In 7 Artikeln wird der titulus „De attributis Dei in genere" durchgeführt. Nach der Erklärung des Wortes attributum (art. 1) wird gefragt, ob Gott Attribute zukommen (art. 2), was die göttlichen Attribute sind (art. 3), wie sie von Gott und von einander zu unterscheiden sind (art. 4), wie sie von Gott ausgesagt werden (art. 5), und über deren Einteilung (art. 6) und der unter ihnen bestehenden Ordnung (art. 7) gehandelt. Die in Artikel 2—5 behandelten Fragen stellen sich von einem Denken, das den Bezug des Unendlichen zum Endlichen als analogen Seinsbezug denkt, bei Betonung des negativen Moments. Nach Scheibler kommen Gott Attribute zu; einige quidditative (z. B. ens, spiritus, substantia), aber auch Attribute „quae sunt quasi passiones, sive affectiones" (z. B. unum, verum, bonum) [12]; diese sind aber nicht Akzidenzien Gottes, sondern inadäquate Begriffe des göttlichen Wesens [13]; die nach Art der affectiones verstandenen Attribute Gottes fügen seinem göttlichen Wesen nichts Reales hinzu, sondern nur „aliquid rationis" [13]. Auf die Frage nach dem Unterschied der Attribute vom göttlichen Wesen antwortet Scheibler: Die göttlichen Attribute sind realidentisch mit dem göttlichen Wesen; auch unter den Attributen selbst besteht kein realer Unterschied, sondern einer „rationis ratiocinatae" [14]. Nach der Erörterung der Aussageweise der Attribute, ob eigentlich oder metaphorisch, abstrakt oder konkret [15], entnimmt Scheibler aus dem Bisherigen eine siebenfache Einteilung der Attribute [16]. Obwohl die göttlichen Attribute wegen ihrer Identität mit dem göttlichen Wesen von sich aus (a parte rei) keine Ordnung haben, so daß ein Attribut früher wäre als das andere, ist doch mit Rücksicht auf die Auffassungsart und die Erkenntniskraft unseres Intellekts — er erfaßt oft ein Attribut als das Prinzip eines anderen und kann nicht alles zugleich deutlich erkennen — irgendeine Ordnung unter den Attributen festzusetzen [17]. Als beste Ord-

[11] Scheibler, Op. met., l. II c. 3 nr. 86 ff.

[12] Nr. 90 ff.

[13] Nr. 96 ff.

[14] Nr. 109 ff.

[15] Nr. 117 ff.

[16] Nr. 127 ff.: 1. attributa quidditativa — attributa naturam circumstantia. 2. attr. propria — communia. 3. attr. positiva — negativa. 4 attr. operativa — non operativa. 5. attr. absoluta — respectiva. 6. attr. propria — impropria. 7. attr. abstractiva — concretiva.

[17] Nr. 136 ff.

nung, nach der er die Attribute behandeln will, erscheint Scheibler die Einteilung in „attributa quidditativa" und „attributa naturam circumstantia"; zu den ersteren gehören z. B. die Benennungen Gottes als ens, spiritus und substantia; zu den letzteren — der Ausdruck stammt von Joh. Damascenus und meint die als affectiones aufgefaßten Attribute — solche, die aus den transzendentalen Bestimmungen des Seins genommen werden, wie unum, simplex, necessarium, infinitum; auf diese folgen dann die anderen Attribute [17]. Daß die quidditativen Attribute zuerst behandelt werden, bedeutet doch eine gewisse Akzentuierung, insofern der „Rang" der Attribute mit der „Nähe" zum Wesen verbunden ist.

Von einigen Ausnahmen abgesehen ist die Schulmetaphysik an Fragen nach der Möglichkeit der Attribute und der Art der göttlichen Attribute nicht interessiert [18]. Die Aufmerksamkeit gilt fast ausschließlich der Einteilung der Attribute, wobei in der Regel die Einteilung in absolute und respektive als die beste vorgezogen wird, wie etwa bei Scharf [19] und Jak. Martini [20]; während Meier [21] noch die Unterscheidung in „attributa operativa" und „non operativa" dazunimmt, ist für Hebenstreit [22] die in positive und negative maßgeblich.

Auch Wolff ist an Fragen, die die göttlichen Attribute als solche betreffen, ebensowenig wie an der Einteilung der Attribute interessiert.

[18] Hebenstreit, Phil. pr., P. III s. 3 (S. 930 ff.): Das Attribut ist eine perfectio, „quae naturali ratione investigari potest, et ex essentia Dei necessario fluit" (th. 3); die Attribute sind weder von der göttlichen Wesenheit noch von einander unterschieden, es sei denn „ratione ratiocinata" (th. 5); Unterscheidungen treffen wir „propter infinitam Dei perfectionem et intellectus nostri imperfectionem" (th. 6). Jak. Martini, Part. met., l. II s. 2 nr. 26 (S. 652): Die Attribute sind keine Akzidenzien, sondern erscheinen nur als solche auf Grund unserer Erkenntnisart; sie sind mit sich und dem Wesen Gottes identisch. Auch Meier, Pneum., P. spec. l. I c. 3 (S. 308): „Attributa Dei sunt conceptus inadaequati, essentiam divinam secundum nostrum intelligendi ordinem proxime consequentem."

[19] Scharf, Pneum., l. II c. 3 (S. 63 ff.). Daneben kennt Scharf die Einteilung in attributa propria — impropria, operativa — non operativa, positiva — negativa; die absoluten Attribute werden wieder in attributa communia u. propria eingeteilt; die attributa communia können auch in anderen Seienden „suo modo" gegeben sein (wie unum, verum), die attributa propria kommen nur Gott zu und sind entweder negativ (infinitas, immensitas) oder positiv (omnipotentia, aeternitas); die respektiven Attribute (c. 3 [S. 69 ff.]) werden in attributa interna (z. B. misericordia, iustitia) und externa (c. 5 [S. 75 ff.]), wozu creatio und providentia gehören, eingeteilt.

[20] Jak. Martini, Part. met., l. II s. 2 nr. 24 ff. (S. 651 ff.).

[21] Meier, Pneum., P. spec. l. I c. 3 (S. 308 ff.). Meier ist von Scharf abhängig.

[22] Hebenstreit, Phil. pr., P. III s. 3 th. 8 f. (S. 946 ff.).

Wie und woher die Attribute abzuleiten sind, ihre Verbindung mit der Nominaldefinition und nicht zuletzt der Drang nach größerer Vollständigkeit erregen Wolffs Aufmerksamkeit. Von einem Attribut, das schlechthin den ersten Rang einnimmt, kann man bei Wolff nicht reden. Er unterscheidet sich damit von seinem Lehrer Hebenstreit, der die Betrachtung der göttlichen Attribute mit der Unendlichkeit Gottes beginnt; die Unendlichkeit folge nämlich unmittelbar aus dem Wesen Gottes und sei die Wurzel der anderen Attribute [23]. Auch Clauberg, der im Gegensatz zu den Darstellungen der Schulmetaphysik die der Natur nach früheren absoluten Attribute – dem ordo cognoscendi folgend – erst nach den relativen Attributen behandeln will, spricht von einem ersten Attribut; für den Cartesianer Clauberg handelt es sich dabei um die veracitas Dei [24]. Wenn sich für Wolff aus dem Gang des Gottesbeweises die Deduktion der das Wesen Gottes unmittelbar betreffenden Attribute (unabhängig, ewig, einfach ...) ergibt, so werden die aus dem Bezug des ens a se zur Welt bzw. der Welt zum ens a se sich ergebenden Attribute (Verstand, Wille, Weisheit ...), da gewissermaßen in einem nachfolgenden Gesichtspunkt angezielt, nicht rangniedriger angesetzt. Die Attribute erscheinen wie in einer Linie aneinandergereiht, verschieden durch die von der Deduktion bedingte Entfernung der einzelnen „Punkte" vom Ausgangspunkt.

[23] Th. 11 (S. 950 ff.): „Ubi autem divina attributa sigillatim spectamus, merito ab infinitatis consideratione exordimur. Infinitas enim immediate ex essentia Dei, independentia nempe profluit, ut est radix attributorum reliquorum." Hebenstreit verweist dabei auf Thomas von Aquin, S. th. I 7,1. Ähnlich spricht Timpler (Met. syst., l. IV c. 2 [S. 365]) von simplicitas und perfectio als den höchsten genera der proprietates.

[24] Clauberg, De cogn. Dei, exerc. XXIV (Op., S. 651. ff.).

II. DIE ATTRIBUTE, WIE SIE SICH UNMITTELBAR AUS DER DEFINITION ERGEBEN [25]

1. Unabhängigkeit, Ewigkeit, Einfachheit, Unkörperlichkeit, Ausdehnungslosigkeit, Unvorstellbarkeit, aktive Kraft, Lebendigkeit

Da Gott ens a se bzw. ens necessarium ist, müssen ihm folgende Attribute zukommen: Gott existiert — wie der Begriff des ens a se sagt — aus eigener Kraft und ist von jedem anderen Seienden unabhängig [26]; da das ens a se ohne Anfang und Ende ist, ist Gott ewig [27]; ein Zusammengesetztes kann nicht ens a se sein, folglich ist Gott einfach und deshalb unkörperlich [28], unausgedehnt [29]; daraus ergibt sich, daß — gegen More und Raphson — der Raum nicht Gott oder ein göttliches Attribut ist [30]; da unkörperlich, ist Gott sinnlich nicht wahrnehmbar und vorstellbar [31]; als einfaches Seiendes ist er unverweslich [32]. Weiterhin ist Gott mit einer aktiven Kraft ausgestattet; ein Attribut, das im Rekurs auf Ergebnisse der Cosmologie (§ 196) und Psychologie (§ 53) aus der Einfachheit Gottes abgeleitet wird: Den Elementen der materiellen Dinge und den menschlichen Seelen wohnt als einfachen Dingen eine aktive Kraft inne; wenn zwei so verschiedene Arten von einfachen Seienden im Besitz einer aktiven Kraft übereinkommen, muß zweifellos jedem einfachen Seienden eine gewisse Kraft zukommen, also auch Gott [33]. (Die „Theologia naturalis II" kann kraft ihres Grundsatzes, daß alle der Seele innewohnenden Realitäten Gott im absolut höchsten Grad zuzusprechen sind, zur Aussage kommen, daß Gott Kraft zukommt, und zwar per eminentiam [34].) Da es für Gott weder äußere noch innere Hindernisse gibt, wird seine Kraft auf keine Weise eingeschränkt, er ist also ununterbrochen tätig (continuo actuosus) [35], was gleichbedeutend ist mit lebendig [36]. Welcher Art die aktive Kraft Gottes sein muß, wird von der mit der ersten Definition gegebenen Forderung bestimmt, daß Gott solche Prädikate zuzusprechen sind, aus denen einsichtig wird, weshalb

[25] Behandelt in Cap. I: De existentia Dei et attributis inde pendentibus (bes. § 70 ff.). Vollständigkeit wird im folgenden nicht erstrebt.

[26] Theol. nat. I, § 70; II, § 25, 76 f.; Dt. Met., § 947.

[27] Theol. nat. I, § 74 f.; II, § 30. 34.

[28] I, § 83; II, § 35. 39.

[29] I, § 85; II, 38.

[30] I, § 86; II, § 44.

[31] I, § 88.

[32] I, § 93; II, § 31 f.

[33] I, § 104.

[34] II, § 73.

[35] I, § 105.

[36] § 111.

diese sichtbare Welt mit diesen Seelen überhaupt existiert und weshalb diese und nicht eine andere Welt existiert [37]. Diese Forderung führt dazu, Gott Verstand und freien Willen zuzusprechen.

2. Verstand, freier Wille, Geist, Vernunft

Gestützt auf die These der Existenz nur e i n e r Welt und dem in der Frage nach der „ratio objectiva" dieser Welt enthaltenen Prinzip vom zureichenden Grund wird in der „Theologia naturalis I" und entsprechend in der „Deutschen Metaphysik" bewiesen, daß Gott Verstand zukommt [38]. Im einzelnen wird dieser Beweis folgendermaßen durchgeführt: Es existiert nur e i n e Welt. Gäbe es nämlich mehrere Welten, so wären sie entweder ähnlich oder unähnlich. Sind sie ähnlich, gibt es nichts in der einen Welt, das es auf dieselbe Weise nicht auch in der anderen gäbe. Da ein innerer Unterschied nicht festzustellen ist, entfällt jeglicher Grund für die Existenz mehrerer Welten. Mehrere ähnliche Welten können also zugleich nicht bestehen. Sind nun die angenommenen mehreren Welten unähnlich, so kann der Grund für das Geschehen in der einen Welt nicht aus dem Geschehen der anderen Welt genommen werden; beide Welten wären sonst miteinander verbunden, wäre also e i n e Welt. In keiner der Welten würde sich etwas ändern, wenn die Ordnung der Koexistenz geändert würde, d. h. der Ort der Welten verändert würde. Aus dem, was mehreren Welten innewohnt, kann also nicht erkannt werden, weshalb sie gerade in dieser Ordnung koexistieren und nicht in einer anderen; die Ordnung der Koexistenz entbehrte demnach des zureichenden Grundes. So kann es auch mehrere unähnliche Welten nicht geben. Der Beweis ist am Ziel angelangt: Es gibt nur e i n e Welt. (Wolff bemerkt dazu [39], das Folgende könne mit größerer Evidenz und Leichtigkeit bewiesen werden, wenn man diesen Satz als Prinzip annehme. Denen, die das Prinzip vom zureichenden Grund noch nicht begriffen haben, stellt es Wolff frei, den zureichenden Grund der Existenz der Welt, die nicht ens a se ist, in Gott zu suchen, gleichgültig, ob nur eine Welt existiert oder mehrere Welten koexistieren.)

Im weiteren wird nach der „ratio objectiva" [40] dieser Welt gefragt, d. h. nach dem Grund, weshalb gerade diese und nicht eine andere Welt

[37] § 115 f.

[38] II, § 177; Dt. Met., § 948 f.

[39] Theol. nat. I, § 177 not.

[40] § 118.

existiert [41]. Dieser objektive Grund kann nicht in dem bestehen, was dieser Welt mit anderen möglichen gemeinsam wäre, sondern nur in dem, wodurch sie sich von anderen möglichen Welten unterscheidet [42]. Die Kraft, aus sich selbst zu existieren, kann kein solch unterscheidendes Merkmal sein, da diese sichtbare Welt ens ab alio ist; vielmehr muß in Gott, dem ens a se, und seinen Attributen der Grund zu finden sein, weshalb diese Welt existiert [43]. (Logisches — Welt bzw. Welten in ihrem Wesen Betreffendes — und Ontologisches — die Existenz der Welt — gehen ineinander über.) Dies ist nur möglich unter der Voraussetzung, Gott stelle sich den Unterschied der sichtbaren Welt von den übrigen, folglich allen möglichen Welten, deutlich vor (§ 38 Psych.emp.) und habe dieses Unterschieds wegen diese Welt aus allen anderen ausgewählt [43]. Da der Verstand die Fähigkeit ist, alles deutlich vorzustellen, kommt Gott Verstand zu [44]. Gott hat aus allen möglichen Welten diese sichtbare zur Existenz ausgewählt; dabei hat er sich selbst zur Wahl bestimmt; Gott kommt folglich auch freier Wille zu [45].

Da mit Verstand und freiem Willen ausgestattet, ist Gott Geist [46]. Im Gegensatz zur menschlichen Seele unabhängiger und notwendiger Geist [47]. Jeder Geist ist vernunftbegabt; Gott ist also mit Vernunft ausgestattet [48]. (Wie Geist und auch Vernunft bei Gott näher zu bestimmen sind, läßt Wolff hier noch offen. Größte methodische Vorsicht veranlaßt ihn, nichts, was vom menschlichen Verstand und Willen ausgesagt wird, ohne Beweis auf Gott zu übertragen; denn was aus der Begrenzung des endlichen Geistes als solcher folgt, kann Gott nicht zugesprochen werden, auch kann das dem Verstand und Willen Gottes Eigentümliche nicht aus dem Begriff des menschlichen Verstandes und Willens abgeleitet werden. [49])

Die „Theologia naturalis II" leitet, wie schon gezeigt, Gottes Verstand und Willen auf eigene Art ab [50]. — Im Anschluß an die Deduktion bemüht sich Wolff in umfangreichen Kapiteln, Verstand und Willen Gottes näher zu bestimmen.

[41] § 119.
[42] § 120.
[43] § 121; Dt. Met., § 952 f.
[44] Theol. nat. I, § 122; Dt. Met., § 954.
[45] Theol. nat. I, § 123.
[46] § 124.
[47] § 125. 138 f.
[48] § 140.
[49] § 135—137.
[50] Vgl. S. 270 f.

III. DER INTELLEKT GOTTES

1. Gottes Intellekt als „distincta et simultanea omnium possibilium repraesentatio"

Wolff beginnt das Kapitel über den göttlichen Intellekt in der „Theologia naturalis I" mit einem Satz, der den obigen Beweisgang im Resultat zusammenfaßt: „Deus omnes mundos possibiles atque semetipsum cognoscit" [51]. Alle Aussagen, die Wolff in den folgenden Paragraphen vom göttlichen Intellekt macht, sind im Grunde nichts anderes als Entfaltungen dieses Satzes. Da Gott alle möglichen Welten und sich selbst erkennt, erkennt er alles Erkennbare [52], auch alle possibilia, ob sie nun an sich betrachtet werden oder insofern, als sie in ein System gebracht sind [53]. Gott ist allwissend [54]; absolut höchster „Historiker" [55] und absolut höchster „Philosoph" [56]. Vom Erkenntnissubjekt her gesehen: Gott erkennt alles deutlich [57]; da er nichts undeutlich erkennt, fehlen ihm Sinne und Einbildungskraft [58]. Da Gott nach dem oben Gesagten den Unterschied dieser sichtbaren Welt von allen anderen möglichen erkennen muß und dies nur bei einer simultanen Erkenntnis alles Möglichen gegeben ist, muß Gott alles zugleich erkennen [59]. Daß Gott im Kleinsten, das im Universum enthalten ist, das ganze Universum erkennt, ergibt sich aus dem Weltbegriff Wolffs [60]. Der simultanen Erkenntnisart Gottes wegen ist der göttliche Intellekt nicht als Vermögen, sondern als Akt zu bestimmen [61]. Gottes Verstand kann somit definiert werden als „distincta et simultanea omnium possibilium repraesentatio" [62].

[51] Theol. nat. I, § 141.
[52] § 154; II, § 81. Vgl. Dt. Met., § 978 f.
[53] Theol. nat. I, § 155.
[54] § 302; Dt. Met., § 972.
[55] Theol. nat. I, § 255. Diese Bezeichnung Gottes ist nach Wolff ebenso angemessen wie die des größten Werkmeisters. Auch II, § 108.
[56] I, § 268; II, § 108; Dt. Met., § 973.
[57] Theol. nat. I, § 156; II, § 82.
[58] I, § 157; Dt. Met., § 959. Vgl. S. 219 f.
[59] Theol. nat. I, § 160. Die nota geht auf den Zusammenhang von Simultaneität und Deutlichkeit der Erkenntnis.
[60] § 161; Dt. Met., § 964.
[61] Theol. nat. I, § 163; II, § 114 (vgl. auch 78).
[62] I, § 164. II, § 82; Dt. Met., § 955.

2. Der Unterschied zwischen göttlichem und menschlichem Intellekt

Der Unterschied des göttlichen Intellekts vom menschlichen ist nun leicht einzusehen. Gottes Verstand ist vom menschlichen hinsichtlich des Erkenntnisobjekts wie der Erkenntnisart verschieden und entbehrt jeglicher Begrenzung, wie sie in unserer Seele anzutreffen ist; der Mensch erkennt nämlich nicht alles Mögliche, auch nicht alles deutlich und zugleich [63]. Wenn Wolff in diesem Zusammenhang von einem „infinitum intervallum" spricht, durch den das menschliche Erkennen vom göttlichen entfernt sei, ist dies nicht ontologisch vom endlichen Sein des Menschen zu verstehen, sondern eher graduell; die Begrenztheit des menschlichen Intellekts ist, so deutet es die nota wenigstens an, auf die Trennung in höheres und niederes Erkenntnisvermögen, also auf Sinne und Einbildungskraft zurückzuführen [63]. Gottes Verstand ist unbegrenzt [64], unendlich [65]; er ist der vollkommenste und höchste [66]. Wegen des Unterschieds zum endlichen bzw. menschlichen Intellekt ist der göttliche Intellekt einem menschlichen unbegreiflich [67]. Die Aussagen von der Unermeßlichkeit [68], der Reinheit [69], der Tief- und Scharfsinnigkeit [70] des göttlichen Intellekts bringen nichts wesentlich Neues hinzu. Der Zug zur Vollständigkeit läßt Wolff selbst vor Plattheiten nicht haltmachen; daß Gott immer wache und niemals schlafe, wird in einem ausführlichen Paragraphen dargelegt [71].

Vom eigentlichen philosophischen Gedankengang weicht Wolffs „Erwägung" der Größe des göttlichen Intellekts ab. Diese „Erwägung" entstammt der Gedankenwelt der Physikotheologie. Als Beispiel eine Stelle aus der „Deutschen Metaphysik" (§ 957): „ . . . daß in einem Räumlein / welches das kleineste Sand-Körnlein einnimmt / 294207 vielfüßige Thierlein seyn können; so kan man erachten / wie viele Dinge in dem so grossen Welt-Raume seyn müssen. Derowegen weil der göttliche Verstand nicht allein den grossen Welt-Raum auf einmahl fasset / sondern auch alles / was von den kleinesten Dingen in jedem kleinsten Räumlein

[63] Theol. nat. I, § 165; Dt. Met., § 956.
[64] Theol. nat. I, § 166; II, § 117.
[65] I, § 167; II, § 118.
[66] I, § 168 f.; II, § 116; Dt. Met., § 966.
[67] Theol. nat. I, § 172.
[68] § 176; Dt. Met., § 958.
[69] Theol. nat. I, § 178; Dt. Met., § 965.
[70] Theol. nat. II, § 119 bzw. 111.
[71] I, § 185.

anzutreffen / deutlich vorstellet (§ 955); so kan man die Grösse des göttlichen Verstandes, die an sich unbegreifflich ist / einiger massen hierdurch begreifflich machen" [72]. Daß Wolff solche Beispiele in den lateinischen Theologien nicht gibt, sondern nur in der deutschen Darstellung und in anderen mehr auf Breitenwirkung ausgerichteten deutschen Schriften, ergibt sich aus der Zielsetzung dieser Werke.

3. Gott und die Ideen

Die Untersuchung des Zusammenhangs von Ideen und göttlichem Intellekt führt in die Mitte Wolffschen Denkens. Im Versuch, alle Ideen aus den göttlichen Attributen abzuleiten, erreicht Wolffs Denkart und Systematik wohl die stärkste Konkretion und den unüberbietbaren Höhepunkt.

a) Zusammenhang zwischen göttlichem Intellekt und Ideen; deren Notwendigkeit und das Kontradiktionsprinzip

Der göttliche Intellekt kann ohne die Ideen der Dinge nicht begriffen werden, ebensowenig wie ein Dreieck ohne die Dreizahl der Seiten [73]. Dies ergibt sich aus dem Aktcharakter des göttlichen Intellekts. Bestreitet man die aktuelle Repräsentation der possibilia — diese Repräsentationen sind identisch mit den Ideen der Dinge (§ 48 Psych.emp.), hebt man Gottes Intellekt auf und damit das ens a se, also Gott selbst [73]. Die Ideen sind beständig in Gott, sie sind ihm wesentlich [73]. Andere Ideen als diese können nicht in Gott sein, da er alles erkennt; solche wären unmöglich; die Ideen sind also notwendig [74] und damit unveränderlich [75]. Aus der Unveränderlichkeit ergibt sich, daß die Auffassungen, die die Ideen der Dinge als willkürlich (arbitraria) ansehen und vom Willen Gottes abhängig machen, unmöglich sind [76]. Die These von der Willkürlichkeit der Ideen, die von Descartes eingeführt und von Poiret heftig verteidigt wurde, widerlegt Wolff zudem noch aus der Unendlichkeit und Unbegrenztheit des göttlichen Intellekts, die aufgehoben wären, wenn Gottes Willen bewirken könnte [76], daß andere Ideen im Intellekt sind als die schon vorhandenen. (Dieses Argument überzeugt allerdings nicht, denn auch der göttliche Wille ist in sich nicht durch Zeit bestimmt, kennt also keine Sukzession.) Das weitere, das Widerspruchsprinzip

[72] Vgl. auch Ges. kl. Schr. I, 519 ff.; die „Absichten" passim.

[73] Theol. nat. I, § 188; II, § 84. Vgl. bes. auch die nota v. § 84 (Willensfreiheit — deutliches Erkennen).

[74] I, § 189.

[75] § 190.

zugrundelegende Argument, hat schon größeres Gewicht [76]: Haben Descartes und Poiret recht, so ist die Gültigkeit des Widerspruchsprinzips für Gott suspendiert und damit als Prinzip zerstört. Nimmt man an, die Ideen der Dinge seien möglich, d. h. widerspruchsfrei, weil Gott es so gewollt hat, ist nicht auszuschließen, daß sie, wenn Gott es anders gewollt hätte, in sich widersprüchlich seien. Deshalb kann etwas, in sich betrachtet, widerspruchsfrei und widersprüchlich sein, also zugleich sein und nicht sein, was absurd ist. Die Ideen der Dinge müssen folglich vorgängig zum göttlichen Willen im Intellekt Gottes sein, in ihrem Sosein also durch den Intellekt und nicht durch den Willen Gottes bestimmt sein.

Da die Ideen Gott wesentlich sind und untrennbar vom Intellekt, ist es dem göttlichen Intellekt ebenso wie dem menschlichen von Natur aus unmöglich zu urteilen, dasselbe sei und sei zugleich auch nicht; Gott beobachtet also beim Hervorbringen der Dinge das Kontradiktionsprinzip [77]. Als Resultat ergibt sich: Etwas ist möglich, weil seine Idee im göttlichen Verstand enthalten ist [77]. Unter anderem Gesichtspunkt: Das Widerspruchsprinzip ist als Prinzip hinreichend, die innere Möglichkeit eines jeden Dings zu sichern [78]. Diese Aussage wird durch die Erfahrung bestätigt: Zum Beweis der Möglichkeit gebrauchen wir das Kontradiktionsprinzip, und erst wenn die Analyse bis zu diesem Prinzip durchgeführt ist, kommt sie zum Ziel [79]. Wäre die Möglichkeit vom Willen Gottes abhängig, müßte der Beweis bis auf das Gesetz des Willens (Erstreben des Guten und Abwendung vom Bösen) zurückgeführt werden; aber niemand macht die Erfahrung, beim Beweis der Möglichkeit sei auf den göttlichen Willen zu rekurrieren [79].

In der Argumentation mit dem Widerspruchsprinzip scheint ein Zirkel vorzuliegen, von dem Wolff allerdings nicht spricht. Einerseits wird nämlich das Kontradiktionsprinzip von der Erfahrung her als Axiom begründet und ermöglicht zusammen mit dem Prinzip vom zureichenden Grund den Weg zur Existenz Gottes und dessen Eigenschaften; anderseits wird die absolute Gültigkeit des Prinzips erst durch die Untersuchung des göttlichen Intellekts aufgezeigt und dadurch als letztes Kriterium der Möglichkeit bestätigt, wobei das zu begründende Prinzip selbst beständig

[76] § 191.
[77] § 192.
[78] § 193.
[79] § 193 not.

angewandt wird. Das Widerspruchsprinzip begründet also die Erkenntnis von Gottes Existenz und Eigenschaften, wird aber selbst wieder durch die Erkenntnis Gottes bzw. durch Gott begründet. Tatsächlich kann von einem Zirkel ebensowenig die Rede sein wie beim sogenannten cartesianischen Zirkel [80]. Der Schein des Zirkels ist unvermeidbar, weil das menschliche Erkennen irgendwie vom Erfahrbaren ausgeht, dann aber, nachdem der Weg zum Begründenden gegangen ist, wieder zum Ausgangspunkt zurückkehrt, allerdings in einer vom Begründenden bestimmten Sicht. Der Zirkel ist der in seiner Erscheinung durch die menschliche Erkenntnisart bedingte Reflex eines ursprünglichen, inneren Zusammenhangs. Der Unterschied zwischen Wolff und Descartes in der Frage des Zirkels ist aufschlußreich für die philosophiegeschichtliche Entwicklung: Bei Descartes geht es im Zirkel um eine inhaltlich bestimmte Idee, bei Wolff um ein abstraktes Prinzip. Der Zug zum Mathematisch — Rationalen ist offenkundig.

b) Deduktion der Ideen aus Gottes Attributen. Ursprung von Wesen, Attribut und Modus; Ursprung der einfachen Substanzen, der Seele, der Elemente und der Welt

In stillschweigendem Rekurs auf die Ontologie (Wesen, Attribut, Modus), Psychologie (Seele) und Cosmologie (einfache Substanzen, Elemente Welt) führt Wolff in der „Theologia naturalis II" die Deduktion des Möglichen und Wirklichen aus Gottes Attributen durch. Wolff beginnt mit einer terminologischen Klärung. Er unterscheidet zwischen „possibilia primitiva" und „possibilia derivativa", die im Gegensatz zu jenen aus der Kombination anderer possibilia resultieren. Die „possibilia primitiva" sind als „prima" Realitäten, die keine anderen voraussetzen, als „secunda" oder „a primis orta" aber solche voraussetzen [81]. Da Gott das Erste aller Seienden ist und — der „Theologia naturalis I" zufolge — vor ihm nichts existiert, sind die ihm innewohnenden Realitäten als prima possibilia anzusprechen [82]. (Gewöhnlich sagt man, so bemerkt Wolff, die göttlichen Attribute seien die prima possibilia; dabei verstehe man unter Attribut jede Gott innewohnende und mit dem göttlichen Wesen identische Realität; um aber den Termini ihre bestimmte Bedeutung zu lassen, ziehe er realitas vor [83].) Die prima possibilia bzw. die Attribute Gottes sind

[80] Vgl. Gueroult, a.a.O. I, 237 ff.; auch Gouhier, Pensée mét., S. 293 ff.
[81] Theol. nat. II, § 85.
[82] § 87.

unbegrenzte Realitäten [84], die Gott, der sich selbst und alles ihm Innewohnende in einem einzigen Akt so deutlich als möglich erkennt [85] (ihm kommt ja apperceptio im absolut höchsten Grade zu [86]), zugleich und in der größtmöglichen Deutlichkeit erkennt [87]. Durch verschiedenartige Begrenzung der Gott innewohnenden unbegrenzten Realitäten entstehen die „possibilia primitiva secunda" [88]. Daß diese Aussage nicht ohne Problematik ist, gibt Wolff wenigstens indirekt zu erkennen, wenn er eigens bemerkt, daß auch Realitäten, die Gott nicht innewohnen können (z. B. appetitus sensitivus) oder per eminentiam innewohnen (Sinne und Einbildungskraft), auf dem Weg der Begrenzung entstehen; näher wird die Frage jedoch nicht gestellt und verfolgt [89]. Auch diese abgeleiteten possibilia erkennt Gott aufs deutlichste [90].

Da es außer den Gott im höchsten Grad innewohnenden Realitäten keine anderen, Gott nicht innewohnenden Realitäten gibt [91], die possibilia secunda aber durch deren Begrenzung entstehen, gibt es außer den auf diese Weise entstandenen possibilia keine anderen, die einem Seienden innewohnen könnten [92]. Nach „Ontologia", § 143 konstituiert das in einem Subjekt sich nicht Widersprechende und sich gegenseitig nicht Bestimmende das Wesen eines Dinges. Die Wesen der Dinge entstehen nun durch die Kombination der possibilia primitiva secunda gemäß dem Widerspruchsprinzip; und da diese possibilia begrenzt sind, entstehen die Wesenheiten begrenzter Dinge [93]. Ein Ding ist aber nicht durch die das Wesen ausmachende Wesensbestimmungen allein, sondern ebenso durch Attribute und Modi bestimmt. In den Wesenbestimmungen ist der zureichende Grund enthalten, weshalb die Attribute einem Seienden innewohnen [94]. Ist der zureichende Grund gesetzt, ist auch das Begründete gesetzt, d. h. mit der Kombination der possibilia secunda ergeben sich zugleich die den einzelnen begrenzten Seienden entsprechenden Attribute [94].

Der zureichende Grund, weshalb Modi einem Ding innewohnen können, ist ebenfalls in den Wesensbestimmungen enthalten [94]. Mit der Kombination der possibilia secunda ist notwendigerweise auch die mögliche

[83] § 87 not.
[84] § 88.
[85] § 89.
[86] § 86.
[87] § 90.
[88] § 91.
[89] § 91 not.
[90] § 92.
[91] § 93.
[92] § 94.
[93] § 94. Auch Dt. Met., § 973. — Zur ars inveniendi Gottes vgl. Theol. nat. II, § 180.
[94] Theol. nat. II, § 95.

Inexistenz von Modi gegeben, und zwar nach dem Gesetz der aktuellen Inexistenz (Grund in einem vorhergehenden Modus, in einem anderen Seienden, in mehreren anderen Seienden); aus der Aufeinanderfolge der möglichen Modi ergibt sich eine bestimmte Ordnung [94]. Da der Grund der aktuellen Inexistenz eines Modus auch in einem anderen Ding enthalten sein kann, läßt sich hinsichtlich der Aufeinanderfolge der Modi bzw. der Modifikation eines begrenzten Seienden kraft des Prinzips vom zureichenden Grund eine Abhängigkeit der begrenzten Seienden erweisen [94]. Damit ist der Zusammenhang der begrenzten Dinge begründet.

In der deduktiv-inneren Konstitution der Dinge, vom ontologisch Früheren zum ontologisch Späteren fortschreitend, stellt sich die Frage nach dem Ursprung der einfachen Substanzen, nach dem Ursprung von Seele und Elementen. Wolffs Weg [95]: Die Wesensbestimmungen und Attribute eines Seienden sind beständig, die Modi aber veränderlich. Durch die Kombination der possibilia secunda ergeben sich Dinge, die andauernd und modifizierbar zugleich sind, d. h. — nach „Ontologia", § 768 — Substanzen oder vielmehr Ideen der Substanzen. Da diese Substanzen in jeder Hinsicht bestimmt sind, ein allseitig bestimmtes Ding aber ein Einzelding ist (§ 227 Ontol.), sind die Ideen Ideen von Einzelsubstanzen. Da Gott ein einfaches Seiendes ist, sind die ihm innewohnenden Realitäten seiner Einfachheit compossibel, also auch die durch Begrenzung entstandenen possibilia secunda, womit im Resultat die Einfachheit der Einzelsubstanzen feststeht. Die Frage nach dem Ursprung der Ideen der einfachen Einzelsubstanzen ist damit gelöst.

Die Seelen der Menschen wie die der Tiere und die Elemente der materiellen Dinge sind einfache Substanzen; damit ist auch schon alles über den Ursprung der Ideen der Seele und Elemente gesagt [96]. Der Ursprung aller möglichen Körper, die nichts anderes sind als eine „aggregatio elementorum", ergibt sich aus der dem Prinzip des zureichenden Grundes gemäßen Kombination der Elemente [97]. Aus dieser Kombination ergeben sich wiederum alle möglichen Welten; denn Welt ist ein aus untereinander verbundenen Körpern Zusammengesetztes [97]. (Beides läßt sich auch mit Hilfe des in der „Theologia naturalis I" entwickelten Begriffs des „mundus intelligibilis" begründen [97].)

[95] § 96.
[96] § 97.
[97] § 100.

Da in der Welt Menschen und Tiere existieren, muß auch die Frage nach dem Ursprung der Ideen von Mensch und Tier, die in den möglichen Welten existieren können, gestellt werden. Wie in der „Psychologia rationalis" dargelegt, haben die Seelen von Tieren und Menschen die Kraft, sich diese Welt entsprechend der durch die Lage des Körpers bedingten Veränderungen in den Sinnesorganen vorzustellen. Kraft des Prinzips vom zureichenden Grund müssen die Seelen mit solchen Körpern verbunden werden, die mit entsprechenden Sinnesorganen ausgestattet sind [98]; d. h. diese Körper müssen in ihren Sinnesorganen für die Veränderungen in der Welt aufnahmefähig sein bzw. diesen entsprechen. Auf diese Weise entstehen die Ideen von Menschen und Tieren, die in einer gegebenen Welt existieren können [98]. — Die Deduktion ist damit an ihrem Ziel angelangt.

c) Resümee der Deduktion

Als Resümee des Deduktionsverfahrens sind folgende Aussagen zu verstehen: Alle Ideen werden im göttlichen Intellekt durch das Widerspruchsprinzip und das Prinzip vom zureichenden Grund bestimmt [99]. Da in Gott die Ideen aller intelligiblen Welten gegeben sind [100], d. h. in den göttlichen Ideen alles überhaupt Erkennbare enthalten ist, hängt von diesen beiden Prinzipien die Erkenntnis aller Dinge ab [101]. Widerspruchsprinzip und Prinzip vom zureichenden Grund haben, da sie uneingeschränkt auch für Gott gelten, universale Geltung. Die Möglichkeit aller Dinge hängt von Gott ab; ohne Gott ist nichts möglich: „sublato Deo omnia tandem tolluntur possibilia, consequenter nihil amplius possibile"[102]. Da alle possibilia auf Gott zurückgeführt werden und damit ein in sich selbst gründendes Reich der Ideen abgelehnt ist [103], dazuhin Notwendigkeit und Ewigkeit der Wesen [104] von Gott selbst kommen, ist die Be-

[98] § 100.
[99] § 173.
[100] § 101.
[101] § 173 not.
[102] § 174. Der in der nota vorgebrachte Gedanke, bei Aufhebung Gottes könne nichts Mögliches erkannt werden, obwohl in den einzelnen Disziplinen Beweise von den endlichen Dingen durchgeführt werden, ohne die göttlichen Attribute vorauszusetzen, hat die vollständige Begriffsanalyse, die bei den göttlichen Attributen als den prima possibilia endet, im Blick. Dieser Gedanke geht auf Leibniz zurück; vgl. Theod. II, 184 (Gerh. VI, 226 f.). Vgl. auch Leibniz' Beweis aus den vérités éternelles.
[103] Theol. nat. I, § 195 not.
[104] § 194 f.

fürchtung der Vertreter der „willkürlichen Wahrheiten", durch die Notwendigkeit der Wesen würden diese gewissermaßen Gott als dem einzig Notwendigen gegenübergesetzt, hinfällig, davon abgesehen, daß Möglichkeit nicht schon notwendige Existenz bedeutet [105]. Daß alle Wahrheit von Gott kommt und eine andere als die von Gott kommende nicht ausgedacht werden kann [106], ist nur eine Verdeutlichung des in der Deduktion Ausgeführten.

Nachdem nicht nur die Existenz der entia ab alio, sondern selbst jede Möglichkeit auf Gott als den letzten Grund zurückgeführt werden muß, wird ersichtlich, welche Stellung im System Wolffs Gott zugewiesen wird.

4. Die Vernunft Gottes

Mit der Unbegrenztheit, Simultaneität und Deutlichkeit des göttlichen Erkennens ist dessen intuitiver Charakter behauptet [107]. Es ist deshalb unmöglich, Gott Vernunft in dem Sinn zuzuschreiben, daß aus schon erkannten Wahrheiten andere gefolgert werden [108]. Auf Grund seiner geistigen Natur muß Gott aber Vernunft zukommen [109]. Die Vernunft als Fähigkeit, den Zusammenhang allgemeiner Wahrheiten zu durchschauen, kann Gott nur als absolut höchste und größte zukommen [110]. Sie ist deshalb unbegrenzt [111], unendlich [112], dem Menschen unbegreiflich [113], rein [114], u. a. m.. Damit sind auch die Unterschiede zur menschlichen Vernunft angegeben.

Da Wolffs Ausführungen über die „scientia simplicis intelligentiae", „scientia visionis", „praescientia" und „recordatio" Gottes [115] keinen weiteren Aufschluß über Wolffs Vorgehen liefern, sei zur Darstellung des Willens Gottes und dessen Attributen übergegangen.

[105] § 194 not.

[106] II, § 177. In I, § 290 wird dies im Rekurs auf den „mundus rationalis" u. „mundus intelligibilis" begründet. Vgl. auch Dt. Met., § 976.

[107] Theol. nat. I, § 207. 269 ff.; II, § 104; Dt. Met., § 963.

[108] Theol. nat. I, § 274; II, § 131.

[109] I, § 279 not.

[110] § 279; II, § 122; Dt. Met., § 974.

[111] Theol. nat. I, § 280.

[112] § 281.

[113] § 283.

[114] § 288.

IV. DER WILLE GOTTES

Daß Gott freier Wille zukommen muß, wurde oben schon bewiesen. Hier ist es um die nähere Bestimmung des göttlichen Willens zu tun. Damit handelt es sich im wesentlichen um eine Entfaltung dessen, was in der Aussage, dem ens a se komme als Grund der Welt freier Wille zu, bzw. freier Wille sei dem ens perfectissimum im absolut höchsten Grad zuzusprechen, implicite mitgesagt wird.

1. Das Mögliche als Gegenstand des göttlichen Willens

Wolff beginnt das 3. Kapitel des „Theoliga naturalis I", das von Macht und Willen Gottes handelt, mit der Frage nach dem Motiv des göttlichen Willens. Abweichend von Wolff sei aber zuerst die Frage nach dem allgemeinen Gegenstand des göttlichen Willens gestellt. Gehen wir von der menschlichen Erfahrung aus: Etwas Unmögliches wollen wir nicht, es sei denn, es erscheint uns etwas als möglich, was tatsächlich unmöglich ist; der Grund dafür ist in der Unvollkommenheit des menschlichen Verstandes zu suchen [116]. Für Gott aber, dessen Verstand der allervollkommenste und von jeglichem Irrtum freie ist, ist aus diesem Grunde Unmögliches als möglicher Gegenstand göttlichen Wollens auszuschliessen: Was unmöglich ist, kann Gott nicht wollen [116]. Also ist alles, was Gott will, möglich [117]. Das heißt aber nicht, Gott wolle etwas, weil es möglich ist; die Möglichkeit allein genügt nicht, daß Gott etwas will [118].

2. Die Beschaffenheit des göttlichen Willens

Gott erkennt alles, was möglich ist. Im Gegensatz zum Menschen erkennt er deshalb alles, was er will, so daß hinsichtlich der Erkenntnis des Gewollten nichts zu wünschen übrig bleibt [119]. Sein Wollen ist auch nicht durch Zeit bestimmt — er erkennt ja alles zugleich und notwendig und deshalb von Ewigkeit her [120], als daß er etwas wollen könnte, was er noch nicht wollte, oder auch etwas nicht mehr will [121]. Da Gott von

[115] § 230 ff.; II, § 156; Dt. Met., § 967 ff.
[116] Theol. nat. I, § 313; II, § 302 f.
[117] I, § 314.
[118] § 315.
[119] § 316.
[120] § 319; II, § 191.
[121] I, § 320.

jedem äußeren Zwang oder Einfluß frei ist, bestimmt er sich selbst zum Wollen und Nichtwollen [122]. Sein Wollen ist also spontan [123]. Die dem göttlichen Verstand zugeschriebenen Qualitäten werden aus denselben Gründen auch dem Willen zugesprochen: Akt, nicht Vermögen [124]; unendlich [125]; einem endlichen Wesen und damit dem Menschen unbegreiflich [126]; unveränderlich [127].

3. Die Erkennbarkeit des Willens Gottes: Drei Wege; Offenbarungskriterien

Den Willen eines anderen erforschen heißt nach dessen Motiv forschen [128]. Aus Gründen, die im Folgenden darzulegen sind, kann der Mensch das Motiv des göttlichen Willens nicht durchschauen und mit Gewißheit erkennen; Gottes Wille bleibt daher dem Menschen unerforschlich (imperscrutabilis) [129]. Mit dieser grundsätzlichen Feststellung ist aber nicht behauptet, Gottes Wille könne überhaupt nicht erkannt werden. Wolff spricht von drei bzw. vier Wegen, auf denen Gottes Willen erkannt werden kann: a priori auf zweifache Weise, a posteriori und durch die Offenbarung. A priori kann Gottes Willen einmal daraus erkannt werden, daß Gott alles will, was mit der Vollkommenheit des ganzen Universums und der höchsten Vollkommenheit, die die Dinge haben können, übereinstimmt; was dieser aber widerspricht, will er nicht [130]. Gewißheit ist von diesem Weg kaum zu erwarten, Wahrscheinlichkeit dagegen des öfteren [131]. Kein Mensch kann nämlich wegen der Begrenztheit des Verstandes die Vollkommenheit des ganzen Universums begreifen und deshalb nicht mit Gewißheit entscheiden, ob etwas mit der Vollkommenheit des ganzen Universums übereinstimmt oder nicht [131]. Der zweite apriorische Weg, im Resultat vom ersten nicht verschieden, geht davon aus, daß Gott will, was mit den göttlichen Vollkommenheiten übereinstimmt, aber nicht wollen kann, was diesen widerspricht [132]. Auf ein konkretes Beispiel angewandt [133]: Ist das System des Tycho de Brahe mit der ruhenden Erde oder das des Kopernikus mit der bewegten Erde

[122] § 321 f.
[123] Theol. nat. I, § 323.
[124] § 356; II, § 190.
[125] I, § 357.
[126] § 358 f.
[127] § 368; II, § 308.
[128] I, § 397 not.
[129] § 398, 442.
[130] § 443.
[131] § 444; Dt. Met., § 1005.
[132] Theol. nat. I, § 445 f. Vgl. Dt. Met., § 1004 ff.
[133] Theol. nat. I, § 446 not.

das wahrscheinlichere? Das kopernikanische System ist das wahrscheinlichere; es empfiehlt sich nämlich durch seine Einfachheit und ist damit der Vollkommenheit der Welt angemessen, denn die Natur handelt bekanntlich auf dem kürzesten Weg und vermeidet Umwege; ebenso ist es auch den göttlichen Attributen angemessen, da der allweise Gott die Mittel auswählt, die auf kürzestem Weg zum Ziel führen. (Auf Grund desselben Prinzips ist es auch wahrscheinlicher, daß die Planeten bewohnt sind [133]. Wäre zur Zeit Wolffs das kopernikanische System nicht das maßgebliche gewesen, hätte er sicherlich mit denselben Prinzipien auch ein anderes als das wahrscheinlichere begründet. Die strengen Forderungen der demonstrativischen Methode werden, wie das Beispiel zeigt, selbst von Wolff nicht immer eingehalten.)

A posteriori kann der Wille Gottes, auf den die gegenwärtige Zusammensetzung der Dinge zurückzuführen ist, erkannt werden, wenn man auf das Geschehen in der Welt achtet, vor allem darauf, wie Koexistierendes und Sukzessives miteinander verbunden ist, und zwar als Koexistierendes und Sukzessives [134]. So ist z. B. eine Überschwemmung, die Mensch und Vieh viel Schaden zugefügt hat, auf den Willen Gottes zurückzuführen [135]. Zweifellos will Gott denen, die trotz Mahnungen von ihren Sünden nicht ablassen, ihrer Hartnäckigkeit wegen Schaden zufügen, andere aber, die auch nicht weniger ausdauernd sind im Bösestun, durch das Beispiel jener zur Vernunft bringen [135].

Der dritte Weg ist der durch die Offenbarung. Nachdem Wolff die Möglichkeit einer Offenbarung untersucht und zu einem affirmativen Urteil gekommen war, beschäftigt er sich mit den Offenbarungskriterien, deren er sieben anführt [136]. Für Wolff handelt es sich dabei um eine hochbedeutsame Frage, nicht nur wegen der Auseinandersetzung mit den Hallenser Theologen; vielmehr ist das System erst dann vollständig, wenn es sich von seinem Boden aus mit der übernatürlichen Theologie wenigstens in den Prinzipien beschäftigt hat. Auf eine eingehende Darstellung muß hier verzichtet werden.

[134] Dt. Met., § 1007 f.; Theol. nat. I, § 447.
[135] Theol. nat. I, § 447 not. Vgl. Dt. Met., § 1009.
[136] Die Offenbarungskriterien und im Zusammenhang damit das Verhältnis von Philosophie und Offenbarungstheologie behandelt Wolff in Theol. nat. I, § 448—496; Dt. Met., § 1010—1019; vgl. auch Rat. prael., s. II c. 3 § 57 (S. 161.).

4. Das Motiv des göttlichen Willens und die Theorie von der besten aller Welten

Die Frage nach dem Motiv des göttlichen Willens bringt einen schwierigen und gewichtigen Komplex in Bewegung: Motiv — Freiheit des göttlichen Willens — diese Welt als die beste aller möglichen — das Problem des Übels. Wolff ist, wie sich zeigen wird, in diesen Fragen ganz von Leibniz abhängig.

Für Gottes Wollen bzw. Nichtwollen muß es ein Motiv geben. Diese Forderung ist auf doppelte Art zu begründen: aus der Allgemeingültigkeit des Prinzips vom zureichenden Grund, näherhin daraus, daß es einen zureichenden Grund geben muß, weshalb Gott etwas vielmehr will als nicht will bzw. umgekehrt, und dem, daß das Motiv den zureichenden Grund der Akte des Wollens oder Nichtwollens darstellt (§ 887 Psycho. emp.); zum zweiten daraus, daß Gott diese Welt aus den anderen möglichen zur Existenz ausgewählt hat, und zwar aus einer „ratio objectiva" (§ 119), die den zureichenden Grund darstellt, weshalb Gott vielmehr die Existenz dieser Welt als die einer anderen gewollt hat, damit also — wie auch der menschliche Wille — in seinem Wollen von einem Motiv bestimmt wird [137].

Worin besteht nun dieses Motiv? In nichts anderem als in der größeren Vollkommenheit, die diese Welt den anderen voraus hat [138] und die im höheren Grad des nexus rerum besteht, da eine Welt, wie in der Cosmologie ausgeführt, umso vollkommener ist, je größer die Vielfalt der übereinstimmenden Dinge [139]. Was Wolff in der „Psychologia empirica" [140] vom Willensprozeß des Menschen entwickelt hatte, wird mutatis mutandis auf Gott übertragen, und auf diese Weise das göttliche Wollen vom Motiv bis zum Willensentschluß erklärt. Ursprüngliche Spontaneität und Kraft geht nach Wolffs Verständnis dem Willen gänzlich ab; dessen Tun besteht — formelhaft ausgedrückt — in der Reaktion auf das durch den allesbestimmenden Intellekt Vorgestellte. Dieses Vorgestellte ist hinsichtlich des Willens mögliches Motiv. Durch den Rang des Motivs wird der Wille in seiner Reaktion bestimmt. Die Wirkkraft des Motivs auf den Willen entspricht dessen ontologischem Rang. Das den Willen tatsächlich bestimmende Motiv ist immer das höchste der in den Vorstellungen des Intellekts gegebenen möglichen Motive. Dies geschieht auf folgen-

[137] Theol. nat. I, § 312.
[138] § 325; Dt. Met., § 981.
[139] Theol. nat. I, § 324.
[140] Psych. emp., § 880 ff.

dem Weg: Im Anblick der Vollkommenheit besteht das Vergnügen (voluptas) (§ 511 Psych. emp.), dessentwegen etwas einem intelligenten Seienden, wie es unsere Seele ist, gefällt (§ 542 Psych. emp.); Gott gefällt zweifellos eine vollkommenere Welt besser als eine weniger vollkommene [141]. Gott hat einen freien Willen (§ 123) und wählt aus mehreren Möglichkeiten die aus, die ihm gefällt (§ 941 Psycho. emp.); folglich hat er diese Welt ihrer größeren Vollkommenheit wegen ausgewählt [142].

Gottes Wollen ist nicht nur auf die „ratio objectiva", sondern auch auf die „ratio subjetiva" hin zu untersuchen. Beide zusammen bilden den zureichenden Grund für Gottes Wollen; von beiden sind Gottes Motive herzuleiten [143]. Die ratio subjectiva, die den subjektiven Grund des Handelns angibt [144], besteht für Gott in dem, was für ihn angemessen ist (decet) [145]. Nur der allwissende Gott kann die allervollkommenste Welt auswählen; in dieser Allwissenheit ist der Grund für die Wahl der besten Welt enthalten [146]. Daß es dem allwissenden Gott angemessen ist, die beste alle Welten zu wählen, kann nicht im geringsten bezweifelt werden; folglich hat er sie deshalb auch ausgewählt [146]. Das Angemessene ist für den frei Handelnden allerdings nicht absolut notwendig [147]. Da Gottes Wille auf das geht, was an sich das Beste ist (ratio objectiva), und auf das Beste in bezug auf sich selbst (ratio subjectiva) [148], ist die „repraesentatio optimi" das Motiv des göttlichen Willens [149]. — In der „Theologia naturalis II" wird diese repraesentatio optimi als das Motiv des göttlichen Willens auf anderem Weg begründet: Die höchste Vollkommenheit Gottes verlangt auch für den göttlichen Willen zum Unterschied vom menschlichen etwas, das für diesen nicht zutrifft; die Willen verschiedener Subjekte unterscheiden sich aber nur durch die Motive; die Motive Gottes können sich von denen des Menschen bzw. endlicher Seiender nur dadurch unterscheiden, daß Motiv Gottes allein die repraesentatio optimi, das endlicher Seiender dagegen nur die repraesentatio boni sein kann [150].

141 Theol. nat. I, § 330. — Von der Spontaneität des Willens spricht Wolff in Psych. emp., § 933; zu Leibniz' „libertas indifferentiae" in § 946.

142 Theol. nat. I, § 325.

143 § 339 f.

144 § 338.

145 § 335.

146 § 333 f.

147 § 333 not.

148 § 383 ff.

149 § 389. In § 390 spricht Wolff vom Gesetz des göttlichen Willens.

150 II, § 193.

5. Die beste Welt als Motiv und die Freiheit Gottes

Den naheliegenden und auch von Wolffs Gegnern aufgegriffenen Einwand, die Freiheit Gottes sei beeinträchtigt oder überhaupt in Frage gestellt, wenn er aus den dargelegten Gründen diese Welt als die vollkommenste auswählen muß und es ihm nur rein theoretisch zugestanden wird, auch eine weniger vollkommene Welt zu realisieren, läßt Wolff nicht gelten. Weit davon entfernt, die göttliche Freiheit aufzuheben, gibt nach Wolff die ratio objectiva erst die notwendige Bedingung der Freiheit, ermöglicht sie also überhaupt erst: „Patet itaque rationem objectivam electionis adeo parum contrariari libertati, ut potius sine ea libertas concipi non possit" [151]. Freiheit, die in der „Psychologia empirica" als „facultas ex pluribus possibilibus sponte eligendi, quod ipsi [sc. animae] placet" definiert wurde [152], und das Wollen des Besten widersprechen sich in keiner Weise. Gottes Wille ist der freieste: Was Gott will, kann er erkennen, so daß es hinsichtlich der Erkenntnis nicht zu wünschen gibt (§ 316); was ihm am meisten gefällt (§ 330, 331) — dies ist gleichbedeutend mit dem Besten, wählt er spontan (§ 323) und gern (§ 341), ohne äußeren (§ 321) und inneren Zwang (§ 351, 430) [153]. (In der „Theologia naturalis II" wird die höchste Freiheit des Willens Gottes von der Seele und der ihr innewohnenden Realität der Freiheit her, die Gott im absolut höchsten Grad zuzusprechen ist, begründet [154].)

Durch das Beispiel vom Uhrmacher, der die beste Uhr machen will und weder von außen noch von innen gezwungen wird, soll der Sachverhalt erläutert werden [155]. Eine hypothetische Notwendigkeit, die darin besteht, daß der Uhrmacher, um sein Ziel zu erreichen, eine bestimmte Wahl treffen und die besten Mittel auswählen muß, will Wolff gerne zugeben; aber hypothetische Notwendigkeit und Freiheit widersprechen sich nicht im geringsten [156]. Selbst der Mensch ist, wie Wolff in der praktischen Philosophie zeigen will, zur Wahl des Besten verpflichtet, auch wenn er wegen der Unvollkommenheit seiner Natur dieser Verpflichtung nicht Genüge tun kann, es aber sehr gern täte, reichten nur die Kräfte [156]. Das Dilemma: entweder Freiheit Gottes und Negation der Wahl des

[151] I, § 325 not.
[152] Psych. emp., § 941. Vgl. Dt. Met., § 519.
[153] Theol. nat. I, § 431. Vgl. Dt. Met., § 984. 987.
[154] Theol. nat. II, § 477.
[155] § 278 not.
[156] § 278 not.

Besten oder Wahl des Besten und Negation der Freiheit [156], erweist sich somit als Schein.

Wolff weiß sich als Verteidiger der Freiheit Gottes. Versteht man unter Freiheit Freiheit von äußerem und innerem Zwang, so wird man Wolffs Anspruch nicht bestreiten können. Anderseits ist das von Leibniz übernommene Verständnis des Zusammenhangs von Motiv und Willen nicht ohne Grund einer der Hauptangriffspunkte der Gegner Wolffs geworden. Eine kritische Auseinandersetzung mit Wolffs Freiheitslehre müßte vom Freiheitsproblem bei Leibniz ausgehen, sicherlich einer der schwierigsten Fragen der Leibnizinterpretation.

6. Die Unmöglichkeit, die Vollkommenheit der bestehenden Welt als der besten zu beweisen; das Problem des Übels

Da Gott diese Welt gewählt hat, weil sie vollkommener ist als alle anderen, ist die existierende Welt die vollkommenste aller möglichen Welten [157]. Als solche ist sie Zeichen des absolut höchsten Intellekts [158], des allerbesten Willens [159], der allergrößten Macht [160], somit also Zeichen des allervollkommensten Geistes [161]. (Daß sich Wolff im Begriff der besten Welt in Übereinstimmung mit Thomas sieht, sei wenigstens vermerkt [162].) In der „Deutschen Metaphysik" (§ 986) weist Wolff ausdrücklich auf den unlösbaren Zusammenhang von vollkommenstem göttlichen Willen und der besten Welt hin; ist diese Welt nicht die beste, kann ein vollkommenerer Wille gedacht werden als der Gottes; dies ist aber unmöglich.

Aus dem Begriff der Welt deren größte Vollkommenheit beweisen zu wollen, ist ein unmögliches Unterfangen [163]. Kein Mensch kann nämlich

[157] I, § 326. II, § 326: Die Erschaffung der besten Welt wird aus der Natur des göttlichen Willens, der immer auf das Beste ausgeht, abgeleitet. Vgl. Dt. Met., § 982.

[158] Theol. nat. I, § 328.

[159] § 400.

[160] § 403.

[161] § 402.

[162] In § 406 führt Wolff als Vertreter seiner mit der Hl. Schrift übereinstimmenden Lehre von dieser Welt als der besten mit Augustinus, Sebastian Isquierdus, Antonius Perez u. Maurus bes. Thomas u. S. th. I 25,6 an, wo Thomas die Frage behandelt, ob Gott etwas Besseres schaffen könne als das von ihm Geschaffene. Wolffs Bemühen, Thomas als Hauptzeugen anzuführen, ist geradezu grotesk, da Thomas Wolffs Lehre widerlegt, wenn er bejaht, Gott könne etwas Besseres schaffen („melius" als Objekt), und verneint, Gott könne etwas besser („melius" als Modalitätsbezeichnung) schaffen. Vgl. auch § 556 not.

[163] § 326 not.; Dt. Met., § 983.

die Vollkommenheit des Universums begreifen und deutlich erklären, noch weniger die aller möglichen Welten; einen Vergleich zu ziehen, ist deshalb unmöglich [163]. Ebensowenig wie die Vollkommenheit der Welt aus dieser selbst zu beweisen ist, lassen sich aus den Beobachtungen in der Welt Einwände gegen die These von der vollkommensten aller Welten vorbringen [164]. Ein solcher Einwand ginge von der Unvollkommenheit eines in sich betrachteten Teils aus und brächte etwas gegen die Vollkommenheit der ganzen Welt vor, die ein Mensch aber überhaupt nicht begreifen kann, davon abgesehen, daß Unvollkommenheiten in einem Teil nicht die Vollkommenheit des Ganzen aufheben, sondern im Gegenteil zur größeren Vollkommenheit des Ganzen beitragen [164].

Bei diesem Einwand handelt es sich um das Problem des Bösen, des Übels in der Welt. Wolff unterscheidet mit Leibniz „malum metaphysicum", „malum physicum" und „malum morale" [165]. Das malum metaphysicum, das absolut notwendig ist [166] und auch durch göttliches Dekret nicht geändert werden kann [167], besteht in der Begrenzung der Wesensbestimmungen eines Dings [168], inhäriert also den Ideen im göttlichen Intellekt [169]. Keine Welt, auch die allervollkommenste nicht, kann ohne malum metaphysicum sein [170]. Daß Gott keine Welt ohne malum metaphysicum schaffen kann, steht nicht im Gegensatz zur Allmacht Gottes [171]; auch durch ein Wunder kann er das malum metaphysicum nicht aus der Welt schaffen [172].

Der Widerspruch zwischen der These von der besten aller Welten und dem malum ergibt sich also aus dem malum physicum und malum morale [173]. Beide sind nur hypothetisch notwendig [174] und können durch ein Wunder in jedem beliebigen Einzelfall beseitigt werden [175].

[164] Theol. nat. I, § 327.
[165] Vgl. z. B. Theod. I, 21 (Gerh. 115).
[166] Theol. nat. I, § 375; II, § 282 f.
[167] I, § 546.
[168] § 372.
[169] II, § 282.
[170] I, § 376; II, § 284.
[171] I, § 377 f.
[172] § 381 f.
[173] § 373: „Malum physicum" nennt Wolff, „quod statum mundi quoad effectus naturales imperfectiorem reddere censetur, quam foret, si alii essent"; so ist z. B. der Sturm, der Früchten und Gebäuden Schaden zufügt, ein malum physicum, da der Schaden nicht entstanden wäre, hätte es den Sturm nicht gegeben. § 374: „Malum morale" nennt man das, „quod inhaeret actionibus liberis hominum, seu ob quod eaedem dicuntur vitiosae."
[174] § 554; II, § 287. 291.
[175] I, § 553.

Die Frage, ob eine von physischen und moralischen Übeln freie Welt möglich ist oder ob beide in jeder beliebigen Welt ihren Platz haben, will Wolff nicht entscheiden [176]. Physische und moralische Übel haben in der besten aller Welten durchaus ihren Platz [177]; diese würde nicht besser werden, wenn man beide aus ihr entfernte, im Gegenteil: da die series rerum, was gleichbedeutend ist mit der vollkommensten Welt, nicht mehr dieselbe wäre, wäre sie nicht mehr die vollkommenste aller möglichen Welten [178]. Natürlich ist die Welt nicht deshalb die vollkommenste, weil sich physische und moralische Übel in ihr finden [179]; aber sie sprechen auch nicht dagegen, daß in der bestehenden Welt mehr Vollkommenheit ist als in anderen möglichen [180]. Moralische und physische Übel meinen eine Unvollkommenheit in einem Subjekt, d. h. in einem Teil des Universums; was aber in sich betrachtet eine Unvollkommenheit ist, muß es im Bezug auf etwas anderes nicht auch sein, d. h. die Unvollkommenheit des Teils hebt die des Ganzen nicht auf [180]. Gott hat nicht beschlossen, was das Bessere im Teil, sondern was das Bessere im Ganzen ist [181]. Wolff wähnt sich auch hier in Übereinstimmung mit Thomas [182].

Auf die Frage des Übels bzw. des Bösen ist weiter nicht einzugehen. Mit den scheinbar besten Gründen — Gottes Wille und das Beste als Motiv, der Verweis vom Teil auf das Ganze — wird die drückende Frage des Bösen rational entschärft; am Ende ist aus dem anfänglichen contra ein beredtes pro geworden. Es erscheint fraglich, ob die in Harmonie endende Theodizee die sie bewegende Frage überhaupt begriffen hat.

7. Dekrete Gottes; Kontingenz und Freiheit Gottes

In der Lehre vom Willen Gottes und dessen Eigenschaften wird auch über die göttlichen Dekrete und das von ihnen abhängige Vorauswissen gehandelt [183]. Dekret definiert Wolff als „determinatio voluntatis ad

[176] § 549 not.
[177] § 549.
[178] § 556.
[179] § 549 not.
[180] § 550.
[181] § 551.
[182] § 551 not. (mit Verweis auf S. th. I 48, 2 concl. 4 nach Carbo, 98 [richtig: Carbo, S. 85]). Vgl. auch § 556 not.
[183] § 497—546. (In der Frage nach Gottes Wissen vom Zukünftigen stellt sich Wolff auf die Seite der Thomisten: § 523). Dt. Met., § 997 ff.

aliquid agendum, vel non agendum" [184]. Da die näheren Bestimmungen der göttlichen Dekrete — z. B. ihre Ewigkeit, Unveränderlichkeit, Angemessenheit, numerische Einheit — nichts wesentlich Bemerkenswertes erbringen, sei nicht weiter auf sie eingegangen. Ebenso nicht auf eine Darstellung des Zusammenhangs von Dekret bzw. Vorauswissen und Kontingenz und Freiheit [185].

[184] Theol. nat. I, § 497.
[185] § 527. 530.

V. MACHT GOTTES

1. Ableitung und Definition[186]

Alles, was außerhalb Gottes existiert, kann nur durch die Macht Gottes existieren; würde es aus sich selbst existieren, wäre es ens a se, was absurd ist, oder hätte den Grund der Existenz in einem anderen Ding, das seinerseits aber auch wieder nur durch die Macht des ens a se sein kann[187]. Um die Wirklichkeit der Schöpfung zu begründen, muß Gott die Kraft zugesprochen werden, das Mögliche wirklich zu machen, d. h. muß Gott Macht haben[188]. Die Macht Gottes wird deshalb genauer als „potentia creatrix" bestimmt[189]. Die Ableitung der Macht Gottes erfolgt also aus dem Begriff des ens a se als des Grundes der Wirklichkeit der Welt bzw. aus dem Kontingenzcharakter der Schöpfung. Zusammen mit Intellekt und Willen ist die Macht Gottes der zureichende Grund der Schöpfung und eines jeglichen endlichen Dings[190]. Wolff definiert die Macht Gottes als „possibilitas ad actualitatem perducendi, quae in se seu absolute spectata possibilia sunt, aut, si mavis, intrinsece possibilia"[191].

2. Das Mögliche als Gegenstand der Macht; Eigenschaften der Macht; Wunder

Gegenstand der göttlichen Macht ist das Mögliche[192]; näherhin das Mögliche im Blick auf die Existenz, denn nur durch Gottes Macht kann das Mögliche zur Existenz kommen (possibile est existibile)[193]. Mögliches wird dabei als innerlich Mögliches verstanden[194]. Dieses ist nicht von der Macht Gottes abzuleiten, sondern geht dieser vor. Was nämlich innerlich nicht möglich ist, kann auch nicht zur Existenz gebracht werden; auf Unmögliches und Widersprüchliches erstreckt sich Gottes

[186] Theol. nat. I behandelt Gottes Macht im Zusammenhang mit dem göttlichen Willen, Theol. nat. II im Zusammenhang mit der Schöpfung.
[187] Theol. nat. I, § 223.
[188] Dt. Met., § 1020.
[189] Theol. nat. II, § 338 f.
[190] § 350.
[191] I, § 222.
[192] § 343.
[193] § 224.
[194] § 224 not.

Macht nicht [195]. Von einem Mangel an Macht kann deshalb nicht gesprochen werden; die Unfähigkeit, Unmögliches zu tun, impliziert nämlich keinen Mangel an Macht [196].

Da Gott alles Mögliche zum Akt führen kann, ist er allmächtig [197], und seine Macht ist die absolut größte [198]. Gottes Macht ist deshalb unbegrenzt [199] und unermeßlich [200]. Gott kann mehr tun, als der Mensch zu erkennen vermag [201].

Gott hat die Macht, Wunder zu wirken, sooft er will; damit ist allerdings nicht bewiesen, daß es in der Welt heute Wunder gibt oder jemals gegeben hat [202]. (Die innere Möglichkeit des Wunders wird in der Cosmologie erwiesen.) Grundsätzlich kann Gott also entgegengesetzte Bewegungsgesetze hervorbringen oder die Ordnung der Natur stören, wann und wie oft er will [203].

Auf die Untersuchung von Willen und Macht Gottes folgt in der „Theologia naturalis I" die von Weisheit und Güte; die „Theologia naturalis II" dagegen verwendet dafür kein eigenes Kapitel, sondern berücksichtigt beide im Kapitel über den Willen Gottes.

[195] § 344 f.; Dt. Met., § 1022.
[196] Theol. nat. I, § 346. Vgl. § 547 not. (mit Hinweis auf Thomas).
[197] § 349; II, § 353; Dt. Met., § 1021.
[198] Theol. nat. I, § 350; Dt. Met., § 1025.
[199] Theol. nat. I, § 354; II, § 346.
[200] I, § 360.
[201] § 362.
[202] § 363; II, § 348.
[203] I, § 365 f.

VI. WEISHEIT UND GÜTE GOTTES

1. Die Weisheit Gottes

Die Untersuchung der Weisheit Gottes hat für den Menschen eine große praktische Bedeutung. Wolff hält es für äußerst nützlich, ein von Gottes Weisheit überzeugtes Bewußtsein zu haben, da dieses Attribut wunderbar auf das sittliche Tun wirkt und außerdem die Grundlage der Teleologie bildet [204]. Außerdem verscheucht die Betrachtung der Weisheit Gottes alle Nebel, die hinsichtlich der Existenz des Übels in dieser Welt noch übrig sind [205].

a) Die Begründung der höchsten Weisheit Gottes: Die Offenbarung der absoluten Vollkommenheit Gottes als Ziel göttlichen Handelns; die Zuordnung der Mittel

Gott ist weise und seine Weisheit ist die höchste und vollkommenste [206]. Wie ist diese Weisheit zu begründen, woher ist sie abzuleiten? Die Weisheit Gottes beweisen heißt beweisen, daß Gott des besten Zieles wegen handelt, die Mittel auswählt, die auf sicherem und kürzestem Weg zum Ziel führen und durch die er das angestrebte Ziel erreicht, alle Teilziele einander so unterordnet, daß die näheren Mittel der entfernteren und alle zugleich Mittel des letzten Zieles sind [207]. Dieser Beweis wird folgendermaßen durchgeführt [208]: Gott hat diese Welt ausgewählt, weil sie die vollkommenste aller möglichen ist. Es muß einen zureichenden Grund geben, weshalb Gott die vollkommenste Welt und nicht eine andere, weniger vollkommene hat zur Existenz bringen wollen. Das, weswegen eine Wirkursache handelt, ist nach „Ontologia", § 932 das Ziel (finis). Es muß also ein Ziel geben, dessentwegen Gott beschlossen hat, diese Welt hervorzubringen, und sie in Übereinstimmung mit dem Dekret hervorgebracht hat. (In diesem Ziel ist auch der Grund enthalten, weshalb Gott die Zulassung des moralischen Übels beschlossen hat [209].)

[204] § 640 not.
[205] § 603 not.
[206] § 640; II, § 293; Dt. Met., § 1036. 1048. Der Begriff der Weisheit wird aus Psych. rat., § 678 übernommen: „Sapientia est scientia actionibus liberis fines naturae suae convenientes praescribendi et media ad eos ducentia eligendi finesque particulares ita sibi invicem subordinandi, ut propiores fiant media remotiorum."
[207] Theol. nat. I, § 603 not.; II, § 294.
[208] I, § 603; Dt. Met., § 1044.
[209] Theol. nat. I, § 605.

Nachdem feststeht, daß es ein Ziel geben muß, ist das Ziel des göttlichen Handelns näher zu bestimmen. Wolffs Antwort: Das Ziel Gottes ist die Offenbarung seiner selbst oder seiner absolut höchsten Vollkommenheit: „patefactio sui ipsius, seu perfectionis suae absolute summae" [210]. (Joh. 2, 11 folgend bezeichnet Wolff dieses Ziel auch als Herrlichkeit Gottes, als „gloria Dei" [211]; sie ist nichts anderes als der Komplex der göttlichen Attribute, insoweit sie von der vernünftigen Kreatur erkannt werden [212].) Die Begründung Wolffs: Diese Welt ist nicht das Ziel; sie wurde von Gott ausgewählt, weil sie die vollkommenste ist und deshalb gewährleistet, daß Gott sein Ziel erreichen kann; sie ist also Mittel [213]. In der Welt kann das Ziel nicht gesucht werden, außerhalb der Welt gibt es nichts als Gott; demnach ist das Ziel in Gott selbst zu suchen [214]. Da Gott sich selbst genügt und außerhalb seiner nichts bedarf, bleibt als einzig mögliches Ziel, dessentwegen Gott die Existenz dieses Universums beabsichtigen kann, die Offenbarung der höchsten Vollkommenheit [215], eine Aussage, die übrigens mit der Hl. Schrift (Röm. 1,20) übereinstimmt [215].

Gott hat damit nicht nur aus allen möglichen Zielen das beste gesetzt [216], in freier Wahl natürlich [217], sondern auch durch die Wahl der vollkommensten Welt die Mittel gewählt, wodurch er dieses Ziel sicher erreichen kann [218]. Alle Teilziele werden nur in Beziehung auf das Ziel der ganzen Welt gesetzt [219] und diesem als dem letzten Ziel [220] — der Offenbarung der göttlichen Herrlichkeit [221] — untergeordnet [222].

Was für den Beweis der Weisheit Gottes gefordert wurde, wurde berücksichtigt; der Beweis ist an seinem Ziel, der höchsten und vollkommensten Weisheit Gottes angelangt [223]. — Wolff scheint in der Begründung der Weisheit Gottes und damit jeglicher Teleologie nur zu wiederholen, was er über den Zusammenhang von Motiv und göttlichem Willen und das Gott Angemessene als der ratio subjectiva gesagt hatte. Sehr enge Berührungen und zum Teil auch Wiederholungen sind nicht zu be-

[210] § 608. II, § 371; Dt. Met., § 1045.
[211] Theol. nat. I, § 611; II, § 371; Dt. Met., § 1045.
[212] Theol. nat. I, § 610.
[213] § 607.
[214] § 608.
[215] § 609.
[216] § 619.
[217] § 620.
[218] § 624 f.
[219] § 626.
[220] § 628.
[221] § 629.
[222] § 630—636.
[223] § 640.

streiten; daß Wolff aber vom Zusammenhang zwischen Wirkursache und Ziel ausgeht, ist etwas Neues. Bei der Untersuchung des Motivs ging es mehr um die inhaltliche Bestimmung des „leeren" Willens, bei der ratio objectiva gewissermaßen um einen allgemeinen Rahmen, in dem Gottes Handeln geschieht, hier aber um die Konstitution des Handelnden selbst. Im Unterschied zur Ableitung der bisher behandelten Attribute ist der Bezug von Welt zu Gott nicht der Ausgangspunkt und damit das Erste, sondern Gott als Handelnder und erst insoweit auch die Welt als Gegenstand göttlichen Tuns. Ob die Welt oder Gott selbst Ziel Gottes ist, wird ohne besondere Überlegungen im zweiten Sinne entschieden.

Die Begründung der göttlichen Weisheit in der „Theologia naturalis II" nimmt sich der eben gegebenen gegenüber als einfach und leicht aus: Der Geist ist der Weisheit fähig bzw. unserer Seele kommt Weisheit zu, also ist sie Gott im höchsten Maße zuzusprechen [224].

b) Die Absichten der Dinge; Nutzen und Absicht der Dinge in der Sicht Gottes und des Menschen

Wolff hatte den teleologischen Gottesbeweis abgelehnt, weil man die Finalität der Dinge und der Welt letztlich nur von Gott her begründen kann. Nachdem jetzt bewiesen ist, daß Gott Weisheit zukommt, ist es möglich zu entscheiden, ob es in der Welt „Absichten" gibt. „Was aus Natur und Wesen der materiellen Dinge folgt, sind von Gott beabsichtigte Zwecke (fines), Wesen und Natur der Dinge aber Mittel, durch die er jene Zwecke erreicht" [225]. Gott weiß nämlich von Ewigkeit her, was aus Wesen und Natur der Dinge folgt, wenn er diese Dinge in dieser Ordnung hervorbringt. Nun hat Gott beschlossen, diese Dinge in dieser Ordnung hervorzubringen, folglich sind ihre Wirkungen von ihm gesetzte Zwecke [225]. Am Beispiel des Auges wird der Sachverhalt erläutert [225]: Das Auge ist so gebaut, daß sich auf Grund seiner Struktur die Bilder der sichtbaren Dinge auf dem Hintergrund des Auges abzeichnen können. Der Bau des Auges ist Gott von Ewigkeit her bekannt. Die Aktualität der Dinge hängt von Gottes Willen bzw. Dekret ab. Wenn Gott also beschlossen hat, dem Menschen ein Auge zu geben bzw. den mit einem Auge ausgestatteten Menschen zu verwirklichen, ist die Abzeichnung der Bilder zweifellos ein von Gott intendierter Zweck.

[224] § 293.
[225] II, § 645. Dt. Met., § 1028, 1032.

Um etwaigen Mißverständnissen zu wehren, stellt Wolff in diesem Zusammenhang [226] eindeutig fest, daß, was aus Natur und Wesen der Dinge folgt, notwendigerweise folge, und deshalb nicht unter die Zahl der Zwekke gerechnet werden könne. Wenn man sie aber dennoch zu den Zwekken rechnet, dann nicht, insofern sie aus dem Wesen und der Natur der Dinge folgen, sondern insoweit sie frei von Gott beabsichtigt sind. Aus der Struktur des Auges wird immer folgen, daß sich das Bild eines Sichtbaren im Auge abzeichnet; und dennoch kann diese Funktion als ein von Gott beim Dekret der Weltgründung beabsichtigter Zweck angesehen werden. Gott hat die Wiedergabe der Bilder im Auge nicht deshalb beabsichtigt, weil sie aus der Struktur des Auges folgt, sondern weil es dem letzten Ziel, das er durch die Erschaffung der Welt erreichen will, angemessen ist, daß es den Menschen gibt, in dessen Augen sich die Dinge widerspiegeln. Wie Gott das letzte Ziel frei gewählt hat, so auch die ihm untergeordneten Teilziele. Auch wenn es kein Ziel bzw. keinen Zweck gibt, der nicht notwendigerweise aus dem Mittel folgt, zwischen Ziel und Mittel also ein notwendiger Zusammenhang besteht — im anderen Fall würde bei Setzung des Mittels das Ziel aktuell nicht gesetzt, das Mittel bewirkte also in keiner Weise die Erreichung des Ziels, ist damit sehr wohl zu vereinbaren, daß das Ziel frei gesetzt und die zu ihm führenden Mittel frei gewählt werden. Wenn wir eine genaue Uhr machen wollen, ist das beabsichtigte Ziel die genaue Zeitangabe. Das Ziel setzen wir frei, auch wenn die Uhr auf Grund ihrer Struktur notwendigerweise die Zeit anzeigt.

Wolff übernimmt hier von Leibniz die zweifache Sicht der Dinge: einmal von der Wirkursache her — und dazu gehört im weiteren Sinne auch das Wesen, dessen Notwendigkeit und das aus ihm Folgende, zum andern von der Finalität her. Das Verhältnis beider Sichtweisen bringt allerdings viele offene Fragen mit sich.

Zu den von Gott beabsichtigten Zwecken gehört aber nicht nur das aus Wesen und Natur der Dinge Folgende, sondern auch der „Nutzen" (usus) [227] aller Natur- und Kunstdinge [228]. Im menschlichen Erfahrungs-

[226] Theol. nat. I, § 645 not.

[227] „Usus" in der Theol. nat. I (z. B. § 646) wird in der Dt. Met. (z. B. § 1031) mit „Nutzen" wiedergegeben. Dt. Met., § 1029: „Wir nennen den Nutzen eines Dinges eine Folgerung aus seinem Wesen / die wir vorher nicht bedacht haben / da wir es hervor zu bringen getrachtet."

[228] Theol. nat. I, § 648 f.; Dt. Met., § 1031.

bereich fallen Nutzen einer Sache [229] und Zweck nicht unbedingt zusammen, weil der Mensch nicht allen möglichen Nutzen der Dinge voraussehen kann [230]. Ein „Nutzen" kann zu einem Zweck werden, wenn ein Kunstding eines bestimmten Nutzens wegen hergestellt wird [231]. Zwei Beispiele führt Wolff zur Erläuterung an [232]: Die Vögel nisten in den Höhlen morscher Bäume und schützen sich dort vor den Unbilden der Witterung. Die Baumhöhlen sind also zu etwas nütze, was von den Ursachen der Fäulnis nicht erstrebt wurde; von Ziel kann also nicht die Rede sein. Ebenso kann auch im zweiten Beispiel nur von Nutzen, nicht aber von Ziel gesprochen werden: Man baut auf einem Hügel einen Bierkeller mit Vorraum, in dem sich die müden Arbeiter niedersetzen und erholen können, bevor sie nach Hause gehen. Sucht dort ein Wanderer vor dem Regen Zuflucht, wird der Raum zu etwas nütze, was vom Bauherrn nicht beabsichtigt war; ein Zweck ist also nicht gegeben.

Bei Gott, der jegliche Abhängigkeit der Dinge von einander kennt, und der ihre Existenz ihres gegenseitigen Nutzens wegen beschlossen hat, ist jeder Nutzen der Naturdinge ein von Gott beabsichtigter Zweck [233]. Daß zum Beispiel die Sonnenstrahlen beim Wäschetrocknen von Nutzen sind, hat Gott, der um das Wohl der Menschen besorgt ist, beim Beschluß der Existenz der Sonne zweifellos beabsichtigt [234]. Eigens bemerkt Wolff noch, man sage nichts Absurdes, wenn man hier von einem von Gott beabsichtigten Zweck spreche [234].

Bei Gott gibt es auch keinen Unterschied zwischen Werken der Natur und Werken der Kunst, denn er kennt von Ewigkeit her allen möglichen Nutzen der Kunstdinge, und zwar besser und umfangreicher als die Erfinder selbst [235]; der Nutzen der Kunstdinge ist also von Gott beabsichtigter Zweck [236].

Alles ist dem letzten Ziel untergeordnet: das aus dem Wesen der Dinge Folgende, Natur und Kunstdinge, Glück und Unglück [237]. Ein Umsonst

[229] Theol. nat. I, § 646 definiert den „usus rei" als „dependentia actualitatis rei cujusdam alterius, quae mala non est, ab eadem."

[230] § 647 not.

[231] § 647.

[232] § 647 not. Vgl. Dt. Met., § 1029.

[233] Theol. nat. I, § 648.

[234] § 648 not.

[235] Gott ist der eigentliche Erfinder, von dem letztlich alle Erfindungen kommen: Dt. Met., § 996; Theol. nat. II, § 178.

[236] Theol. nat. I, § 649 f.

[237] § 651 ff.; Dt. Met., § 1030.

gibt es bei Gott nicht; nur beim Menschen [238]. Gegen Descartes, der die Ziele der Naturdinge unter die Geheimnisse Gottes gezählt und sie aus der Naturphilosophie verbannt und den gegenseitigen Nutzen der Dinge nicht als Zweck angesehen habe, wie gegen Spinoza, der alle Ziele aus der Natur der Dinge verbannt habe, stellt Wolff die These: „Totum universum est plenum finibus a Deo intentis" [239].

c) Das Problem des Übels und die Weisheit Gottes

Von der Weisheit Gottes kann man nicht sprechen, ohne auch auf das Problem des Übels einzugehen. Das Übel scheint der göttlichen Weisheit Abbruch zu tun und ihr zu widersprechen. Das metaphysische Übel wird als wesentliche Unvollkommenheit der Dinge von Gott nicht als Ziel intendiert, da sich Gottes Herrlichkeit in der Unvollkommenheit als solcher nicht offenbaren kann [240]. Ebensowenig sind die physischen Übel — in dieser Hinsicht sicherlich auch die moralischen Übel, von denen Wolff aber hier ausdrücklich nicht spricht — als solche Ziele Gottes [241]. Wie schon oben gesagt, sieht Wolff die physischen und moralischen Übel in solch optimistischem Licht, daß sie geradezu als für die Vollkommenheit der Welt notwendig erscheinen. Sie sind nach Wolff so eng mit den in dieser Serie der Dinge gesetzten Zielen verbunden, daß ihre gegenseitige Unterordnung und die Unterordnung unter das letzte Ziel nicht mehr gegeben ist, wenn man sie aufhebt [242]; ja in diesem Falle würde mit dem Übel auch das Gute beseitigt (wie es Christus im Gleichnis vom Unkraut und Weizen treffend zum Ausdruck gebracht habe), was der höchsten und vollkommensten Weisheit Gottes durchaus nicht entspricht [243]. Physisches und moralisches Übel widersprechen der göttlichen Weisheit nicht, denn Gott richtet sie in seiner Weisheit auf ein gutes Ziel, letztlich auf die Offenbarung seiner Herrlichkeit, so daß sie zur Vollkommenheit dieses Universums gehören, das auch durch ihr Fehlen nicht vollkommener werden könnte [244], wie auch Thomas bestätige [245]. (Natürlich sind es

[238] Theol. nat. I, § 662 ff.; II, § 295.
[239] Theol. nat. I, § 660. Dt. Met., § 1027: „. . . daß die Natur voller göttlicher Absichten ist . . ."
[240] Theol. nat. I, § 669.
[241] § 670; II, § 297.
[242] I, § 674.
[243] § 676.
[244] § 677—685. Die Vollkommenheit einer Welt besteht (§ 672) „in explicabilitate ejus per finium particularium et ultimi subordinationem."
[245] § 683 not.

nicht die Übel als solche, die die Welt vollkommener machen, sondern deren Ausrichtung auf gute Ziele und mittels ihrer auf das letzte Ziel [245].)

d) Die Unerforschlichkeit der göttlichen Weisheit; die menschliche Erkenntnis der Ziele

Gottes Weisheit ist ebenso wie sein Wille für den Menschen und jedes endliche Wesen unerforschlich [246]. Gerade wegen dieser Unerforschlichkeit habe Descartes die Ziele unter Gottes Geheimnisse verwiesen und auf Grund ihrer Unerkennbarkeit jegliche Teleologie für unmöglich erklärt [247]. Wolff erwidert darauf, es widerspreche der Unerforschlichkeit der göttlichen Weisheit nicht, sie zu erforschen, ebensowenig wie die Unerforschlichkeit des Willens eine Erforschung des göttlichen Willens unmöglich gemacht habe [247]. Die Auffassung, Gottes Weisheit könne aus dieser Welt nicht erschlossen werden, sei geradezu absurd, denn Gott hat uns durch die Erschaffung der Welt gerade seine Weisheit offenbaren wollen, und diese Weisheit erkennen heißt eben, die von Gott gesetzten Ziele, die zu diesen führenden Mittel und die Unterordnung der Ziele erkennen [247]. Die Unerforschlichkeit der Weisheit Gottes, auch wenn sie nicht mit gänzlicher Unerforschbarkeit gleichzusetzen ist, soll uns aber vorsichtig machen und vor übereilten Urteilen hinsichtlich der Ziele und deren Unterordnung warnen [247]. Wenn es gelegentlich aus Überstürzung zu falschem Urteil kommt, ist das kein hinreichender Grund, jegliche Erkenntnis von Zielen abzulehnen, es sei denn, man halte es mit den Skeptikern, die lieber nichts wissen wollen als sich der Gefahr des Irrtums auszusetzen; die Unerforschlichkeit der Weisheit Gottes hebt die Möglichkeit der Zielerkenntnis nicht auf, macht sie aber schwierig [247].

2. Die Güte Gottes

Unter Güte versteht man die Geneigtheit zur Beförderung der Vollkommenheit anderer [248]. (Von diesem Begriff der Güte unterscheidet sich der der „Theologia naturalis II", wenn diese daraus, daß Gott das absolut vollkommene Seiende ist, folgert, Gott sei in sich in höchstem Maße gut; dies ist die „bonitas essentialis" der Scholastiker [249]. Mit

[246] § 691; II, § 301.
[247] I, § 691 not.
[248] § 695: „Per bonitatem intelligimus pronitatem ad aliorum perfectionum promovendam."
[249] II, § 215.

dieser unermeßlichen bonitas essentialis Gottes ist die der endlichen Dinge nicht zu vergleichen[250].) Der Satz „Gott gibt jedem Ding so viel an Gutem, als es nach Maßgabe seiner Weisheit geschehen kann"[251], ist die Grundlage der Lehre von Gottes Güte. Begründet wird diese Aussage folgendermaßen[252]: Die Wesen der Dinge sind von Gott, näherhin von seinem Intellekt. Da die essentielle Vollkommenheit in der Übereinstimmung der Wesensbestimmungen besteht (§ 328 Ont.), kommt jede essentielle Vollkommenheit von Gott. Hinsichtlich der Wesensbestimmungen kann Gott kein Ding anders machen als er es macht (§ 557), folglich erteilt er ihm so viel an essentieller Vollkommenheit, als es aufnehmen kann. Die akzidentelle Vollkommenheit besteht in der Übereinstimmung der in anderen Dingen den zureichenden Grund findenden Modi mit den Wesensbestimmungen (§ 328 Ont.). Da Gott jedes Seiende in die vollkommenste Reihe der Dinge eingefügt hat (§ 326) und die Übel kraft seiner Weisheit auf ein gutes Ziel hinordnet (§ 680), gibt er auch jedem Seienden so viel an akzidenteller Vollkommenheit, als nach Maßgabe seiner Weisheit möglich ist. — Aus all dem folgt, daß eine größere Güte als die göttliche nicht gedacht werden kann[253].

Gegen einen anderen gut sein heißt, ihn lieben; Güte ohne Liebe gibt es nicht[254]; deshalb die Aussage: Gottes Liebe erstreckt sich auf alle Geschöpfe, wenn es auch einen Unterschied gibt zwischen der Liebe zu vernunftbegabten und vernunftlosen, lebendigen und leblosen Seienden[255]. Deshalb will Gott das Glück der Menschen[256]. Wenn die Menschen unglücklich sind, ist dies nicht auf mangelnde Güte Gottes zurückzuführen, sondern auf deren im malum metaphysicum begründeten Freiheitsmißbrauch[257]. Auf andere Fragen, die in diesem Zusammenhang behandelt werden, sei nicht eingegangen[258].

Auch im Urteil über Gottes Güte ist größte Vorsicht zu üben, da ein solches Urteil nur in Beziehung auf das ganze Universum und alle Attribute Gottes möglich ist[259]. Gottes Güte ist aus diesen Gründen dem Menschen unbegreiflich[260] und unerforschlich[261].

[250] § 216.
[251] I, § 698. Dt. Met., § 1062 f.
[252] Theol. nat. I, § 698. Vgl. bes. die nota.
[253] § 699; II, 231.
[254] I, § 700.
[255] § 704; II, § 232 f.
[256] I, § 706; II, § 235 f.
[257] I, § 708—711; II, 237.
[258] Vgl. I, § 712—726.
[259] § 727 ff.
[260] § 730. 743.
[261] § 731 f.

VII. DAS WIRKEN GOTTES: SCHÖPFUNG, ERHALTUNG UND VORSEHUNG

Vom göttlichen Wirken war bei Behandlung von Gottes Willen und Macht oft die Rede. Während es dort mehr um die Eigenschaften selbst ging, soll jetzt Gottes Wirken als Schöpfung und Vorsehung dargestellt werden [262].

1. Begriff und Begründung der Schöpfung

Dabei wird auf die Ergebnisse der Cosmologie und das anläßlich der Gottesbeweise Eruierte zurückgegriffen. Auf der Suche nach dem zureichenden Grund für Elemente, Welt und Seele haben sich diese als entia ab alio erwiesen und einen von ihnen verschiedenen Grund postuliert. Der jetzt zu untersuchende Fragenkreis ist sachlich zwar mit diesem Weg weithin gleichzusetzen, der Gesichtspunkt ist jedoch verschieden, nämlich vom wirkenden Gott zur gewirkten Kreatur. Wolff versteht unter Schöpfung, wie in „Psychologia rationalis", § 697 dargelegt, die „productio ex nihilo" [263]. Daß diese Welt ihre Existenz nur der Schöpfungstat Gottes verdankt, Gott also als Schöpfer anzusprechen ist, wird so begründet: Die Welt besteht, wie die Cosmologie zeigt, aus in einer bestimmten Ordnung angeordneten Körpern, die selbst wieder aus Elementen bestehen. Da die Welt demnach ein Aggregat der Elemente, also einfacher Substanzen ist, ist die Existenz der Welt eine Frage der Existenz der Elemente [264]. Die Elemente der materiellen Dinge bestehen aber nicht aus sich selbst, da der Grund ihrer Existenz in ihrem Wesen nicht enthalten ist, was ebenso auch von den Seelen der Menschen und der Tiere gilt [265]. Als endliche Dinge sind die Elemente, die Seelen der Menschen und Tiere, also die Welt kontingent [266]. Die Existenz muß ihnen mitgeteilt werden. Einfache Substanzen sind nach der Aussage von „Ontologia", § 691 aus dem Nichts hervorzubringen, wenn sie existieren sollen [267]. Soll also eine Welt existieren, muß sie aus

[262] Theol. nat. I behandelt Schöpfung und Vorsehung in einem Kapitel (V.) — Kap. VI (De jure Dei in creaturas) ist dazuzunehmen —, Theol. nat. II in je eigenen Kapiteln (IV bzw. V).

[263] Theol. nat. I, § 760. Dt. Met., § 1053.

[264] Theol. nat. I, § 754.

[265] II, § 329; I, § 756.

[266] II, § 330 ff.

[267] § 335.

dem Nichts hervorgebracht werden; sie kann also nur durch Schöpfung entstehen [268]. Da es außer Gott kein notwendiges Seiendes gibt, muß ihm die Schöpfungsmacht zukommen, und zwar in absolut höchstem Grad [269]. Damit ist der Beweis erbracht: Gott hat diese Welt erschaffen [270]. Gott ist also Schöpfer der Welt und zugleich Urheber der Naturordnung [271], die er als diese bestimmt, indem er diese und nicht andere Elemente hervorgebracht hat [272]. In demselben Akt, mit dem Gott die Welt erschafft, schafft er auch die Ordnung der Welt und der Natur [273].

Die Schöpfungsmacht Gottes, die ihm auf Grund der Aseität zukommt [274], kann keinem endlichen Seienden mitgeteilt werden [275]. Diese Macht Gottes unterscheidet sich von der Macht der Natur und unserer Seele nicht nur der Größe nach — Gottes Macht erstreckt sich auf alles Mögliche, die der Natur und der Seele nur auf einiges, sondern auch der Art nach, denn Gottes Schöpfungsmacht setzt nichts voraus, während Natur und Seele in ihrem Tun immer auf etwas Präexistierendes angewiesen sind [276]. Wolff spricht von der Schöpfung als von einem Wunder, da sie die Kräfte der gesamten Natur übersteigt [277].

Daß die Geschöpfe von Gott geschaffen sind [278], gibt Wolff die Grundlage ab für die Auffassung von den Geschöpfen als dem Spiegel der göttlichen Vollkommenheiten [279]. Wolff zeigt, wie schon gesagt, nicht nur im allgemeinen, daß das ganze Universum Spiegel der göttlichen Vollkommenheiten ist [280], sondern weist dies ausführlich auch für die einzelnen Eigenschaften Gottes nach [281].

[268] § 336 f.
[269] § 338 f.
[270] I, § 760; II, § 344. II, § 342 sagt, worin der Schöpfungsakt besteht: „Mundus a Deo creatur, dum elementa rerum materialium juxta principium rationis sufficientis combinata et animas tam brutorum, quam hominum producit juxta idem principium singulis hominum atque brutorum corporibus jungendas." Auch II, § 345. Zum dreifachen Status der Welt vgl. I, § 758.
[271] I, § 763; II, § 381. Urheber der Natur: I, § 822.
[272] I, § 761.
[273] II, § 343.
[274] I, § 767.
[275] § 775.
[276] § 776.
[277] § 775.
[278] § 777—783.
[279] Theol. nat. I, § 785. Zum Begriff des Spiegels vgl. § 784.
[280] § 786.
[281] § 798—820. Zusammenfassend: § 818—820.

2. Schöpfung - Raum und Zeit; die Naturgesetze

Wolff stellt eigens die Frage nach dem Beginn von Raum und Zeit. Sind beide etwa schon vor der Schöpfung? Die Antwort ergibt sich aus dem Begriff von Raum und Zeit. Weder Raum als ordo simultaneorum noch Zeit als ordo successivorum ist vor der Schöpfung möglich. Beide haben mit der Welt selbst begonnen [282]. Raum und Zeit wurden gewissermaßen miterschaffen.

Ebenso ist es mit den Naturgesetzen. Mit der Erschaffung der Dinge hat Gott sie vorgeschrieben; genauer: mit der Erschaffung der bestehenden Elemente hat er sie bestimmt, denn die Naturgesetze gehen letztlich auf die aktiven Kräfte der Elemente zurück [283]. Solange diese Welt besteht, wird auch die Naturordnung und der Lauf der Natur derselbe sein [284]. Auch wird Gott nichts mehr erschaffen, solange diese Welt besteht; es vergehen und entstehen zwar die Körper, aber deren Elemente bleiben, da sie als einfache Substanzen nur durch annihilatio zugrunde gehen können, es also gar nicht notwendig ist, daß Gott etwas erschafft [285].

3. Die Erhaltung der Welt (conservatio)

Mit dem Begriff der Schöpfung ist der Bezug Gottes zur Kreatur noch nicht ganz erfaßt. Die Schöpfung kann, da sie kontingent ist und auch durch den Schöpfungsakt nicht in ein ens a se verwandelt wurde, was absurd wäre, aus eigener Kraft nicht weiter bestehen [286]. Gott muß sie also in ihrem Sein erhalten [287]. Die Erhaltung der Dinge durch Gott ist kein vom Schöpfungsakt verschiedener neuer Akt, sondern „creatio continua" [288]. Was von der Erhaltung der Welt gilt, trifft ebenso für die Naturordnung zu [289]. Erhält Gott die Kreaturen nicht mehr, zerfallen sie ins Nichts; Gott kann sie vernichten [290]. Dies hängt allein vom Willen Gottes ab [291].

[282] § 792; vgl. auch § 795—797.

[283] § 825 f.

[284] § 828 f.

[285] § 834.

[286] § 840; II, § 388.

[287] I, § 843; II, § 389 ff.; Dt. Met., § 1054 f. I, § 842: „Conservatio est actio, qua rebus creatis datur, ut in esse suo perseverent, seu ut existere pergant." In II, § 396 unterscheidet Wolff eine „conservatio ordinaria" u. eine „conservatio extraordinaria"; vgl. auch § 398. — Die Lehre von der „conservatio" ist gegen die Deisten gerichtet: vgl. bes. Theol. nat. II, § 529 ff.

[288] Theol. nat. I, § 844 f.

[289] § 847; II, § 392 f.

[290] I, § 859; II, § 399.

[291] I, § 862.

4. Gottes Mitwirken beim Handeln der Geschöpfe (concursus)

Der Begriff der „conservatio" wird durch den des „concursus"[292] weitergeführt. Da die Schöpfung nur durch die göttliche Erhaltung weiterbesteht und nur das Existierende handeln kann, kann kein Geschöpf ohne die göttliche Erhaltung handeln[293]. Gott wirkt also durch die Erhaltung bei den einzelnen Taten der Natur, der Geschöpfe und insbesondere des Menschen mit[294]. Gottes Mitwirken, das universal ist[295], geschieht dadurch, daß er die Substanz des Handelnden erhält und damit die Kraft zu handeln, die Substanz wesentlich ist, wie die Elemente und die menschliche Seele[296]. Die Spezifikation der Akte, die im Wesen des Handelnden begründet ist, kommt dagegen von den Geschöpfen[297].

Auch hier stellt sich das Problem des Übels. Wirkt Gott beim moralischen Übel mit? Die Frage wird verneint, denn Gott wirkt, auch wenn die Geschöpfe in ihrem Handeln von Gott abhängig sind[298], bei den schlechten Taten der Menschen, insofern sie schlecht sind, nicht mit[299]; die Taten der Geschöpfe hängen von Gott nämlich nur ab als Taten, hinsichtlich des Aktes also[300].

5. Die Regierung der Welt (gubernatio)

Gott erhält die Welt, wirkt bei den Handlungen der Geschöpfe mit, und er regiert die Welt [301]. Was früher schon anläßlich der Weisheit Gottes erörtert wurde, wird hier wieder aufgenommen. Unter „Regierung" versteht man nämlich die Ausrichtung der Handlungen auf ein bestimmtes Ziel[302]. Indem Gott alles untereinander verbindet, regiert er das Universum[303]. So gehören Naturordnung und Hinordnung des Übels auf gute Ziele zur Regierung des Universums[304]. Hier hat nach Wolff auch die Erörterung über das Ziel menschlichen Tuns ihren Ort. Gott will, daß der Mensch seine freien Taten auf sein und seines Zu-

[292] § 873: „Concursus adeo ad actionem alterius est actio, quae in se continet aliquid rationis, cur agens agat, vel egerit." Vgl. auch II, § 395.

[293] I, § 870; II, § 394.

[294] I, § 874.

[295] § 875.

[296] § 876 f.

[297] § 878.

[298] § 879.

[299] § 883; Dt. Met., § 1056.

[300] Theol. nat. I, § 879 f. Vgl. § 883—898.

[301] § 900; II, § 403.

[302] I, § 899: „Gubernatio est directio actionum ad certum finem."

[303] § 901.

[304] § 904.

standes Vollkommenheit ausrichte [305], letztlich damit auf die Vollkommenheit des ganzen Universums [306].

6. Die göttliche Vorsehung (providentia)

Mit der Erörterung der göttlichen Vorsehung schließt die Untersuchung über Gottes Wirken. Wolff definiert die göttliche Vorsehung als Entschluß Gottes, alle Dinge im Universum zu erhalten, zu regieren und bei ihren Handlungen mitzuwirken [307]. Daß es eine göttliche Vorsehung gibt [308], ist nach dem über conservatio, concursus und gubernatio Gesagten klar. Eine weitere Darlegung ist aus diesen Gründen nicht mehr notwendig [309].

7. Gottes Recht über und auf die Geschöpfe

Wolff führt diese Gedanken in einem eigenen Kapitel der „Theologia naturalis I" („De jure Dei in creaturas") weiter. Aus dem Schöpfungsakt und der Erhaltung der Welt wird abgeleitet, daß Gott Herr ist über die Natur, die ganze Welt und alles, was in ihr ist [310]. Aus denselben Gründen hat Gott das Recht, den Menschen zu verpflichten, seine Handlungen nicht nach eigenem Gutdünken, sondern dem Willen Gottes entsprechend zu bestimmen [311]. In den folgenden Paragraphen beschäftigt sich Wolff hauptsächlich mit der Verpflichtung des Menschen, nach Gottes Willen zu handeln. Er gibt damit eine Art theologischer Begründung der Moral.

[305] § 905.
[306] § 920. Zum Ganzen vgl. § 906—921.
[307] § 922: „Decretum Dei de conservatione et gubernatione rerum omnium in hoc universo et concursu ad earundem actiones dicitur Providentia divina."
[308] § 923; II, § 404.
[309] Vgl. I, § 924—938.
[310] § 963.
[311] § 986.

VIII. EINIGE AUS ATTRIBUTEN ABGELEITETE ATTRIBUTE

Im letzten Kapitel der „Theologia naturalis I" — entsprechend auch im 5. der „Theologia naturalis II" und am Ende der „Deutschen Metaphysik" — behandelt Wolff Attribute, die, bislang noch unerörtert, sich aus anderen Attributen ableiten lassen. Die Folge der behandelten Attribute erscheint unzusammenhängend und etwas willkürlich; ein Sammelplatz von Attributen, die irgendwie übrig sind, aber nirgends einen bestimmten Platz fanden. Einige seien herausgegriffen.

1. Die Unendlichkeit Gottes

Wolff beginnt mit dem Attribut der Unendlichkeit [312], das allerdings wie die meisten der hier behandelten Attribute in der „Theologia naturalis II" schon zu Beginn des Werkes aus dem Begriff des ens perfectissimum abgeleitet worden war [313]. Daß Gott ein unendlich Seiendes ist, wird folgendermaßen begründet: Gott ist ens a se (§ 67), dem unendlicher Intellekt (§ 167) und Wille (§ 124) zukommen; er ist also Geist, so daß Verstand und Wille das Erste sind, was in ihm begriffen werden muß; Intellekt und Wille gehören also zu seinem Wesen (§ 144 Ont.); folglich ist Gott ein „ens infinitum" [314]. Ohne Unendlichkeit kann er nicht begriffen werden [314]. — Hebenstreit kennt die Unendlichkeit noch als erstes Attribut [315].

2. Gott als Substanz per eminentiam

Aus der Unendlichkeit Gottes folgert Wolff: „Deus est substantia per eminentiam" [316]. Obwohl Wolff — er weist selbst darauf hin — eine Substanzdefinition gegeben hat, die nur auf das endliche Seiende zutrifft (§ 768 Ont.), kann er dennoch von Gott als Substanz reden; dies ist möglich wegen der näheren Bestimmung „per eminentiam" [317]. Er wirft seinen Gegnern vor, sie hätten nicht verstanden, was ens per eminentiam bedeute, was umso schwerer wiege, da schon die Scholastiker eine Sub-

[312] § 1004; Dt. Met., § 1072.
[313] Theol. nat. II, § 18.
[314] I, § 1004; Dt. Met., § 1072.
[315] Vgl. Anm. 23.
[316] Theol. nat. I, § 1005. II, § 47.
[317] I, § 1005 not.

stanzdefinition geben, die nur dem endlichen Seienden zukommt, und Gott dennoch substantia per eminentiam nennen und ihn so über die in Substanz und Akzidenzien unterteilten Kategorien stellen [318]. Gerade weil Gott auf besondere Weise Substanz ist, nämlich über den Kategorien, habe er, so bemerkt Wolff, Gott nicht wie Descartes als substantia perfectissima, sondern lieber als ens perfectissimum definieren wollen [319]. Die Substanz, die Gott ist, wird näher als „substantia prima et increata" bestimmt [320]. Da der Substanzbegriff bei Descartes [321] und Spinoza [322] in der Rede von Gott eine große Rolle spielt, fällt besonders auf, welch geringe Bedeutung Wolff dem Substanzbegriff zuspricht.

3. Heiligkeit, Gerechtigkeit und Seligkeit Gottes

Als eigenständige Attribute werden die Heiligkeit Gottes [323] (sie hängt noch mit der Unverweslichkeit Gottes zusammen) und die Gerechtigkeit Gottes [324] als „bonitas sapientiae attemperata" angeführt. Die Seligkeit Gottes (beatitudo), die die absolut höchste ist, wird letztlich daraus begründet, daß Gott vollkommenster Geist und unveränderlich ist [325].

4. Die Einzigkeit Gottes

Außer dem einen Gott, dem Schöpfer, Erhalter und Regierer der Welt, gibt es keinen anderen Gott. Da Gott als der allervollkommenste Geist

[318] § 1005 not. Zur Schulmetaphysik vgl. Scheibler, Op. met., l. II c. 3 nr. 176. 181 f. (s. Anm. 293, S. 177). Gott als „supra ens" und „supra substantiam" (Dionys. Areop., De. div. nom. c. 1) zu bezeichnen, will er gelten lassen, „solum signando eminentiam ejus, quam in ratione entis et substantiae habet, quae utrobique tanta est, ut communem quasi rationem essendi et subsistendi dignitate sua transcendat" (nr. 178). Vgl. Scharf, Pneum., l. II c. 2 (S. 52): „Deus quam maxime erit substantia in se perfectissima et absolutissima"; begründet wird die Aussage mit der vollkommensten Wesenheit Gottes. Vgl. Jak. Martini, Part. met., l. II c. 2 nr. 19 (S. 651): Gott ist „supersubstantialiter substantia".

[319] Theol. nat. II, § 47 not.

[320] I, § 119. II, § 311.

[321] Vgl. II. Resp., def. 8 (AT VII, 162).

[322] Vgl. Ethica I, def 6 (Gebh. II, 45).

[323] Theol. nat. I, § 1063 ff. Vgl. II, § 247; Dt. Met., § 1084.

[324] Theol. nat. I, § 1067—1083.

[325] § 1089 ff. In II, § 226 f. wird die felicitas aus der Unveränderlichkeit abgeleitet. Vgl. auch I, § 1085; II, § 226. Dt. Mt., § 1085 ff.

bestimmt ist und ihm alle Attribute in höchstem Grad zukommen, ist ein spezifischer Unterschied, der den angenommenen anderen Gott von diesem unterscheiden müßte, nicht möglich, also ist nur ein Gott möglich[326]. Die Einzigkeit Gottes läßt sich auch noch anders beweisen: „Wir haben im vorhergehenden gefunden / daß ein einiger Gott einen zureichenden Grund von allem / was möglich und würcklich ist / in sich enthält. Wer demnach mehr als einen Gott setzen wollte / der nähme etwas ohne einen zureichenden Grund an. Vielmehr da nichts ohne einen zureichenden Grund seyn kan (§ 30); müssen wir daraus schliessen / daß nur ein Gott sey"[327].

Nachdem die Attribute Gottes unter der Rücksicht ihrer Erkenntnis durch den Menschen in den Grundzügen dargestellt sind, ist die Untersuchung mit der Frage nach dem Wesen Gottes zusammenzufassen und abzuschließen.

[326] Theol. nat. I, § 1107; II, 406.
[327] Dt. Met., § 1080. Vgl. auch § 1082.

IX. DAS WESEN GOTTES

Gegen Ende des Werkes geht Wolff nochmals auf die Definition Gottes ein: „Deus definiri potest per substantiam, quae omnes mundos possibiles sibi maxime distincte atque simul repraesentat" [328], eine Definition, die er schon in der „Deutschen Metaphysik" vorgelegt habe, und zwar zu keinem anderen Zweck, als um dadurch die wesentliche Ähnlichkeit (similitudo essentialis) zwischen Gott und der Seele zu zeigen [329]. Jetzt kann auch entschieden werden, worin das Wesen Gottes besteht, denn Wesen ist nach „Ontologia", § 168 das, was als erstes von einem Seienden begriffen wird und in dem der zureichende Grund enthalten ist, weshalb alles andere aktuell innewohnt oder innewohnen kann: „Essentia Dei consistit in vi repraesentativa omnium mundorum possibilium distincte prorsus et simultanea" [330]. Diese Bestimmung des Wesens Gottes ist Einwänden ausgesetzt [331]: Durch das Wesen werden die Dinge von einander unterschieden; Gott und Seele haben aber dasselbe Wesen; dagegen verweist Wolff auf den Unterschied zwischen Gott und Seele, der darin besteht, daß die Kraft, die Gott zukommt, keiner anderen Substanz zukommt, daß sie unbegrenzt, die der Seele aber begrenzt ist. Auch scheint es Schwierigkeiten zu machen, den freien Willen und die Schöpfungsmacht Gottes aus der Kraft abzuleiten. Wolff führt dies darauf zurück, daß wir jene Kraft, wie sie in sich ist, nicht intuitiv erkennen, sondern ihren Begriff unter Führung der Idee der in uns existierenden Vorstellungskraft des Universums bilden. Nur unter der Voraussetzung der kontingenten Existenz des Universums können wir den freien Willen und die Schöpfungsmacht Gottes aus dieser Kraft deduzieren ebenso wie die, die mit Descartes aus dem Begriff des ens perfectissimum beides deduzieren wollen, aber doch auch nur unter dieser Voraussetzung können. Einen eigentlichen Einwand gegen die Wesensbestimmung sieht Wolff in dieser Schwierigkeit also nicht.

Daß Gottes Wesen als Kraft verstanden wird, ergibt sich aus Wolffs Weg der Gotteserkenntnis und ist gleichzeitig Garant für den inneren Zusammenhang des ganzen Systems: Das eigentlich Seiende — die ein-

[328] Theol. nat. I, § 1093. Dt. Met., § 1067. In Nachr., § 108 gibt Wolff einen „vollständigen Begriff" von Gott.

[329] Theol. nat. I, § 1093 not. (gemeint ist wohl Dt. Met., § 1069).

[330] § 1094.

[331] § 1094 not.

fachen Substanzen, Elemente und Seelen — wird als Kraft verstanden, der Grund alles Möglichen und Wirklichen ebenso. Kraft ist der das ganze System prägende und durchgehend bestimmende Zentralbegriff. Daraus wird in gleicher Weise Ähnlichkeit und Unterschied des göttlichen Wesens vom Wesen der menschlichen Seele klar [332].

Gerade auch in der Bestimmung des göttlichen Wesens zeigt sich der Einfluß von Leibniz; die Schulmetaphysik hatte Gottes Wesen nämlich entweder als „spiritus infinitus" [333], „ens independens" [334], „spiritus simpliciter independens" [335] oder als „actus purus" [336] bestimmt.

[332] Dt. Met., § 1067 f.

[333] Scheibler, Op. met., l. II c. 3 nr. 85.

[334] Hebenstreit, Phil. pr., P. I c. 4 th. 13 (S. 349). Hebenstreit kritisiert an Scheibler, er unterscheide nicht Wesen und Attribut: das „spirituale" gehöre zu den Attributen (th. 14 [S. 351]).

[335] Meier, Pneum., P spec. l. I c. 2 (S. 275. 306).

[336] Timpler, Met. syst., l. IV c. 2 (S. 365).

ABKÜRZUNGSVERZEICHNIS

I. Christian Wolff

(Die Nummern beziehen sich auf das Quellenverzeichnis.)

Absicht	Vernünfftige Gedancken von den Absichten der natürlichen Dinge. [12].
Briefw.	Briefwechsel zwischen Leibniz und Chr. Wolff. [28].
Cosm.	Cosmologia generalis. [21].
Dt. Log.	Vernünfftige Gedancken von den Kräfften des menschlichen Verstandes. [3].
Dt. Met.	Vernünfftige Gedancken von Gott, der Welt und der Seele des Menschen. [7].
Dt. Met. A	Anmerckungen über die vernünfftige Gedancken von Gott, der Welt und der Seele des Menschen. [15].
Disc. prael.	Discursus praeliminaris der „Logica". [18].
Diff. nex.	De differentia nexus rerum. [13].
Ges. kl. Schr.	Gesammelte kleine Schrifften. [26].
Hor. subs.	Horae subsecivae Marburgenses. [19].
Lebensbeschr.	Chr. Wolffs eigene Lebensbeschreibung. [30].
Log.	Philosophia rationalis sive Logica. [18].
Melet.	Meletemata mathematico – philosophica. [27].
Monitum	Monitum ad commentationem. [14].
Nachr.	Ausführliche Nachricht von seinen eigenen Schrifften. [17].
Ont.	Philosophia prima sive Ontologia. [20].
Psych. emp.	Psychologia empirica. [22].
Psych. rat.	Psychologia rationalis. [23].
Rat. prael.	Ratio praelectionum Wolfianarum. [6].
Theol. nat. I	Theologia naturalis. Pars prior. [24].
Theol. nat. II	Theologia naturalis. Pars Posterior. [25].

II. Schulmetaphysik

c.	capitulum.
l.	liber.
nr.	numerus (marginalis).
s.	sectio.
th.	thesis.

Alle übrigen Abkürzungen verstehen sich unter Berücksichtigung des Literaturverzeichnisses von selbst.

ZITATIONSWEISE

Wolffs Werke werden nach Wolffschem Vorbild meist nach Paragraphen zitiert. Ist nur die Nummer des Paragraphen (z. B. § 13) angegeben, bezieht sich das Zitat auf den ganzen Paragraphen; ist „not." hinzugefügt, wird nur auf den durch das Druckbild unterschiedenen Erläuterungstext (nota) verwiesen. Ist der Paragraph vorangestellt (z. B. § 99 Log.), handelt es sich um Wolffs eigenes Zitat.

Zur Zitation der Werke der Schulmetaphysik ist nichts eigens zu bemerken; im übrigen wird nach allgemein üblicher Art zitiert, so z. B. Descartes und Leibniz.

In Zitaten werden Schreibweise und Zeichensetzung des Originals beibehalten. Sperrungen, vor allem in Wolffs Werken, werden nicht wiedergegeben.

LITERATURVERZEICHNIS

A. QUELLEN

I. Christian Wolff (Wolfius)

1. Aerometriae elementa. Leipzig, 1709.
2. Anfangsgründe aller mathematischen Wissenschaften. T. 1–6 [Bd. 1–3]. Neue, verb. u. verm. Aufl., Wien, 1763–1775 [[1]Halle, 1710]. Bd. I.
3. Vernünftige Gedanken von den Kräften des menschlichen Verstandes und ihrem richtigen Gebrauche in Erkenntnis der Wahrheit [Deutsche Logik]. Ges. Werke, I. Abt. Bd. 1, hg. u. bearb. Hans Werner Arndt. Hildesheim: Olms, 1965 [Text d. 14. Aufl., Halle, 1754; [1]1712].
   Dasselbe. 14. Aufl., Halle, 1744.
4. Elementa matheseos universae. Bd. 1–5. Ed. nova, auctior et correctior, Halle, 1730–1741 [[1]Halle, 1713–1715, Bd. 1–2]. Bd. I.
5. Specimen physicae ad Theologiam naturalem applicatae, sistens notionem Intellectus divini per opera naturae illustratam. Halle, 1717.
6. Ratio praelectionum Wolfianarum in Mathesin et Philosophiam universam. Halle, 1718.
7. Vernünfftige Gedancken von Gott, der Welt und der Seele des Menschen, auch allen Dingen überhaupt [Deutsche Metaphysik]. Frankfurt u. Leipzig, 1720 (1719).
8. Vernünfftige Gedancken von der Menschen Thun und Laßen, zu Beförderung ihrer Glückseeligkeit [Deutsche Ethik]. Halle, 1720.
9. Vernünfftige Gedancken von dem gesellschaftlichen Leben der Menschen, und in sonderheit dem gemeinen Wesen zu Beförderung der Glückseeligkeit des menschlichen Geschlechtes [Deutsche Politik]. 5. Aufl., Frankfurt u. Leipzig 1740 [[1]Halle, 1721].
10. Allerhand nützliche Versuche, dadurch zu genauer Erkäntnis der Natur und Kunst der Weg gebähnet wird. Bd. 1–3. Halle, 1721–1723.
11. Vernünfftige Gedancken von den Würckungen der Natur [Deutsche Physik]. Halle, 1723.
12. Vernünfftige Gedancken von den Absichten der natürlichen Dinge [Deutsche Teleologie]. Halle, 1724 (1723).
13. De differentia nexus rerum sapientis et fatalis necessitatis, nec non systematis harmoniae praestabilitae et hypothesium Spinosae luculenta commentatio. Halle, 1724 (1723).

14. Monitum ad commentationem luculentam de differentiae nexus rerum sapientis et fatalis necessitatis. Halle, 1724 (1723).

15. Anmerckungen über die vernünfftige Gedancken von Gott, der Welt und der Seele des Menschen, auch allen Dingen überhaupt. Frankfurt, 1724.

16. Herrn D. Joh. Franc. Buddei zu Jena Bedencken über die Wolffianische Philosophie mit Anmerckungen erläutert von Christian Wolffen. Frankfurt, 1724.

17. Ausführliche Nachricht von seinen eigenen Schrifften, die er in deutscher Sprache von den verschiedenen Theilen der Welt-Weißheit heraus gegeben. Frankfurt, 1726

18. Philosophia rationalis sive Logica, methodo scientifica pertractata. Praemittitur discursus praeliminaris de philosophia in genere. Ed. tertia emendatior, Frankfurt u. Leipzig, 1740 [[1]1728].

19. Horae subsecivae Marburgenses 1729—1731. Bd. 1—3. Frankfurt u. Leipzig, 1729—1741.

20. Philosophia prima sive Ontologia. Ges. Werke, II. Abt. Bd. 3, ed. et cur. Johannes Ecole. Hildesheim: Olms, 1962 [Text d. 2. Aufl., Frankfurt u. Leipzig, 1736; [1]1730].

21. Cosmologia generalis. Ges. Werke, II. Abt. Bd. 4, ed. et cur. Johannes Ecole. Hildesheim: Olms, 1964 [Text d. 2. Aufl., Frankfurt u. Leipzig, 1737; [1]1731].

22. Psychologia empirica, methodo scientifica pertractata. Ed. nova emendatior, Frankfurt u. Leipzig, 1738 [[1]1732].

23. Psychologia rationalis, methodo scientifica pertractata. Ed. nova emendatior, Frankfurt u. Leipzig, 1740 [[1]1734].

24. Theologia naturalis, methodo scientifica pertractata. Pars Prior. Frankfurt u. Leipzig, 1736.

25. Theologia naturalis, methodo scientifica pertractata. Pars Posterior. Frankfurt u. Leipzig, 1737.

26. Gesammelte kleine philosophische Schrifften. Bd. 1—6. Halle, 1736—1740.

27. Meletemata mathematico — philosophica, cum erudito orbe literarum commercio communicata, quibus accedunt Dissertationes varia. Halle, 1755.

28. Briefwechsel zwischen Leibniz und Christian Wolff, hg. C. I. Gerhardt. Nachdr. [Halle, 1860], Hildesheim: Olms, 1963.

29. Briefe von Christian Wolff aus den Jahren 1719—1753. St. Petersburg, 1860.

30. Christian Wolffs eigene Lebensbeschreibung, hg. (mit e. Abh. über Wolff) Heinrich Wuttke. Leipzig, 1841.

CALOV, Abraham. Scripta philosophica. Wittenberg, 1673 [1 Rostock, 1650/51].
—, „Gnostologia", Scripta philosophica, S. 1–37.
—, „Metaphysicae divinae pars generalis", Scripta philosophica, S. 87–545.
—, „Metaphysicae divinae pars specialis", Scripta philosophica, S. 548–898.
—, „Noologia", Scripta philosophica, S. 38–86.

FROMM [Fromme], Valentin. Gnostologia, hoc est doctrina generalia totius philosophiae fundamenta methodice percepta. Wittenberg, 1632 (1631).

GUTKE, Georg. Habitus primorum principiorum seu intelligentia. Berlin, 1625.

HEBENSTREIT, Joh. Paul. Philosophia prima. Ed. quarta, Jena, 1705 [11961].

KECKERMANN, Bartholomäus. Scientiae metaphysicae compendiosum systema. Hanau, 1611 [11609].

MARTINI, Cornelius. Metaphysica. Jena, 1622.
—, Metaphysica commentatio compendiose, succincte, et perspicue comprehendens universam Metaphysices doctrinam. Straßburg, 1605.

MARTINI, Jakob. Exercitationum metaphysicarum libri duo. o. O., 1608.
—, Partitiones et quaestiones metaphysicae. Ed. tertia, Wittenberg, o. J. [1 1615].

MEIER, Georg. Solida totius humanae cognitionis, et imprimis philosophiae fundamenta [Gnostologia u. Noologia]. Wittenberg, 1666.
—, Pneumatica, qua Scientia spirituum Dei, Angeli et Animae hominis separatae naturalis solide explicatur et vindicatur. Wittenberg, 1666.

SCHARF, Johannes. Metaphysica exemplaris. Ed. secunda, Wittenberg, 1628 [1 1625].
—, Pneumatica seu Pneumatologia. Wittenberg, 1629.

SCHEIBLER, Christoph. Opus metaphysicum. Marburg, 1637 [1 Gießen, 1617, Bd. 1–2].
—, Theologia naturalis et Angelographia. Gießen, 1621.

SCHERZER, Joh. Adam. Vademecum, sive manuale philosophicum quadripartitum. Leipzig, 1704 [1 1654].

STAHL, Daniel. Compendium Metaphysicae in XXIV Tabellas redactum. Jena, 1655 [1 Frankfurt, 1652].
—, Institutiones metaphysicae. Jena, 1664.
—, Regulae philosophicae. Jena u. Helmstedt, 1671 [1 Jena, 1657].

TIMPLER, Clemens. Metaphysicae systema methodicum. Hanau, 1608 [1 Steinfurt, 1604].

III. Andere

ARNAULD, Antoine. Oeuvres. T. 1—42 [vols. 37]. Paris, 1775—1781. Bd. 41: La Logique ou l'Art de penser.

CARBO, Ludovicus. Compendium absolutissimum totius Summae Theologiae D. Thomae Aquinatis. Venedig, 1587.

CLAUBERG, Johannes. Opera omnia philosophica, cura Joh. Theod. Schalbruchii. Amsterdam, 1691.
—, „De cognitione Dei et nostri, quatenus naturali rationis lumine, secundum veram Philosophiam, potest comparari, Exercitationes centum", Opera, S. 585—764.
—, „Differentia inter Cartesianam, et in scholis vulgo usitatam Philosophiam", Opera, S. 1217—1235.
—, „Metaphysica de ente, quae rectius Ontosophia, aliarum disciplinarum, ipsius quoque Jurisprudentiae et Literarum, studiosis accommodata", Opera, S. 277—340 [Ed. tertia].

DESCARTES, René. Oeuvres de Descartes, publ. par Charles Adam et Paul Tannery. Bd. 1—13. Repr., Paris, 1957—1958.
—, Discours de la méthode, übers. u. hg. Lüder Gäbe. Philos. Bibl., 261. Nachdr., Hamburg: Meiner, 1964.
—, Discours de la méthode, Texte et commentaire par E. Gilson. Bibliothèque des textes philosophiques. 4e éd., Paris: Vrin, 1967.
—, Meditationes de prima philosophia, auf Grund der Ausgabe v. Artur Buchenau neu hg. Lüder Gäbe. Phil. Bibl., 250 a. Hamburg: Meiner, 1959.
—, Meditationen über die Grundlagen der Philosophie mit den sämtl. Einwänden u. Erwiderungen, zum erstenmal vollständig übers. u. hg. Artur Buchenau. Philos. Bibl., 27. Unver. Neudr., Hamburg: Meiner, 1965.
—, Die Prinzipien der Philosophie, übers. u. erl. Artur Buchenau. Philos. Bibl., 28. 7. Aufl., Hamburg: Meiner, 1965 [unver. Nachdr. 4 1922].
—, Regeln zur Leitung des Geistes. Die Erforschung der Wahrheit durch das natürliche Licht, hg. u. übers. Artur Buchenau. Phil. Bibl., 26 b. Unver. Nachdr. [2 1920], Hamburg: Meiner, 1962.

DUHAMEL [du Hamel], Jean-Baptiste. „De consensu veteris et novae Philosophiae libri quatuor", Operum philosophicorum T. I [mehr nicht ersch.]. Nürnberg, 1681. S. 539—799.
—, Philosophia vetus et nova. Bd. 1—6. 2. Aufl., Paris, 1681. Bd. II.

FONTENELLE, [Bern. le Bovier de]. Entretiens sur la pluralité des mondes. Nouv. éd., augmentée d'un Sixième Entretien. La Haye, 1750 [1 1686].

HOBBES, Thomas. Vom Körper (Elemente der Philosophie I) [Elementorum philosophiae sectio prima de corpore, deutsch], ausgew. u. übers. Max Frischeisen-Köhler. Philos. Bibl., 157. 2., mit Literaturhinw. u. Reg. vers. Aufl., Hamburg: Meiner, 1967.

Huet, Petrus Daniel. Censura philosophiae cartesianae. Frankfurt u. Leipzig, 1690.

Kant, Immanuel. Werke in sechs Bänden, hg. Wilhelm Weischedel. Darmstadt: Wiss. Buchgesellschaft, 1963—1964. Bd. II: Kr. d. r. V.

Lange, Joachim. Caussa Dei. Halle, 1726.
—, Modesta disquisitio novi philosophiae systematis de Deo, mundo et homine. Halle, 1723.

Leibniz, Gottfried Wilhelm. Die philosophischen Schriften, hg. C. I. Gerhardt. Bd. 1—7. Unver. Nachdr. Berlin, 1875—1880, Hildesheim: Olms, 1960—1965.
—, Hauptschriften zur Grundlegung der Philosophie, übers. A. Buchenau, durchges. u. mit Einleitungen u. Erläuterungen hg. Ernst Cassirer. Bd. 1—2. Philos. Bibl., 107. 3. erg. Aufl., Hamburg: Meiner, 1966.
—, Philosophische Schriften, hg. u. übers. Hans Heinz Holz. Bd. I, III/1.2 —. Darmstadt: Wiss. Buchgesellschaft 1961 —.
—, Vernunftprinzipien der Natur und der Gnade, auf Grund d. krit. Ausgabe v. A. Robinet (1954) u. d. Übers. v. A. Buchenau mit Einführung und Anmerkungen hg. Herbert Herring. Unver. Nachdr. [1956], Hamburg: Meiner, 1960.

Locke, John. An essay concerning human understanding, ed. with introd. John W. Yolton. Bd. 1—2. Everyman's Library, 332, 984. London — New York, 1961.
—, Über den menschlichen Verstand. Bd. 1—2. Philosophische Studientexte. Berlin: Akademie-Verlag, 1962.

Régis, Silvain Pierre. Cours entier de philosophie ou systeme general selon les principes de M. Descartes. T. 1—3 [in 1 Bd.]. Dernière éd., Amsterdam, 1961. T. I, 63—272: La métaphysique.

Spinoza, Baruch. Opera, i. A. d. Heidelberger Akademie d. Wiss. hg. Carl Gebhardt. Bd. 1—4. Heidelberg, O. J. [1925].
—, Opera. Werke, hg. Konrad Blumenstock. [Bd. 1—4] Bd. II —. Darmstadt: Wiss. Buchgesellschaft, 1967 —.
—, Die Ethik nach geometrischer Methode dargestellt [Ethica more geometrico demonstrata, deutsch], Übers., Anm. u. Reg. v. Otto Bausch, Einl. v. Rudolf Schottländer. Philos. Bibl., 92. Unver. Nachdr. [1955], Hamburg: Meiner, 1963.

Thomas von Aquin. Summa theologiae. Bd. 1—5. Bibliotheca de autores cristianos. Bd. I. 3. Aufl., Madrid, 1961.

Thomas[ius], Christian. Einleitung zu der Vernunft-Lehre. 5. u. correctere Aufl., Halle, 1719 [[1] 1691].
—, Versuch vom Wesen des Geistes. Halle, 1699.
—, Introductio ad philosophiam aulicam. Ed. altera, Halle, 1702 [[1] Leipzig, 1688].

Tschirnhaus, Ehrenfried Walther von. Medicina mentis et corporis, mit e. Vorwort v. Wilhelm Risse. Nachdr. [Med. mentis: [2] Leipzig, 1695], Hildesheim: Olms, 1964.

—, Medicina mentis sive artis inveniendi praecepta generalia. Ed. nova (Lipsiae 1695), ins Dt. übers. u. kommentiert v. Joh. Haussleiter, mit mathematikgeschichtlichen Zusätzen v. Herbert Oettel u. e. biogr. Einf. sowie mehreren Anhängen v. Rudolph Zaunick. Acta historica Leopoldina, 1. Leipzig: Barth, 1963.

B. SEKUNDÄRLITERATUR

Alquié, Ferdinand. Descartes [Descartes, Paris, 1956, deutsch], übers. Christoph Schwarze, mit e. Beitr. v. Iring Fetscher. Frommanns Klassiker d. Philosophie, 35. Stuttgart-Bad Cannstatt, 1962.

Arndt, Hans Werner. Einleitung zu Christian Wolff, Vernünftige Gedanken von den Kräften des menschlichen Verstandes, hg. u. bearb. H. W. Arndt. Ges. Werke, I. Abt. Bd. 1. Hildesheim: Olms, 1965, S. 7—102.

Arnsperger, Walther. Christian Wolff's Verhältnis zu Leibniz. Weimar, 1897.

Aster, Ernst von. Geschichte der neueren Erkenntnistheorie. Berlin u. Leipzig, 1921.

Baumann, Julius. Wolffsche Begriffsbestimmungen. Philos. Bibl., 122. Leipzig: Dürr, 1910.

Baumeister, Friedr. Christian. Vita, fata et scripta Christiani Wolfii Philosophi. Leipzig u. Breslau, 1739.

Beck, L. J. The method of Descartes. A study of the Regulae. Oxford, 1952.

Blackwell, Richard J. „Christian Wolff's doctrine of the soul". Journal of the History of Ideas, 22 (1961), 339—354.

—, „The structure of Wolffian Philosophy". The modern Schoolman, 38 (1960/1961), 203—218.

Bochenski, J. M. Formale Logik. Orbis Academicus, III, 2. 2., erw. Aufl., Freiburg: Alber, o. J. [1962].

Bohatec, Josef. Die cartesianische Scholastik in der Philosophie und reformierten Dogmatik des 17. Jahrhunderts. Leipzig, 1912.

Bouillier, Francisque. Histoire de la philosophie cartésienne. Bd. 1—2. 3. Aufl., Paris, 1868.

Braunschweiger, D. Die Lehre von der Aufmerksamkeit in der Psychologie des 18. Jahrhunderts. Leipzig, 1899.

Brockdorff, Baron Cay von. Die deutsche Aufklärungsphilosophie. Geschichte der Philosophie in Einzeldarstellungen, 26. München, 1926.

BROSCH, Pius. Die Ontologie des Johannes Clauberg. Greifswald, Phil. Diss., 1926.

BRUCKER, Jakob. Historia critica philosophiae a mundi incunabilis ad nostram usque aetatem deducta. T. 1–6. Leipzig, 1742–1767.

BURNS, John V. Dynamism in the cosmology of Chr. Wolff. New York, 1966.

CAMPO, Mariano. Cristiano Wolff e il razionalismo precritico. Bd. 1–2. Pubblicazioni dell' Univ. cattol. d. S. Cuore, Ser. prima, vol. 30. Milano, 1939.

–, „Una tesi psicologica dell' intellettualismo wolfiano: la deduzione della ‚vis repraesentativa' ". Rivista di filosofia neoscolastica, 30 (1938), 492–518 [entspricht Campo I, 346–389].

CASSIRER, Ernst. Das Erkenntnisproblem in der Philosophie und Wissenschaft der neueren Zeit. Bd. 1–4. Berlin, 1906–1920 [Bd. 4 u. d. T. Von Hegels Tod bis zur Gegenwart (1831–1932), Stuttgart, 1957]. Bd. II.

–, Die Philosophie der Aufklärung. Grundriß der philos. Wissenschaft, hg. Fr. Medicus. Tübingen, 1932.

COTTIER, Athanas. Der Gottesbeweis in der Geschichte der modernen Aufklärungsphilosophie. Descartes, Spinoza, Leibniz, Wolff, Kant. Fribourg, Phil. Diss., 1940. Bern, 1943.

COUTURAT, Louis. La Logique de Leibniz. Paris, 1901. [Nachdr., Hildesheim: Olms, 1961].

DESSOIR, Max. Abriß einer Geschichte der Psychologie. Die Psychologie in Einzeldarstellungen, IV. Heidelberg, 1911.

–, Geschichte der neueren deutschen Psychologie. 2. Aufl., Berlin, 1902.

DIJKSTERHUIS, E. J. Die Mechanisierung des Weltbildes [De Mechanisering van het Wereldbeeld, Amsterdam, 1950, deutsch], übers. Helga Habicht. Berlin, 1956.

EBERSTEIN, W. L. G. Freyherr von. Versuch einer Geschichte der Fortschritte der Philosophie in Deutschland, vom Ende des vorigen Jahrhunderts bis auf gegenwärtige Zeit [auch u. d. T. Versuch einer Geschichte der Logik und Metaphysik bey den Deutschen von Leibniz bis auf gegenwärtige Zeit], hg. Johann August Eberhard. Bd. 1–2. Halle, 1794–1799.

ECOLE, Jean. „Cosmologie wolfienne et dynamique leibnizienne. Essai sur les rapports de Wolff avec Leibniz". Les études philosophiques, 9 (1964), 3–9.

–, „Un Essai d'explication rationelle du monde ou la Cosmologia generalis de Christian Wolff". Giornale di metafisica, 18 (1963), 622–650.

–, Introductio zu Chr. Wolff, Cosmologia generalis, ed. et cur. Johannes Ecole. Ges. Werke, II. Abt. Bd. 4. Hildesheim: Olms, 1964. S. V–XLIV.

–, Introductio zu Chr. Wolff, Philosophia prima sive Ontologia, ed. et cur. Johannes Ecole. Ges. Werke, II. Abt. Bd. 3. Hildesheim: Olms, 1962. S. V–XXIV.

–, „La ‚Philosophia prima sive Ontologia' de Christian Wolff: Histoire, doctrine et méthode". Giornale di metafisica, 16 (1961), 114–125.

Erdmann, Johann Eduard. Versuch einer wissenschaftlichen Darstellung der Geschichte der neueren Philosophie. Bd. 1–6. Riga u. Dorpat bzw. Leipzig, 1834–1853. Bd. II, 2.

Eschweiler, Karl. „Die Philosophie der spanischen Spätscholastik auf den deutschen Universitäten des 17. Jahrhunderts". Spanische Forschungen d. Görresges., 1. R.: Ges. Aufs. z. Kulturgeschichte Spaniens, hg. H. Finke, 1. Münster, 1928. S. 251–325.

Eucken, Rudolf. Geschichte der philosophischen Terminologie. Nachdr. [Leipzig, 1879], Hildesheim: Olms, 1964.

Fabian, Gerd. Beitrag zur Geschichte des Leib-Seele-Problems. (Lehre von der prästabilierten Harmonie und vom psychophysischen Parallelismus in der Leibniz-Wolffschen Schule). Fr. Mann's Pädagog. Magazin, 1012. Langensalza, 1925.

Fetscher, Iring. „Das französische Descartesbild der Gegenwart", Aliquié, Ferd., Descartes. Stuttgart-Bad Cannstatt, 1962. S. 127–158.

Fischer, Kuno. Gottfried Wilhelm Leibniz. Leben, Werke und Lehre. Geschichte der neueren Philosophie, 3. 5., durchges. Aufl., Heidelberg, 1920.

–, Spinozas Leben, Werke und Leben. Geschichte der neueren Philosophie, 2. 6. Aufl., Heidelberg, 1946.

Fleckenstein, Joachim Otto. Gottfried Wilhelm Leibniz. Plinius-Bücher, 2. Thun-München, 1958.

Fülleborn, Georg Gustav. Beyträge zur Geschichte der Philosophie. Bd. 1–3. Züllichau u. Freystadt bzw. Jena, 1791–1799.

Gent, Werner. Die Philosophie des Raumes und der Zeit. Hist. krit. u. analyt. Untersuchung. Bd. 1–2. Bonn, 1926. Bd. I.

Gilson, Etienne. René Descartes, Discours de la méthode, Texte et commentaire par Etienne Gilson. Bibliothèque des textes philosophiques. 4e éd., Paris: Vrin, 1967.

Göpfert, Eduard E. Claubergstudien. 1. Teil: C's Verdienste um die Förderung der deutschen Sprache und seine Ansicht über die philosophischen Vorzüge derselben. Meiningen, 1898.

Gottsched, Joh. Christoph. Historische Lobschrift des weiland hoch- und wohlgebohrnen Herrn Herrn Christians des H. R. R. Freyherrn von Wolff. Halle, 1755.

Gouhier, Henri. La pensée métaphysique de Descartes. Bibliothèque d'histoire de la philosophie. Paris: Vrin, 1962.

–, La pensée religieuse de Descartes. Etudes de philos. médiévale, 6. Paris: Vrin, 1924.

Grau, Kurt Joachim. Die Entwicklung des Bewußtseinsbegriffs im XVII. und XVIII. Jahrhundert. Abhandlungen z. Philos. u. ihrer Geschichte, 39. Halle, 1916.

GUEROULT, Martial. Descartes selon l'ordre des raisons. Bd. 1–2. Paris: Aubier, 1953.

HARTMANN, Eduard von. Geschichte der Metaphysik. Bd. 1–2. Ausgew. Werke, 11. 12. Leipzig, 1899–1900.

HARTMANN, Georg Volcmar. Anleitung zur Historie der Leibnitz-Wolffischen Philosophie und der darinnen von Herrn Prof. Langen erregten Controvers, nebst einer Historischen Nachricht vom Streite und Übereinstimmung der Vernunfft mit dem Glauben. Frankfurt u. Leipzig, 1737.

HEILEMANN, Paul August. Die Gotteslehre des Chr. Wolff. Leipzig, Phil. Diss., 1907.

HEIMSOETH, Heinz. Metaphysik der Neuzeit. Nachdr., Darmstadt: Wiss. Buchgesellschaft, 1967.
—, Die Methode der Erkenntnis bei Descartes und Leibniz. Philos. Arbeiten, VI, 1. 2. Gießen, 1912–1914.
—, „Christian Wolffs Ontologie und die Prinzipienforschung I. Kants", Studien z. Philos. I. Kants, Ges. Abhandlungen, 1. Köln, 1956. S. 1–92.

HENRICH, Dieter. Der ontologische Gottesbeweis. 2., unver. Aufl., Tübingen, 1967.

HERMELINK, H. u. Kaehler, S. A. Die Philippsuniversität zu Marburg 1527–1927. Marburg, 1927.

HETTNER, Hermann. Literaturgeschichte des achtzehnten Jahrhunderts. Bd. 1–6. III, 4., verb. Aufl., Braunschweig, 1893.

HILDEBRANDT, Kurt. Leibniz und das Reich der Gnade. Haag: Nijhoff, 1953.

HÖNIGSWALD, Richard. Geschichte der Erkenntnistheorie. Nachdr. [Berlin, 1933], Darmstadt: Wiss. Buchgesellschaft, 1966.

HOLZ, Hans Heinz. Urban-Bücher, 34. Stuttgart, 1958.

HUBER, Kurt. Leibniz. München, 1951.

IWANICKI, Joseph. Leibniz et les démonstrations mathématiques de l'existence de Dieu. Strasbourg, Theol. Diss., 1933.

JALABERT, Jacques. Le Dieu de Leibniz. Univ. Grenoble Publ. Faculté Lettres et Sciences Humaines, 23. Paris, 1960.

JANKE, Wolfgang. Leibniz. Die Emendation der Metaphysik. Philos. Abhandlungen, 23. Frankfurt, 1963.

JANSEN, Bernhard. Geschichte der Erkenntnislehre in der neueren Philosophie bis Kant. Paderborn, 1940.
—, „Philosophen katholischen Bekenntnisses in ihrer Stellung zur Philosophie der Aufklärung". Scholastik, 11 (1936), 1–51.
—, „Die scholastische Philosophie des 17. Jahrhunderts". Philos. Jahrbuch d. Görresges., 50 (1937), 401–444.

JOESTEN, Klara. Christian Wolffs Grundlegung der praktischen Philosophie. Forschungen z. Geschichte d. Philosophie u. Pädagogik, 5 [auch Köln, Phil. Diss., 1931]. Leipzig, 1931.

KÄSTNER, Alexander. Geschichte der teleologischen Gottesbeweise von Renaissance bis Aufklärung. Bern, Phil. Diss., 1906/07. Leipzig, 1907.

KAFKA, Gustav. „Die Aufklärung als philosophiegeschichtliche Erscheinung". Philos. Jahrbuch d. Görresges., 47 (1934), 207—220.

KAHL-FURTHMANN, G. „Inwiefern kann man Wolffs Ontologie eine Transzendentalphilosophie nennen?". Studia philosophica, 9 (1949), 80—92.

KLEMMT, Alfred. John Locke. Theoretische Philosophie. Monographien z. philos. Forschung, 10. Meisenheim / Glan — Wien, 1952.

KNÜFER, Karl. Grundzüge der Geschichte des Begriffs Vorstellung von Wolff bis Kant. Berlin, Phil. Diss., 1911 [auch Abhandlungen z. Philos. u. ihrer Geschichte, 37].

KOCH, Paula. Der Gottesbeweis bei Gottfried Wilhelm Leibniz. Freiburg / Schweiz, Phil. Diss., 1926.

KOHLMEYER, Ernst. Kosmos und Kosmonomie bei Chr. Wolff. Göttingen, Diss., 1911. [Abhandlungen d. Fries'schen Schule, N. F. 3, H. 4].

LASSWITZ, Kurd. Geschichte der Atomistik vom Mittelalter bis Newton. Bd. 1—2. Hamburg u. Leipzig, 1890.

LEVY, Harry. Die Religionslehre Wolff's. Würzburg, Phil. Diss., 1929.

LEWALTER, Ernst. Spanisch-jesuitische und deutsch-lutherische Metaphysik des 17. Jahrhunderts. Ibero-amerikanische Studien, 4. Hamburg, 1935.

LUDOVICI, Carl Günther. Ausführlicher Entwurf einer vollständigen Historie der Wolffischen Philosophie. Bd. 1—3. Leipzig, 1737—1738 [I [3] 1738].

—, Neueste Merkwürdigkeiten der Leibnitz-Wolffischen Weltweisheit. Frankfurt u. Leipzig, 1738.

—, „Leibnitz", Grosses vollständiges Universal-Lexikon aller Wissenschaften und Künste. Bd. 1—64, Suppl. 1—4. Halle u. Leipzig: Joh. Heinrich Zedler, 1732—1750, 1751—1754. Bd. 16, Sp. 1517—1553.

—, „Wolf (Christian)", ebd. Bd. 58, Sp. 549—677.

—, „Wolfische Philosophie", ebd. Bd. 58, Sp. 884—1232.

—, Sammlung und Auszüge der sämmtlichen Streitschriften wegen der Wolfischen Philosophie. Bd. 1—2. Leipzig, 1737—1738.

LÜTHJE, Hans. „Christian Wolffs Philosophiebegriff". Kantstudien, 30 (1925), 39—66.

MAHNKE, Dietrich. „Leibnizens Synthese von Universalmathematik und Individualmetaphysik". Jahrbuch für phänomenologische Forschung, 7 (1925), 305—612.

MARTIN, Gottfried. Leibniz. Logik und Metaphysik. 2., durchges. u. verm. Aufl., Berlin, 1967.

MEISSNER, H. A. Philosophisches Lexicon aus Christian Wolffs sämtlichen deutschen Schriften. Bayreuth u. Hof, 1738. [Unzugänglich; Nachdr., Düsseldorf: Stern, geplant].

MICHAELIS, Anneliese. Der ontologische Sinn des complementum possibilitatis bei Chr. Wolff. Basel, Diss. [?]. Berlin, 1937.

MÜLLER, Hermann. Johannes Clauberg und seine Stellung im Cartesianismus mit besonderer Berücksichtigung seines Verhältnisses zu der occasionalistischen Theorie. Jena, Diss., 1891.

MÜLLER, Kurt [Bearb.]. Leibniz-Biographie. Veröffentlichungen des Leibniz-Archivs, 1. Frankfurt, 1967. [Lit. bis 1962].

ORTLOFF, Johann Andreas. Handbuch der Litteratur der Philosophie. Erlangen, 1798.

OSTERTAG, Heinrich. Der philosophische Gehalt des Wolff-Manteuffelschen Briefwechsels. Abhandlungen z. Philos. u. ihrer Geschichte, 13. Leipzig, 1910.

PETERSEN, Peter. Geschichte der aristotelischen Philosophie im protestantischen Deutschland. Habil.-Schrift. Hamburg, 1921.

PHILIPP, Wolfgang. „Die religiösen Triebkräfte der werdenden Aufklärung und der Philosoph Christian Wolff". Theolog. Literaturzeitung, 81 (1956), 395 — 400.

—, Das Werden der Aufklärung in theologiegeschichtlicher Sicht. Forschungen z. syst. Theologie u. Religionsphilos., 3. Göttingen, 1957.

PICHLER, Hans. Über Christian Wolffs Ontologie. Leipzig, 1910.

PIUR, Paul. Studien zur sprachlichen Würdigung Christian Wolffs. Halle, 1903.

RAVIER, Emile. Bibliographie des oeuvres de Leibniz. Paris. 1937. [Auch Nachdr., Hildesheim: Olms, 1966].

RUELLO, Francis. „Christian Wolff et la scolastique". Traditio, 19 (1963), 411 — 425.

SCHALLER, Julius. Geschichte der Naturphilosophie von Bacon von Verulam bis auf unsere Zeit. Bd. 1—2. Leipzig, 1841. Bd. I.

SCHÖFFLER, Herbert. Deutsches Geistesleben zwischen Reformation und Aufklärung. 2. Aufl., Frankfurt, 1956.

SCHRADER, Wilhelm. Geschichte der Friedrichsuniversität zu Halle. Bd. 1—2. Berlin, 1894.

—, „Christian Wolff", Allgemeine Deutsche Biographie. Bd. 44. Leipzig, 1898. S. 12—28.

SCHULZ, Walter. Der Gott der neuzeitlichen Metaphysik. 3., unver. Aufl., Pfullingen, 1957.

Sebba, Gregor. Bibliographia cartesiana. A critical guide to the Descartes Literature 1800–1960. Archives internat. d'histoire des idées, 5. The Hague: Nijhoff, 1964.

Siewerth, Gustav. Das Schicksal der Metaphysik von Thomas bis Heidegger. Horizonte, 6. Einsiedeln, 1959.

Tholuck, A. Geschichte des Rationalismus. Berlin, 1865.

Tiedemann, Dieterich. Geist der spekulativen Philosophie. Bd. 1–6. Marburg, 1791–1797. Bd. VI.

Tonelli, Giorgio. „La question des bornes de l'entendement humain au XVIIIe siècle et la genèse du criticisme kantien, particulièrement par rapport au problème de l'infini". Revue de métaphysique et de morale, 64 (1959), 396–427.

—, „Der Streit über die mathematische Methode in der Philosophie in der ersten Hälfte des 18. Jahrhunderts und die Entstehung von Kants Schrift über die ‚Deutlichkeit' ". Archiv f. Philos., 9 (1959), 37–66.

Überweg, Friedrich. Grundriß der Geschichte der Philosophie. Bd. III: Die Philosophie der Neuzeit bis zum Ende des XVIII. Jahrhunderts, hg. Frischeisen-Köhler u. Moog. 13. Aufl. [unver. Nachdr. d. 12. Aufl.], Tübingen: Wiss. Buchgesellschaft, 1953.

Utitz, Emil. Christian Wolff. Hallische Universitätsreden, 45. Halle, 1929.

Verweyen, Johannes. Ehrenfried Walter von Tschirnhaus als Philosoph. Bonn, Phil. Diss., 1905.

Vleeschauwer, J. H. de. „Christian Wolff et le ‚Journal litteraire' ". Philos. naturalis, 2 (1952/54), 358–375.

—, „La genèse de la méthode mathématique de Wolf". Revue Belge de philologie et d'histoire, 11 (1932), 651–677.

Vorländer, Karl. Geschichte der Philosophie. Bd. II: Die Philosophie der Neuzeit bis Kant, neu bearb. u. mit Literaturübersicht vers. v. Hinrich Knittermeyer. 9. Aufl., Hamburg, 1955.

—, Philosophie der Neuzeit. Geschichte d. Philosophie V, bearb. H. Knittermeyer, mit Quellentexten u. bibliogr. Ergänzungen vers. Eckhard Keßler. rde 281/282. [Reinbek b. Hamburg], 1967.

Wegener, Richard. Das Theodizeeproblem in der Philosophie des 18. Jahrhunderts. Halle, 1909.

Wildermuth, Armin. Wahrheit und Schöpfung. Ein Grundriß der Metaphysik des Gottfr. W. Leibniz. Basel, Phil.-hist. Diss., 1960. Winterthur, 1960.

Windelband, Wilhelm. Lehrbuch der Geschichte der Philosophie, hg. Heinz Heimsoeth. 15., durchges. u. erg. Aufl., Tübingen, 1957.

Winter, E. [Hg.]. E. W. von Tschirnhaus und die Frühaufklärung in Mittel- und Osteuropa. Studien z. Gesch. Osteuropas, 7. Berlin: Akademie-Verl., 1960.

Wolf, A. A history of science, technology, and philosophy in the eighteenth century. 2. Aufl., London, 1952.

Wolff, Hans M. Die Weltanschauung der deutschen Aufklärung in geschichtlicher Entwicklung. München, 1949.

Wundt, Max. „Christian Wolff und die deutsche Aufklärung", Das Deutsche in der deutschen Philosophie, hg. Theodor Haering. Stuttgart u. Berlin, 1941. S. 229–246.

–, „Die deutsche Philosophie im Zeitalter der Aufklärung". Zeitschr. f. deutsche Kulturphilosophie, 2 (1936), 225–250.

–, Die deutsche Philosophie und ihr Schicksal. Fr. Mann's Pädagog. Magazin, 1095. 2. Aufl., Langensalza, 1926.

–, Die Philosophie an der Universität Jena. Beiträge z. Geschichte d. Univ. Jena, 4. Jena, 1932.

–, Die deutsche Schulmetaphysik des 17. Jahrhunderts. Heidelberger Abhandlungen z. Philos. u. ihrer Geschichte, 29. Tübingen, 1939.

–, Die deutsche Schulphilosophie im Zeitalter der Aufklärung. Olms Paperb., 4. Nachdr. [Tübingen, 1945], Hildesheim: Olms, 1964.

Wuttke, Heinrich. „Über Christian Wolff den Philosophen", Christian Wolffs eigene Lebensbeschreibung, hg. H. Wuttke. Leipzig, 1841. S. 1–106.

Zart, G[ustav]. Einfluß der englischen Philosophie seit Bacon auf die deutsche Philosophie des 18. Jahrhunderts. Berlin, 1881.

Zeller, Eduard. Geschichte der deutschen Philosophie seit Leibniz. München, 1873.

–, „Wolff's Vertreibung aus Halle; der Kampf des Pietismus mit der Philosophie", Vorträge u. Abhandlungen, 1. Sammlung. 2. Aufl., Leipzig, 1875. S. 117–152.

Zocher, Rudolf. „Leibniz' Erkenntnislehre", Leibniz zu seinem 300. Geburtstag 1646–1946, hg. E. Hochstetter. 8 Lieferungen. Berlin, 1946–1952. Lieferung 7 [1952].

–, „Zum Satz vom zureichenden Grund bei Leibniz", Beiträge zur Leibnizforschung, hg. G. Schischkoff. Monographie z. philos. Forschung, 1. Reutlingen, o. J. S. 68–87.

PERSONENREGISTER

SACHREGISTER